Bodas
PARA
DUMMIES
2ª Edición

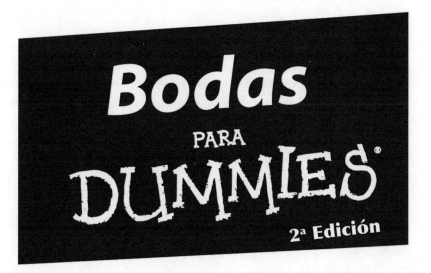

Bodas
PARA
DUMMIES®

2ª Edición

Marcy Blum
y Laura Fisher Kaiser

Traducción
Verónica Cárdenas

GRUPO
EDITORIAL
norma

Bogotá, Barcelona, Buenos Aires, Caracas, Guatemala,
Lima, México, Panamá, Quito, San José,
San Juan, Santiago de Chile, Santo Domingo

Edición original en inglés:
Wedding Planning for Dummies, 2ª edición
de Marcy Blum y Laura Fisher Kaiser
Una publicación de Wiley Publishing, Inc.
Copyright © 2005.
...For Dummies y los logos de Wiley Publishing, Inc.
son marcas registradas utilizadas bajo licencia exclusiva
de Wiley Publishing, Inc.

Edición en español publicada mediante acuerdo con Wiley Publishing, Inc.
Copyright © 2006 para todo el mundo de habla hispana,
excluyendo España, por Grupo Editorial Norma, S. A.
Apartado Aéreo 53550, Bogotá, Colombia.
http://www.norma.com
Reservados todos los derechos.
Prohibida la reproducción total o parcial de este libro,
por cualquier medio, sin permiso escrito de la Editorial.
Impreso por Imprelibros S.A.
Impreso en Colombia — Printed in Colombia

Revisión técnica, María Marcedes Herrera - Hacienda Fagua
Dirección de Arte, Jorge Alberto Osorio V.
Adaptación de cubierta, Jorge Alberto Osorio V.
Diagramación, Nohora Betancourt V.
Índice, Bernardo Borrero

Este libro se compuso en caracteres Cheltenham

ISBN: 958-04-9479-7

¡La fórmula del éxito!

Tomamos un tema de actualidad y de interés general, le añadimos el nombre de un autor reconocido, montones de contenido útil y un formato fácil para el lector y a la vez divertido, y ahí tenemos un libro clásico de la serie ...para Dummies.

Millones de lectores satisfechos en todo el mundo coinciden en afirmar que la serie ...para Dummies ha revolucionado la forma de aproximarse al conocimiento mediante libros que ofrecen contenido serio y profundo con un toque de informalidad y en lenguaje sencillo.

Los libros de la serie ...para Dummies están dirigidos a los lectores de todas las edades y niveles del conocimiento interesados en encontrar una manera profesional, directa y a la vez entretenida de aproximarse a la información que necesitan.

GRUPO
EDITORIAL
norma

Sobre las autoras

Marcy Blum trabaja como diseñadora y organizadora de fiestas y eventos desde hace más de 17 años. Experta en corrientes de moda, fue una de las primeras personas en su campo en romper con el modelo clásico de boda, demostrando a las parejas que una celebración con un nuevo estilo puede ser a la vez elegante y divertida de planear. Marcy dicta conferencias sobre el tema y asesora tanto a clientes independientes como a empresas. Así mismo, colabora como editora para la revista *Modern Bride*. Ha participado como invitada en los programas de televisión *The Oprah Winfrey Show, Live with Regis and Kelly, The Today Show* y *Good Morning America*. Marcy Blum Associates Events, que opera en la ciudad de Nueva York, organiza eventos en los Estados Unidos, el Caribe, Europa y Japón.

Laura Fisher Kaiser colabora para el diario *The Washington Post* y las revistas *This Old House* y *Interior Design*. Fue editora de las revistas *Yahoo! Internet Life*, *This Old House* y *Avenue*, y en la actualidad escribe sobre antigüedades y objetos coleccionables, arquitectura, diseño de exteriores y objetos de moda. Además de escribir *Weddings For Dummies* y *Wedding Kit for Dummies* (Wiley) con Marcy Blum, Laura es coautora, junto con su esposo, Michael Kaiser, de *The Official eBay Guide to Buying, Selling, and Collecting Just About Anything* (Fireside).

Mary Blum trabaja como diseñadora y organizadora de fiestas y eventos desde hace más de 17 años. Experta en conferencias de moda, fue una de las primeras personas en su campo en romper con el modelo clásico de moda, demostrando a las marcas que una celebración con un nuevo estilo puede ser a la vez elegante y divertida de planear. Mary dicta conferencias sobre el tema y asesora a tanto a clientes independientes como a empresas. Así mismo, colabora como editora para la revista *Modern Bride*. Ha participado como invitada en programas noticiosos y televisivos como *The Oprah Winfrey Show*, *Live with Regis and Kelly*, *The Today Show* y *Good Morning America*. Mary Blum Associates Events, con sede en la ciudad de Nueva York, organiza eventos en los Estados Unidos, el Caribe, Europa y Japón.

Laura Fisher Kaiser colabora para el diario *The Washington Post*, las revistas *This Old House* y *Interior Design*. Fue editora de las revistas *Taste of Interior Life*, *This Old House* y *Avenue*, y en la actualidad escribe sobre antigüedades y objetos coleccionables, arquitectura, diseño de exteriores y diseño de moda. Además de escribir *Weddings for Dummies* y *Bidding* (*en Era Dummies*) (Wiley) con Mary Blum, Laura es coautora, junto con su esposo, Michael Kaiser, de *The Official eBay Guide to Buying, Selling, and Collecting Just About Anything* (Fireside).

Dedicatoria

De Marcy: Para Tony, Anna y Dani, que me demuestran por qué uno quisiera tener un hijo. Y para Destin, claro está.

De Laura: Para mis padres, los mejores deseos en sus bodas de oro.

Agradecimientos

Damos un millón de gracias a nuestra agente, Sophia Seidner, de IMG Literary, por haber tomado la pelota y seguido en el juego con tanta gracia y tenacidad.

Expresamos nuestra gratitud por el talento de nuestra ilustradora, Liz Kurtzman, y de nuestro caricaturista, Rich Tennant. Agradecemos al equipo en Wiley, incluidas Courtney Allen, Melissa Bennett, Tracy Boggier, Kristin DeMint, Jennifer Ehrlich, Holly Gastineau-Grimes, Mary Goodwin, Michelle Hacker y Joyce Pepple. Así mismo, agradecemos de corazón a nuestra editora de proyecto, Alissa Schwipps, por andar siempre un paso delante de nosotras y por ser tan maravillosa persona.

Este libro se benefició inmensamente con el aporte y las ideas de varios expertos, entre ellos, Scott N. Weston, abogado de Nachshin & Weston, West Los Angeles; Gary Heck, de Korbel; Glorie Austern, calígrafa; Elizabeth Petty, de The Catering Company of Washington, y Terry DeRoy Gruber, de Gruber Photographers. También le estamos agradecidas a nuestra editora técnica, Lois Pearce, por sus opiniones.

No hubiéramos podido sobrevivir a lo largo de este proyecto sin el amor y el apoyo de nuestras familias: Sandea Green-Stark y todos en Marcy Blum Associates Events, así como Howard Blum y Destin; y, por supuesto, Michael, Adelaide, y todos en Grant Road.

Desde luego, nuestro agradecimiento más profundo es para las novias y novios que hicieron de nuestro primer libro, *Bodas para Dummies*, un éxito sin precedentes. Es para nosotras un honor haber podido servirles en su boda.

Tabla de contenido

Parte III: Guía para llevar a cabo la ceremonia 155

Capítulo 9: Cortejo nupcial y acompañantes 157

Capítulo 10: Ceremonias sensacionales............................ 177

Capítulo 11: Arreglos florales.. 209

Introducción

● ●

*L*a organización de una boda —sea ésta una ceremonia civil y modesta en el despacho de un juez, o una fiesta con el mayor de los
lujos— exige creatividad, planeación, diplomacia y valor. Es cierto
que semejante experiencia puede, en ocasiones, parecer abrumadora. Al fin y al cabo, el matrimonio marca una nueva etapa en la vida.
Sin embargo, nosotras estamos aquí para decirles: *no se angustien.*
Están en buenas manos (siempre y cuando tengan este libro en *sus*
manos...).

El propósito de *Bodas para Dummies*, segunda edición, es desmisti-
ficar y simplificar los cientos de detalles que tienen que ver con el
Gran Día, darles a las parejas ideas para hacer de su boda algo único
y personal, infundirles confianza para convertir la ceremonia y la
fiesta de su boda en un acontecimiento inolvidable (sea cual fuere
su presupuesto o estilo) *y*, ojalá, lograr que disfruten haciendo los
preparativos.

Sobre este libro

Bodas para Dummies, segunda edición, no es solamente para las novias. Puesto que los preparativos para una boda involucran tanto a
la novia como al novio, recomendamos que ambos tomen parte en el
proceso. Si ustedes aún no han comenzado a planear nada, les ayudaremos a hacerlo cuanto antes. Incluso si ya han comenzado, no
tendrán que volver a empezar de cero nuevamente si algo no quedó
bien hecho. A decir verdad, no existe una única manera correcta de
organizar una boda. Lo que a ambos los haga felices estará bien.

Hemos planeado este libro de modo que los preparativos para su
boda se realicen de la manera menos agobiante y más lógica posible.
Como una de las asesoras de eventos matrimoniales y celebraciones
de mayor reputación en los Estados Unidos, Marcy sabe muy bien
cómo hacer que el día de la boda sea feliz para todos y se desarrolle
sin complicaciones. Durante más de veinte años, Marcy ha ayudado
exitosamente a cientos de parejas a planear cada aspecto de la ceremonia y fiesta según sus expectativas y gustos personales.

Sabemos exactamente lo que ustedes están buscando. Por eso, *Bodas para Dummies* les ayuda a definir el estilo de su boda y los guía

durante cada etapa de la planeación. ¿Qué tan grande debería ser la boda y cuánto presupuesto convendría asignarle? ¿Cuál podría ser el lugar más indicado para llevar a cabo la ceremonia y la fiesta? ¿Cómo asegurarse de que todos los invitados lleguen a tiempo a la iglesia? ¿Cómo puede uno ahorrar dinero y, aun así, reflejar abundancia? Sean cuales fueren sus inquietudes en relación con el matrimonio, este libro de fácil consulta les indicará las respuestas.

Cada capítulo está dividido en partes y cada parte contiene información útil, tal como:

✔ Claves para establecer un presupuesto y no sobrepasar ese límite.

✔ Consejos para evaluar entre los posibles lugares donde podrían llevarse a cabo la ceremonia y la fiesta, tanto para ubicaciones locales como para las que exigen viajar.

✔ Detalles para ofrecer una óptima acogida a los invitados.

✔ Ideas para escoger un menú, un repertorio musical y unos recordatorios memorables.

✔ Consejos para lograr que el itinerario para el día del matrimonio se lleve a cabo según lo planeado, sin tropiezos inesperados.

Encontrarán que muchas guías para matrimonios proponen regirse mediante un cronograma fijo para llevar a cabo cada actividad relacionada con la boda. Sin embargo, nosotras creemos que, en vez de hacer el proceso eficiente, las fechas preestablecidas a menudo producen mayor ansiedad. Planear un matrimonio puede tomar dos años o dos meses. Antes que determinar un cronograma o protocolo estricto a seguir, hemos organizado este libro conforme a las necesidades más inmediatas de las novias y los novios, a muchos de los cuales el trabajo, el estudio o la familia les impiden dedicar el tiempo que quisieran a la organización de su boda. Nuestra consigna es sencilla: sus prioridades serán las que determinen las fechas, desde la del día de la boda hasta aquella que establezcan para la luna de miel.

Lo más agradable de este libro es que se puede comenzar en cualquier parte, según el tema que a uno más le llame la atención. Es un libro de referencia que se puede consultar en cualquier sección. Bastará con echar un vistazo al contenido o el índice para encontrar la información que se busca.

Convenciones utilizadas en este libro

Para facilitar la lectura de este libro, hemos establecido las siguientes convenciones:

- ✔ El texto en *itálica* se emplea para enfatizar algo o resaltar nuevos términos y palabras.

- ✔ El texto en **negrilla** se utiliza para indicar una acción o pasos específicos, así como palabras que sugerimos digitar en un buscador de internet.

- ✔ El texto en `Monofont` se utiliza para las direcciones de internet.

Ideas preconcebidas

Los libros se escriben siempre pensando en un determinado tipo de lector y así mismo hemos escrito éste. Al escribir *Bodas para Dummies*, segunda edición, suponemos lo siguiente acerca de nuestros lectores:

- ✔ Son parejas recién comprometidas que han comenzado a pensar concretamente en qué tipo de ceremonia y fiesta llevarán a cabo.

- ✔ Aunque tienen poca experiencia en lo que respecta a organizar bodas o siquiera una fiesta grande, quisieran que la suya no se limitara a seguir el modelo típico de celebración.

- ✔ Quieren conocer la información básica —los consejos de un profesional— pero sin que los bombardeen con todo tipo de detalles sin importancia.

- ✔ El presupuesto, sea grande o pequeño, les inquieta, pues se preguntan cuál será el costo de la boda de sus sueños y cómo podrán cubrir los gastos.

Nos es imposible decirles cómo exactamente debe ser su boda, pues esa decisión le corresponde tomarla a cada cual. Sin embargo, sí podemos orientarlos sobre la mejor manera de hacer uso de su presupuesto. Sabemos que aunque quieren enterarse de los modos tradicionales de celebrar un matrimonio, también les interesa conocer algunas innovaciones en los ritos y rituales oficiales. Aquí les enseñaremos todo esto, e incluso haremos que el proceso sea *divertido*.

Cómo está organizado este libro

En una boda, son tantos los aspectos que se han de planear simultáneamente que es difícil escoger un punto de partida. Ésta es una de las razones por las cuales no nos gustan las cronologías estrictas. Hemos organizado este libro del modo que creemos más lógico: primero, el panorama general y todo lo referente al presupuesto, incluido el gran interrogante sobre el lugar en donde se llevará a cabo el matrimonio; a continuación, se tratan los planes para llevar a cabo la fiesta (invitaciones, matrimonios que exijan viajar al sitio de la celebración, fechas y horarios, eventos que se realizarán antes y después de la boda, flores, etc.), así como los detalles de la ceremonia, la fiesta y otros aspectos, tales como los registros, los trajes de boda, las argollas, las fotografías y la luna de miel.

Parte I: La zapatilla de cristal me queda: ¿qué sigue ahora?

La respuesta: comiencen a actuar de inmediato, antes de que los invada la angustia y se vean precisados a tomar tranquilizantes. En estos primeros capítulos abordamos los temas de mayor importancia.

El capítulo 1 explica qué hacer desde el instante en que el novio propone matrimonio e indica cómo proceder paso a paso para ver concretarse la boda con la que siempre se ha soñado. El capítulo 2 se concentra en el presupuesto para la boda. Indicaremos cómo llevar las cuentas en una hoja de cálculo y daremos consejos sobre propinas, negociación de contratos y búsqueda de los mejores precios. En el capítulo 3 nos referiremos a varios aspectos legales y financieros, desde los exámenes de sangre hasta los acuerdos prenupciales.

Parte II: ¡Bienvenidos!

Esta sección cubre los aspectos relacionados con la planeación del evento y la decisión sobre dónde realizar la ceremonia y la recepción. En el capítulo 4 veremos cómo encontrar el lugar más apropiado para la celebración. Luego, en el capítulo 5 nos referiremos al diseño de las invitaciones, ya sean tradicionales o modelos creados por ustedes mismos. El capítulo 6 versa sobre cómo planear un matrimonio que abarque todo un fin de semana, una opción muy popular. El capítulo 7 es uno de los más valiosos, pues indica cómo diseñar un plan para el día de la boda que se desarrolle sin inconvenientes o incidentes inesperados. En el capítulo 8 se exploran otros tipos de celebraciones, tales como matrimonios menos convencionales o segundas nupcias, así como los showers, o lluvias de regalos.

Parte III: Guía para llevar a cabo la ceremonia

El eje central del matrimonio es la ceremonia y en esta sección les mostramos detalladamente cómo hacerla lo más especial posible.

En el capítulo 9 veremos cómo escoger el tipo de fiesta deseada y lo que se puede esperar o no esperar de ésta. En el capítulo 10 tocaremos la fibra más emotiva de la boda, que es la ceremonia; explicaremos los diferentes ritos y costumbres e indicaremos cómo determinar la secuencia del servicio ceremonial, los votos y las lecturas apropiadas para la ocasión. También daremos ejemplos de programas para el día, que además de ser una guía estupenda constituyen un hermoso recuerdo para la posteridad. El tema del capítulo 11 son las rosas y todo lo relacionado con la vista y el olfato. Explicaremos cómo trabajar con la florista para lograr el efecto decorativo que se desea tanto en la ceremonia como en la fiesta. La música de la ceremonia es tan importante, que hemos dedicado la totalidad del capítulo 12 a este tema, desde cómo escoger las piezas hasta cómo hallar los músicos indicados para interpretarlas.

Parte IV: Una fiesta inolvidable

Esta sección se centra en la fiesta o recepción: qué platos y bebidas escoger, cómo decorar el lugar, a quiénes contratar y qué música escoger.

El capítulo 13 está dedicado a la música, que es la que da el espíritu a la fiesta. Daremos pautas para escoger la música ideal que refleje el ambiente que se desea crear. Enseguida pasamos a uno de nuestros temas favoritos: ¡la comida! El capítulo 14 indica cómo determinar el tamaño y el tipo de festín que se ofrecerá, entre muchos otros temas apetitosos. En el capítulo 15 veremos cómo escoger las bebidas. La torta nupcial abarca un capítulo entero, el 16. El capítulo 17 se cerciora de que todo esté impecable: la decoración, la iluminación y las mesas.

Parte V: Regalos, atuendos, fotografías y viaje

Esta parte trata sobre aspectos clave de la boda: antes, durante y después.

El capítulo 18 se centra en los obsequios y los recordatorios, lo cual nos recuerda cuán placentero es recibir. En el capítulo 19 veremos cómo escoger el atuendo para la novia. El atuendo no estaría completo sin el anillo de matrimonio, de modo que el capítulo 20 asesora en cuanto a los tipos de argollas, diamantes y anillos de compromiso entre los cuales se puede escoger. En el capítulo 21 veremos cómo contratar al fotógrafo y camarógrafo profesional indicado. Finalmente, la muy merecida luna de miel también requerirá planeación, de modo que el capítulo 22 examina los detalles relacionados con un descanso paradisíaco.

Parte VI: La parte de los diez

Esta parte, una de las favoritas de los lectores de la serie *...para Dummies*, reúne la información crucial del libro, entre la que se incluye cómo evitar traspieses comunes y cómo hallar soluciones innovadoras para problemas relacionados con la lista de invitados, la atención de los asistentes y asuntos similares.

En el capítulo 23 veremos cómo evitar caer en una situación embarazosa como anfitrión de la boda y en el capítulo 24 sugeriremos diez formas de ahorrar dinero sin que se note escasez.

Iconos utilizados en este libro

Los iconos son los dibujitos que aparecen en las márgenes. Cada uno busca llamar la atención sobre un aspecto en particular.

A diferencia de lo que creen algunos individuos sexistas, tanto la novia como el novio tienen la misma responsabilidad en lo que respecta a la planeación de la boda. Naturalmente, es posible que los papeles se dividan marcadamente según el sexo. Sin embargo, en ciertos asuntos se requiere el aporte de ambos. Cuando aparezcan estas argollas entrelazadas, querrá decir que la decisión por tomar exige participación en pareja.

Sí, entendemos que la tía Julia puede ser muy tradicional en cuestiones de etiqueta, pero hoy en día los hábitos son diferentes, así como muchas de las antiguas reglas inquebrantables del decoro. Este icono indica una manera alternativa de lidiar con un asunto difícil en la boda o la manera más sencilla de hacer que todos se sientan bien con la situación.

Aunque no creemos que haya que convertirse en esclavos del calendario y de listas de cosas por hacer, de vez en cuando conviene tener en cuenta un recordatorio oportuno. Cuando vea este símbolo, ajuste su cronograma.

Sea cual fuere el presupuesto, todo el que planea una boda buscará siempre la mejor manera de invertir el dinero. Este símbolo indica que se dará información importante relacionada con asuntos de dinero. Aunque a menudo daremos consejos sobre cómo ahorrar unos cuantos pesos, también habrá ocasiones en que diremos por qué no conviene escatimar. La información presentada con este ícono también permitirá ahorrar tiempo.

Aunque en las bodas, como en la vida, pueden presentarse todo tipo de situaciones inciertas, es fácil evitar ciertos tipos de inconvenientes, errores y situaciones embarazosas. Desactive estas pequeñas bombas antes de que exploten.

¿Cómo continuar?

Tal vez quieran adelantarse y comenzar con los capítulos dedicados a la fiesta, pues es posible que necesiten reservar el lugar de la recepción con un año de anticipación. No hay ningún problema: el libro no está escrito al estilo de una novela en que si se leen los capítulos en desorden se perdería el hilo de la trama. En este libro, basta con mirar la tabla de contenido y buscar el tema que les interesa.

Si apenas están comenzando con los preparativos, tal vez quieran empezar por la parte I. El capítulo 1 los iniciará en su tarea rápidamente y cuando menos lo imaginen estarán organizando todo como verdaderos profesionales.

Parte I

La zapatilla de cristal me queda: ¿qué sigue ahora?

La 5a ola   **por Rich Tennant**

ES UNA AGENDA MATRIMONIAL ELECTRÓNICA. LES PLANEARÁ TODAS SUS LISTAS Y CRONOGRAMAS, Y LUEGO DE LA CEREMONIA HARÁ DE TODOS SUS DOCUMENTOS CONFETI Y LOS LANZARÁ A SU CARA.

En esta parte...

¡*F*elicitaciones por su compromiso! Es hora de comenzar a trabajar. Estos primeros tres capítulos les ayudarán a crear un plan de acción mediante el cual basarse durante toda la organización de la boda. Primero, necesitarán decidir cómo quieren que sea su boda, a cuántas personas invitarán y cómo la pagarán. Estos capítulos les ayudarán a fijar un presupuesto realista y a regirse estrictamente por él. Así mismo, encontrarán consejos sobre cómo negociar contratos, dar propinas y buscar buenos precios en Internet. Este también es un buen momento para comenzar a pensar en los aspectos legales del matrimonio, tales como la licencia, el cambio de apellidos y las capitulaciones.

Capítulo 1

Primero lo primero

● ●

En este capítulo

▶ Decidir qué es más importante para ustedes

▶ Crear su propio cronograma

▶ Escoger la fecha

▶ Trabajar con un asesor de eventos matrimoniales

● ●

*U*na noche usted llegó a casa y se encontró con que el gato negro de su novio había redecorado su impecable sala blanca y en vez de entrar en cólera se reventó de la risa. Él no sólo no se avergonzó, sino que se conmovió la noche en que usted se sintió indispuesta tras haber tomado más Margaritas de la cuenta en la fiesta de Navidad de su empresa. De repente ambos se dan cuenta de que esto tiene que ser amor de verdad. Y así, dan el siguiente gran paso...

Comenzar a actuar

A pesar de lo que normalmente se cree, el tiempo que transcurre entre el instante del compromiso y la boda en sí no tiene por qué ser caótico. A continuación presentaremos una serie de consejos para que empiecen a actuar cuanto antes en todo lo relacionado con los preparativos de la boda y hacer realidad el sueño del matrimonio. A medida que comiencen a familiarizarse con el proceso, a visualizar sus deseos y a establecer prioridades, la meta será tomar las decisiones con base en lo que más les conviene a ambos y hacer que el proceso fluya con el mínimo de riñas y estrés posible.

Familiarizarse con el proceso: comunicar la noticia

Incluso hoy en día, algunos libros de etiqueta opinan que el hombre debe pedir la mano de la novia a los padres. Sin embargo, algunas novias consideran ofensivo el hecho de que se les considere como una propiedad. Aun así, creemos que, una vez tomada la decisión de casarse, es un acto de cortesía comunicar la noticia en primer lugar a los padres. Pero éste no es el momento oportuno para pedirles que sufraguen los costos de la boda. Conviene darles tiempo para que asimilen la buena noticia y se regocijen. (Si no hay regocijo, remítanse directamente al capítulo 22 y empiecen a planear su luna de miel... quizás lo mejor sea fugarse).

Éste también puede ser el momento apropiado para presentar a los padres del novio y la novia, si aún no se conocen. Creemos que en la decisión sobre cuáles de los padres deben establecer el primer contacto, deben dejarse guiar por sus instintos. Si cualquiera de las dos parejas podría hacerlo por igual, entonces aconsejamos que se haga de la manera tradicional: los padres del novio llaman a los padres de la novia.

Si alguno de los dos tiene hijos, conviene comunicar la noticia a ellos primero, antes de que alguien más les cuente. La vida no siempre es como la pintan en las películas de color rosa: la fusión de familias no suele ser fácil.

Seguramente la decisión de contraer matrimonio les produzca una emoción incontenible. Sin embargo, conténganse antes de difundir la noticia sin ton ni son. Si siempre han sabido quiénes quisieran que fueran sus padrinos de boda, esas personas deben ser unas de las primeras en enterarse de la buena nueva. Por otro lado, es bueno esperar hasta saber a ciencia cierta a cuántos de sus 2.000 amigos íntimos pueden en realidad invitar.

Visualizar sus deseos: imaginar su boda soñada

Una forma muy común de comenzar los preparativos para la boda es establecer un presupuesto estricto y luego tratar de incluir todas aquellas cosas que uno *cree* que deberían hacer parte del evento. Pero este método, además de ser poco efectivo, también lo insta a uno a pensar que es imposible convertir en realidad la celebración con la que siempre ha soñado. Aconsejamos empezar en sentido contrario. Antes de refrenar sus deseos, imaginen que no existe ningún tipo de restricción presupuestal o logística. Piensen en todas aquellas cosas que quisieran incluir en su boda de fantasía. Sean específicos y guíense por todos sus sentidos. ¿Hay cosas con las que siempre soñaron desde que eran niños? ¿Qué tan grande es la boda? ¿Dónde están ustedes? ¿Qué hora del día es? ¿De qué color son los vestidos de las damitas de honor? ¿Qué música toca la orquesta? ¿Quiénes son los invitados? ¿Qué aromas se respiran? ¿Cómo es la comida? ¿Qué bebidas se están ofreciendo?

Escriban estas ideas y luego léanlas juntos, en pareja. Quizás les parezca más fácil intercambiar ideas verbalmente. Lo importante es ser sinceros con su pareja y estar abiertos a todo. Tomen en serio las fantasías del otro. Traten de no suspirar en señal de rechazo. Éste no es un juego de adivinanzas o un ejercicio sin propósito. Su intención es ayudardes a ambos a descubir las preferencias del otro.

Hacer una lista de invitados tentativa

Nunca es demasiado pronto para hacer *(por* escrito) una lista tentativa de invitados. La reflexión sobre el número de personas que se invitarán y la cantidad de invitados que realmente asistirán a la boda ejercerán un impacto enorme en la manera como se planee la boda. Tal vez las cifras mentales no coincidan con la realidad, y el hecho de ver los nombres de las personas por escrito les ayudará a contener su deseo natural de invitar a toda la gente que conocen. Mientras que los costos correspondientes a aspectos tales como el alquiler del lugar donde se llevará a cabo la fiesta, los aportes estipulados de la ceremonia, el precio de la orquesta y los trajes de boda son fijos, otros costos, como los de los centros de mesa, la comida y las bebidas varían según el número de invitados. Una diferencia entre 100 y 125 invitados puede significar tres mesas de más, con todas sus implicaciones monetarias. Sólo ustedes podrán decidir si en verdad quieren que estas personas adicionales los acompañen el gran día o si simplemente incrementarían su presupuesto.

No es fácil escoger a sus allegados *más cercanos* entre todas las personas que ustedes y sus padres conocen. Cuando pidan a sus suegros que les hagan una lista de las personas que quisieran invitar, denles una serie de parámetros que les sirvan de base para evitar malentendidos. Una vez hayan establecido un número tentativo de invitados, será más fácil comenzar a buscar el sitio de la recepción, según este número de personas y de acuerdo con su presupuesto.

Según los expertos en estadísticas de bodas en Estados Unidos, entre el 10 y el 20 por ciento de los invitados no asisten al evento. Es una cifra promedio, pero quizás no se aplique en su caso, por lo cual no conviene basarse ciegamente en esto para planear el tamaño de la fiesta o fijar estrictamente el presupuesto. Nunca se sabe. Tal vez sean unos de los dichosos anfitriones a quienes les llega la totalidad de los invitados.

Establecer prioridades: decidir qué es más importante

El siguiente paso consistirá en asignar un orden de importancia a sus fantasías. ¿Qué es más prioritario: la decoración con arreglos florales de lirios blancos u ofrecer la champaña más fina? ¿Hay flexibilidad en cuanto a la época del año en que les gustaría celebrar la boda? ¿Y qué hay de la hora del día? ¿El traje de novia debe ser de diseño exclusivo o podría ser menos elegante y más bien destinar dinero adicional a la contratación de una orquesta de siete integrantes? ¿El lugar destinado para la fiesta ha de ser un club privado o puede ser sencillamente el gran salón de la casa de la tía Julia?

Ahora comparen en pareja sus listas de prioridades. Tal vez para ambos ofrecer una cena formal no sea la mayor prioridad. Quizás uno de ustedes siempre haya soñado con casarse descalzo en la playa, pero el otro piense que debe descrestar a su familia con una fiesta de corbata negra en un gran hotel. ¿Cuánto está cada uno dispuesto a ceder? (Este será un buen ejercicio para el resto de su vida.)

Concretar la lista de fantasías

El siguiente paso es tomar la lista de prioridades y decidir cómo se distribuirá el dinero entre cada una de ellas. Comiencen por calcular el costo tentativo de los elementos más importantes en la lista. Estos estimativos les darán una idea general de lo que será el presupuesto; es una manera de establecer unas bases preliminares, que más adelante se irán definiendo mejor. (En el capítulo 2 encontrará mayor información sobre cómo elaborar un presupuesto).

Es importante recordar que no todo lo que se establece en el presupuesto es absoluto; estas cosas se pueden cambiar. Supongamos que deciden que escoger las flores más exóticas o la champaña más exquisita sale excesivamente caro. Fíjense entonces más bien en aquellas cosas de su lista soñada que sí podrían funcionar. Quizás a ambos les llame la atención la idea de ofrecer blinis con caviar, pero a la vez quieran contratar una orquesta espectacular. Puesto que escoger ambas cosas superará su presupuesto, deberán prescindir de una de ellas. Una manera de facilitar la decisión es pensar en aquellas cosas que hicieron tan especial algunos matrimonios que ustedes recuerdan en particular. ¿Tal vez fue la comida? ¿O acaso era el ambiente? ¿O quizás fue la música?

Cómo lidiar con los niños

Uno de los aspectos más maravillosos de las bodas es que reúnen a varias generaciones bajo un mismo techo. Sin embargo, tampoco quisiéramos escuchar los gritos de un niño en el momento más solemne de la ceremonia, o tener que pagar por más puestos en la fiesta, así los niños sean los más adorables del mundo.

Una de las decisiones más difíciles de tomar cuando se esté planeando la boda es la de invitar a niños o no. Como seguramente sabe, los padres a menudo son hipersensibles tratándose de sus encantadoras criaturas. Siendo así, ¿cuál va a ser su decisión, y cómo la va a comunicar sin herir susceptibilidades?

No esperen que las invitaciones dejen en claro el mensaje. (Dicho de otro modo, los invitados no necesariamente supondrán que como los nombres de sus hijos no figuran en la invitación entonces no están invitados). Una vez ustedes hayan tomado su decisión, no duden en reafirmarse con amabilidad cuando alguien los llame y pregunte si la omisión de los nombres fue un olvido. La manera más fácil de iniciar una pelea familiar es incluir a unos niños y a otros no. Es difícil establecer una edad límite. Los pajecitos o las damitas

de honor seguramente se frustrarán si no se les invita a la fiesta. Así mismo, según como sean sus familias, tal vez ustedes se sientan obligados a invitar a otros de los niños y niñas contemporáneos de los pajecitos y damitas. Por otro lado, en las recepciones de noche por lo general es imposible sacar a los niños cuando les llega la hora de dormir y se ponen a llorar sin que también se vayan sus padres. Una solución podría ser organizar un área para los niños de cierta edad en la que puedan descansar, bajo la supervisión de una niñera, hasta que los padres estén listos para partir.

Es complicado excluir a los niños de las bodas que exigen viajar a un destino específico. Muchas personas no querrán viajar sin sus hijos, por lo cual tal vez decidan no asistir al matrimonio. Una forma de complacer a todos es organizar un evento propio para los niños el día mismo de la boda y contratar a una niñera para el momento de la ceremonia. Ustedes mismos serán quienes decidan cómo cubrir los gastos de la niñera, así como la forma de organizar a todos los niños en un mismo lugar en donde se les dé de comer y se les cuide adecuadamente.

Las bodas no tienen lugar en un vacío, y no terminan cuando se parte la torta. Comprobarán que existen relaciones familiares e interpersonales que vienen de tiempo atrás y que perdurarán más allá del día del matrimonio. Por lo tanto, es aconsejable averiguar desde el principio qué tipos de conflictos familiares existen y, en caso de duda, transigir. Esto hará que el día de la boda y la relación familiar a largo plazo sean más felices.

Organizar los pequeños detalles sin perder la cabeza

Si la palabra *organizarse* les produce angustia, tendrán que leer esta sección. Pero incluso para quienes son cien por ciento obsesivos compulsivos, los siguientes consejos para organizarse y planear un presupuesto les serán de utilidad.

Resuelvan los asuntos relativos a la boda como lo harían con cualquier otro proyecto importante de su vida, descomponiéndolos en pedazos más pequeños para irlos solucionando uno por uno. Agrupen los asuntos pequeños en segmentos y anótenlos en un calendario o cronograma, de modo que entren a formar parte de las demás fechas y actividades que deben cumplir o realizar.

✔ **Anoten las cosas por hacer y las fechas por cumplir en el calendario.** Utilicen un lápiz o un calendario electrónico en caso de que necesiten cambiar algo. Seguramente lo harán, pues muchas cosas cambiarán.

✔ **Organicen su tiempo con miras a simplificar las cosas.** Si están comenzando una especialización en medicina, cambiando de trabajo o mudándose de casa, éste no es el momento más apropiado para planear una boda con mil invitados. Aunque el matrimonio es ocasión para celebrar, también suele causar estrés. Pregúntense: "¿Cuánto estamos dispuestos a sacrificar?"

✔ **Lleven siempre consigo una libreta.** Los momentos de iluminación nos llegan inesperadamente, y aunque quizás creamos que una idea tan maravillosa no la olvidaríamos nunca, de alguna manera suele terminar extraviándose entre tantas otras cosas importantes que nos ocupan la mente. Si tenemos una pequeña libreta y un lápiz a la mano, podremos anotar los pequeños destellos de inspiración tan pronto se presentan. Por ejemplo: "¡Seda bordada, no tafetán!", o "Llamar al pastelero: cubierta de albaricoque".

✔ **Mantenga un archivador.** Un fólder de argollas o una carpeta-archivador con fuelle son de gran utilidad para guardar todas aquellas cosas que van surgiendo a medida que se planea la boda: contratos, menús, etiquetas de vino, folletos, listas de invitados, retazos de tela, papeles de muestra para las invitaciones, fotografías, tiquetes de avión, recibos, artículos de revistas, etc. Una vez concluido el matrimonio, mucho de este material sirve para incluir en el álbum de recuerdos que servirá de recordatorio de la boda.

✔ **Inicien lo más pronto posible un registro detallado de sus invitados.** Para ello se puede usar una hoja de cálculo o bien tarjetas para archivador alfabético de caja. Cada entrada incluirá información sobre las personas a quienes han invitado: la ortografía correcta de sus nombres, su dirección, su estado actual de respuesta, su regalo, su cónyuge o pareja, y por quiénes fueron invitados. Esta forma de organizar la información resulta extremadamente útil para planear más adelante cómo sentar a los invitados (ver el capítulo 17).

Así como se recopilan ideas y material sobre lo que se desea para la boda, también es importante tomar nota de aquellas cosas que *no* quiere. De este modo será más fácil, por ejemplo, recordarle al banquetero que la tía Marta es alérgica a los mariscos o pedirle a la orquesta que por ningún motivo se le ocurra tocar *Felicidad*.

Programar el evento: romper con el mito del cronograma

A excepción de las invitaciones, cuyo proceso de impresión y envío por correo puede tomar hasta cuatro meses, casi todos los demás aspectos relacionados con el matrimonio se pueden organizar en menos de dos meses. Con esto no queremos decir que está bien esperar hasta último momento para actuar. Sin embargo, creemos que no hay razón para convertirse en esclavo de un cronograma establecido por otros. He aquí la gran verdad: *Bodas para Dummies* no contiene un calendario de matrimonio infalible que diga, por ejemplo: "Dos días antes, pintarse la uña del dedo gordo del pie izquierdo". A nuestro parecer, un manifiesto de este tipo podría llegar a atemorizar incluso a las parejas más emprendedoras. Al hacer el cronograma que se adapte a sus propias necesidades, lo importante es incluir todas aquellas cosas que revisten mayor importancia para ambos en este momento de su vida, como el presupuesto, horarios y responsabilidades personales que cumplir.

Dicho esto, es aconsejable, sin embargo, ocuparse de varios asuntos con antelación. Incluso antes de que se haya fijado la fecha de la boda, conviene empezar a resolver asuntos y cosas difíciles de conseguir, que tienen gran demanda o simplemente que exigen un periodo de tiempo largo. Generalmente, esto incluye lo siguiente:

✔ **El lugar del evento:** Ustedes no serán la única pareja que se case en el futuro próximo y si además quieren que el evento se lleve a cabo en un lugar y en un momento del año muy apetecidos, es posible que haya que reservar el lugar hasta con

Tenga los números de telefóno importantes a la mano

A medida que se vaya planeando el matrimonio, habrá que hacer numerosas llamadas y enviar muchos mensajes por correo electrónico. Por eso, será de gran utilidad tener en un mismo lugar teléfonos e información para ponerse en contacto con todas aquellas personas con quienes se contará. Esta lista se actualizará periódicamente a medida que se vaya conformando. Para cada contacto, la base de datos debe incluir los teléfonos de la oficina, la casa, el celular y el beeper, así como las direcciones de correo postal, correo electrónico y página web. Los contactos comerciales deben incluir también el nombre de la compañía y la persona con quién comunicarse. Seguramente durante el proceso de planear la boda se cuente con las siguientes personas y entidades, listadas aquí por orden alfabético:

✔ Administrador del lugar de la recepción

✔ Agente de viajes

✔ Alquiler de smokings

✔ Asesor de bodas

✔ Atuendo pajes, damas de honor (tienda o empresa)

✔ Banquetero

✔ Calígrafo

✔ Camarógrafo

✔ Damas de honor

✔ Decoración y arreglos para la fiesta

✔ Diseñador o modisto (traje)

✔ Empresa de alquiler de baños portátiles

✔ Empresa de transportes

✔ Encargado de la iluminación

✔ Estilista

✔ Florista

✔ Fotógrafo

✔ Joyero

✔ Madrina

✔ Maquillador

✔ Músicos para la ceremonia

✔ Músicos para la fiesta

✔ Novia

✔ Novio

✔ Oficiante

✔ Padres de la novia

✔ Padres del novio

✔ Padrino de boda

✔ Pastelero (torta)

✔ Personal encargado de la ceremonia

✔ Sastre

✔ Servicio de bebidas

✔ Servicio de estacionamiento

✔ Tipógrafo

un año de antelación. (En el capítulo 4 encontrarán información sobre cómo escoger el lugar del evento y en el capítulo 14 aprenderán cómo contratar a un banquetero).

✔ **La orquesta:** Al igual que con los sitios apetecidos, si quieren una buena orquesta (y un buen DJ) también tendrán que contratarla con meses de anticipación. (Ver los capítulos 12 y 13 para información sobre cómo escoger los músicos indicados para la ceremonia y la fiesta).

✔ **El traje de novia:** La búsqueda del vestido ideal suele ser una gran fuente de angustia. Incluso si se consigue el modelo deseado en la primera salida de compras, el proceso de ajuste de talla y entrega puede hacerse interminable. Luego deben conseguirse el velo, los zapatos, la ropa interior… en el capítulo 19 nos referimos a este tema en detalle.

✔ **Las invitaciones:** Como es costumbre, las invitaciones se envían con seis semanas de anticipación. Sin embargo, sugerimos enviarlas ocho semanas antes. Hay excepciones, sobre todo si vienen personas del exterior, cuyas invitaciones deberán enviarse con diez semanas de antelación. Los invitados que viven en otras ciudades seguramente tendrán que tomarse unos días libres u organizar su itinerario de manera especial para asistir a la boda. Por esta razón, es importante enviarles las invitaciones pronto o, de ser posible, una tarjeta seis meses o un año antes para recordarles que "reserven" esa fecha en su calendario. (Ver en el capítulo 5 información relacionada con las invitaciones y elementos de papelería).

Escoger la fecha

Quizás su madrina de matrimonio suela irse de vacaciones todos los años en la misma época, o su futura suegra haya reservado tiquetes para un crucero de tres meses a la Patagonia el verano próximo. Aunque las personas pongan ciertas condiciones, es imposible complacerlas a todas. Otros factores también pueden influir en la elección de la fecha para la boda. Quizás quieran que las fotos del matrimonio se tomen al estilo de un documental, pero el artista que se especializa en este tipo de fotografía y que además vive fuera de la ciudad ya esté comprometido para esa fecha. En este caso habrá que decidirse por un fotógrafo tradicional o bien cambiar la fecha de la celebración.

Finalmente serán los novios quienes decidan qué día les conviene más tanto a ellos como a la mayoría de sus invitados. Una vez se haya fijado la fecha, ésta deberá mantenerse firmemente. Los invitados tendrán que ajustarse a ella, lo cual casi todos hacen sin mayor problema.

Fechas para tener en cuenta

Algunos días festivos o fines de semana largos resultan ideales para celebrar la boda. Otras fechas pueden ser imposibles, dependiendo de la religión o nacionalidad de los novios. Por ejemplo, los judíos conservadores y ortodoxos evitan casarse durante los 49 días (a excepción del día 33) que transcurren entre la Pascua y el Sabbat. Otras fechas pueden coincidir con momentos difíciles, tales como el aniversario de la muerte de un ser querido. De cualquier modo, a continuación listamos algunos días de fiesta que conviene tener presentes cuando se escoja la fecha de la boda.

Año Nuevo	Día de la Independencia
Jueves Santo	Día del Trabajo
Viernes Santo	Pascua Judía
Nochebuena	Rosh Hashanah
Navidad	Yom Kippur
Domingo de Ramos	Día de la Raza
Día de la Madre	Día de la Virgen
Día del Padre	

Hacer coincidir la fecha de la boda con una época de fiesta o vacaciones

Siempre es una posibilidad llamativa escoger la fecha del matrimonio para que coincida con un día festivo (ver el cuadro "Fechas para tener en cuenta", en este mismo capítulo). Por un lado, esto puede funcionar si uno siempre se reúne con su familia en esta fecha o si los invitados que vienen de otras ciudades necesitan pedir algunos días extras en el trabajo y la época de fiesta les proporciona ese tiempo adicional.

Por otro lado, a muchas personas no les gusta tener que asistir a un evento social durante sus preciosas vacaciones, sobre todo si la fecha coincide con la época usual de viajes. Si de cualquier modo tendrán que sacrificarse, seguramente esperarán que los anfitriones organicen eventos entretenidos. En casos así, quizás haya que dirigir actividades sociales durante varios días, antes y después del matrimonio. Esto puede quitar tiempo y ser agotador.

Otra desventaja de hacer coincidir la boda con un día festivo es el costo. ¿Cuánto cobrarían ustedes por trabajar en un día de fiesta? Así mismo se siente el personal de servicio que debe laborar en esa fecha.

Temporada alta versus temporada baja

Hay parejas que desean que la fecha de su boda tenga un significado especial. Algunas escogen casarse el día de Año Nuevo como reflejo de la vida que comienzan como pareja, o en el día del cumpleaños de alguno de los dos, o en el aniversario de su primer beso. Aunque esto puede ser muy conmovedor, es importante tener en cuenta que la fecha elegida puede coincidir con un día festivo muy popular, un día de la semana poco conveniente, o la época de *temporada alta* (es decir, la época más costosa del año).

Ser flexible también tiene un beneficio. Reservar el lugar de la recepción para la tarde del domingo o para la noche de un jueves (que ahora está cada vez más de moda y es también muy elegante) puede ser menos costoso que reservar el lugar para la noche del sábado. Es más, si han decidido celebrar la boda en uno de los lugares más populares de la ciudad, es posible que éste esté reservado para el sábado por la noche durante los próximos dos años.

Si los invitados a la boda no vendrán de otros lugares y los planes para llevarla a cabo son sencillos, escoger un día entre semana puede simplificar las cosas, además de disminuir los costos.

Delegar: escoger su equipo

Suponemos que ustedes han comprado este libro porque están interesados en planear su boda de acuerdo con un interés propio. Sin embargo, gústenos o no, en nuestra sociedad el dinero significa poder. Siendo así, si sus padres o sus suegros pagarán parte de la boda, ellos también tendrán derecho a decidir. Esta situación tal vez sea una de las más delicadas de abordar en la planeación de la boda, y requerirá mucha diplomacia. Otras personas tendrán sus propias ideas sobre cómo debería ser la boda de *ustedes*, y es muy probable que sean diametralmente distintas de las que ustedes tienen en mente.

Sólo ustedes podrán calibrar la importancia de recibir ayudas financieras frente a la libertad de decisión con respecto a ciertos aspectos de la boda. Si gran parte del dinero lo aportarán otras personas, tendrán que estar dispuestos a tomar en consideración muchas de sus opiniones. Tendrán qué decidir qué es más importante: si aceptar el dinero de otros o ejercer un control total sobre la situación.

Si algunas personas importunan, la situación se puede afrontar de otra manera: escuchar las opiniones de los demás con la mayor gentileza posible y, luego, decidir el asunto en privado con su pareja, dejando saber a los demás la decisión final con amabilidad pero con firmeza.

Para evitar que los demás se entrometan demasiado, se les pueden encomendar actividades sencillas como buscar lugares para albergar a los invitados que vienen de lejos o averiguar la famosa receta de ponche de la mamá de la tía Julia.

Recomendamos valerse amablemente de los favores de los amigos y la familia. Sin embargo, es preciso tener en cuenta que si se ha contado con la ayuda de estas personas, habrá que invitarlas a la boda. Sólo deben pedirse favores a amigos cercanos o a personas que ni pierden ni ganan nada con ayudar. La mejor manera de pedir ayuda es pedir recomendaciones a los familiares o amigos que ya han vivido esta misma experiencia. De este modo sentirán que habrán contribuido y quedarán absueltos de la responsabilidad de involucrarse más de la cuenta.

Es importante considerar cuidadosamente una oferta de ayuda antes de aceptarla. Quizás su mejor amiga se ofrezca para encargarse de la caligrafía porque dice que sabe hacerlo. Sin embargo, esto no quiere decir que lo haga bien. El trabajo debe delegarse sabiamente. El propósito es ahorrarnos tiempo y evitar hacer un doble trabajo, invertir más dinero o herir a los demás.

Trabajar con un asesor de bodas

Hasta hace poco, requerir los servicios profesionales de un organizador de bodas se consideraba un lujo o se tomaba simplemente como solicitar los servicios de una secretaria social. Sin embargo, en los últimos diez años, más parejas han comenzado a recurrir a este tipo de ayuda.

Se puede pensar en contar con los servicios de un asesor de bodas si:

✔ Resulta imposible dedicar al menos 12 horas semanales para hacer el trabajo ustedes mismos, y el doble de este tiempo a medida que se acerque el momento de la boda.

✔ Planean invitar a más de cien personas.

✔ La fiesta se hará en una casa, un jardín, un loft, un museo u otro lugar en donde no se cuenta con servicios profesionales de celebración de eventos.

✔ La boda se celebrará en un lugar al que es preciso viajar.

Si han asistido a una boda en la que hayan disfrutado especialmente y cuyo estilo se asemeja a lo que tienen en mente, pregunten a la pareja quién los asesoró. Una manera muy eficaz de conseguir a un buen organizador de eventos sociales es consultar con proveedores como banqueteros, floristas y fotógrafos.

Las páginas amarillas también proporcionan información útil sobre personas especializadas en organizar matrimonios. Sin embargo, es muy común que los proveedores de eventos matrimoniales, tales como los fotógrafos o banqueteros, también aparezcan listados como organizadores de bodas. Igualmente puede ser confuso el hecho de que otros profesionales en el campo, como nosotras, figuren bajo diferentes categorías, tales como "organizadores", "coordinadores", "asesores" o "asesoría de compromisos sociales". Antes de concertar una cita, es importante asegurarse de que estas personas se encarguen de organizar eventos matrimoniales como actividad principal y no como actividad secundaria.

Decidir cuánta ayuda requerirán

El mejor momento para contratar a un asesor de eventos matrimoniales es al inicio del proceso. Muchas veces, sin embargo, se puede contratar al asesor en cualquier otro momento, para que se ocupe de ciertos asuntos específicos o para que dirija los eventos en el día mismo de la boda.

Los asesores de eventos matrimoniales cobran sus honorarios de formas variadas, que incluyen tarifa fija, tarifa por horas o porcentaje. Se pueden contratar los siguientes tipos de asesores, dependiendo de la cantidad de ayuda que se requiera:

✔ **Organizador de evento:** Se ocupa del proceso entero. Esta persona se encargará de definir el estilo de la boda. Es quien se entiende con los proveedores y será el contacto en todas las etapas del proceso. Aunque un buen organizador de evento tendrá en cuenta el estilo sugerido por los clientes, también esperará que le den rienda suelta a su ingenio creativo. Este tipo de ayuda es ideal para parejas con poco tiempo y bastante dinero.

✔ **Coordinador general:** Este tipo de asesor puede recomendar proveedores, acompañar al cliente a citas y negociar contratos. Luego programará y supervisará los eventos del día de la boda. Conviene contratar a un coordinador general cuando se quiere estar al mando de la planeación pero se necesita ayuda durante el proceso.

✔ **Asesor para el día de la boda:** Este tipo de asesor intervendrá por lo general un mes antes de la fecha programada para la boda. En esta etapa del proceso supervisará todo lo relacionado con los proveedores, se asegurará de que todos los detalles estén en orden y se ocupará del cronograma y su ejecución en el día de la boda (ver el capítulo 7). Esta opción funciona muy bien para aquellas parejas que se pueden hacer cargo de muchos de los asuntos pero que desean contar con la colaboración de una persona que supervise el desarrollo sin contratiempos del evento.

✔ **Asesor por horas:** Si se requiere un asesor únicamente para intercambiar unas cuantas ideas o para que se ocupe de un aspecto específico de la boda, como buscar la orquesta o el lugar de la recepción, contratar a un asesor por horas es una buena manera de invertir sólo el dinero necesesario.

✔ **Recomendante:** Algunos profesionales se ocupan únicamente de recomendar proveedores, tales como banqueteros, floristas y fotógrafos. Aunque no cobran por este servicio, sí reciben una comisión por parte del proveedor al que han recomendado. De cualquier modo, su ayuda puede ser bastante útil.

Entrevistar a posibles asesores

Antes de ponerse en contacto con un asesor, es importante tener cierta información lista. Al hablar con él o ella por teléfono, se le debe informar la fecha en que se planea celebrar la boda, el lugar en donde se quiere realizar (o los lugares en los que se ha pensado), el número de invitados y el presupuesto estimado. En este primer contacto, se concreta una cita para reunirse con el asesor en persona.

En la cita, el asesor problablemente le muestre al cliente un portafolio. Aunque esto permite darse una idea de su estilo, en realidad refleja más el tipo de trabajo del decorador o florista que está representando. Es importante preguntarle al asesor cuál fue su papel en cada una de las fotografías. Otras preguntas importantes son:

✔ ¿Cuánto tiempo lleva trabajando en este campo?

✔ ¿Dónde o bajo la guía de quién estudió o aprendió?

✔ ¿Está vinculado con alguna entidad profesional?

✔ ¿Qué servicios se incluyen en su contrato?

✔ ¿Mi presupuesto le permite trabajar adecuadamente?

✔ ¿Podrá trabajar con proveedores que yo escoja?

✔ ¿Cómo cobra por sus servicios: por horas, con base en una tarifa fija o un porcentaje de mi presupuesto?

Puesto que tanto uno como su pareja comparten esta responsabilidad, conviene que ambos asistan a las reuniones con el asesor. Aun si sus ideas no están completamente definidas, comentarlas con el asesor es un buen ejercicio. También es útil llevar recortes de revistas con elementos de decoración y moda que reflejen su estilo. De este modo, el asesor puede darse una idea de cuáles son sus preferencias y su gusto.

Busquen a alguien con buen gusto, estilo atractivo y creatividad. También debe ser organizado, meticuloso con los detalles y objetivo (algo indispensable para lidiar con situaciones difíciles). Igualmente, se requiere un asesor recursivo y que sepa distribuir el presupuesto con que debe trabajar de la mejor manera posible. Finalmente, así como con su pareja, debe ser alguien en quien puedan confiar plenamente y que además tenga un gran sentido del humor.

Como sucede con cualquier buena relación, el vínculo que se establece con el asesor se debe basar en la confianza, el respeto mutuo y la honestidad. Este tipo de relación permitirá que tanto los invitados como ustedes recuerden con agrado el día de la boda.

Capítulo 2

Cuentas bajo control

● ●

En este capítulo

► Crear una hoja de cálculo digital para el presupuesto

► Mantener el límite fijado para el presupuesto

► Negociar contratos

► Calcular las propinas

● ●

*L*as revistas y los libros que describen bodas perfectas de fantasía generan falsas expectativas. Instan a las parejas a pensar que su boda tiene que ser igual de maravillosa y las hacen sentir que deben ofrecer algo fuera de este mundo. Sin embargo, cuando comienzan a analizar las cotizaciones de los proveedores, vuelven de nuevo a la realidad (o comienzan a desesperar). El solo pensar en cómo harán para cubrir los gastos de la celebración les consume todo su tiempo y, en muchas parejas, esto tensiona su relación.

En este capítulo les ayudaremos a percibir el panorama financiero global explicando cómo establecer un presupuesto y mantenerse dentro de sus límites, negociar contratos y evitar sobrecostos inesperados. También daremos algunos de nuestros consejos favoritos para recortar costos, entre los muchos que se mencionan a lo largo del libro.

Cuando se trata de buscar las mejores maneras de invertir el dinero, hay maneras inteligentes y no tan inteligentes de ahorrar. No se trata de escoger de inmediato al proveedor que ofrezca los precios más bajos, ni tampoco de suponer que los bienes y servicios del proveedor más costoso son necesariamente los mejores. Es esencial pedir recomendaciones, hacer preguntas, tomar nota de todo y considerar todas las opciones cuidadosamente. Si algo parece ser demasiado bueno como para creerlo, tal vez lo sea. Como dice el proverbio, lo barato sale caro.

El amor no está supeditado al dinero

Primero daremos la mala noticia: nos es imposible dar una fórmula perfecta que les permita saber cuánto dinero exactamente deben invertir en su boda. Muchos expertos han intentado proporcionar este tipo de guías, como gráficas de porcentajes, que aplicadas a la realidad tienen poco valor. En algunos sitios web se puede digitar una cifra de dinero y el número de invitados y, enseguida, como por arte de magia, aparece una gráfica que indica cómo se debe distribuir el presupuesto. En el mejor de los casos, este tipo de ejercicios da un estimativo general. Lo cierto es que ningún matrimonio es igual a otro. ¿Quién puede decir qué porcentaje del presupuesto se debe invertir en la comida, el vino o el traje? Esto está sujeto al gusto propio, a su situación económica y a las circunstancias.

Ahora, la buena noticia: *sí se puede* organizar una magnífica boda sin necesidad de asaltar el banco. Sólo se requieren una actitud positiva, inteligencia para negociar, estrategia al planear y diligencia al organizar el presupuesto.

Lo más importante que cada cual debe tener en cuenta el día de la boda es que se va a casar con la persona a quien ama. Independientemente del presupuesto del que se disponga, el éxito del evento dependerá del comportamiento de la pareja, del amor y respeto que manifiesten el uno por el otro y de la forma en que expresen su felicidad. Lo importante no es el espectáculo. Lo esencial es que se está creando una nueva vida juntos como pareja casada y se está celebrando esta unión. La manera como ambos reciban y atiendan a sus invitados reflejará sus valores como pareja.

Lo repetiremos una y otra vez: la boda *no* debe ser motivo de sufrimiento y ansiedad. Quizás, muy en el fondo, teman que sus invitados critiquen cada detalle y pregunten entre sí, con pésimo gusto, "¿cuánto crees que les costó todo esto?" ¡Basta! Este tipo de pensamientos sólo servirán para enloquecerlos e incluso podrían hacerlos basar el presupuesto en las expectativas de otros. Además, si tienen amigos que actúan de esa manera, ¿para qué los invitan?

Hagan lo que hagan, no deben endeudarse para casarse. Es un día muy importante, de eso no cabe duda, pero eso no justifica tener que trabajar durante años para pagar la deuda. Ofrezcan la mejor boda posible dentro de sus capacidades económicas. Recuerden que los votos dicen "en la riqueza y la pobreza", y no "hasta el tope de la tarjeta de crédito".

Comenzar con una hoja de cálculo

Nada mejor que una hoja de cálculo digital para llevar la cuenta de los gastos de la boda sin sobrepasarse del límite. Si nunca han utilizado este tipo de programa de computador tal vez crean que es extremedamente difícil, pero en realidad es algo muy sencillo. Cuando se aprende a manejarlo, se podrá ver al instante cuánto va sumando el total de la fiesta.

Como se aprecia en la figura 2-1, se comienza digitando el valor total del presupuesto en la parte inferior, según el valor que se tiene pensado invertir. Tomando esta cifra como base, se digitan los costos estimados de otros elementos. Luego de pedir cotizaciones a varias empresas y proveedores, se corrigen los costos en la columna de "Costos estimados". Quizás hayan pensado que el costo de arrendar los manteles era mucho más alto o tal vez no hubieran imaginado nunca que las flores de seda son en realidad más costosas que las naturales. Por lo general, los costos estimados que proporcionan los proveedores superan los cálculos propios. No se afanen, pues la hoja de cálculo simplemente sirve para darles una idea. Ver las cifras por escrito permite basarse en la realidad.

Una vez escogidos los proveedores, se hace otra hoja de cálculo para llevar el balance del dinero que se cancela y se debe. La hoja de cálculo de la figura 2-2 muestra cómo llevar la cuenta del dinero que se paga, que se abona y de la suma que se debe. También es muy útil incluir una columna con las fechas límite de pago. Se pueden crear cuantas columnas adicionales se requieran, por ejemplo para llevar el balance de pagos adicionales, para registrar información de contactos o para anotar ideas. La hoja de cálculo seguramente se alargará a medida que se agreguen más elementos. (En el recuadro "Una cosa más…", en este capítulo, verán una lista de elementos que posiblemente se incluyan adicionalmente en la hoja de cálculo).

El presupuesto debería incluir una columna de "imprevistos" correspondiente al 10 por ciento adicional de cada costo y del costo total en el renglón inferior. A menos que se sea adivino, es imposible no subestimar algunos costos y sobreestimar otros. Este valor del 10 por ciento corresponde a la suma más alta que se podría pagar en caso de necesidad. Estar preparado para lidiar con una situación inesperada de este tipo evitara afrontar una crisis antes de tiempo a causa del presupuesto. También es importante incluir el valor del impuesto a las venta en los costos, si se aplica. Muchos proveedores incluyen en el costo la leyenda "IVA incluido" o "IVA no incluido".

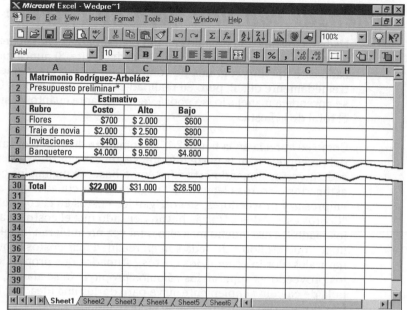

Figura 2-1:
Creen una
hoja de
cálculo para
comparar
costos
estimados.

* Las cifras que se incluyen a título de ejemplo corresponden a dólares de los Estados Unidos

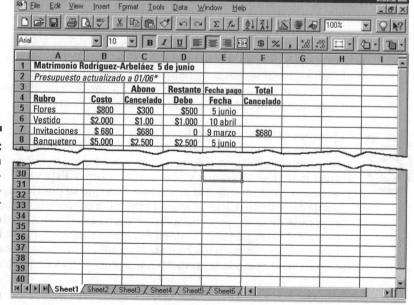

Figura 2-2:
Creen una
hoja de cálcu-
lo más detalla-
da para llevar
un balance de
las cuentas
que se han
pagado y que
se deben.

* Las cifras que se incluyen a título de ejemplo corresponden a dólares de los Estados Unidos

También podría decir "IVA y servicio incluidos", lo que significa que se incluyen el impuesto a las ventas y la propina. Tómense un momento para calcular el monto y súmenlo a los costos.

La clave para no sobrepasarse del límite que se ha fijado para el presupuesto, sea que se utilice una hoja de cálculo digital o cualquier otro tipo de método para llevar las cuentas, es anotar cada nueva cifra que se paga con la tarjeta de crédito, así como cada nuevo cheque que se gira. Cualquier descuido a este respecto lleva a gastar más dinero del previsto.

Una cosa más...

Aunque nos es imposible dar una fórmula precisa para organizar el presupuesto (porque de hecho no la hay), sí ofrecemos aquí una lista con las cosas que quizás haya que incluir en el presupuesto. Para evitar sorpresas desagradables conviene leer lo siguiente:

Ceremonia
Alfombra de entrada
Flores para la ceremonia
 Flores para el altar
Personales
 Ramos
 Boutonnieres
Ramos o flores de los bancos
 Ramo de la novia
Costo de la iglesia
Canastas de flores
Misales
Honorarios del oficiante
Organista o músicos en la iglesia
Programas
Almohadillas para argollas

Atuendos
Arreglos de trajes
Atuendo pajes, damas de honor

Trajes de damitas de honor
Guantes
Sombreros
Traje del paje de argollas
Zapatos
Atuendo de la novia
Vestido o sastre
Guantes
Adornos para el cabello
Corona y velo
Joyas
Maquillaje
Manicure
Zapatos
Lencería
Atuendo del novio
Mancornas y botones de camisa
Faja
Manicure
Zapatos

Corbata
Frac/Sacoleva

Regalos
Personal auxiliar
Novio y novia (el uno al otro)
Padres
Recordatorios
Otros
Niñera
Propinas
Sesión de masaje
Casetes de relajación
Impuestos a las ventas
Diez por ciento adicional imprevistos

Música
Orquesta(s)
Costos de transporte para materiales e instrumentos
Músicos para la ceremonia, coro, cantantes

(continúa)

(continuación)

Música para el coctel
o evento adicional
(noche de entrega
de regalos)

Disc jockey
Micrófono para
discursos y brindis
Tiempo extra
Equipos de sonido

Eventos varios
Coctel o comida (noche
de entrega de
regalos)
Desayuno, día siguiente
(para bodas de fin de
semana)

Fotografías
Costo álbumes
Negativos
Costo fotógrafo (puede
incluir):
Álbumes
Asistente(s)
Rollos o películas foto-
gráficas
Trabajo
Revelado
Fotos prematrimoniales
Copias
Vídeo

Fiesta o recepción
Bebidas
Insatalaciones para el
bar
Fruta
Gaseosas
Hielo

Jugos
Meseros
Torta de novios
Transporte de la torta
hasta el lugar de la
recepción
Centros de mesa
Comida
Comidas adicionales
Personal de orquesta
Personal auxiliar, exclu-
ye meseros
Fotógrafo
Camarógrafo
Alquileres
Sillas adecuadas
Forros para sillas
Tarima de la orquesta
Velas
Vajilla
Guardarropa
Pista de baile
Cristalería
Manteles, servilletas,
forros
Baños portátiles
Personal de servicio,
baños
Accesorios de *toilette*,
baños
Personal auxiliar
Cubiertos
Mesas
Carpas
Aire acondicionado/
calefacción
Piso
Luces

Comodidades incluidas
en los cuartos
Alquiler del local
Iluminación especial
Números de mesa

Argollas
Anillo de compromiso
Argolla de matrimonio

Papelería
Tarjetas de bienvenida
Caligrafía
Libro de invitados
Tarjetas de
agradecimiento
Invitaciones
Sobres exteriores e
interiores
Invitaciones para la re-
cepción/ceremonia
Mapas e instrucciones
para llegar
Tarjetas para sentarse a
la mesa
Costos de envío
Tarjetas de
participación

Transporte y hospedaje
Novio y novia
Invitados
Padres
Fiesta

**Asesor de eventos
matrimoniales**
Personal auxiliar
Gastos
Honorarios

Cómo controlar los costos

Como las bodas suelen costar más de lo que parecería razonable o de lo que se está en capacidad de pagar, tengan en cuenta las siguientes maneras de aprovechar al máximo el presupuesto disponible:

✔ **Sean conscientes de los límites.** Si ustedes son quienes pagarán la boda entera o gran parte de ella, concierten una cita con un asesor de eventos matrimoniales, quien les dará una idea de los costos. Así mismo, conviene concertar una cita con un contador o asesor financiero con el fin de definir el monto de dinero que se está en capacidad de invertir y la manera en que se puede pagar esa suma.

✔ **Abran una cuenta para la boda.** La manera más sencilla de administrar el presupuesto de la boda es abrir una cuenta exclusivamente para ésta, de manera que se pueda saber con exactitud cuánto dinero se deposita y cuánto se gasta.

✔ **Reciban los aportes desde el principio.** Si otras personas van a aportar parte del dinero para la boda, procuren que se lo entreguen de una sola vez.

✔ **Obtengan puntos con su tarjeta de crédito.** Cuando se paguen sumas altas, como las correspondientes al traje de novia o el arriendo del lugar de la recepción, éstas se pueden cancelar con la tarjeta de crédito con el fin de obtener algo a cambio (por ejemplo, millas de vuelo). Suponemos que son inteligentes, pero no sobra recordarles la conveniencia de saldar la deuda antes de que los intereses se empiecen a acumular.

✔ **Inscríbanse en programas de premios**. Además de los establecimientos que ofrecen programas de millas, muchos hoteles ofrecen programas de puntos por estadías. Si la fiesta se celebra en uno de estos hoteles, quizás incluso les obsequien una o varias noches gratis para la luna de miel.

✔ **Fúguense.** Es en broma.

✔ **Sean puntuales.** Es importante organizarse y seguir estrictamente el cronograma fijado para la boda, con el fin de evitar cobros extras por tiempo adicional. (Ver el capítulo 7).

✔ **Lean la letra menuda.** Los contratos y los costos se deben revisar cuidadosamente. Así mismo, conviene hacer preguntas. ¿Se incluyen, por ejemplo, los impuestos a las ventas, las propinas y el tiempo extra? Éste es el tipo de tarifas que no se ven y que terminan por desajustar por completo el presupuesto.

✔ **Negocien.** Es perfectamente aceptable pedir un descuento a los proveedores si se tiene una razón legítima para hacerlo. Ése puede ser el caso si la boda se llevará a cabo en un día de bajo pedido o si se ofrecerán menos platos por puesto.

✔ **Busquen descuentos en los almacenes.** Quizás esto parezca bastante obvio, pero muchas veces no caemos en la cuenta de cuántas cosas se pueden comprar sin tener que pagar el precio original. Más de lo que uno se imaginaría se puede conseguir a precios de descuento. Por ejemplo, vestidos de novia de prueba puestos en realización (ver el capítulo 19), mercancía seleccionada en almacenes especializados en fiestas, vinos en rebaja en tiendas de vino, regalos para el personal auxiliar de la boda en los descuentos de temporada de almacenes de cadena, zapatos rebajados en tiendas de calzado y así sucesivamente.

✔ **Reduzcan el número de invitados.** Inviten un menor número de personas u ofrezcan una recepción o coctel para dos tercios de los invitados, y luego un almuerzo o cena en otro lugar para 20 familiares y amigos cercanos.

✔ **Cuídense de no sobrepasar el límite.** La mejor forma de evitar pensar que todo funcionará como por arte de magia es ser diligente. Si sobrepasan el límite en una categoría en el presupuesto, en otra habrá que invertir menos para compensar. En estos casos, algo se tendrá que sacrificar.

Entender los contratos

Para cada proveedor que prestará sus servicios en la organización de la boda se deberá hacer un contrato *por escrito,* especificando la suma de dinero que se abona y la que se debe. Si trabajan con profesionales (y esperamos que así sea), los contratos deben incluir una lista de los servicios específicos que se han acordado ofrecer. Si trabajan con un amigo o un familiar, se debe hacer al menos una carta de acuerdo en la que se listen los servicios que se prestarán. Nada debe quedar por fuera. Aunque los acuerdos verbales comprometen a las personas legalmente, son más fáciles de olvidar y difíciles de hacer valer ante un tribunal. De cualquier modo, el objetivo no es tener que prepararse para entablar posibles demandas sino, más vale, hacer que la boda se lleve a cabo con el menor número de contratiempos posible.

Los contratos deben ser específicos. En lugar de decir, por ejemplo, "ramos de rosas", deben especificar, "tres ramos de rosas amarillas y naranjas, atados a mano con cinta de satén amarillo pálido; un ramo de novia, atado a mano y de rosas rosadas, amarillas y blancas, atadas a la vez con cinta de satín color perla". Las posibilidades de sustitución también se deben especificar. Por ejemplo: "Si no se dispone de rosas en el momento, nos comprometemos a sustituirlas por un tipo de flor amarilla de tamaño similar".

Por lo general, las empresas tienen su propio modelo de contrato. Sin embargo, si algún proveedor no presenta su contrato, el cliente mismo se puede encargar de redactar el documento o una carta de acuerdo, que especifique el tipo de bienes o servicios que se han acordado prestar, además de detalles específicos sobre la boda y la suma de dinero que se cancelará. Se debe pedir al proveedor que firme una copia del documento. Si éste se negara a hacerlo, conviene buscar un proveedor diferente. No se deben hacer negocios con alguien que no está dispuesto a asumir responsabilidad por su trabajo.

Antes de firmar un contrato, es preciso leerlo con sumo cuidado. No se debe temer agregar o cambiar lo que se considere necesario. Sin embargo, conviene preguntar al proveedor cómo quiere él que se redacte la terminología para evitar posibles disputas por asuntos legales más adelante. Tanto el proveedor como el cliente deben marcar los cambios con sus iniciales antes de firmar. Nunca se debe firmar un contrato entera o parcialmente en blanco. Tal vez el proveedor quiera agilizar el proceso, dejando el espacio en blanco para anotar los detalles más tarde. No hay que suponer que su intención es mala, pues a menudo los proveedores buscan agilizar los trámites. Sin embargo, es más prudente esperar o buscar a un proveedor diferente.

Si los cambios se discuten telefónicamente con el proveedor, se deben reiterar luego en una carta por escrito y el cliente debe conservar una copia en su archivo. (También es aconsejable guardar la correspondencia por correo electrónico en copias impresas). De hecho, conviene guardar *todos* los recibos y copias de contratos en la carpeta que se ha dispuesto para la boda, pues varias veces, antes y después de ésta, habrá que referirse a ellos.

Según el tipo de proveedor, el contrato debe incluir:

✔ El nombre, la dirección y el teléfono de la empresa.

✔ La persona con quien se establece el contacto.

✔ La persona directamente responsable del evento.

✔ Una descripción completa del producto o servicio que se va a prestar.

✔ La cantidad del producto que se va a ordenar.

✔ El número de personas que se atenderán.

✔ La fecha y la hora en que el tipo de producto o servicio se entregará o se hará efectivo.

✔ La fecha y la hora en que se terminará el servicio que se va a prestar.

✔ Los precios exactos de los productos.

✔ El lugar y la hora en que se entregará o montará el producto.

✔ Los costos del envío y el montaje.

✔ La hora en que se comenzará a cobrar una tarifa extra y el valor de esta tarifa por hora o por media hora.

✔ Los términos relacionados con devoluciones, aplazamientos y cancelaciones.

✔ Los términos que rigen la aplicación de un aumento de tarifa y la fecha en que caducará la tarifa fijada.

✔ La forma de pago: de contado o en cuotas.

✔ Los métodos de pago aceptados (cheque, efectivo o tarjeta de crédito).

✔ Si se incluyen las propinas o si éstas han de cancelarse posteriormente.

✔ La firma del representante de la empresa y la fecha.

✔ La firma del cliente y la fecha.

Pagar las cuentas por partes

Abonar una suma de dinero favorece al cliente, pues le demuestra al proveedor que es serio y lo compromete con el evento. Si se puede establecer que el abono sea de tipo reembolsable, más poder aún tendrá el cliente. Sin embargo, la mayoría de los proveedores no negocia con abonos reembolsables, como medida para evitar el fraude.

Aunque en la mayor parte de los contratos se especifica que el cliente no ha de cancelar la suma en su totalidad sino en el momento de recibir a satisfacción los bienes o servicios por los que pagó, en lo que respecta a los contratos para eventos matrimoniales las condiciones a veces varían. Muchos proveedores exigen que el pago se efectúe en su totalidad un día antes de la boda, y así lo especifican en el contrato.

Conviene recordar que una vez se ha cancelado un abono y firmado un contrato, el cliente se compromete legalmente a pagar en su totalidad la suma establecida.

Una vez pagado un abono, el presupuesto se debe actualizar. Si se gira un cheque, debe anotarse en el espacio pertinente aquello para lo cual se desembolsó la suma de dinero. Por ejemplo: "50% de la torta de matrimonio". También es buena idea cancelar el abono con tarjeta de crédito, pues si el comerciante incumple con el pedido, cierra su negocio antes de la fecha de la boda o falla de alguna manera —y se logra convencer a la compañía de la tarjeta de crédito de aquello—, es posible que la suma le sea descontada de la tarjeta.

En caso de que se llegara a cancelar o posponer el matrimonio, no esperen que los diferentes abonos ya hechos les sean devueltos en su totalidad. Muchas empresas cobran el 50 por ciento u otro porcentaje de su tarifa estimada, sea cual fuere la razón de la cancelación. Quizás el proveedor rechazó otras ofertas programadas para el mismo día, y el abono cubrirá parte de esta pérdida. Algunos proveedores reembolsan el abono si la boda se cancela debido a la muerte de un familiar o si logran programar otro evento para la misma fecha, recuperando así la suma de dinero. Si la boda se pospone en lugar de cancelarse, el costo total seguramente se incrementará.

Seguro contra infortunios

Si ustedes son del tipo de personas que siempre ven el vaso no sólo medio vacío sino quebrado en varias partes, tal vez les convenga tomar un seguro de bodas, si eso se estila en su país o región. Estos seguros por lo general cubren aplazamiento, fotografías, trajes o atuendos, regalos, costos adicionales, inconvenientes de tipo personal y gastos médicos. Sin embargo, ¿vale la pena invertir en un seguro tan costoso cuando se trata de algo que ocurrirá sólo una vez? Como con todos los seguros, el dinero quizás parezca enteramente desperdiciado a menos que algo terrible verdaderamente ocurra. De cualquier modo, es preciso leer con cuidado la letra menuda. Quizás el contrato cubra únicamente, en caso de cancelación o aplazamiento, los gastos no reembolsables debido a circunstancias sobre las cuales el cliente no tiene control. Éstas pueden incluir enfermedad o lesión corporal sufrida por la novia o el novio, o por cualquier persona *esencial* (sea lo que fuere que signifique esto) para la fiesta, destrucción de los lugares en donde se oficiará la ceremonia o se celebrará la recepción, o imposibilidad de acceso a cualquiera de estos lugares, pérdida o daño del vestido de la novia, y unos cuantos casos más. Como es de esperarse, las situaciones generadas por cambio de parecer no están amparadas.

Propinas correspondientes

Es justo recompensar a todas las personas que se han encargado de que el día de la boda se lleve a cabo según lo planeado. Para los matrimonios, las normas para propinas son más subjetivas que la propina habitual del 10 al 20 por ciento que por lo general se da en los restaurantes. La propina varía según las costumbres del lugar, el tamaño de la boda (un mayor número de personas requerirá una mayor propina) y, por supuesto, la calidad del servicio.

La forma como se distribuirán las propinas se debe planear con anticipación. Así mismo, conviene llevar consigo la chequera o dinero en efectivo para servicios o atenciones inesperados. Se puede pedir al asesor de eventos matrimoniales el favor de repartir las propinas. Si no se cuenta con un asesor, los cheques de propina se pueden entregar al jefe de banquetes o a otro encargado, para que él o ella los distribuya según se estipule antes de comenzar el trabajo (por ejemplo a los músicos). Las propinas en efectivo se pueden dar al padrino de bodas o a la dama de honor para que él o ella las reparta. De lo contrario, sería poco elegante tener que girar unos cuantos cheques al final de la boda, en un rincón, mientras los músicos empacan sus instrumentos y los meseros limpian las mesas. Esta situación puede además ser funesta para el presupuesto. En momentos como estos es muy fácil dejarse llevar por la emoción y, para no dar la impresión de ser tacaño, terminar girando más dinero del que se puede.

No olvide: una vez calculadas las propinas, se deben anotar en la hoja del presupuesto.

El personal de banquetes

Pueden consultar a su jefe de banquetes si estaría de acuerdo con dejarles una propina al personal de cocina y servicio, una vez se haya terminado el evento. Así mismo, conviene preguntar de qué manera se repartiría.

Otros proveedores

Para proveedores como banqueteros, floristas, fotógrafos y asesores de eventos matrimoniales, una propina en forma de dinero puede parecer inadecuada, en especial si la persona que realizó el trabajo es, además, dueña del negocio. En tales casos, es más apropiado ofrecer algo que sea a la vez fino y útil, como por ejemplo una pañoleta de seda, un buen vino o unas flores.

Oficiantes

En general, el tipo de propina o suma de dinero establecida que se da a los oficiantes es la siguiente:

✔ Los establecimientos religiosos por lo general cobran unos honorarios o reciben una donación por el uso de las instalaciones. Se puede decidir dar, además, una propina adicional al párroco o ministro. Los ministros o rabinos que ofician la ceremonia fuera del establecimiento religioso suelen cobrar una suma de dinero. Ésta debe determinarse en la primera cita de encuentro, así como cualquier otro costo adicional. Es recomendable encargar a un amigo o familiar cercano de estos pagos, para así evitar cualquier tipo de situación incómoda.

✔ Aunque en algunos lugares los jueces tienen permitido recibir dinero por llevar a cabo las ceremonias nupciales, este dinero a menudo se toma como una donación. Dependiendo de la relación que se tenga con el juez, sea éste amigo de la familia o sólo un juez contratado para la ceremonia, se puede ofrecer una propina en forma de dinero, un regalo personal o una donación en su nombre.

✔ Por lo general, los notarios públicos cobran una pequeña suma de dinero por llevar a cabo las ceremonias matrimoniales. Así como con los jueces, ofrecer una donación en su nombre también puede ser apropiado.

Capítulo 3
Trámites legales

● ●

En este capítulo

► Conseguir los permisos
► Contemplar un acuerdo prenupcial
► Cambiarse el nombre
► Anunciar su compromiso en los periódicos
► Cancelar una boda

● ●

*E*l matrimonio no es sólo fiesta y alegría. Toda aquella preparación simboliza una nueva etapa en la vida. El proceso también ha de hacerse legal. Además de sacar la licencia de matrimonio, también es preciso decidir si se quiere cambiar de nombre y, según el caso, si conviene hacer capitulaciones, o acuerdo prenupcial. En este capítulo veremos cómo resolver estos asuntos.

Ante todo, la licencia

Antes que todo, aclaremos: la *licencia* de matrimonio es un documento que autoriza a la pareja casarse; el *certificado* de matrimonio es el documento que prueba que la pareja se casó. En muchos países, la licencia de matrimonio se expide en una notaría, en la ciudad en donde los contrayentes planean casarse. En la notaría en cuestión se pueden solicitar los documentos necesarios para el trámite, así como información acerca del mínimo de edad requerida y el tipo de restricciones de parentesco establecidas para contraer matrimonio.

En algunos lugares los permisos para contraer matrimonio toman su tiempo. Por esta razón es aconsejable no dejar para el último momento el trámite de la licencia. En otros casos, por el contrario, hacer los trámites con mucho tiempo de anticipación no sirve, pues a veces la licencia de matrimonio sólo es válida un número determinado de días. Por esto, es importante planear bien el momento de hacer el trámite.

Trámites legales en el extranjero

Por lo general, un matrimonio llevado a cabo bajo un proceso legal válido en otro país también es considerado legal en su propio país. Sin embargo, el proceso para contraer matrimonio en otro país es a veces un poco más complicado que en el país de origen. Los contrayentes están sujetos a las leyes de residencia del país en cuestión y el tiempo de espera variará según el lugar. Además del pasaporte, es probable que haya que presentar documentos tales como certificados de nacimiento, sentencias de divorcio y certificados de defunción, que a veces tendrán que traducirse al idioma del país. En algunos lugares se exige que estos documentos se autentiquen antes en el país de origen, ante el consulado del país donde se llevará a cabo el matrimonio. Este proceso puede ser largo y costoso. Muchos países también exigen una declaración jurada que certifique que no existe ningún tipo de impedimento legal para casarse (tal como estar casado aún con otra persona). A menos que el país extranjero permita que la declaración jurada se firme en su consulado en el país de origen de los contrayentes, este documento deberá firmarse en la embajada o consulado del país de origen en el país extranjero.

Si el trámite es necesario, reclamen los formularios legales o solicítenlos con antelación, para llenarlos sin afanes y hacerlos autenticar ante un notario si fuere el caso. Luego, preséntense ante el funcionario público pertinente, quien preparará la licencia en presencia de los dos y les pedirá a ambos que la firmen en su presencia. Quizás haya que presentar uno o más de los siguientes documentos:

- ✔ **Comprobante de edad:** Éste puede ser el registro de nacimiento, la fe de bautismo, el pasaporte, la licencia de conducción, un seguro de vida, un certificado laboral, un certificado escolar, un certificado de inmigración, un certificado de naturalización o un certificado judicial.

- ✔ **Documentación sobre matrimonios pasados:** Quizás haya que demostrar cuántas veces se ha contraído matrimonio anteriormente, la(s) fecha(s) y la(s) razón(es) por las cuales éste o estos se terminaron (defunción, divorcio, anulación), si el ex cónyuge aún vive, y cuándo, dónde y contra quién se otorgó el(los) divorcio(s). Tal vez sea preciso presentar también una copia de la sentencia de divorcio o el certificado de defunción del cónyuge anterior.

✔ **Éxamenes de sangre o exámenes médicos prematrimoniales:** Como parte de los trámites para obtener la licencia de matrimonio, en algunos lugares también exigen a los contrayentes hacerse una prueba de sangre. Durante la ceremonia, los testigos firmarán el documento que certifica el acto. Si se trata de una ceremonia religiosa católica, el documento firmado por los testigos será enviado posteriormente a la parroquia correspondiente, donde quedará registrado el matrimonio.

Desde el punto de vista estrictamente legal, la licencia de matrimonio sólo se debe firmar cuando la ceremonia haya finalizado. Sin embargo, en muchos casos el oficiante permite que la pareja la firme antes de la ceremonia con el fin de ahorrar tiempo al terminarse ésta.

Una vez se obtiene la licencia de matrimonio, conviene solicitar una o dos copias de más por si en algún momento la requieren para tramitar otros documentos o realizar otras gestiones.

Acuerdos prenupciales

Aunque les parezca raro, los acuerdos prenupciales no son sólo para los ricos y famosos. Existen varios motivos por los que las parejas deciden firmar este tipo de acuerdos, también conocidos como *capitulaciones*. Quizás quieran facilitar las cosas en caso de defunción de uno de los cónyugues o de divorcio. Posiblemente uno de los miembros de la pareja posea una gran fortuna o una empresa familiar que quisiera conservar para sí en caso de terminarse el matrimonio. En especial, quienes a menudo firman capitulaciones son parejas que tienen hijos o nietos de matrimonios anteriores. El acuerdo prenupcial permite garantizar que el grueso de los bienes pase a los hijos o nietos y no al cónyuge. Aunque quizás es difícil hablar de este tema con la pareja, la situación no tiene por qué (y no debe) convertirse en un simulacro de divorcio.

Incluso si creen que no tienen bienes suficientes como para requerir asegurarlos, vale la pena mirar intensamente la bola de cristal y pensar en cuántas cosas pueden cambiar en el espacio de un decenio. Tal vez uno de ustedes obtenga un doctorado e incremente considerablemente su capital, o quizás a alguno se le ocurra una idea luminosa para un negocio de gran éxito. Estas eventualidades podrían protegerse mediante un acuerdo prenupcial.

A muchas parejas el ejercicio del acuerdo prenupcial les ayuda a determinar y entender los intereses e ideales de ambos, evitando así que estos ocasionen conflictos irremediables más adelante. En ocasiones, los asuntos discutidos por la pareja a este respecto terminan volviéndose un pacto privado entre ambos, sin necesidad de poner leyes de por medio.

Aun así, conviene no desestimar las posibles repercusiones psicológicas del acuerdo prenupcial. Antes de traer el tema a colación, es importante considerar si verdaderamente se justifica firmar un acuerdo de estos, dado el posible efecto que quizás tendría en la relación.

Si ambos deciden firmar capitulaciones, cada uno deberá contratar por separado a un abogado. Se debe pedir a ambos abogados que redacten los acuerdos en español corriente y no en el lenguaje técnico que se acostumbra emplear en los contratos legales. También es aconsejable incluir una cláusula de enmienda. Los asuntos específicos deben acordarse y firmarse al principio de la planeación de la boda. Esto se recomienda por dos razones. Primero, porque un acuerdo firmado bajo coacción puede ser inválido ante un tribunal y segundo, porque lo último en que los novios quieren pensar frente al altar es en asuntos de finanzas. Se debe ser flexible y cerciorarse de que cada una de las negociaciones refleje el amor y respeto que se siente por la pareja.

El cambio de apellido

Decidir qué apellidos tendrán de ahora en adelante ya no es una cuestión tan sencilla como antes, cuando la esposa inmediatamente adoptaba el apellido de su esposo. Hoy en día, el apellido de la mujer no cambia automáticamente por el del hombre. La *ley* hoy tampoco lo exige así. La mujer debe primero decidir si quiere cambiar su apellido y luego proceder con los trámites legales para hacer el cambio oficial. Si la mujer decide mantener su apellido de soltera, aun así tendrá derecho a recibir una parte de la pensión de su marido, su seguro médico u otros de los derechos que se establecen en el contrato matrimonial.

Decidir si se cambia o no el apellido

Hoy en día existen varias prácticas en cuanto al cambio de apellido, comúnmente aceptadas en la sociedad. Estas costumbres varían en los distintos países:

✔ La mujer adopta el apellido del hombre precedido por la pre-
posición "de".

✔ La mujer mantiene su apellido de soltera.

✔ La mujer utiliza su apellido de soltera para asuntos profesionales y su apellido de casada en los demás casos.

✔ Tanto el hombre como la mujer utilizan ambos apellidos,
separados por un guión.

✔ La mujer utiliza su apellido de soltera seguido por el apellido
de casada.

El cambio de apellido para la mujer puede significarle en ocasiones
situaciones adversas. Si su marido estuvo casado anteriormente, o
está sujeto, infortunadamente, a asuntos legales o financieros que
aún no se han resuelto, es posible que la nueva esposa se vea aco-
sada por centrales de riesgo financiero como consecuencia de una
atribución incorrecta de los datos. Es decir, puede suceder que los
datos financieros de la ex esposa se transfieran por equivocación
a la cuenta de crédito de la nueva esposa. Si el futuro esposo tiene
cuentas pendientes de impuestos anteriores, si tiene problemas
legales con sus propiedades, si su nombre ha sido utilizado para
cometer algún tipo de fraude o si tiene cualquier otro tipo de complicación con relación a su historial financiero, quizás le convenga a
la mujer mantener su apellido de soltera hasta cuando estos asuntos
se resuelvan. Esto también le permite proteger sus bienes.

Otra consideración importante que se debe tener en cuenta para
cambiar de apellido o no es la profesión. Como hoy en día las parejas tienden a casarse a una edad más tardía —la mujer hoy lo hace
en promedio a la edad de 25 años, mientras que en los años 50 se
casaba a los 20 años—, para muchas mujeres cambiar su apellido en
el punto en el que están en ese momento en su carrera profesional
podría ser confuso para sus colegas o clientes.

Actualizar sus datos

Cuando se acerque el momento del matrimonio, conviene haber
tomado ya la decisión sobre qué apellidos utilizar en el ámbito legal,
profesional y social. Si se piensa utilizar el apellido del cónyuge, es
aconsejable empezar a hacerlo inmediatamente después de la boda
y cerciorarse de hacer el cambio respectivo en el documento de
identidad, las cuentas y otros documentos importantes.

Uno de los documentos más importantes con los cuales comenzar
es el documento de identidad (cédula de ciudadanía). La solicitud

de cambio debe ir acompañada de una copia autenticada del certificado de matrimonio.

Con el nuevo documento de identidad se puede proseguir con los demás documentos legales y bancarios. Cuando se cree que ya todos han sido actualizados, aparece uno nuevo. Si se toma la decisión de cambiar el apellido y los documentos, es importante cambiarlos todos. De lo contrario se podrían presentar situaciones incómodas, como recibir una notificación de alguna entidad pública o una carta de la agencia de viajes cancelando sus tiquetes de vuelo porque el nombre que figura en el pasaporte es diferente. Estas son algunas de las cosas que es preciso cambiar:

✔ Las cuentas bancarias (también habrá que solicitar una nueva chequera)

✔ Las tarjetas de negocios

✔ Las tarjetas de crédito

✔ Las tarjetas de millas de vuelo

✔ Los formularios de impuestos

✔ Los seguros médicos (los beneficiarios también se deberán cambiar)

✔ El pasaporte

✔ Las pensiones (aquí también se deben cambiar los beneficiarios)

✔ Las tarjetas y la papelería personal con membrete

También habrá que notificar acerca del cambio de apellido al empleador, así como al departamento de contabilidad de la empresa.

Muchas compañías permiten actualizar la información por teléfono o correo electrónico. Otras, como los bancos o las compañías de tarjetas de crédito, exigen que la información se actualice por escrito. En algunos casos, también solicitan una copia del certificado de matrimonio. El solicitante debe firmar cada carta y, si así se requiere, también su cónyuge.

Cuando se viaja o cuando se deben firmar documentos oficiales, tales como los correspondientes a la venta de una propiedad, es conveniente llevar consigo una copia del certificado de matrimonio.

Publicar un aviso en el periódico

En esta época en que los *realities* de televisión se han vuelto parte de la vida popular, publicar la noticia de su compromiso o de su matrimonio en el periódico de su ciudad es en realidad bastante discreto. Aun así, este tipo de formalidades se debe llevar a cabo cuidadosamente, con el fin de darse a conocer ante el público como pareja, de la mejor forma posible.

Publicar la noticia de su compromiso

La publicación de la noticia del compromiso de matrimonio en el periódico se hace más que todo con fines sociales. (Sin embargo, no se deben confundir los anuncios de compromiso con las tarjetas de participación, sobre las cuales se trata en los capítulos 4 y 5). Quizás decidan publicar la noticia de su compromiso en el periódico de la ciudad donde residen actualmente, el de su ciudad natal o el de la ciudad donde residen sus padres.

Muchos diarios, sin embargo, han dejado de publicar esta sección de anuncios debido a la gran cantidad de ofertas de proveedores que recibían las parejas, y también debido al hecho de que no todos los compromisos terminan siempre en matrimonio. Algunos diarios consideran que es mejor publicar el anuncio una vez la pareja haya llegado a la recta final. Para publicar un anuncio es preciso llamar al periódico en que se desea hacerlo y averiguar si se necesita llenar un formulario. En muchos casos, sólo se debe enviar una carta. Anunciar en el periódico que se ofrecerá una fiesta con motivo del compromiso es también una forma muy popular de dar a conocer la noticia. Las fiestas que ofrecen los amigos o familia para la pareja con motivo de su compromiso son una magnífica forma de dar a conocer la noticia.

Noticia del matrimonio

En muchos diarios, publicar un anuncio de matrimonio no tiene costo, mientras que otros diarios cobran por publicar este tipo de anuncios como lo hacen con los avisos clasificados. Por lo general, entregan un formulario que se debe llenar a mano o a máquina. Muchas veces, el formulario se encuentra en la página web del periódico, si éste cuenta con una. De lo contrario, se puede llamar al periódico y averiguar qué se debe hacer para publicar el anuncio, cuáles son las fechas límite y qué tipo de fotografías se requieren.

Posponer o cancelar el matrimonio

Estar en el proceso activo y agobiante de organizar la boda y verse obligado a cancelarla o posponerla es una experiencia traumática. Sea cual fuere la razón, la perspectiva es poco grata, más aún cuando se debe lidiar con pérdidas financieras innecesarias, y ni qué decir de la forma como esto afecta psicológicamente a los implicados.

Para los aspectos de tipo social, tales como comunicar a los invitados que el matrimonio se ha cancelado, ver el capítulo 5. Para saber qué hacer con los regalos que ya se han recibido, ver el capítulo 18. A continuación daremos algunos consejos sobre cómo lidiar con contratos y asuntos de dinero, y sobre qué decisión tomar acerca del anillo de compromiso.

Arreglar cuentas

Dependiendo del punto en el que se esté en la planeación de la boda, habrá que ponerse en contacto con el lugar de la fiesta o recepción, el banquetero y otros proveedores, y preguntar si es posible una devolución del dinero abonado. Si en los contratos se incluyó una cláusula que estableciera el abono como reembolsable, esto puede facilitar las cosas y aminorar las deudas por cancelar. Si un proveedor se niega a devolver una suma de dinero que le corresponde al cliente, ésta se puede negociar de modo que la tarjeta de crédito asuma el valor (es decir, si leyeron el capítulo 2 y pagaron con tarjeta de crédito); también se puede pasar la deuda a un mediador, como el defensor del consumidor de la ciudad donde se reside. Por lo general, para calcular el valor de la suma reembolsable, si se aplica, los proveedores toman en cuenta la razón de la cancelación, qué tan factible es que puedan reservar un nuevo evento para esa misma fecha y el tiempo que han invertido hasta ahora en los preparativos de la celebración que se cancela.

Así los pajes y demás personas que conformarían el cortejo de la boda tuvieran planeado pagar ellos mismos por sus trajes, en caso de cancelación lo más correcto es reembolsarles el dinero que pagaron o los abonos que no les serán devueltos. Consideramos que los regalos recibidos en los *showers* se deben devolver, y si algún regalo ya se usó, se debe comprar otro igual. Se recomienda incluir una nota que diga "Gracias, pero infortunadamente…", como se indica en el capítulo 18.

Quizás sea conveniente contratar a un abogado para resolver algunos asuntos de dinero que hayan quedado pendientes con su ex pareja (tales como gastos de la fiesta), de modo que las discusiones no sean de tipo personal.

¿Quién se queda con el anillo?

Ya sea que le competa o no la responsabilidad por haber cancelado la boda, la mujer siempre se preguntará si debe devolver el anillo de compromiso. La respuesta, por lo general, es sí, aunque este tema ha originado muchos pleitos y los jueces han llegado a distintas conclusiones. El punto principal de la contienda es si el anillo es tan sólo un regalo o si está ligado además a una promesa de matrimonio. Mientras que unos jueces opinan que el anillo se debe devolver a quien lo compró, sin importar quién haya terminado la relación, otros consideran que si el hombre (el "donante", en lenguaje legal) fue quien rompió el compromiso, no podrá pedir el anillo de vuelta.

En nuestra opinión, el anillo debe devolverse a la persona que lo dio, sin importar de quién fue la culpa de la ruptura.

Parte II

¡Bienvenidos!

ADEMÁS DE LAS INVITACIONES, LOS ANUNCIOS Y LAS TARJETAS DE PARTICIPACIÓN, ME GUSTARÍA MANDAR UNAS CUANTAS TARJETAS CON LA INSCRIPCIÓN "TE LO DIJE", PARA LAS PERSONAS QUE CREÍAN QUE NUNCA ME CASARÍA.

En esta parte...

Veremos cómo ser un excelente anfitrión, pues la ceremonia de boda no se limita al simple hecho de casarse: también es un despliegue de atención a sus invitados. Esto no significa que haya que gastar una fortuna para impresionar a los asistentes. Aunque se decore el salón con más flores que un carnaval, se adorne cada mesa con un cupido de chocolate del tamaño de un niño y se bote la casa entera por la ventana, lo que más impresiona a las personas y lo que hará que recuerden el momento para siempre son los pequeños detalles que demuestran cuánto se quiere la pareja y cuánto aprecia a sus invitados. Estos actos se reflejan en cada detalle y en la manera en que ambos han planeado todo: desde el lugar que han escogido para celebrar el evento, hasta la forma de escribir las invitaciones; desde el itinerario planeado para el día del matrimonio, hasta las actividades extracurriculares.

Capítulo 4

El lugar:
lo primero por resolver

● ●

En este capítulo

▶ Encontrar el lugar ideal para celebrar la boda

▶ Entrevistar a banqueteros y proveedores

▶ Celebrar la boda en casa

▶ Romper con el mito de la gran carpa

▶ Planear una boda en un destino distante

● ●

Ya sea que piensen realizar la ceremonia en un establecimiento religioso y luego celebrar una recepción o fiesta tradicional en casa, o que planeen llevar a cabo el evento de manera menos tradicional en algún destino distinto, una de las primeras cosas por resolver es el lugar del suceso. Los sitios más apetecidos por lo general están pedidos con meses de anticipación, y en los lugares de vacación populares los hoteles y otros hospedajes se copan fácilmente en las temporadas altas. Y, claro está, si aún no se sabe en dónde se realizará el evento, es imposible seguir adelante con tareas como encargar las invitaciones y planear el menú definitivo.

Buscar el amor en los lugares indicados

Lo mejor es pensar en términos generales en dónde quisieran que se celebrara el evento y, a partir de ahí, definir la región, el departamento, la ciudad y finalmente el establecimiento. El dinero significa poder, de modo que habrá que tomar en consideración el lugar en donde *la persona que pagará por la boda* quiere que ésta se celebre.

También ha de tomarse en cuenta qué personas podrán realmente asistir (que no siempre son todas las que uno *quisiera* que asistieran) y desde qué lugar deben viajar. ¿En dónde vive la mayoría de los amigos de la pareja? ¿Y sus familias?

Tradicionalmente, la boda se celebra en la ciudad natal de la novia. Sin embargo, muchas veces resulta poco factible o apetecible hacerlo de este modo. Si ninguno de los dos tiene raíces en el lugar en donde viven actualmente, quizás prefieran celebrar el evento en una localidad neutra o en un lugar de vacaciones. Sin embargo, ¿están dispuestos a cubrir los gastos de transporte de los invitados o tienen ellos los medios para hacerlo? ¿Qué tan frecuentemente se cierran los aeropuertos locales debido al mal clima? Si están pensando en un lugar de vacaciones muy popular, ¿qué tan altos son los precios en temporada alta? Muchas veces, dos ciudades que se parecen inmensamente en casi todos sus aspectos varían en cuanto a su costo de vida.

Para planear un matrimonio fuera de la ciudad, es indispensable contar con un directorio telefónico de esa localidad. Se pueden conseguir las páginas amarillas en la localidad misma o llamando a la compañía de teléfonos donde uno reside. También se pueden consultar las páginas amarillas en sitios de Internet.

Si se planea llevar a cabo una ceremonia religiosa, lo mejor será acordar con el párroco, ministro o rabino la fecha, el lugar y la hora en que se realizará el evento, antes de hacer otras reservaciones. Aunque los novios pertenezcan a una religión en particular, muchos párrocos tienen autoridad sobre la planta física de su establecimiento y el modo de oficiar el servicio religioso. En ocasiones, el párroco puede considerar inadecuado el tipo de ceremonia que la pareja planea ofrecer por razones insospechadas, como la escogencia de música secular, lecturas modernas, o una versión propia de los votos tradicionales.

Quizás haya una iglesia, un templo o una sinagoga cerca del lugar en donde se planea ofrecer la recepción. Sin embargo, no esperen simplemente entrar y reservar el establecimiento como si se tratara de una casa de banquetes. Hay asuntos delicados en juego y las parroquias a menudo cobran una suma de dinero a novios que no pertenezcan a esa parroquia específica. Si ustedes o sus familias tienen una relación de amistad con algún sacerdote o religioso de autoridad, podrían pedirle que se comunique con el párroco del lugar que les interesa.

Dónde encontrar lugares espectaculares

Antes de lanzarse en una búsqueda sin ton ni son, conviene tomarse el tiempo de investigar y reunir información sobre el mayor número posible de lugares. Se puede encontrar información sobre lugares para celebrar la boda en sitios como:

- ✔ **Exhibiciones de bodas:** Numerosos comerciantes exponen en estas exhibiciones, que abarcan desde ferias de bodas hasta eventos en hoteles y centros comerciales. Por lo general los diferentes diarios de la ciudad anuncian este tipo de eventos.

- ✔ **Banqueteros:** Como su negocio consiste en trabajar para los lugares que requieren servicios de banquete externos, los banqueteros pueden informarles a los clientes sobre posibles lugares para llevar a cabo el evento.

- ✔ **Cámaras de comercio:** Especialmente útiles como primer paso para investigar sobre lugares para celebrar la boda fuera de la ciudad, las cámaras de comercio pueden recomendar sitios de recepción, banqueteros, empresas especializadas e incluso párrocos o ministros para oficiar la ceremonia, aunque por lo general sólo recomiendan establecimientos miembros. Muchas cámaras de comercio envían folletos y otro tipo de información cuando se les solicita.

- ✔ **Revistas de moda y decoración:** Además de las revistas especializadas en bodas, otras publicaciones también sacan ediciones especiales para novias.

- ✔ **Internet:** Con un buscador de internet, se pueden escribir palabras como **boda, organización, proveedores** y el nombre de una ciudad para encontrar diferentes sitios web en dónde buscar.

- ✔ **Diarios:** La lectura detenida de los anuncios de bodas en los diarios locales o en los diarios de la ciudad donde se planea realizar el evento aporta información valiosa sobre establecimientos religiosos y salones de recepción.

- ✔ **Folletos y catálogos de viajes:** Quizás allí encuentre inspiración.

- ✔ **Revistas gremiales:** Las revistas especializadas en bodas buscan promover la industria de planeación y organización de eventos matrimoniales. Contienen artículos, consejos profesionales y avisos publicitarios de salones de recepción, proveedores, banqueteros y otros servicios.

La primera impresión por teléfono

La conversación telefónica permite evaluar el tipo de servicio que se prestará. ¿El proveedor devuelve las llamadas oportunamente? ¿Es flexible o parece no dar más opción que la que propone? ¿Da la impresión de que organizaría la boda con gusto y no con impaciencia? ¿Está demasiado ocupado para atender al cliente? ¿Es condescendiente? ¿Maleducado? ¿Evasivo?

En la primera conversación telefónica es preciso:

✔ Anotar el nombre y el cargo de la persona con quien se habla. (Sorprende la frecuencia con la que personas no autorizadas dan información sobre precios y disponibilidad).

✔ Preguntar cuántos salones hay disponibles para la fecha y hora en que se piensa celebrar la boda. Si se tiene programado otro evento en ese mismo lugar a una hora más temprana ese día, ¿de cuánto tiempo se dispone para preparar el salón para el siguiente evento?

✔ Averiguar los precios estimados de la comida y las bebidas. (Para un análisis de cuáles pueden ser estos precios, ver los capítulos 14 y 15).

Dejarse llevar por el olfato

La actitud propia desempeña un papel esencial en la búsqueda de un lugar original y mágico para celebrar la boda. Así pues:

✔ **Sean contundentes.** Pidan sugerencias a personas a quienes consideren expertas en cuestiones de gusto, estilo y decoración, y de ser posible a editores de revistas especializadas en bodas.

✔ **Sean curiosos.** Quizás ustedes mismos o sus amigos hayan asistido a una boda que les pareció espectacular, pero por alguna razón (el costo, la ubicación, el tamaño...) el lugar en donde se celebró no es el adecuado en su caso. Es buena idea preguntar a la pareja en cuestión qué otros lugares habían incluido en su lista preliminar. Quizás uno de ellos sea el lugar soñado para ustedes.

✔ **Sean imaginativos.** Averigüen si es posible alquilar lugares no convencionales, como viviendas privadas, museos, galerías, barcos o jardines. Sus dueños, que quizás jamás habrían pensado en alquilar su propiedad, tal vez consideren hacerlo para un matrimonio.

Si les interesa un club privado en particular, es preciso contar con el aval de uno de sus miembros, o ser miembro de otro club que tenga un convenio con el deseado. Esto puede ser complicado, pues muchos clubes no permiten que personas ajenas visiten el lugar sin estar antes avalados por un miembro. Pero, ¿cómo encontrar un aval si no es posible saber quiénes son los miembros? Además de contar con un servicio de banquetes de planta, los clubes pueden tener reglas rigurosas o peculiares.

Aunque alentamos plenamente la búsqueda obstinada de un lugar de su gusto, éste no es el momento de asumir una actitud autoritaria y de importunar con cientos de preguntas a los proveedores. El personal de comidas y bebidas está compuesto por seres humanos y, si termina celebrando la boda allí, se acordarán de ustedes para bien o para mal.

Servicio de planta y servicio externo

Lo primero que ha de saberse acerca de los salones de recepción es si cuentan con un servicio de banquetes de planta o si contratan un servicio externo. Por lo general, entre los establecimientos con servicio *de planta* se cuentan los hoteles, restaurantes, casas de banquetes, clubes privados o cualquier otro establecimiento que ofrece un servicio completo de comidas y bebidas. Si el lugar no cuenta con un servicio de planta, es preciso contratar por aparte el servicio de banquetes. Algunos lugares para los cuales se debe contratar un servicio de banquetes *externo* son un jardín propio con servicio de carpa exterior, un museo o una hacienda privada. Muchos de estos establecimientos cuentan con una lista propia de servicios de banquetes externos que ellos recomiendan. Si les gustó mucho un lugar específico y además tienen pensado contratar a un banquetero determinado, será necesario primero asegurarse de que el establecimiento y el banquetero puedan trabajar juntos. Si consideran que la comida es tan importante como el establecimiento o incluso más, podrían contratar primero al banquetero, quien a su vez les podría recomendar un lugar para la celebración. (En el capítulo 14 encontrarán consejos para conseguir un gran banquetero).

Si se requiere más de un lugar

Si no piensan casarse en un establecimiento religioso, será necesario contar con un lugar en el que se pueda celebrar la ceremonia y ofrecer el coctel (si se incluye) y la fiesta. La primera opción debe ser un lugar en donde se puedan realizar los tres eventos a la vez.

Cambiar el salón

No es fácil encontrar un lugar con disponibilidad de espacio o un número considerable de salones, por lo cual quizás sea preciso transformar un recinto. Esto significa que se debe cambiar el salón para que cumpla otra función. Si se van a llevar a cabo en un mismo espacio tanto la ceremonia como el coctel, habrá que mover los asientos e instalar el bar mientras los invitados permanecen en este mismo espacio. Si la ceremonia y la recepción se van a realizar en el mismo salón, se puede hacer pasar a los invitados a un pequeño coctel en otro salón mientras se adapta nuevamente el espacio que se utilizó para la ceremonia.

Una decoración elaborada quizás exija más mano de obra y por ende un mayor costo, por tenerse que hacer en un lapso limitado (o quizás no se pueda lograr en el tiempo transcurrido entre la ceremonia y la fiesta). El tipo de decoración no debe determinar qué tan largo ha de ser el coctel de espera. Por ejemplo, arreglar un jardín inglés en miniatura en cada centro de mesa podría tomar una cantidad de tiempo incalculable. Cuando los invitados se sienten a las mesas, quizás hayan ya bebido demasiadas copas como reparar en si el centro de mesa es un arbolito de rosas o un pino.

Diferentes lugares para la ceremonia y la fiesta

Incluso si el matrimonio no se celebra en un establecimiento religioso, quizás decidan realizar la ceremonia y la fiesta en lugares distintos, con el fin de evitar cualquier tipo de incomodidad ocasionada por la adaptación del salón. Esta opción, sin embargo, puede significar costos adicionales, como por ejemplo el costo del lugar en donde se celebrará la ceremonia, arreglos de flores dobles y otras formas de decoración para cada sitio, así como el costo del transporte para los invitados. De hecho, no presuman que el transporte de los invitados desde el lugar de la ceremonia al lugar de la fiesta no tiene nada que ver con ustedes. A menos que los invitados tengan todos automóvil, hay que pensar en qué podría pasar si todos salieran de la ceremonia en medio de una tormenta y no hubiera taxis a la vista… Nada agradable.

Así mismo, es preciso coordinar el tiempo programado entre ambos sitios. Si la ceremonia termina a las 5:30 y el lugar reservado para la fiesta (a una distancia de 35 minutos) estará listo a las 6:45 (no hay necesidad de una calculadora, ¿verdad?), no supongan que de alguna manera todo se organizará. Sin lugar a dudas los invitados llegarán 20 minutos temprano, al tiempo con los músicos, y les tocará verlos descargar la batería y arrastrar los amplificadores por un salón en el que todavía no se han terminado de arreglar las mesas. ¡Todo un desastre! En el capítulo 7 incluimos un modelo de cronograma para el día de la boda.

Reconocimiento del lugar

Una vez hecha la investigación previa de los lugares disponibles en la localidad donde se llevará a cabo la boda, conviene visitarlos en persona, en pareja o con un amigo o amiga en cuya opinión se confía plenamente. En esta primera visita de inspección es mejor no ir acompañado de los padres o los futuros suegros, pues la idea es oír diferentes opiniones fundamentadas acerca de los posibles inconvenientes del lugar, antes de que los padres o los suegros reparen en ellos y descarten la posibilidad de inmediato.

¿Por quién se debe preguntar? En establecimientos con servicio de planta, se conversa con la persona encargada del área de banquetes o del área de la comida y las bebidas. En establecimientos que requieren servicio de banquetes externo, se habla con el administra-

---

¿La tarifa incluye el impuesto a las ventas y la propina?

Las casas de banquetes, los restaurantes y los hoteles por lo general incluyen como parte de un mismo servicio el alquiler del lugar, el servicio de comidas y el servicio de bebidas. Por esto, es poco probable que el establecimiento ofrezca sólo uno de estos servicios por separado. Es importante conocer el significado de la siguiente terminología:

✔ **Todo incluido:** Se relaciona siempre con la comida, las bebidas, el impuesto a las ventas y la propina, pero tal vez no incluya costos extras

tales como los que cubren el servicio de los mozos de bar, el personal de servicio de los baños, la torta, el guardarropas y el servicio de estacionamiento.

✔ **Más impuesto a las ventas, más propina:** Se refiere al costo del impuesto a las ventas y la propina que se adiciona al costo de la comida y las bebidas. Este monto puede descuadrar por completo el presupuesto establecido, de modo que no debe pasarse por alto.

dor, aunque lo más probable es que esta persona no pueda aclarar las dudas sobre el servicio de comidas y bebidas. Estas preguntas (que veremos más adelante en este capítulo) se podrán hacer luego al banquetero.

Durante la visita a un lugar, es aconsejable tomar notas de todos los detalles. También se recomienda pedir folletos y fotografías de otros eventos que se hayan llevado a cabo allí. Si el establecimiento no cuenta con ellos, ustedes mismos pueden tomar fotografías del lugar, aunque solicitando antes permiso para hacerlo, pues muchos establecimientos consideran que la decoración y el arreglo del lugar es material privado de la institución. Es importante hacer esto porque luego de haber visitado un número considerable de lugares, será imposible recordar cuál era el hotel de las paredes lila que les parecieron tan horribles o el de las luces de neón que recordaban una estación de metro.

No olviden que todavía están en la primera etapa del proceso y, por tanto, aún no es el momento de pensar en cómo podría cambiarse un lugar que les desagrada. Confíen en la primera impresión. Si el lugar no les agrada del todo o choca con cualquiera de sus cinco sentidos, continúen con la búsqueda.

Preguntas para hacer

Según las opciones que se vayan considerando, habrá que hacer diferentes tipos de preguntas, que variarán de acuerdo con el tipo de establecimiento (de servicio de planta o servicio externo) y según se planee reservar el lugar tanto para la ceremonia como para la fiesta, o únicamente para la recepción.

Para comenzar, pregunten específicamente qué áreas del establecimiento están disponibles. Quizás les encante el jardín de rosas del hotel y decidan que es el área ideal para la sesión de fotografías, pero durante los preparativos, en el día mismo de la boda, les informen que es imposible utilizar esa área del hotel.

Si se va a realizar otro evento allí ese mismo día, al mismo tiempo, es conveniente preguntarle al administrador del establecimiento qué medidas se tomarán para evitar que las personas de un evento se encuentren con las del otro. Un "cruce de matrimonios" podría convertir el gran día en una experiencia poco memorable.

La lista de preguntas de la figura 4-1 muestra cómo hacerse cargo de los detalles específicos.

Muchos establecimientos no ofrecen un menú de prueba para los clientes, lo cual es entendible. Para el banquetero, preparar una comida para dos (o cuatro) personas supone un costo y una carga de trabajo adicionales, en especial si su servicio es de tipo externo. Sin embargo, sí consideramos que una vez se ha reservado el lugar o contratado el servicio de banquetes, debería tener la posibilidad de degustar un menú de prueba. Esto se debe negociar con el banquetero o el establecimiento antes de firmar el contrato. Si el plato no está a la altura, se debe contar con la posibilidad de degustar varias pruebas hasta obtener el resultado esperado. (Aunque esto se debe tomar como un llamado de alerta).

Al reunirse con un posible jefe de banquetes y hacer distintas preguntas, conviene averiguar claramente qué reglas rigen para el servicio de bar, puesto que esto tendrá un impacto sobre el costo total y la forma de organizar el presupuesto. (Para un listado completo de lo que puede comprender el bar, ver el capítulo 15).

Para comparar el costo total de la comida y las bebidas de un establecimiento con servicio de planta y uno con servicio externo, es preciso averiguar costos estimados con diferentes banqueteros externos, si el lugar requiere servicio externo. Comparar los lugares según el costo del alquiler únicamente no proporciona información suficiente como para poder tomar una decisión acertada. Por esta razón, en el capítulo 14 hemos incluido las preguntas que se deben hacer en las entrevistas preliminares con los banqueteros.

Entender la noción de espacio por metro cuadrado

Al averiguar si el tamaño del lugar será lo suficientemente grande para los diferentes eventos de la boda, las cifras en metros cuadrados que proporcione el encargado se deben tomar con cierta reserva. Seguramente la intención del jefe de banquetes no sea engañar al cliente pero, al fin y al cabo, su trabajo consiste en hacer los salones cálidos con un mayor número de personas. Pidan un plano de la planta física, así como un diagrama con la distribución de las mesas. Tampoco está de más llevar consigo un metro. Ver la tabla 4-1 para mayor información.

Lista de preguntas sobre el lugar del evento

Fechas y horas

☐ ¿Es posible que el establecimiento programe otros eventos para el mismo día? (De ser así, demás de comprometerse la privacidad de la celebración, un evento anterior quizás signifique que habrá muy poco tiempo para la decoración floral, y un evento posterior tal vez reduzca la posibilidad de extender la recepción un rato más).

☐ ¿Con cuánto tiempo de anticipación se puede o se debe confirmar una reserva?

☐ ¿A qué hora podrán los proveedores (florista, banquetero, etc.) preparar lo suyo?

☐ ¿Debe recogerse todo la misma noche o puede recogerse al día siguiente? (El costo establecido por los proveedores para recoger los elementos en la noche puede ser mayor).

Capacidad, logística y dimensiones del establecimiento

☐ ¿De cuántos metros cuadrados es el espacio?

☐ ¿Qué salones están disponibles?

☐ ¿El lugar tiene capacidad para sentar a cuántas personas (teniendo en cuenta la pista de baile), tanto para comidas de *buffet* como para comidas con los invitados sentados? Pidan ver un plano de la planta física, así como diagramas y fotografías de otros eventos diferentes a matrimonios que se hayan llevado a cabo en ese mismo lugar, con el fin de darse ideas sobre la decoración.

☐ A juicio del establecimiento, ¿cuántos invitados caben cómodamente en el lugar?

☐ ¿Cómo funciona el espacio? (¿Por dónde entran los invitados? Si el evento se realizará en el piso 30 de un edificio y es preciso subir en ascensor, ¿habrá un portero o una persona encargada de dirigir a los invitados hacia el ascensor? ¿Cómo se dirigirá a los invitados una vez se encuentren en el piso en donde se celebrará el evento?)

☐ ¿Se cuenta con servicio de estacionamiento? ¿Hay valet parking?

☐ ¿El lugar está adaptado para atender a personas discapacitadas?

☐ ¿En dónde se encuentra el guardarropas?

☐ ¿Dónde se servirán los aperitivos?

☐ ¿Cuánto tiempo tomará transformar el salón si se requiere cambiarle el uso?

Figura 4-1:
Unas preguntas acertadas permiten determinar si el lugar es apropiado para realizar la ceremonia, la recepción, o ambas.

- ❏ ¿En dónde se puede vestir la novia? ¿Y el novio?
- ❏ ¿En dónde se puede hacer la sesión de fotografías? ¿Qué recomiendan los encargados del establecimiento en materia de luz, iluminación y el estado del tiempo?
- ❏ ¿Qué se tendría planeado en caso de lluvia, si gran parte del evento estuviera programado en exteriores?

Costos

- ❏ ¿Cuánto cuesta el alquiler del establecimiento?
- ❏ ¿Existe un límite de horas para utilizar el lugar? ¿Desde qué hora comienza a contar el tiempo extra y qué tarifa se cobra?

Nota: La tabla 4-1 es únicamente una guía; también se deben tomar en cuenta aspectos tales como la forma del salón, obstrucciones visuales como columnas y la cantidad de espacio no utilizable.

Tabla 4-1   Tamaño recomendado en metros cuadrados

Tipo de espacio	Metro cuadrado por persona
Ceremonia	2,4
Coctel sin sentar (anterior a la comida)	1,8 - 2,4
Coctel, sentando parcialmente y con pista de baile	2,4
Coctel, con mesa de apetitivos y sentando parcialmente	3,7 - 4
Comida, sentando y servida a la mesa, con pista de baile	4 – 4,6
Orquesta	6 -7,6 por instrumento
Pista de baile	0,9

Para establecimientos tales como hoteles o casas de banquetes, que se han construido específicamente con el propósito de ofrecer banquetes y fiestas en ellos, es sencillo planear la distribución del espacio. Los jefes de banquetes por lo general ofrecen ayuda valiosa en lo que respecta a posibles formas de organizar un salón. Otro tipo de espacios, tales como un colegio o un museo, quizás requieran cierta creatividad adicional para adaptar un salón a las necesidades de la celebración. En estos casos se puede pensar en formas novedosas de organizar las mesas, tales como utilizar mesas de diferentes tamaños, en lugar de regirse bajo el patrón tradicional de organizar un banquete.

El sitio web de Allchin Files (`www.allchin.net/files/roomsize.html`), diseñado para calcular unidades de medida, cuenta con un sistema para calcular el tamaño de un cuarto según la cantidad de metros cuadrados necesarios para sentar a un número determinado de personas en mesas redondas de 1,20 - 1,50 metros de diámetro.

Cuando no hay como la casa

Aunque la pequeña casa de campo soleada donde uno de ustedes vive parezca el lugar ideal para organizar un matrimonio, el único momento en que se podría juzgar si en verdad es apropiada para ello es durante un monzón. Dicho esto, vale la pena tomar en cuenta las siguientes preguntas:

✔ En caso de que ocurriera una tormenta desastrosa y se hubiera planeado celebrar la boda afuera, ¿la casa sería lo suficientemente grande para usar como segundo recurso?

✔ ¿Qué capacidad de baños se tiene y, si se aplica, de sistema séptico?

✔ ¿Dónde estacionarán sus vehículos los invitados?

✔ ¿La casa o el terreno tendrían que reformarse en ciertos aspectos con el fin de ofrecer confortablemente la recepción? Esto puede suponer costos extras con los que no se contaba.

✔ Suponiendo que el día fuera soleado y enteramente agradable, y la boda se celebrara afuera, ¿cómo es la población de mosquitos y moscas? ¿Sería necesario fumigar la propiedad con pesticidas?

✔ ¿Qué tan potente y actualizado es el sistema de electricidad? El solo hecho de conectar una máquina para hacer café de 100 tazas podría fundir una casa entera. ¿Se cuenta con una planta generadora de electricidad?

✔ ¿El tamaño de la cocina permitiría al banquetero y sus ayudantes trabajar adecuadamente?

✔ ¿Se cuenta con una persona encargada de recibir los elementos alquilados, las flores, la comida, etc.?

✔ ¿Cuánto tiempo se requeriría para el _arreglo y levantamiento_ del evento (instalar y recoger la carpa, etc.)? ¿Podrían los habitantes vivir en la casa mientras tanto? ¿Quién se encargaría de arreglar la casa luego de que todo hubiera terminado? Si la pareja misma piensa encargarse de eso, ¿tendrían el tiempo suficiente para acabar antes de partir a la luna de miel?

Carpas y propósitos

Aunque los matrimonios en casas particulares o en haciendas son muy pintorescos, no son sencillos de organizar ni poco costosos. La razón es que por lo general requieren de la instalación de una carpa. Dado que la mayoría de las casas no tienen una cancha de tenis cubierta o un salón de baile donde se puedan acomodar una fila tras otra de sillas —a menos que uno redujera el número de sus invitados a sus amigos más preciados—, gran parte de la boda debe hacerse en el exterior. Instalar un dosel tampoco es complicado ni costoso. Sin embargo, un toldillo como éste de poca estabilidad no serviría mucho si lloviera, o si hiciera demasiado frío o calor. Sólo con una carpa enteramente cubierta se estaría completamente seguro.

Los tipos de carpas más comunes son tres, tal como se muestra en la figura 4-2, y generalmente se escogen dependiendo del número de invitados, el lugar en donde se instalen la pista de baile y el salón de comidas, y la distribución del espacio. Los tipos básicos de carpa son:

✔ **Cerrada:** Puede tener uno o más picos, y ser de percha o de armazón.

✔ **De armazón:** Se sostiene por medio de un armazón, sin perchas desde el centro. También se le llama _carpa de armazón sin perchas._

✔ **De percha:** Se sostiene con perchas a cada esquina o desde el centro de los lados. Las carpas de percha deben clavarse en el suelo, por lo cual no funcionan muy bien en los jardines de piedras o sobre asfalto.

Una vez decidan utilizar una carpa para la boda, habrá que tomar en cuenta los siguientes aspectos:

✔ **Carpas adicionales:** Además de la carpa principal, quizás se necesite una carpa adicional para el banquetero y otra carpa separada e iluminada para los baños portátiles (en especial, si la boda será de noche) o para disimular el vehículo que

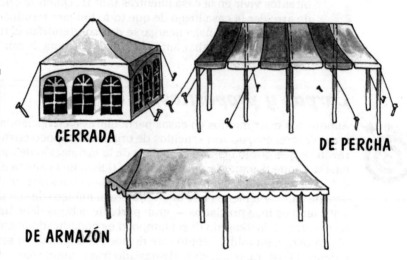

CERRADA

DE PERCHA

DE ARMAZÓN

Figura 4-2: Aquí, la carpa cerrada tiene lados con ventanas, mientras que las carpas de armazón y de percha tienen los lados enrollados arriba.

transporta los baños portátiles. Para conectar estas ubicaciones será necesario un camino de toldos.

✔ **Instalación adecuada:** Es necesario cerciorarse de que el terreno donde se instale la carpa sea seguro. Si éste es bastante accidentado, instalar la carpa ahí sin un piso adicional de soporte es riesgoso. Aunque los pisos son extremadamente costosos dado el trabajo que requiere su instalación, he aquí el dilema: no instalar un piso puede ocasionar todo tipo de percances. Por ejemplo, mesas y asientos que se tambalean, una pista de baile desnivelada y, peor aún, la coladura del agua. No sólo habrá que preocuparse porque en el día de la boda se pronostique una fuerte tormenta. Si en días anteriores también ha llovido, el agua subirá a la superficie, incluso si la carpa se instala sobre una colina. Y eso sin hablar de los cientos de tacones que dejarían la marca sobre el césped, terminando así con la extensión de terreno verde que les habían hecho creer que éste era el lugar ideal para celebrar el día más importante de su vida. (¿Alguien quisiera dar un paseo en canoa?)

✔ **Dilemas de decoración:** Habrá que tomar en cuenta cómo decorar e iluminar la carpa. Incluso si se tiene pensado algo sencillo, de cualquier modo se verán cientos de perchas industriales en medio del blanco de las carpas. Tratar de cubrir todo esto puede ser imposible, dado el costo. (Ver en el capítulo 17 ideas para decorar carpas).

✔ **Comodidad:** Aunque proporcionar la carpa con calefacción es un método rudimentario, el costo es razonable. La instalación del aire acondicionado, en cambio, es extremadamente costosa y además consume una gran cantidad de energía. Quienquiera que haya estado en una fiesta con carpa en la cual se haya fundido la electricidad aconsejará instalar un generador de energía de reserva. Solamente habrá que asegurarse de instalarlo lo suficientemente alejado de modo que los invitados no se vean forzados a gritar en medio del ronroneo incesante de la máquina. Si se está pensando en el espectáculo que sería ver las estrellas a través de una carpa con techo transparente, ha de tomarse en cuenta que sin aire acondicionado las carpas tienden a empañarse. Igualmente, bajo un cielo soleado pueden convertirse en un invernadero insoportable.

Un servicio de baño adecuado

Dentro de aquellos aspectos sobre los que uno nunca se imagina que debería saber y que agradece el hecho de que se comenten, el tema de los baños es de suma importancia. Así como se ha pensado en el servicio de estacionamiento, guardarropas y transporte para los invitados, el servicio de los baños también debe tomarse en cuenta. Muchas veces, las personas no están dispuestas a invertir el dinero suficiente en este aspecto tan poco elegante de su boda. Sin embargo, proporcionar un servicio de baño adecuado y cómodo es un gesto mínimo de hospitalidad.

Si se planea arrendar baños portátiles es importante tener en cuenta que cada baño tiene una capacidad máxima de 125 usos. Como regla general, una persona utiliza el baño una vez cada tres horas. Así, para un número de 500 invitados en tres horas se necesitarán cuatro baños (500/125 = 4). Para seis horas se necesitarán ocho baños.

Debe haber baños separados para mujeres y para hombres. Incluso si la proporción de mujeres a hombres es de uno a uno, el número de baños para mujeres debe ser mayor, porque suelen tomar más tiempo. De cualquier modo, se busca evitar que los invitados confundan la fila para el baño con la fila de la pista de baile.

Los baños portátiles se encuentran de todos los tipos, desde el diseño más básico, como el del baño de construcción, hasta coches

Personas que requieren de atención especial

Si hay invitados de edad, discapacitados o enfermos, será justo proporcionarles las comodidades necesarias. Esto significa brindarles un servicio de transporte adecuado y asegurarse de que tanto el lugar de la ceremonia como el de la recepción (incluidos los baños portátiles) sean adecuados, si así se necesitara, para acomodar a las personas discapacitadas.

Es muy fácil que las personas que tienen dificultad para ver o caminar resulten aisladas del lugar donde está ocurriendo la actividad. Por ello, se les debe cuidar especialmente, asignándoles puestos de honor, dedicando un tiempo especial para saludarlas y estar con ellas, y designando a una persona para atender a quienes requieren de atención especial.

de remolcar con los más completos baños, incluyendo inodoros, espejos, lavamanos y muebles en falso mármol. Sea cual fuere el tipo que se escoja, lo más indicado es instalar un camino de toldos y una carpa separada para los baños. Los baños portátiles con luz requieren de electricidad para su funcionamiento. Además de contar con botes de basura individuales, seguramente se necesite contratar a una persona encargada del aseo para mantenerlos totalmente limpios.

Aunque la casa propia cuente con un número suficiente de baños, es importante asegurarse de que la capacidad séptica sea adecuada. Posiblemente se necesite drenar el pozo séptico con anterioridad, de modo que los baños puedan servir adecuadamente a la cantidad de invitados prevista.

Planear un matrimonio de destino

Las razones para optar por un matrimonio de destino son bastantes. Muchas parejas cuyos amigos y familiares se encuentran separados por las distancias, optan por hacer un *matrimonio de destino,* es decir, un matrimonio que requiere que tanto los novios como la mayoría de los invitados se trasladen a un destino específico, con el fin de reunirse todos para celebrar una ocasión tan especial. Generalmente, los matrimonios de destino se llevan a cabo durante los fines de semana largos (ver más acerca del "Matrimonio de fin de semana" en el capítulo 5), y requieren de bastante investigación, planeación y atención para con los invitados. Sin embargo, decidir hacer la boda en un lugar exótico o de particular significado para los novios hace el acontecimiento aún más especial. A pesar de requerir de una planeación estratégica particular, los matrimonios de destino dan la posibilidad de hacerse con un alto grado de originalidad, y proporcionan gran libertad e intimidad. Así mismo, el territorio neutro tiene la ventaja de poder evitar posibles contiendas familiares o riñas de poder.

Otra razón para escoger hacer el matrimonio en un lugar distante es el costo. Usualmente, un menor número de invitados asiste a estos matrimonios y el dinero se puede aprovechar mejor reservando un lugar de veraneo para la boda entera, en vez de llevar a cabo la celebración en un área metropolitana. Es importante tomar en cuenta, sin embargo, que para algunos lugares, dado su grado de inaccesibilidad, se deben traer las cosas de afuera, por lo que ahorrar termina siendo prácticamente imposible. Sin embargo, hay diferentes modos de proseguir. Para empezar, se puede aprovechar la belleza natural y virgen del sitio, en lugar de tratar de transformarlo en algo que no es. Realmente tendría poco sentido tratar de hacer de una escenografía en la playa el *lobby* de un hotel lujoso o de un pueblito histórico encantador el centro de una metrópoli.

Así mismo, si se realiza la boda en un lugar exótico y maravilloso, quizás sea posible establecer términos especiales en cuanto a los costos con algunos proveedores. Por ejemplo, si es imposible conseguir un fotógrafo profesional en un lugar enteramente perdido, quizás se pueda acordar con un fotógrafo intercambiar sus servicios profesionales por una estadía de varios días en el lugar, con pasaje aéreo gratis.

Buscar un sitio alejado

El destino que se escoja para llevar a cabo la boda podría ser uno con el cual se está muy familiarizado, como por ejemplo, su propia ciudad natal o el lugar donde alguno de los dos solía veranear de niño. También podría ser un lugar enteramente nuevo, diferente y fascinante. En la figura 4-3 se muestra una lista de los factores que conviene considerar para elegir el destino más apropiado para ustedes y sus invitados.

El número de invitados (quizás los amigos más allegados y la familia) y la suma que se esté dispuesto a pagar por los gastos de todos ellos en el lugar se definirán según el monto que consideren apropiada invertir.

Es bueno averiguar con diferentes hoteles, lugares de veraneo y aerolíneas qué tarifas de grupo y planes de descuento ofrecen. Se pueden poner en contacto con un agente de viajes en particular, con quien los invitados se puedan relacionar de modo que ustedes no terminen siendo el agente de cada uno.

Matrimonios-luna de miel

Otra opción es casarse con su pareja y dos testigos únicamente en el lugar de la luna de miel. Algunos lugares de veraneo se especializan específicamente en matrimonios-luna de miel, los cuales son más íntimos, pequeños y más sencillos de llevar a cabo que una boda completa en un destino específico. Este tipo de matrimonios no son costosos y en algunos casos pueden ser incluso gratis. Como es de esperarse, se efectúan bajo un patrón corriente de organización, únicamente en ciertos lugares de la propiedad, con un modo de proceder y un periodo de tiempo predeterminados para la ceremonia, además de algunas serpentinas y una pequeña torta.

En el destino que se ha seleccionado, se puede solicitar a la oficina encargada de la organización de bodas que envíe información completa sobre el modo de celebrar este tipo de ceremonias y pequeñas recepciones. Si los detalles son importantes para ustedes, se puede planear una visita al lugar para entrevistarse con la persona encargada de supervisar la boda. Si se quisiera planear algo diferente de lo que ofrece el lugar de destino (y se está dispuesto a pagar por planes especiales), se puede notificar por escrito y con anticipación a los encargados del lugar, solicitándoles además enviar de vuelta una carta de acuerdo.

Es conveniente llegar al lugar unos días antes, con el fin de organizar la boda como se quiere. En el lugar seguramente se cuente con una persona encargada de organizar todo lo relacionado con la boda.

Los matrimonios-luna de miel son quizás los más sencillos de llevar a cabo, especialmente si el elemento más importante es la luna de miel y no se tienen invitados. En estos casos, el lugar les proporcionará a los novios todo lo necesario, incluidos los testigos. Quizás quieran enviar tarjetas de anuncio para comunicar la noticia o planeen celebrar una fiesta al regreso. Estas fiestas después del matrimonio suelen ser menos costosas y causan un menor grado de estrés que la habitual ceremonia seguida de la recepción.

Lista para el lugar de destino

☐ ¿Qué tipo de normas legales y religiosas rigen para casarse en ese lugar?

☐ ¿Qué estatutos de residencia se requieren?

☐ ¿Qué tan difícil es para los invitados trasladarse ahí? ¿Se requiere cambiar de avión?

☐ ¿Las tarifas de vuelo y hospedaje son razonables para los invitados?

☐ ¿Se requieren pruebas de sangre o vacunas para expedir la licencia de matrimonio?

☐ ¿Los invitados deberán vacunarse contra enfermedades específicas? ¿El doctor que certifica la vacuna puede ser del país en donde se reside, y no necesariamente de la localidad de destino?

☐ ¿Qué documentos se requieren para contraer matrimonio en ese lugar?

☐ ¿Se deben presentar certificados de divorcio o de defunción de un ex cónyuge?

☐ ¿Los documentos deben traducirse al idioma del lugar? ¿Es indispensable presentar los documentos originales?

☐ ¿Estos documentos deben enviarse con antelación?

☐ ¿Cuánto tiempo debe esperarse luego de llegar al lugar para obtener la licencia de matrimonio?

☐ Una vez se obtiene la licencia, ¿cuál es el tiempo de espera?

☐ ¿Debe haber testigos? ¿Los testigos deben ser ciudadanos de ese país?

☐ ¿Las ceremonias civiles están permitidas? ¿Qué tipo de ceremonias religiosas se permite llevar a cabo?

☐ ¿Cuál sería el nombre de un reconocido experto en planeación de bodas o de un agente de viajes especializado en organizar bodas de destino que pueda asistir a los invitados para hacer sus reservaciones y también a los novios para contratar a los proveedores?

☐ ¿Es posible hacer al menos una visita de reconocimiento al lugar?

☐ ¿Quisieran pasar su luna de miel ahí?

☐ ¿Qué tipo de clima hace por la época en que planean casarse?

☐ ¿Cuántos días antes del matrimonio se sugiere que lleguen al lugar?

Figura 4-3:
Encontrar el destino ideal para su boda.

Asuntos exteriores y tramitología

Antes de tomar la decisión de contraer matrimonio en otro país, o incluso de comenzar a buscar lugares en dónde llevar a cabo la boda ahí, es conveniente averiguar bien cómo son los procedimientos requeridos en ese lugar para contraer matrimonio, especialmente cuánto tiempo se debe esperar para casarse luego de obtener la licencia y qué trámites legales de residencia se requieren. En algunos países se debe haber vivido ahí seis meses o más o ser ciudadano de ese país para contraer matrimonio. Otros factores por considerar incluyen si se necesita hacerse una prueba de sangre y si ésta se puede hacer en su propio país de origen, y si han de llevarse a cabo tanto una ceremonia religiosa como otra civil para que el matrimonio sea legalmente válido. (También es conveniente averiguar el horario de atención de la oficina que expedirá la licencia; es posible que se deba llegar al lugar con varios días de anticipación para hacer efectiva la tramitación del documento). Antes de escoger el país, también es aconsejable averiguar si allí existe un consulado o embajada del país de residencia de ustedes. La entidad pertinente de su lugar de residencia les puede informar sobre los requisitos indispensables para contraer matrimonio en el exterior y porporcionarles una lista de los consulados en dónde se puede autenticar el certificado de matrimonio (ver el capítulo 3).

Requisitos para casarse en el exterior

Además del listado de cosas que conviene llevar para la luna de miel que se incluye en el capítulo 22, para una boda a distancia quizás se necesite también lo siguiente:

✔ Certificado de nacimiento (autenticado).

✔ Registros de confirmación y bautizo (para matrimonios católicos).

✔ Vacunas y otros documentos médicos.

✔ Pasaportes.

✔ Visas (si se aplica al país).

✔ Documentos de estados financieros.

✔ Comprobante de que se está en derecho de contraer matrimonio, tal como un decreto de divorcio o certificado de defunción (autenticado y, en ocasiones, traducido).

Contraer matrimonio en un crucero no es sólo cuestión de que el capitán oficie la ceremonia. De hecho, con una nueva excepción, las bodas realizadas en alta mar no son legales. Al momento de escribir este libro, *Princess* era el único crucero en el cual las ceremonias de matrimonio oficiadas por el capitán en alta mar eran legales, al menos en los Estados Unidos. Es importante tomar en cuenta que la licencia de matrimonio en este caso será de Liberia (la corporación *Princess* está registrada ahí) y asegurarse de que ésta sea legal en el país donde ustedes residen. Muchos otros cruceros ofrecen planes de matrimonio especiales, que incluyen una ceremonia civil ya sea el día de embarque mientras el barco está anclado (de modo que se puedan tener invitados en la ceremonia), a bordo o en un puerto de espera.

Capítulo 5

Favor presentar la invitación

● ●

En este capítulo
- ▶ Convenciones para escribir las invitaciones formales
- ▶ Trabajar con un tipógrafo
- ▶ Cómo utilizar los títulos denominativos y dirigir los sobres y tarjetas
- ▶ Utilizar su propia papelería

● ●

*E*l propósito de la invitación de matrimonio es comunicar la información pertinente sobre la ceremonia que se llevará a cabo y la recepción que se ofrecerá a continuación. Si todo fuera tan sencillo como decir quién, qué, cómo y cuándo, no tendríamos necesidad de redactar este capítulo y sería posible ahorrarse una buena cantidad de dinero haciendo llegar la crucial información a sus invitados por teléfono, correo electrónico o hasta con avioncitos de papel.

Como bien se sabe, ése no es el caso. La invitación de matrimonio —desde la manera de redactarse y la forma en que se comunica el contenido, hasta el tipo de impresión y el color de tinta que se utiliza— ha suscitado siempre todo tipo de opiniones en materia de etiqueta. En los libros de bodas se incluyen siempre largos capítulos sobre el particular y se dan guías estrictas sobre cómo proceder. Hacer caso omiso de estas reglas podría hacerles caer en total ridículo y hasta padecer una desgracia social.

Nuestro propósito no es alarmarlos. Sin embargo, nos parece importante dejar saber lo que la sociedad considera apropiado antes de que inventen lo suyo. Así, primero veremos las reglas que se aplican para redactar las invitaciones tradicionales y formales. Luego veremos formas nuevas y métodos mediante los cuales dar un toque personal a las invitaciones. Para cualquier tipo de invitación que se quiera hacer es preciso saber sobre los métodos de impresión y los tipos de papeles que existen en el mercado. De modo que también daremos la información básica sobre este tema.

Diseño preliminar

Las invitaciones se deben ordenar con tiempo, tres o cuatro meses antes de la boda, y enviarse a más tardar seis a ocho semanas antes. Para los invitados que requieren viajar de afuera, éstas deberían enviarse con diez semanas de anticipación. Si se planea llevar a cabo la boda en un destino alejado, las invitaciones se deben enviar ocho a diez semanas antes.

Es un error común, cuando se calcula el número de invitaciones requeridas, pensar en una invitación por persona. Es decir, calcular 200 invitaciones, por ejemplo, si se tienen 200 invitados. En realidad, muchas de estas personas vendrán en pareja, por lo cual quizás no necesite más que una invitación por pareja. En cambio, sí es conveniente ordenar 25 invitaciones extras, pues hacerlo más adelante puede tener un mayor costo.

Las invitaciones, así como los demás productos de papelería relacionados con la boda —tales como las tarjetas de participación, las tarjetas de agradecimiento e incluso detalles como las servilletas de coctel, los menús y las tarjetas para sentar a la mesa— pueden timbrarse con un motivo, estilo o tipo de letra uniforme para todos los productos. Así mismo, escoger un mismo color para toda la papelería creará un estilo de uniformidad, el cual reflejará el nivel de cuidado que se prestó a este aspecto de la boda.

Ordenar el pedido completo de tarjetas e invitaciones para la boda —desde las invitaciones hasta las tarjetas de agradecimiento— es a la vez una buena forma de ahorrar dinero y también de hacer que la papelería entera sea uniforme en cuanto al color, el gramaje y la impresión. Para ello se requiere, sin embargo, tener una idea definida de cómo se quiere la papelería completa, en especial si se desea grabarla con un emblema o un diseño particular que aparezca siempre.

Si aún no se está decidido a ordenar la papelería en su totalidad, se puede enviar a cada persona una tarjeta postal con la fotografía del lugar donde se planea ofrecer la boda y una inscripción del estilo:

Laura y Camilo ¡se casan!

11 de agosto de 2007

Iglesia de Santa María, (ciudad)

Favor reservar la fecha

Se enviarán invitación y detalles prontamente

Si la boda se piensa celebrar en un lugar muy concurrido y en temporada alta cuando los cupos se llenan rápidamente, tal vez sea apropiado enviar a los invitados una carta más larga en la que se proporcionen diferentes opciones de traslado y hospedaje. (Ver en el capítulo 4 detalles sobre cartas informativas para las bodas de destino).

Para las tarjetas de participación, especificar el año se considera indispensable; para las invitaciones esto puede ser opcional, aunque tal vez prefieran incluirlo, en especial si han planeado la invitación con el fin de recordar un momento de particular importancia para ustedes. Incluir el año también puede ser una magnífica ayuda para aquellas personas a quienes les cuesta trabajo recordar la fecha de su aniversario.

A quiénes invitar

Para saber cuántas invitaciones se deben ordenar, primero es necesario saber exactamente cómo está conformada la lista de invitados. La lista completa puede conformarse a partir de un mínimo de cuatro listas: la de la novia, la del novio y las de los padres de cada uno de ellos. La lista final debe ser, por una parte, el producto de una selección realista (tomando en cuenta el presupuesto y la logística del evento) y, por otra, el producto de una selección basada en la cordialidad y atención para con los invitados. Ésta es una buena manera de probar cómo se interactúa en equipo, no sólo en la relación individual con su pareja, sino también en la relación con ambas familias. No tomar en cuenta a alguien que es importante para la futura suegra podría afectar la relación para siempre.

El deseo de cada pareja de padres de invitar a algunas personas en particular debería respetarse en lo posible. La añoranza lleva a reunir a muchas personas a la vez en los matrimonios, y después verán lo importante que fue el hecho de que los amigos de toda una vida de los padres y los familiares con quienes se había perdido el contacto hubieran venido para la ocasión y estuvieran ahí ese día.

Para saber dónde establecer el límite, será bueno tomar en cuenta que una boda no es la oportunidad de retribuir a alguien por un compromiso social o de recuperar la inversión de un regalo de matrimonio que se le hizo a alguien. Tampoco se debe caer en la trampa de invitar a personas a quienes realmente no desearían ver en el evento. Muy a menudo, éstas resultan ser las primeras en aceptar la invitación.

Otras personas quizás jamás perdonen el no haber sido invitadas. Si esto no los afecta, entonces está bien no invitarlas. De lo contrario, habrá que añadirlas a la lista y no pensar más en el asunto.

Primero, el caso formal

¿Cómo es una invitación de matrimonio tradicional o *formal*? Ésta se escribe en tercera persona del plural, se graba sobre papel plegado o papel tipo Bond, en tinta negra, y se envía en un sobre dentro de otro. El sobre interior no se sella. Por lo general, las invitaciones son de color marfil, aunque algunas personas las prefieren enteramente blancas. Las invitaciones timbradas en papel de tipo Bond pueden tener el borde recubierto de hojilla dorada o plateada.

Cómo escribir el texto correctamente

Las reglas para escribir las invitaciones formales son específicas:

✔ Las palabras y frases se escriben en su mayoría sin abreviar ni puntuar. Es decir, las palabras como *señor, señora, señorita* y *doctor*, y las palabras referentes a regiones o ciudades se escriben completas. Las palabras tales como *calle, carrera* o *apartamento* se pueden escribir bien abreviadas o sin abreviar.

✔ Las comas se usan en sólo dos casos. Entre ciudades o pueblos, y el departamento (Barichara, Santander) y para separar la ciudad de la fecha (Bogotá, junio de dos mil seis).

✔ El departamento se puede omitir para ciudades conocidas, tales como Bogotá, Buenos Aires o México D. F.

✔ Para las ceremonias llevadas a cabo en una iglesia o establecimiento religioso, y también para las celebradas en establecimientos no religiosos, tales como una casa, un hotel, un club, o cualquier otro lugar de esta índole, así como para la recepción sola, se escribe *tienen el gusto de invitar a usted a la ceremonia que se ofrecerá en...*

✔ Los números de las direcciones se escriben en letras, a menos que sean particularmente largos.

✔ El año se escribe en letras. Puede ir acompañado del mes o la ciudad, caso último en el que se separa por una coma. *Enero de dos mil seis; Bogotá, julio de dos mil seis*. A menos que comiencen la frase, los meses en español se escriben con minúscula.

✔ El nombre de la novia debe preceder siempre el del novio.

✔ La palabra *señor* precede el nombre del novio, pero el nombre de la novia no irá precedido de *señorita* cuando la fiesta la

¡Firmes!

En la invitación, para militares activamente en servicio y para los suboficiales se puede anotar la división a la que pertenecen debajo de su nombre:

Ernesto Rodríguez Peláez

Ejército de (país)

Para los oficiales de más antigüedad (con un rango superior a capitán en el ejército y teniente en la marina) el cargo precede el nombre, y la división se anota debajo:

Comandante

Carlos Castro Miranda

Fuerza Naval de (país)

Para los oficiales más jóvenes, el título se anota debajo junto con la división:

Mónica Robayo Jovar

Teniente Segundo, Fuerza Aérea de (país)

ofic\nian los padres de la novia. En el caso contrario, la regla se aplica al revés.

✔ El novio o la novia llevarán su título militar si se encuentran en servicio activo. El padre puede conservar su título militar, esté o no en servicio activo.

✔ Para el novio se utiliza su título profesional (*Doctor, Juez*). Así mismo, para el padre.

✔ Para la novia o la madre, sin embargo, su título profesional no se utiliza.

¿Quién ofrece la fiesta?

Lo importante acerca de una invitación formal y tradicional es que demuestra, según la forma como se escriben los nombres, cómo están relacionadas las personas y quiénes ofrecen la fiesta.

Si **los padres de la novia** ofrecen la boda:

Jorge Uribe Martínez

y señora

Laura Solano de Uribe

tienen el gusto de invitar a usted (es)

al matrimonio de su hija

Lina María

con

el señor Felipe Hernández Londoño

el sábado once de agosto

de dos mil ocho

a las dieciséis horas treinta

Capilla del Sagrario de la Catedral

(dirección)

(ciudad)

y a la recepción que ofrecerán a continuación en

el Jockey Club

RSVP   *236 2528*

Nota: En la parte inferior de la invitación se escribe la dirección de
la novia, y junto a la sigla RSVP, su teléfono. En algunos casos, se
acostumbra colocar una dirección de correo electrónico.

Las tarjetas de participación a la boda, como se verá más adelante,
en la sección "Enviar una participación de la boda", se envían a
aquellas personas que no estarán invitadas al evento, pero a quienes
se desea hacer saber que la boda se llevará a cabo. Para los países
en donde se acostumbra enviar las tarjetas de participación a la
boda al tiempo con las tarjetas de invitación, el modelo para las
tarjetas de invitación y participación suele ser el siguiente:

Tarjeta de participación

Jorge Uribe Martínez

y señora

Laura Solano de Uribe

participan el matrimonio de su hija

Lina María

con

el señor Felipe Hernández Londoño
ceremonia que se celebrará el día sábado once de agosto
de dos mil ocho
a las dieciséis horas treinta
Capilla del Sagrario de la Catedral
(dirección)
(ciudad)

O bien:

Jorge Uribe Martínez
Laura Solano de Uribe
Tienen el gusto de participar a usted (es)
el matrimonio de su hija
Lina María
con
el señor Felipe Hernández Londoño
Ceremonia que se celebrará el día sábado once de agosto
de dos mil ocho
a las dieciséis horas treinta
Capilla del Sagrario de la Catedral
(dirección)
(ciudad)

Nota: En este caso las líneas *Tienen el gusto de participar…* y *Ceremonia que se celebrará…* pueden escribirse también con mayúscula.

Tarjeta de invitación

Jorge Uribe Martínez
Laura Solano de Uribe
tienen el gusto de invitar a usted (es)
a la ceremonia religiosa y a la recepción
que ofrecerán a continuación
en el Jockey Club

RSVP   *236 2528*

(ciudad), agosto de dos mil ocho

Éste sería otro ejemplo de participación con tarjeta de invitación incluida en el mismo sobre.

El texto corrido es más clásico y se consideraba el más elegante. En estos modelos siguientes la participación se escribe en las dos caras interiores. El lado izquierdo corresponde a la familia de la novia y el derecho a la familia del novio. La invitación es una tarjeta sencilla de una sola cara.

Participación:

Hernán Rueda Caicedo y su señora
María Luisa García de Caicedo
participan el matrimonio de su hija
Carolina con el señor Camilo Medina
Rodríguez, ceremonia religiosa que se
celebrará el sábado diez de junio a las siete de la noche en la capilla
Nuestra Señora La Bordadita.
Dirección (casa de la novia)
Mario Medina Ortiz y su señora
María Victoria Rodríguez de Medina
participan el matrimonio de su hijo
Camilo con la señorita Carolina Rueda
García, ceremonia religiosa que se
celebrará el sábado diez de junio a
las siete de la noche en la capilla
Nuestra Señora La Bordadita
(Ciudad), junio de dos mil seis

Invitación:

Hernán Rueda Caicedo y su señora
María Luisa García de Caicedo tienen
el gusto de invitarle a la cermonia
religiosa y a la recepción que ofrecerán a
continuación en el Jockey Club de
(ciudad)

RSVP   *Corbata negra*

Tel
(Ciudad), junio de dos mil seis

Cuando el texto no está de corrido puede ir así, que es la manera como más se acostumbra ahora:

Participación:

Hernán Rueda Caicedo

y su señora

María Luisa García de Caicedo

participan el matrimonio de su hija

Carolina

con el señor

Camilo Medina Rodríguez

ceremonia religiosa que se celebrará

el sábado diez de junio

en la capilla Nuestra Señora La Bordadita

(Ciudad), junio de dos mil seis

Mario Medina Ortiz

y su señora

María Victoria Medina de Rodríguez

participan el matrimonio de su hijo

Camilo

con la señorita

Carolina Rueda García

ceremonia religiosa que se celebrará

el sábado diez de junio

en la Capilla Nuestra Señora La Bordadita

Dirección (casa de la novia)

Invitación:

Hernán Rueda Caicedo

y su señora

María Luisa García de Caicedo

tienen

el gusto de invitarle a

la cermonia

religiosa y a la recepción que ofrecerán a

continuación
en el Jockey Club de
(ciudad).

RSVP   *Corbata negra*

Tel
Entrega de regalos:
junio ocho de dos mil seis
(Ciudad), junio de dos mil seis

Algunas personas incluyen en la invitación el día de la entrega de regalos.

Si la boda **no se llevara a cabo en una iglesia,** la información se puede escribir de la siguiente manera:

Jorge Uribe Martínez
Laura Solano de Uribe
tienen el gusto de invitar
al matrimonio de su hija
Lina María
con
el señor Felipe Hernández Londoño
el sábado once de agosto
de dos mil ocho
a las dieciséis horas treinta
Hacienda El Robledal
(ciudad), (departamento o provincia)

RSVP   *Tel*

Tambien podría ir así:

Hernán Rueda Caicedo
y su señora
María Luisa García de Caicedo
tienen
el gusto de invitarle a

la cermonia
civil y a la recepción que ofrecerán a
continuación
en el Jockey Club de
(ciudad)

RSVP   *Corbata negra*

Tel
Entrega de regalos:
junio ocho de dos mil seis
(Ciudad), Junio de dos mil seis

RSVP

Otra manera consiste en escribir el nombre de la(s) persona(s) invitada(s) a mano:

Jorge Uribe Martínez
y su señora
Laura Solano de Uribe
se complacen en invitar a
Jaime Cerón Alfaro y señora
al matrimonio de su hija...

Si **la madre de la novia es viuda o divorciada** y utiliza el apellido de su ex marido:

Laura Solano de Uribe
tiene el honor de invitar a usted
al matrimonio de su hija...

Si **el padre de la novia es viudo** y él ofrecerá la boda:

Jorge Uribe Martínez
tiene el gusto de invitar a usted
al matrimonio de su hija...

Si **la madre de la novia es casada en segundas nupcias** y ella y su nuevo marido ofrecerán la boda:

El señor Roberto García Casas y la señora Laura Solano de García
tienen el honor de invitar
al matrimonio de
Lina María Uribe Solano...

Si **el padre de la novia fue viudo y se ha casado en segundas nupcias** y tanto él como su nueva esposa ofrecerán la boda:

Jorge Uribe Martínez
y su señora
Patricia Lozano de Uribe
tienen el honor de invitar a usted al
matrimonio de
Lina María Uribe Solano...

Si **el padre de la novia se encuentra enfermo** y su madrastra ofrecerá la boda:

Patricia Lozano de Uribe
tiene el honor de invitar a usted
al matrimonio de
Lina María Uribe...

Si **ambos padres de la novia son divorciados, se han casado en segundas nupcias** y ambas parejas ofrecerán la boda:

Roberto García Casas
y señora
Laura Solano de García
Jorge Uribe Martínez
y señora
Patricia Lozano de Uribe
tienen el honor de invitar a usted
al matrimonio de
Lina María Uribe Solano

con...

Los nombres de la madre de la novia y de su nuevo marido se escriben primero.

Si **los padres de la novia son divorciados** y la madre utiliza el apellido de su ex marido:

Jorge Uribe Martínez

y

Laura Solano de Uribe

tienen el gusto de invitar a usted

al matrimonio de su hija

Lina María Uribe...

El nombre de los padres anotado en diferentes renglones y sin que diga "y su señora", como se muestra arriba, denota que están divorciados o separados.

Si **los padres del novio** ofrecerán la boda:

Arturo Hernández Fonseca y

su señora

Liliana Londoño de Hernández

tienen el honor de invitar a usted

al matrimonio de

la señorita Lina María Uribe Solano

con su hijo

Felipe...

Nota: En este caso, se utiliza la palabra *señorita* para la novia y se omite la palabra *señor* para el novio.

Si **el padre del novio se encuentra enfermo** y la madre del novio ofrecerá la boda:

Liliana Londoño de Hernández

tiene el honor de invitar

al matrimonio de

la señorita Lina María Uribe Solano

con

Felipe...

Si **los novios** ofrecerán la boda:

Lina María Uribe Solano

y

Felipe Herández Londoño
tienen el gusto de invitar a usted a su matrimonio . . .

Si la ceremonia es **muy pequeña**, se puede invitar a las personas bien por teléfono o incluyendo una tarjeta para la ceremonia junto con la invitación para la recepción, para las personas invitadas a los dos eventos:

Lina María Uribe Solano

y

Felipe Herández Londoño
tienen el gusto de invitar a ustedes a su matrimonio
el sábado once de agosto
de dos mil ocho
a las dieciséis horas treinta
Capilla del Sagrado Corazón
(Ciudad)

Para las invitaciones que son sólo para la ceremonia no es necesario incluir la sigla *RSVP*. Muy seguramente la iglesia o establecimiento religioso estará en condiciones de acomodar a todas las personas.

Si **se invitará a la persona únicamente a la recepción:**

Jorge Uribe Martínez y
su señora Laura Solano de Uribe
tienen el gusto de invitar a usted
a la recepción de matrimonio de su hija . . .

Este tipo de invitación se presta para situaciones tales como cuando se ofrece una recepción tardía o cuando la ceremonia se ha llevado a cabo en otro pueblo o ciudad (ver el capítulo 4 para información sobre bodas en destinos alejados). Esta invitación también se utiliza para casos en que la ceremonia es extremadamente pequeña y comprende sólo a miembros de la familia o a la pareja y los testigos. Es, sin embargo, justo tener en cuenta que muchas de las personas más allegadas a quienes se ha invitado a la recepción seguramente quisieran ver a la novia caminar hacia el altar, por lo que conviene pensarlo dos veces antes de privarles de esta expectativa.

Si la **recepción y la ceremonia se llevarán a cabo en lugares diferentes,** o si se necesitará espacio adicional para incluir toda la información en la invitación, se puede utilizar una tarjeta aparte para la recepción:

Recepción a continuación de la ceremonia
Jockey Club
(Ciudad)

RSVP

Si la recepción no se ofrece inmediatamente después de la ceremonia habrá que agregar una línea indicando la hora a la que comenzará.

Para solicitar la contestación por parte del receptor se escribe debajo del texto o en la esquina inferior izquierda cualquiera de estas cinco leyendas: *Se ruega contestar, Favor contestar, RSVP, Rsvp,* o *r.s.v.p.* La sigla RSVP es la forma abreviada del francés para la expresión *Répondez s'il vous plaît* que significa Responder por favor. Es importante incluir en la invitación el teléfono al cual se debe responder. Algunas personas acostumbran anotar una dirección de correo electrónico.

En los países en que se acostumbra enviar una **invitación doble,** se imprime el texto a ambos lados de la invitación: a la izquierda el relativo a la novia y a la derecha, el del novio. Esta es una magnífica solución para las invitaciones que se imprimen en dos idiomas. La invitación de *doblez tipo francés* (últimamente muy utilizada y la cual aparece doblada dos veces, una en sentido horizontal y otra en sentido vertical) se utiliza para casos similares, por ejemplo, cuando los padres de la novia y del novio ofrecerán la boda. La información relativa a la novia se inscribe del lado izquierdo; la del novio, del lado derecho, y la información sobre el lugar y la hora se inscribe debajo, en el centro:

Jaime Puente Arévalo
y su señora Amanda Leal de Puente
tienen el gusto de invitar a usted
al matrimonio de su hija
Juanita
con
el señor Antonio Jicama Montes,

Geraldo Jicama Buendía y señora
Natalia Buendía de Jicama
tienen el honor de invitar a usted
al matrimonio de su hijo
Antonio
con
la señorita Juanita Puente Leal

el sábado catorce de noviembre
a las dos de la tarde
Capilla de Nuestra Señora del Rosario
(Ciudad)

Enviar una participación de la boda

Las participaciones se suelen enviar antes de la boda, por la misma época que las invitaciones. Se envían a todas aquellas personas que no han sido invitadas pero a quienes se desea dejar saber que el matrimonio se llevó a cabo. Como respuesta no se debe esperar más que una nota de felicitación.

Las participaciones las pueden enviar los padres de la novia o ambas parejas de padres:

Jorge Uribe Martínez
Laura Solano de Uribe

y

Arturo Hernández Fonseca
Liliana Londoño de Hernández
tienen el gusto de participar a usted
el matrimonio de sus hijos
Lina María Uribe Solano

y

Felipe Hernández Londoño...

En el caso en que la pareja anuncia el matrimonio ella misma, se escribe:

Lina María Uribe Solano

y

Felipe Hernández Londoño

tienen el gusto de participar a usted

su matrimonio . . .

Papelería extra

Quizás sea tal la emoción al escoger los productos en la papelería que terminen con más tarjetas de la cuenta. Utilícenlas únicamente si la situación lo amerita, sin pensar que cuantas más tarjetas se incluyan en el sobre, más importante parecerá.

✔ **Tarjetas para sentar en la iglesia:** Estas pequeñas tarjetas marcadas con la inscripción *Banca número*___ se pueden utilizar para indicar a los amigos más cercanos y a la familia dónde han de sentarse. Estas tarjetas también se pueden marcar con la inscripción Bancas con cinta, lo que indica que las bancas demarcadas con una cinta del costado del camino de entrada se han reservado para un grupo seleccionado de invitados, aunque cada puesto no está reservado para una persona en especial. Las tarjetas para sentar en la iglesia se pueden enviar junto con la invitación de la boda o luego de recibir la contestación de los invitados. En el último caso, el tamaño de las tar-

jetas debe cumplir con las médidas estándar para enviar por correo, por lo general de 9 x 13 centímetros.

✔ **Nueva residencia:** Tradicionalmente estas tarjetas se utilizan para dejar saber a las personas la nueva dirección de la pareja ahora que el hombre y la mujer se han mudado cada uno de su residencia para vivir juntos.

✔ **Mapas:** Se pueden hacer múltiples copias de estos a mano, aunque se sugiere que guarden el mismo estilo y color de tinta que las invitaciones. En la parte superior, el título debería leer: *Mapa para el matrimonio de (los nombres de la pareja)*. Si no se desea recargar la invitación con información adicional, el mapa se puede enviar por separado o se puede incluir con la invitación preliminar u otra invitación. Si se imprime un mapa para indicar cómo llegar de la ceremonia a la recepción, es bueno contar con un número adicional de copias para entregar a los invitados a la salida de la ceremonia.

Si las cosas no suceden como planeadas

Si el matrimonio se cancela luego de que se han enviado las invitaciones y ya no hay tiempo para enviar una noticia por escrito, es preciso llamar a cada invitado personalmente para informarle sobre la suspensión del evento. Si es posible enviar un aviso por escrito, no se está en la obligación de dar explicaciones.

Un aviso de cancelación puede escribirse de la siguiente manera:

Jorge Uribe Martínez

Laura Solano de Uribe

informan que el matrimonio de

su hija

Lina María

con

el señor Felipe Hernández Londoño

no se llevará a cabo

Si el matrimonio se pospone a causa de un deceso o de alguna otra circunstancia inesperada luego de haberse enviado las invitaciones, se puede telefonear a cada invitado para informar acerca del cambio o enviar una nota formal con el anuncio de la noticia:

Jorge Uribe Martínez

Laura Solano de Uribe

lamentan informar que

debido al deceso de un familiar

el matrimonio de su hija

Lina María

con

el señor Felipe Hernández Londoño

se pospondrá para

el sábado veintisiete de septiembre

Si las invitaciones se han impreso, más no enviado aún, se puede incluir con ellas una tarjeta (mandada a imprimir sobre el tiempo) con la inscripción:

Favor tomar nota de que
la fecha del matrimonio se ha cambiado
para el
sábado veintisiete de septiembre

¿Cómo más se puede escribir la información?

Quizás el estilo que más les llama la atención comprende elementos tradicionales, o tal vez prefieran elementos nuevos y modernos. Así, quizás deseen crear algo diferente, más ambicioso, algo con un estilo *propio*. En este caso, se pueden adaptar las palabras tradicionales a aquello que se desea hacer. Aunque así es perfectamente aceptable romper con las reglas tradicionales, es indispensable dar la información necesaria y en forma adecuada de modo que los invitados no queden confundidos o se revienten de la risa.

Una buena manera de comenzar es variando las fórmulas básicas y efectivas de las invitaciones clásicas de matrimonio:

✔ Usar expresiones menos formales. Se puede incluso decidir no utilizar expresiones tales como *tienen el honor* o *el gusto de invitar a usted.* (Ver ejemplos más adelante en esta sección).

✔ Utilizar la primera persona del plural (*Los invitamos a…*) en lugar de la tercera persona del plural (*Guillermo Duarte Pinzón y su señora Claudia Arango de Duarte tienen el gusto de invitar a usted…*), y terminar con los nombres de ambos, al estilo de una firma.

✔ Abreviar las palabras como *Srta., Sra., Sr.*, omitir los denominativos sociales en su totalidad.

✔ Reemplazar el nombre completo de los padres de los novios por su nombre de pila (sin apellido) únicamente.

✔ Utilizar los títulos profesionales de la novia y la madre, así como se utilizan para los hombres. El hecho de que las mujeres sean doctoras, odontólogas, senadoras o militares en servicio no es un secreto de Estado.

✔ Incluir una tarjeta de RSVP en un sobre aparte, con la dirección de envío y la estampilla. Se puede añadir además la inscripción *Favor contestar* en la esquina inferior izquierda de la invitación.

Cosas que se debe evitar en las invitaciones

Aunque las invitaciones permiten gran diversidad, de todos modos hay algunas cosas que se deben evitar cuando se estén diseñando. Algunas de éstas son:

✔ Comunicar sus sentimientos por medio de frases poéticas sobrecargadas o trilladas.

✔ Utilizar diseños exagerados.

✔ Adornar las invitaciones con confeti diminuto, escarcha o pequeñas notas musicales brillantes que se caen del sobre una vez se abre y dejan la marca en el tapete, los cajones de los armarios, los cojines de la sala o en otros lugares, sin poder removerla por años, incluso con los muchos productos que existen hoy en día para eliminar las manchas.

✔ Dejar saber a los invitados en qué almacenes ha dejado su lista de regalos y qué espera recibir (ver en el capítulo 18 modelos de etiqueta sobre cómo registrar su lista de regalos).

✔ Aclarar que los niños no están invitados (dejar saber explícitamente que alguien no está invitado es una forma hostil de proceder). Ver en el capítulo 1 formas de lidiar con asuntos delicados como estos.

✔ Incluir tantos nombres de anfitriones que los invitados noten sin dificultad quiénes son los que han pagado por la boda.

✔ Incluir la inscripción *Responder antes de [la fecha]* en las tarjetas de RSVP. Si se tiene planeado enviar más invitaciones luego de recibir las contestaciones, se puede mandar imprimir algunas de las tarjetas de RSVP sin la fecha de contestación. Es importante recordar, sin embargo, que es usual recibir las contestaciones afirmativas temprano, mientras que las respuestas negativas pueden tardar hasta el último momento en recibirse.

Utilizar un tono menos formal

Si se desea un tono más informal, el texto se puede escribir de las siguientes maneras:

Si los padres ofrecen la boda:

Jorge Uribe Martínez

y

Laura Solano de Uribe
tenemos el agrado de invitarles
al matrimonio de nuestros hijos...

o

Juliana Montes de Arévalo y Martín Arévalo
se complacen en invitarles
a la celebración de los votos de matrimonio
de sus hijos
Melisa Alexandra

y

Javier Hurtado...

Si **la pareja es quien ofrecerá la boda,** la invitación puede escribirse de la siguiente manera:

Lina María Uribe Solano
y
Felipe Hernández Londoño
tienen el gusto de invitarles
a celebrar la unión de su matrimonio
el sábado doce de agosto
a la una y treinta de la tarde
en la Iglesia La Sagrada Concepción
(ciudad)
y a la recepción que ofrecerán a continuación
en la Hacienda Márquez
(ciudad)

Otra variación puede ser:

Lina María Uribe Solano

y

Felipe Hernández Londoño
los invitamos a compartir con nosotros
la ocasión de nuestro matrimonio . . .

Si **la ceremonia y la recepción se llevarán a cabo en el mismo lugar** quizás consideren que no es necesario mencionar ambos eventos en la invitación, suponiendo que los invitados entenderán que no se les dejaría sin comida. Sin embargo, pensar que los invitados saben no es algo muy prudente de hacer. Para asegurarse de que los invitados no hagan una parada rápida en el restaurante más cercano después de la ceremonia, se puede escribir:

Lina María Uribe Solano

y

Felipe Hernández Londoño
los invitamos a ser testigos de nuestros votos matrimoniales
y a celebrar con baile y festín a continuación
bajo las estrellas
el sábado once de agosto
a las seis de la tarde
Hacienda Márquez
(ciudad)

Si **los novios y ambas parejas de padres** ofrecerán la boda:

Lina María Uribe Solano

y

Felipe Hernández Londoño
junto con sus padres
Jorge Uribe Martínez y Laura Solano de Uribe
Arturo Hernández Fonseca y Liliana Londoño de Hernández . . .

Si por respeto se desea **incluir el nombre de un padre difunto**, éste debe escribirse de modo que no pareciese como si la persona muerta fuera quien ofreciera la boda:

Laura Solano de Uribe
tiene el honor de invitar a usted
al matrimonio de
Lina María
hija de la señora de Uribe
y el difunto señor Jorge Uribe Martínez
con el señor
con Felipe Hernández Londoño...

Para recibir las contestaciones

En algunos países se acostumbra enviar tarjetas de contestación
que los invitados pueden enviar por correo con su respuesta de asistencia. Una de las formas más simples de hacerlo, para aquellos que
tienen una vida muy activa, es enviar tarjetas donde sólo se necesite
rellenar los espacios en blanco.

El señor (a)_____

_____ asistirá

_____ no asistirá

a la boda el sábado once de agosto

Otra variación puede ser:

Favor responder antes del once de julio

El señor (a)_____

_____asistirá a la boda.

En las tarjetas de contestación no se acostumbra solicitar que se
especifique el número de personas que asistirán, pues los nombres
de las personas en el sobre dejan saber al receptor a quiénes se ha
invitado. Al momento de escribir la respuesta, los invitados dejan
saber entonces cuántas personas exactamente asistirán al evento.

Una alternativa distinta de enviar una tarjeta con la leyenda de RSVP
o una tarjeta para rellenar los espacios en blanco puede ser sencillamente enviar una tarjeta con la inscripción *Favor responder antes de
[la fecha]* o *Favor responder.* La persona entonces anotará su res-

puesta en el papel. Si se teme que los invitados queden confundidos acerca de la fecha se puede añadir en la parte inferior de la tarjeta la inscripción *para [la fecha de la boda]*.

La fecha de contestación en la tarjeta debería corresponder a una fecha de tres a cuatro semanas antes de la boda, dependiendo de la anterioridad con que se hayan enviado las invitaciones. Si se cuenta con poco tiempo para la celebración del evento y la boda será informal, se puede pensar en pedir a los invitados el favor de contestar por teléfono o correo electrónico, en lugar de contestar por correo normal.

Las tarjetas de contestación se pueden numerar en lápiz por el reverso de modo que el número coincida con aquél de la lista de invitados que se ha elaborado. Ésta es una buena forma de saber quién ha contestado, cuando es imposible descifrar la letra.

Invitaciones no impresas

Si se planea ofrecer una boda extremadamente pequeña, se les puede enviar a los invitados una tarjeta escrita a mano:

Querida Aurora,

Guillermo y yo nos casaremos el sábado 11 de agosto. Nos encantaría que pudieras asistir a la ceremonia, que se llevará a cabo a las 3:00 p.m. en la plaza principal de (pueblo), donde ha vivido siempre Guillermo, y luego a tomar una taza de té en la casa de su tía, Helena Torres, en la Finca San Telmo, Km. 42.

Con mucho cariño,

Inés

Invitaciones para la comida la noche antes del matrimonio

Como es la tradición en algunos países, los padres del novio son quienes ofrecen la comida la noche antes de la boda. Si ésta será bastante pequeña, se puede dejar saber a los invitados el lugar y

Vestimenta apropiada: ¿qué ponerse?

Una de las decisiones más difíciles de tomar es si se debe especificar la forma de vestir requerida para el evento. Las invitaciones grabadas o las invitaciones para una boda después de las seis de la tarde no suelen por sí solas denotar que la boda es de corbata negra. Si para quienes celebran la boda es de suma importancia que todos los hombres vistan de esmoquin y las mujeres de largo, entonces habrá que incluir en las invitaciones las palabras *Corbata negra*.

La inscripción "Se sugiere corbata negra" tiende, por el contrario, a *no* hacer vestir a los hombres con esmoquin ni a las mujeres de largo.

la hora sencillamente comentándoselos personalmente. Estas invitaciones pueden tener un toque personal (ver el capítulo 8) o bien basarse en un estilo clásico:

Liliana de Hernández y Arturo Hernández

tienen el gusto de invitarles

a la cena prematrimonial

en honor de

Lina María y Felipe

el viernes 10 de agosto

a las 7 p.m.

(dirección)

RSVP

247 3821 (Liliana de Hernández)

Eventos extracurriculares

En ocasiones, es muy común que los padres de la novia, sus abuelos o amigos ofrezcan un desayuno el día después de la boda, en especial si varios de los invitados han venido de lejos (ver el capítulo 8 para detalles sobre otros tipos de fiestas). Si se invita a las mismas personas a la comida prematrimonial (u otro evento extracurricular), a la boda y al desayuno el día después, resulta muy práctico y económico incluir ambos eventos programados para antes y después de la boda en una misma invitación y enviar ésta junto con la invitación para el matrimonio:

Nos encantaría contar con su compañía

la noche antes de la boda

en la cena que ofreceremos

en el restaurante...

el viernes 10 de agosto

a las 7 p.m.

Gladis Mendoza

tiene el gusto de invitarles

a un desayuno

el día después de la boda

el domingo 12 de agosto

en su casa de campo

Finca La Calleja

(Mapa adjunto)

Para facilitar las cosas, se puede utilizar una tarjeta de contestación para varios eventos a la vez. Los invitados, luego, enviarán la tarjeta (en un sobre marcado previamente con la dirección del destinatario y con estampilla) a la persona encargada de llevar la cuenta del número de personas que asistirán.

Favor responder antes del 11 de julio

El señor (a)_____asistirá a la boda

El señor (a)_____asistirá a la cena en el resturante ...

El señor (a)_____asistirá al desayuno

Tipos de letras y otros aspectos técnicos

Para poder diseñar la invitación que se tiene en mente y asegurarse de que el texto se imprima según lo estipulado, conviene saber cómo funciona la industria de la manufactura de invitaciones. He aquí la información básica que se debe conocer sobre papeles e impresión.

Métodos de impresión

El modo de imprimir la invitación refleja el estilo de la boda tanto como la forma de redactar la invitación. Se pueden escoger diferentes formas de impresión según el ideal que se busque. Entre éstas:

✔ **Gofrado:** Las letras se graban sobre una plancha de metal con la cual luego se estampa el papel en seco, es decir, sin tinta, apareciendo así la impresión sin color. Este método se utiliza generalmente para los monogramas, los bordes y las direcciones que se inscriben en los sobres de contestación.

✔ **Caligrafía:** Letra escrita a mano con estilógrafos y tintas especiales. La caligrafía se utiliza generalmente para escribir las direcciones en los sobres. Puede hacerse en letra de imprenta de modo que se conserve el estilo de la letra en la tarjeta de invitación, o bien grabar una plancha a partir de un original caligrafiado para las invitaciones grabadas o utilizar este original como prototipo para las invitaciones impresas en *offset.*

✔ **Caligrafía computarizada:** Se hace con una máquina especial que utiliza un estilógrafo mecánico e impresión láser. Da el efecto de la caligrafía manual. Algunos tipos de letras tienen mejores resultados que otros. Se utiliza tanto para las invitaciones como para la impresión de las direcciones en los sobres.

✔ **Grabado:** El texto se graba sobre una plancha de metal que se entinta luego con un rodillo. Después se remueve el exceso de tinta sobre la plancha con un trapo. La tinta penetra sobre el texto grabado. El papel se pone luego sobre la plancha y se pasa por una prensa, dejando así la imagen en bajo relieve sobre la cara positiva del papel y una forma resaltada de la imagen por el reverso de éste. El grabado en tinta negra es el método que se acostumbra usar para las invitaciones formales. Quizás sea necesario colocar una hoja de papel mantequilla entre cada invitación al ponerlas en los sobres para evitar que se manchen si la tinta se corre.

✔ **Impresión tipográfica:** Se hace con una máquina vieja de tipos móviles. El texto en relieve se entinta e imprime sobre el papel. Se utiliza mucho como método para simular la caligrafía hecha a mano. La calidad de los bordes y los diseños que produce este tipo de impresión son particularmente bellos. A diferencia de otros métodos, la impresión tipográfica produce muy buenos resultados sobre el papel hecho a mano.

✔ **Litografía,** *offset* **o impresión plana:** El resultado es una imagen plana y nítida que resulta de grabarse ésta en tinta sobre un rodillo de caucho y que se imprime luego sobre el papel.

✔ **Termografía:** Es una alternativa de impresión más económica y muy popular que imita la impresión en grabado. Este método utiliza un polvo sensible al calor que se esparce sobre la tinta, la cual se trata igualmente mediante el calor para dar forma al texto que se produce en alto relieve. El acabado puede ser brillante.

El papel

El papel se cataloga según su peso tipo *bond*. Las tarjetas se hacen con papel de triple capa. El papel más recomendable para usar es aquel libre de ácido y que se hace cien por ciento a base de trapo de algodón, a diferencia del papel hecho a base de un alto porcentaje de pulpa de madera.

Las invitaciones se hacen por lo general en dos tamaños estándar: 14 x 19 centímetros y 10,5 x 17 centímetros. La invitación se puede hacer en una tarjeta gruesa de una sola unidad, en una hoja doblada en dos e impresa en la cara exterior, o en una hoja doblada en cuatro e impresa en las caras interiores. En cualquier caso, el texto se puede escribir de forma horizontal o vertical. Cuando se escogen tamaños diferentes de los estándares, a veces hay que comprar sobres hechos a mano, que por lo general son costosos.

Para un estilo no tradicional se puede optar por papeles de diferentes tipos y posibilidades creativas. El *papel vitela* es un tipo de papel grueso y transparente parecido al papel de pergamino, que se utiliza bien para recubrir la invitación o para la invitación misma. El papel vitela con canto dorado (con los bordes acabados en tinta dorada) es, aunque costoso, muy hermoso. Los papeles hechos especialmente a mano, que se venden por hojas, pueden ser de texturas arrugadas y contener incrustaciones de flores y hojas secas o hilos brillantes. Aunque, por lo general, imprimir sobre estos papeles es muy difícil, son muy bellos para utilizarlos como base sobre la cual montar la invitación impresa sobre papel sencillo para tarjeta. Si estas opciones resultan demasiado costosas, se pueden utilizar para los eventos más pequeños, como la cena anterior al día de la boda, el desayuno del día después y demás.

Tipos de letras

Aunque muchas imprentas dan sus propios nombres a diferentes estilos de letras, estos son en realidad variaciones de una misma fuente. Los estilos se encuentran en tipos tan variados como la letra de imprenta llamada *Antique Roman,* un estilo bastante conservador y en mayúsculas, o tipos tan informales como el *Copper Plate*, que imita una escritura a mano casual. Muchas fuentes cuentan con una variación sombreada de la misma, que le da al tipo un efecto tridimensional. Con el impresor se puede consultar qué tamaño de letra utilizar para el caso específico que les interesa. Utilizar el mismo tipo de letra para toda la papelería de la boda le dará a ésta un estilo uniforme.

Tal como se ilustra en la figura 5-1, la caligrafía profesional da un aspecto muy elegante a la boda (aunque puede no ser barata). Si se contrata un calígrafo para escribir las direcciones de los sobres, se le debe proporcionar una lista alfabética y correcta de los invitados. No se debe contar con que el calígrafo verifique cualquier dato de las direcciones, como departamentos y demás, que no se le haya proporcionado. Quienes invitan deben verificar personalmente estos datos —en los directorios telefónicos o mediante una llamada— antes de entregar la lista al calígrafo.

Señor Alejandro H. Londoño y señora

Señor Tomás E. Arévalo y señora

Señor Alberto F. Domínguez y señora

Señor Camilo Sanint y señora

Señor Raúl Castro S. y señora

Señor Julián Iglesias S. y señora

Señor Carlos F. Duarte M. y señora

Señor Federico B. Laurel y señora

Señor Saúl Andrés Ruiz y señora

Señor Rodolfo Álvarez K. y señora

Señor Gustavo B. Andrade y señora

Señor Martín Galindo y señora

Señor Fernando Bustamante y señora

Señor Beto Cuevas y señora

Señor Jaime Morales Reyes y señora

Figura 5-1: La belleza de los diferentes estilos de caligrafía está en la línea y las curvas que se da a cada letra.

Algunos calígrafos son lo bastante cuidadosos para caer en cuenta de los errores accidentales y corregirlos sin costo adicional. Sin embargo, los errores que sean por cuenta del cliente costarán más, tanto por concepto de la caligrafía como de los sobres adicionales que se utilicen.

Colores de tinta

Además del tradicional negro, existen todo tipo de colores, que van desde los grises oscuros hasta los violetas. Incluso si la novia quisiera que el color de la letra en las invitaciones fuera del mismo azul de los ojos de su enamorado, se puede encontrar un color similar con el uso del sistema PMS *(Pantone Match System)* de las imprentas.

Los sobres

Si se utiliza doble sobre y se quiere enviar una invitación muy elegante utilizando un sobre con forro interior, el sobre con forro deberá ser el sobre interior, mas no el exterior. Para los forros pueden usarse desde papeles de seda estampados con diseños hasta papeles teñidos.

Aunque tradicionalmente las direcciones en los sobres de contestación se han grabado en seco o gofrado sobre los sobres, esto acaba con la paciencia de los funcionarios de las oficinas de correo. Por esto es mejor imprimir o caligrafiar la dirección a quien se remitirá el sobre al reverso de éste, sin necesidad de anotar el apellido para las residencias privadas o el número de apartamento para las residencias en apartamento. La dirección debe ser la de la persona que ofrecerá la boda. Como es la tradición, las tarjetas de contestación se envían siempre a los padres de la novia, incluso si ellos no ofrecerán la boda. Si la pareja es quien lleva la cuenta de quiénes responden, los padres pueden pasar la información a los novios o recolectar las tarjetas semanalmente y depositarlas en la casilla de correo de ellos.

Si las invitaciones son de tamaño grande se pueden enviar por correo en cajas grandes (como en las que se puede empacar una bufanda) con la invitación envuelta en papel de seda. Muchas compañías venden tubos cilíndricos listos para enviar por correo y que son perfectos para las invitaciones que se envían enrolladas.

Además de tomar en consideración el costo de las invitaciones según el peso y los tamaños que no son estándar, también ha de tomarse en cuenta que el más elaborado y precioso empaque podría estropearse por completo al depositarse en una casilla de correo demasiado pequeña para el paquete.

Una vez se abre, la invitación se debe poder leer sin tener que darle varias vueltas antes de encontrar el derecho. Las invitaciones dobladas deben meterse en el sobre con el doblez primero. Las tarjetas adicionales se pueden poner encima de la invitación o dentro del doblez. Para las tarjetas de respuesta con sobre, éstas se deben poner debajo de la solapa de su sobre, pero no dentro del mismo. No es aconsejable enviar las tarjetas de contestación y su sobre debajo de la invitación porque al abrir esta última, los invitados pueden no ver la tarjeta de contestación.

Revisar la noche entera

Una vez ordenadas las invitaciones, se le entregará al cliente una prueba del texto para que la revise y corrija si es necesario. Esta prueba debe verificarse cuidadosamente, pues cualquier error que no se corrija lo asumirá la imprenta como responsabilidad del cliente. Luego, se puede pedir a una persona (que ojalá no esté ocupada con los preparativos de la boda y así pueda detectar errores que otros no verían) el favor de revisar todo. Los errores más obvios son los que más fácilmente se pasan por alto.

Para las invitaciones grabadas, muchas veces las pruebas se hacen a partir de la plancha, sobre la cual el texto aparece al revés. Éste se puede leer al derecho con la ayuda de un espejo. Luego de que las invitaciones se han impreso es posible pedir la plancha al impresor para hacer de ella una pequeña bandeja a manera de recordatorio o enmarcarla. Esta costumbre data desde el siglo XIX.

Seguir la tradición

Los sobres también están sujetos a ciertas reglas tradicionales de decoro, así como lo están las invitaciones. Para comenzar, el texto de los sobres se debe escribir a mano o caligrafiar; nunca se debe usar impresión láser o marquillas autoadhesivas sobre las cuales imprimir las direcciones. He aquí las reglas a seguir.

Para los sobres exteriores

✔ Utilizar los nombres formales. Si se utilizarán los segundos apellidos, estos deben escribirse completos, no con la inicial únicamente. Si no se sabe cuál es este apellido es mejor omitirlo.

✔ Escribir completas las palabras como Apartamento, Avenida, Carrera y Calle.

✔ Las palabras Sr., Sra., Srta. y Srs. se pueden abreviar. Los títulos profesionales se escriben completos, incluido Doctor.

✔ Dirigir el sobre a ambas personas, si se trata de parejas casadas: *Señor Roberto Meléndez y señora.*

✔ Para las parejas que no están casadas, anotar ambos nombres en reglones separados: *Señor Hernán Pérez y señorita Milena Guerrero.*

✔ Enviar invitaciones individuales para los jóvenes a partir de los 13 años. (***Nota:*** Algunos expertos consideran que la edad debería ser a partir de los 18 años. Serán ustedes quienes decidan cómo prefieren hacerlo.)

✔ Para los hermanos y hermanas menores de 13 años se puede enviar una invitación para los hombres y otra para las mujeres. Estas pueden dirigirse así: *Señores Meléndez o Señoritas Meléndez*

✔ Si se desea enviar la invitación para toda la familia, el sobre se puede dirigir así: *Señor Roberto Meléndez, señora e hijos.* Sin embargo, los adultos deben recibir siempre su propia invitación. La inscripción *y familia* sólo se debe utilizarse si se desea invitar a todas las personas que viven en una misma casa. Este tipo de generalizaciones son, sin embargo, a menudo causa de confusión. Muchas familias son bastante numerosas y es posible que no se contemple que todos ellos asistan a la boda.

Para los sobres interiores

Si también se utilizarán sobres interiores, estos deben dirigirse de la siguiente manera:

✔ Para las parejas casadas se escribe sólo *Sr. Meléndez y Sra.*, sin los nombres de pila ni la dirección.

✔ Para los niños se utilizan sólo sus nombres sin el apellido: *Perla, Pablo y Gustavo.*

✔ El nombre de una hija joven se escribe debajo del de sus padres cuando así se ha dirigido en el sobre exterior: *Señorita Francisca Meléndez.*

✔ Los familiares muy cercanos pueden anotarse como *Tía Helena y tío Ricardo o Abuelo.*

✔ Si se ha dicho a un amigo o amiga que lleve a una pareja, en el sobre interior se escribe y *acompañante,* pero no en el exterior. Mejor aún es averiguar el nombre de la persona.

En un mundo ideal las personas sabrían que sólo aquellas cuyo nombre aparece en el sobre interior han sido invitadas. Sin embargo, en la realidad no siempre ocurre así, particularmente en lo que concierne a los niños. En estos casos tal vez sea necesario ser firme y diplomático si de invitar incluso al más dulce de los niños se trata. Para más información sobre cómo lidiar con este asunto complicado, ver el capítulo 1.

Como lo exige su título

Como si no fuera poco tener que memorizar las reglas para escribir tan sólo una dirección, saber cómo escribir los títulos profesionales es aun más complicado. Según lo dicta la tradición, a las mujeres no se les escribe su título profesional, y si son casadas, se omite su nombre de pila. Esto suena muy sencillo, es verdad, pero hoy en día, no tomar en cuenta la identidad profesional y personal de una mujer es, para muchos (incluyéndonos a nosotras), un modo de proceder sexista. Así mismo, el hecho de que muchas mujeres continúen utilizando hoy en día su apellido de solteras lo hace todo incluso más complicado.

Si ambas personas en la pareja utilizan cada una su propio nombre profesional y llevan un título, este último se escribe por orden alfabético:

Juez Félix Bartolomeo y Doctora Juana Pérez

Si la pareja utliza el mismo apellido, la persona con el título se escribe primero:

Doctor Guillermo Moreno y Sra. Carmen de Moreno

A menos que frecuenten círculos diplomáticos o tengan el cargo de asistente ejecutivo de una persona de suma importancia en una gran corporación o a nivel social, seguramente quienes invitan no suelen utilizar títulos distintivos para personalidades en el mundo laboral, político o religioso. Sin embargo, la boda es la ocasión para hacerlo. Para las tarjetas de ubicación se puede escribir solamente el nombre sin el apellido, pero si se desean usar los títulos profesionales, la tabla 5-1 muestra cómo hacerlo.

Aunque el título "Doctor" se suele utilizar en algunos casos para aquellas personas con un Ph.D. o doctorado, y también para denominar a personas con cargos sociales importantes, este título debería reservarse para los médicos.

Tabla 5-1	Utilización de títulos	
Título	**Sobre**	**Tarjeta de ubicación**
Obispo católico romano y arzobispo	Monseñor Pérez Obispo (Arzobispo) de...	Monseñor Pedro Pérez
Monseñor	Monseñor Pedro Pérez Cardenal Primado	Monseñor Pérez o Monseñor Pedro Pérez
Padre	Reverendo Padre Pérez Párroco de...	Padre Pérez o Padre Pedro Pérez
Monja	Hermana María Margarita	Hermana María Margarita o Hermana Casas
Rabí (hombre)	Rabí Isaac Pérez y señora	Rabí Pérez o Rabí Isaac Pérez
Rabí (mujer)	Rabí Raquel de Casas	Rabí Raquel de Casas
Presidente de la República:	Señor Doctor (nombre) Presidente de la República	Presidente (nombre)
Senador	Honorable Senador Pedro Pérez y señora	Pedro Pérez
Senadora	Honorable Senadora Juana de Casas	Juana de Casas
Representante a la Cámara o Diputado (hombre)	Honorable Representante a la Cámara (Diputado) señor Pedro Pérez y señora	Pedro Pérez

Oficiante	Sobre	Tarjeta de ubicación
Representante a la Cámara o Diputada (mujer)	Honorable Representante a la Cámara (Diputada) Sra. Juana de Casas	Juana de Casas
Alcalde	Señor Pedro Pérez Alcalde de... y señora	Pedro Pérez
Alcaldesa	Señora Juana de Casas Alcaldesa de...	Juana de Casas
Juez (hombre)	Juez Pedro Pérez y señora	Pedro Pérez
Juez (mujer)	Juez Juana de Casas	Juana de Casas
Embajador	Señor Embajador de.. o Excelentísimo Señor Pedro Pérez Embajador...	Pedro Pérez
Embajadora	Señora Juana de Casas Embajadora de...	Juana de Casas
Doctor	Doctor Pedro Pérez y señora	Pedro Pérez
Doctora	Doctora Juana de Casas	Juana de Casas
Artistas	Maestro(a) Fernando Botero	Maestro Botero
Abogados (en México)	Licenciado Pedro Pérez	Licenciado Pedro Pérez
Teniente Coronel (o cualquier otro título militar)	Señor Teniente Coronel Pedro Pérez	Teniente Coronel Pedro Pérez

En los países latinoamericanos, si la persona con el título es la mujer y está casada, en los eventos sociales se suele colocar el nombre del marido seguido de "y Señora".

Diseñar y hacer sus propias invitaciones

Muchas parejas diseñan sus propias invitaciones o trabajan con un diseñador gráfico en la creación de un diseño propio y original. Sin embargo, si ustedes son lo suficientemente audaces y creativos y quieren ahorrar dinero, pueden *hacer* en su totalidad las invitaciones. Para lograr algo sencillo y de un estilo muy propio se pueden utilizar elementos personales.

Con los equipos de *software* que se encuentran hoy en día en el mercado es posible crear invitaciones de tipo profesional. Sin embargo, para producir resultados semejantes a los de una impresión en grabado o incluso una tarjeta termografiada es necesario adquirir una tipografía casera propia. Aun así, si se tiene en mente producir algo de tipo casual, estará bien hacerlo todo uno mismo.

No siempre se ahorra dinero si se imprimen las invitaciones en casa. Aunque de este modo no se necesita de la ayuda de terceros, como el impresor, sí se requiere comprar el papel y el *software* de impresión, además de la tinta. También es importante considerar cuánto tiempo habrá que invertir, su nivel de experiencia y su capacidad para trabajar calmadamente. Por ejemplo, ¿cuántas hojas de papel vitela con canto dorado habrá que desperdiciar antes de dominar el proceso?

Una buena idea es mandar imprimir las invitaciones en una tipografía y hacer el montaje de su propia creación ustedes mismos. Muchas compañías de internet ofrecen este tipo de servicio y materiales de trabajo.

Escribiendo en un buscador de internet las palabras **papeles de impresión** se pueden encontrar numerosos sitios web que venden una gama rica de papeles para impresión láser, con los cuales hacer las invitaciones, las tarjetas de ubicación, los programas de la boda y demás. Algunas de estas compañías son *LCI International* (www.lcipaper.com) y *Celebrations Galore* (www.celebrationsgalore.com).

Hoy en día, las papelerías y tiendas artesanales cuentan con una variedad increíblemente surtida de materiales y adornos con los

Respuesta de invitados especiales

La dirección de la casa presidencial a la cual enviar la invitación se puede averiguar llamando por teléfono o en la página web de la Presidencia del país respectivo.

También se puede enviar una invitación al Papa y recibir la pareja la bendición papal por la boda de ambos. Con el cura de la parroquia de uno o ambos novios se puede consultar a dónde y a quién específicamente se dirige la invitación.

cuales crear un producto propio. Entre las cosas que se pueden necesitar están:

- ✔ **Papeles especiales:** Se pueden combinar papeles de diferentes texturas (como papel vitela, crepé, papel de flores hecho a mano…) para montar la invitación por capas y así darle una apariencia sofisticada.

- ✔ **Regla ondulada para rasgado:** Es una regla especial con un borde ondulado y afilado. Se pone sobre el papel y éste se rasga por el filo de la regla, dando así al papel la apariencia de un corte rasgado y hecho a mano.

- ✔ **Cinta:** Con una simple cinta o un moño de seda se puede transformar una tarjeta sencilla, al menor costo, en una invitación muy elegante. Si se adquieren varios rollos se puede extender el mismo motivo de decoración a otros aspectos de la boda tales como atar las servilletas con cinta, y adornar así mismo las tarjetas de ubicación y las canastillas de recordatorio para los invitados.

- ✔ **Baratijas:** También se puede hacer llamativa la invitación pegándole pequeños adornillos de latón, por ejemplo.

- ✔ **Barras de pegante o pistola de goma:** Para pegar los papeles y montar la invitación, y para añadirle a ésta pequeños adornillos.

- ✔ **Abrehuecos:** Para ensartar las cintas.

- ✔ **Sello para gofrar:** Se puede estampar una imagen sencilla en las tarjetas y sobres.

- ✔ **Cera para sellar:** El sobre exterior se puede sellar con un bonito sello estampado en cera, del color del motivo general utilizado para la boda. Puesto que en las oficinas de correo, por lo general, la cera verdadera no agrada del todo, es mejor utilizar una de las tantas ceras tipo imitación que se encuentran en el mercado (así mismo figuran en las tiendas). Éstas sellan como la cera pero sin partirse cuando se pasan por la máquina que pone las estampillas.

Enviar debidamente los sobres

No debe olvidarse enviar invitación al oficiante y a los propios padres. Es sorprendente lo fácil que es pasar por alto a personas tan importantes como éstas. También es importante enviarse la pareja una invitación a sí misma antes que todas las demás, de modo que pueda constatar cuánto tarda en llegar por el correo y en qué condiciones la recibe.

Cuando se calcule el costo de las invitaciones es muy importante no olvidar incluir el costo del envío, ya sea por correo o por algún servicio de mensajería. Una vez se tenga lista la invitación de muestra y se sepa cómo será definitivamente, con todos los aditamentos (como la tarjeta de contestación, la tarjeta de direcciones para llegar al lugar, el mapa y demás tarjetas adicionales), ésta se lleva a la oficina de correo o de mensajería para calcular (en lo posible dos veces) su peso. Si se piensa utilizar papeles hechos a mano es conveniente llevar muestras de varios tipos y pesarlas todas, pues no querrá que se le pare el corazón cuando reciba de vuelta las invitaciones marcadas con la inscripción "Valor de la estampilla insuficiente". Se debe estar dispuesto a poner al menos tres estampillas por sobre. En este aspecto no se debe buscar ahorrarse unos centavos: se deben escoger las mismas estampillas para cada sobre (así esto cueste un poco más), pues esto da una apariencia más elegante a la invitación.

En la oficina de correos se puede averiguar si venden estampillas que se hayan sacado con motivo de la conmemoración de eventos especiales. Muchas veces es posible conseguir motivos (ojalá autoadhesivos) que se adaptan al diseño y color escogidos para la boda. Una forma muy cómoda de buscar diseños exclusivos (y mucho menos aburrida que tener que esperar en línea en el correo) es conectarse a la tienda virtual en Internet de la oficina de correos de su localidad.

Enviar los sobres de contestación para los invitados con estampilla es una manera muy práctica de motivarles a poner la tarjeta de vuelta en el correo. Sin embargo, enviar los sobres con estampilla a los invitados que residen en el exterior será poco efectivo, pues ellos deberán enviar la correspondencia de vuelta con estampillas de su país.

Luego de haberse tomado uno el trabajo de escribir cada sobre y ponerle estampillas especiales, no se querrá que esta apariencia la arruine la máquina del correo que sella las estampillas para que no sean reutilizadas. La invalidación de las estampillas hecha a mano hace ver el sobre más elegante y no arruina la caligrafía ni los sellos de cera. Infortunadamente, en muchos lugares se debe persuadir al encargado en la oficina del correo de que procese todos los sobres a mano. Sin embargo, por un sobre intervenido a mano vale la pena el trabajo de ganarse con el mayor carisma posible al funcionario del correo.

Guardar una invitación de recuerdo

La mejor manera de guardar la invitación de matrimonio es haciéndola enmarcar o poniéndola en el álbum de fotos. Si se tiene el tiempo para hacerlo, ustedes mismos pueden montarla sobre una placa o bandeja, o incluirla en un pequeño baúl destinado a guardar los recuerdos de la boda. De otro modo, se puede ahorrar tiempo enviando la invitación a una compañía especializada en montar tarjetas sobre un fondo de terciopelo que se encaja luego en una caja traslúcida.

Capítulo 6
La boda de fin de semana

- -

En este capítulo

▶ Planear un evento de varios días

▶ Informar a los invitados sobre las fechas

▶ Enviar información importante

▶ Recibir a los invitados

- -

*E*l término *matrimonio de fin de semana* implica que comprende una serie de eventos celebrados durante varios días. Quizás la pareja y los invitados viajen a un lugar de descanso en el Caribe donde se celebrará la boda (un *matrimonio de destino;* para mayor información, ver el capítulo 4) o los padres de los novios planeen atender en su lugar de residencia a un número grande de invitados procedentes de otros países o ciudades. De cualquier modo, se debe estar preparado para atender en todos sus aspectos a este grupo de personas que se reunirá temporalmente. Éste será un gran proyecto, pero habrá valido la pena por los recuerdos que perdurarán.

Lo antes posible (ocho meses a un año para destinos populares) se debe reservar un ala de habitaciones en el hotel donde se hospedarán los huéspedes (o en dos o tres hoteles en el mismo sector, ojalá con varias opciones de precios). Acomodar a todos los invitados en el mismo sector no sólo facilita las cosas para la pareja (y para las personas mismas), sino que también une más a los invitados y permite que se vayan conociendo mejor. Este sentido de camaradería es lo que hace el fin de semana inolvidable.

Una cronología típica

Para tener una idea de cómo podrían desarrollarse las actividades para un evento en el fin de semana, aquí damos un ejemplo de cómo se pueden repartir las actividades por día para una boda de cuatro días, de jueves a domingo, en la cual la ceremonia y la recepción se llevan a cabo el sábado por la noche.

✔ **Jueves por la noche:** Los novios, sus padres y quizás los hermanos cenarán todos juntos. Puede ser desde una cena informal en casa hasta una cena elegante en un restaurante. En ella las familias tienen la oportunidad de pasar un momento calmado juntas antes de que comience la gran actividad. Los invitados que llegarán temprano ese día lo harán por sí solos, pero en sus habitaciones encontrarán un pequeño obsequio de bienvenida (ver más adelante en este capítulo la sección "Presentes de bienvenida").

✔ **Viernes:** La mayoría de los invitados empezarán a llegar y a registrarse en el hotel. Aunque no es necesario recogerlos en el aeropuerto, sí se deberá asegurarse de que sepan cuál es la manera más fácil y menos costosa de llegar al hotel. Si es posible, se debe arreglar que los invitados lleguen a un área del hotel designada como Huéspedes de la Boda. El lugar, en donde se ofrecerán bebidas y pasabocas, puede ser el sitio perfecto para que las familias y los amigos se conozcan entre sí.

✔ **Viernes por la tarde:** Si se acostumbra ensayar para la ceremonia del día siguiente, éste es el momento indicado para hacerlo. Se lleva a cabo el ensayo con todas las personas que tendrán alguna función especial en la ceremonia (novios, padrinos, lectores, cantantes, etc.). Por lo general (aunque no siempre), el ensayo se hace en el lugar donde se llevará a cabo la ceremonia.

Tal vez piensen que podrían prescindir del ensayo formal y sólo hacer un repaso del cronograma planeado para el día de la boda. Aconsejamos no hacerlo así de ninguna manera: el repaso puede volverse tensionante en ese momento o simplemente puede terminar no haciéndose.

✔ **Viernes por la noche:** Luego del ensayo, las personas que tendrán alguna función en la ceremonia estarán invitadas a la comida prematrimonial. Qué otras personas deben estar invitadas a esta cena ha sido siempre asunto de debate entre los conocedores del tema. A nuestro parecer, la pareja tendría que ocuparse de algún modo de sus invitados, a quienes han pedido viajen hasta ahí. Normalmente, se tiene por establecido que las personas residentes en el lugar en donde se ofrecerá la boda no tienen que estar invitadas a la cena, a menos que tengan alguna función asignada en la ceremonia. (Ver el recuadro "Opciones para la cena prematrimonial", más adelante en este capítulo, para saber cómo más tratar este asunto). No olviden organizar el transporte para los invitados al lugar de la cena y de vuelta después.

La comida prematrimonial puede hacerse en un ambiente menos formal (ver el capítulo 8 para más información). Un picnic o un asado de almejas en la playa luego del ensayo es una excelente manera de dar comienzo a las fiestas del fin de semana, en especial si la recepción para la boda será una comida sentada. El propósito principal es dar la bienvenida a la familia y los amigos y permitir que todos se conozcan.

✔ **Sábado:** ¡Es el día de la boda! Durante el día se pueden tener planeadas actividades de grupo, como por ejemplo un juego de fútbol, un paseo a los anticuarios del pueblo o una sesión de buceo, aunque éstas deberían ser opcionales, pues muchas personas tal vez quieran descansar para la noche. En un lugar urbano se pueden recomendar museos o sitios de interés para visitar. También se pueden reservar cupos en la peluquería o en el spa para los invitados, o arreglar para que los invitados puedan hacer uso de pases para el gimnasio.

✔ **Sábado por la noche:** Si el traslado a los sitios donde se llevarán a cabo la ceremonia o la recepción es difícil, conviene arreglar, en lo posible, que los invitados cuenten con una forma cómoda de trasladarse hasta ahí. Si la boda no se extenderá hasta la madrugada, podría tenerse un bar para las horas de la noche u ofrecerse una barra de café y postres en un área especial del hotel donde se estén hospedando los huéspedes, para aquellas personas que deseen seguir festejando hasta tarde.

✔ **Domingo:** Se suele ofrecer un desayuno de tipo *brunch*. Éste ha de ser informal, del tipo que la gente llegue si quiere, más que un desayuno sentados a la mesa. Aunque los novios no estarán obligados a quedarse (pues las personas entenderán si ya han partido para la luna de miel), si aún no se han ido, pueden entrar para despedirse.

Una ceremonia religiosa judía no se puede celebrar entre el atardecer del viernes y el atardecer del sábado (el Sabat). Por consiguiente, para estas bodas generalmente no se hacen ensayos. Una boda judía ortodoxa o conservadora en el fin de semana, durante la primavera o el verano —cuando la caída del sol ocurre más tarde— normalmente comprenderá una bienvenida de postres para los invitados que llegarán el sábado por la noche luego de la caída del sol, la boda el domingo y un desayuno de despedida el lunes por la mañana.

Los planes para la boda de fin de semana no deben ser demasiado estrictos. A veces es mejor dejar que los invitados decidan a sus anchas lo que les gustaría hacer. Muchos quizás prefieran realizar sus propias actividades improvisadas y pasear a su gusto por el lugar.

Opciones para la cena prematrimonial

Es justo querer hacer una cena prematrimonial con la familia y amigos más cercanos, pero también es preciso ocuparse de los invitados que han venido de otros lugares. Para ello, una solución puede ser hacer dos fiestas esa misma noche: una comida privada para las personas más allegadas y la familia inmediata, seguida de un coctel o recepción que incluya a los demás. También se puede pedir a un amigo o amiga o a un familiar el favor de ser el anfitrión para un evento separado al que puedan asistir la mayoría de los invitados. Esta reunión puede ser un asado, un paseo en bote y picnic, o una salida a esquiar en la nieve seguida de una comida con fogata.

Pedir a los invitados reservar la fecha

Lograr cuadrar una fecha para la boda que convenga a todas las personas, dado el alto nivel de ocupación de todas ellas, es ya bastante difícil; pero más difícil aún es cuadrar un fin de semana. Para asegurarse de que las personas con quienes quisieran contar en su boda no decidan tomar vacaciones para esa fecha, estén planeando su propia boda por esos días (con la misma lista de invitados), o tengan pensado operarse en ese mismo fin de semana, conviene comunicar la noticia a los invitados lo más temprano posible. He aquí algunas fechas importantes para las cuales se puede mandar una carta informativa:

✔ **Tarjetas o cartas para reservar la fecha:** Mandarlas con cuatro a seis meses de anticipación es lo adecuado, pero enviarlas ocho meses antes no será exagerado. Si ya se sabe dónde se hará la boda, se pueden incluir la ciudad y el departamento o el país.

✔ **Detalles para enviar posteriormente:** Si con la primera información no se incluyeron los detalles particulares sobre el evento, estos se pueden enviar, cuatro meses después, en una correspondencia más detallada. Para la información adicional que se incluye en el correo a enviar antes de la boda, ver la sección "Informar a los invitados sobre los detalles particulares", más adelante en este capítulo.

✔ **Invitaciones:** Si se enviaron anteriormente las tarjetas para reservar la fecha y luego los detalles particulares sobre el evento, bastará con mandar las invitaciones oficiales de la boda con seis a ocho semanas de anticipación. Si no se ha enviado ninguna información previa sobre la boda para el fin de semana (en especial, si los invitados deben viajar para trasladarse al lugar del evento o si el fin de semana será en la época de las vacaciones), las invitaciones se deben enviar al menos con dos o tres meses de anterioridad.

Una tarjeta para reservar la fecha puede ser una tarjeta postal breve y cálida o una carta más larga. Si sólo se desea dejar saber la noticia a los amigos y la familia, y luego, con más tiempo, enviar la información detallada, bastará con mandar un mensaje por correo electrónico o hacer simplemente unas cuantas llamadas telefónicas. En las figuras 6-1 y 6-2 se muestran dos modos diferentes de pedir a los invitados reservar la fecha.

La manera más sencilla de hacer una carta para reservar la fecha es escribirla en el computador e imprimirla en una impresora láser o una impresora de alta resolución. En el mercado se encuentran múltiples variedades de papeles llamativos y especiales para diferentes tipos de impresoras. Para las tarjetas postales, se puede escribir una de éstas a mano y luego fotocopiarla en papel de tarjeta en una máquina especializada. Si se quiere algo más formal, se puede incluir un logo que se utilice para toda la papelería que se enviará (ver el capítulo 5).

Favor reservar la fecha
para el matrimonio de

María Reyes
y
José Mayoral

el cual se llevará a cabo el domingo
8 de abril de 2006 en la isla de Jamaica

Nos encantaría que puedan hacer planes para pasar
con nosotros un fin de semana de son, baile
y fiesta tropical…

Enviaremos los detalles pertinentes
y las invitaciones prontamente

Figura 6-1:
Una tarjeta breve y cálida para reservar la fecha.

Decidir a quién invitar a qué eventos puede ser un asunto complicado. Si todas las personas estarán invitadas a todos los eventos no habrá necesidad de enviar a cada una de ellas cuatro invitaciones diferentes. En una sola tarjeta incluida con la invitación de la boda se pueden incluir los detalles particulares a los diferentes eventos: *La abuela Rosa ofrecerá un asado en la tarde del viernes, el día antes del matrimonio; Los Castro cordialmente invitan a un desayuno el domingo…* Si se prefiere se puede utilizar el sistema de tarjeta para confirmar la respuesta. Otras personas simplemente prefieren colocar el número telefónico debajo de RSVP. El siguiente es un ejemplo sencillo en el que la tarjeta incluye todas las actividades.

El señor o la señora _____

_____ asistirá al asado el viernes en la tarde

_____ asistirá a la boda

_____ asistirá al desayuno el domingo

Queridos amigos y familiares,

Bueno, realmente ocurrirá. Pensamos formalizar nuestra relación. Y por supuesto, como todos ustedes nos conocen bien, sabemos que se imaginan no haríamos el matrimonio en nuestra ciudad, dado nuestro gusto por las cosas raras, ¿verdad? Eso sería muy simple. Así es que quisiéramos que

reservaran las fechas

para el fin de semana del viernes 7 de abril al sábado 9 de abril en la isla de Jamaica, donde haremos oficial nuestra unión.

¡Nos encantaría poder contar con su compañía en esta ocasión!

Prontamente les enviaremos los detalles pertinentes.

Con mucho cariño,

María y José

Figura 6-2:
Una carta más extensa para reservar la fecha.

Informar a los invitados sobre los detalles particulares

Para que los invitados puedan hacer los planes correspondientes, será necesario proporcionarles información detallada acerca de cómo se desarrollará el evento, incluyendo datos sobre el lugar de destino y el itinerario planeado para el fin de semana. Incluso si se ha mandando prontamente esta información con las tarjetas para reservar la fecha, es también una buena idea ponerla en una página web que se haya creado para la boda, de modo que las personas no tan organizadas puedan tener acceso a ella.

Dentro del paquete de información que se enviará previamente a los invitados se pueden incluir los siguientes datos o elementos de importancia:

✔ El número telefónico del hotel o los hoteles en dónde se deben hacer las reservaciones, las direcciones particulares de Internet, los diferentes precios generales y el nombre bajo el cual aparece listado el grupo para esta boda (por ejemplo, "Boda Reyes-Mayoral").

✔ El nombre del contacto en el hotel.

✔ La información proporcionada por la agencia de viajes o las recomendaciones sobre dónde comprar los pasajes.

✔ Los datos sobre cómo llegar y partir del lugar de la boda. Ver el capítulo 7.

✔ Los requerimientos para viajar, tales como vacunas, pasaportes y visas.

✔ Una descripción detallada del lugar, incluido un mapa (ver el recuadro "Indicaciones para llegar al lugar", más adelante, para mayor información).

✔ Cómo es el clima en esa época del año.

✔ Una descripción de los eventos que se tienen planeados para el fin de semana, el cronograma preliminar para los mismos, cómo se espera que vistan los invitados y sugerencias de elementos para traer, como palos de golf o raquetas de tenis.

✔ Información sobre atención y actividades para los niños.

✔ Los números de teléfono y los nombres de las personas con quienes se debe establecer contacto para los servicios que exigen reservaciones por anticipado, como tratamientos de *spa*, buceo o lecciones de esquí.

✔ Un cuestionario para averiguar cuáles son los intereses recreativos de los invitados, como los tratamientos de *spa* o los deportes como la navegación a vela, el tenis o el buceo. Aunque tal vez esto parezca demasiado, en los lugares pequeños de decanso estos servicios se llenan fácilmente. Con este cuestionario, se puede dar a la administración del lugar una idea del tipo de servicios que solicitarán los invitados, de modo que el hotel o club pueda prepararse para ello de antemano sin tener que verse en apuros posteriormente.

✔ Algo particular a la fiesta como un sombrero con un monograma combinado y la fecha de la boda (no se considera de buen gusto usar el monograma de casados antes de celebrarse la ceremonia) con las indicaciones de utlizarlo a la llegada (muy divertido para las fotografías de grupo).

✔ Tarjetas de reservación de habitación impresas previamente, que los invitados han de enviar de vuelta por correo. Muchos lugares de veraneo y hoteles proporcionan estas tarjetas sin costo adicional.

Normalmente los invitados pagan por sus servicios de transporte y hospedaje, y el anfitrión se encarga de coordinar los eventos programados para el fin de semana.

En la figura 6-3 se aprecia un ejemplo de cómo escribir una carta con el resumen de las actividades planeadas para la boda, que suministre a los invitados la información que necesitan.

Es aconsejable negociar una tarifa de grupo según el número máximo de habitaciones que con seguridad se sabe que los invitados reservarán. Este tipo de contratos son a menudo delicados y, por lo general, requieren que se proporcione una tarjeta de crédito hasta que los huéspedes suministren las de ellos. *Nota:* Es importante entender el costo que correrá por cuenta de los anfitriones en caso de que algunas de las habitaciones reservadas no se tomen. Se pueden negociar otras variantes a la vez, como un área de recepción para los huéspedes, un desayuno de despedida o el costo de enviar a las habitaciones de los invitados canastas de bienvenida.

Presentes de bienvenida

Una forma muy especial y calurosa de agradecer a todos aquellos que han hecho un viaje desde tan lejos porque han querido estar con ambos en esta ocasión tan importante es recibirlos con un pequeño presente de bienvenida en su habitación que lea: "Estamos fe-

¡María y José se casan!

Ya ustedes conocen la gran noticia: ¡el 8 de abril de 2006 nos casaremos en Jamaica! Nos encanta saber que planean acompañarnos para la boda y celebrar durante un fin de semana de fiestas y actividades.

¿Por qué Jamaica?

Ambos viajamos varias veces a Jamaica, cada uno por su cuenta. Nos fuimos enamorando de esta isla paradisíaca, sin saber de la existencia del otro. Luego, en un viaje que hicimos juntos, nuestra relación se fortaleció aún más y sellamos nuestro futuro para siempre. Nos pareció, entonces, que allí era donde debíamos comprometernos, en compañía de nuestros amigos y nuestras familias.

Reservaciones de pasajes

Dada la gran cantidad de visitas a la isla en esta época del año, aconsejamos reservar los pasajes por teléfono con anticipación. Hemos convenido una tarifa especial con la agencia de viajes "Volar de Noche" (1-800-233-4272 o www.volardenoche.com) para nuestros invitados, tanto en *Air Jamaica* como en (*otra línea aérea*). Si tienen preguntas específicas, pueden comunicarse con Celia en la extensión 23 y decirle que están en la boda Reyes-Mayoral.

Hospedaje

Hemos apartado un número de habitaciones a un precio especial en el club-hotel y *spa Island Heaven*. Las posibilidades incluyen las Cabañas ($), las Cabañas junto a la Piscina ($$) y las Suites Fantasía ($$$$). El resto de la estadía estará incluida en la tarifa de la habitación para cada persona o correrá por cuenta nuestra.

Cuando hagan la reservación, no olviden decir que están invitados a la boda Reyes-Mayoral. Tendremos las habitaciones reservadas hasta el 15 de febrero. Luego de esta fecha no las apartarán más. Por favor reserven con anterioridad para evitar las desilusiones (tanto de ustedes como de nuestra parte ...).

Transporte

Una camioneta de *Island Heaven* recogerá a los pasajeros de cada vuelo que lleguen a la isla para la boda. A la salida del área de aduanas encontrarán un representante del hotel que los estará esperando con un cartel de bienvenida. Si en lugar de eso prefieren alquilar un automóvil (lo cual no recomendamos porque los autos en Jamaica se manejan del lado derecho y las carreteras no son exactamente fenomenales), en el aeropuerto hay una agencia de alquiler de automóviles y nuestro agente de viajes les hará la reservación anticipadamente. Sólo tendrán que comentarle cuando hagan sus demás reservaciones.

Figura 6-3:
Suministrar la información pertinente a los invitados.

Actividades

Habrá un asado en la playa la tarde del viernes; el Gran Evento será el sábado a las 5 p.m., seguido de una cena bailable a la luz de la luna, y un desayuno de despedida el domingo a las 10 a.m. (para los que puedan dejar este paraíso…) Luego ambos partiremos a los confines del mundo en nuestra luna de miel, de modo que esperamos que tengan su buena dosis de nosotros en estos días porque luego estaremos totalmente incomunicados…

Golf, tenis, buceo, piñas coladas, daiquiris, ron, siesta, sol, siesta, sol… Si quisieran hacer reservaciones en el *spa*, como sesiones de masaje o una cita en el salón de belleza, aconsejamos proceder con anterioridad. Pueden llamar al *spa* directamente al número 1-800-234-5678.

Clima

La temperatura promedio es perfecta: 29.4 grados, cálida y sin humedad. Para la noche quizás quieran llevar un suéter delgado o chaqueta liviana. Para el resto del día sólo necesitarán traje de baño y bastante bloqueador solar.

Ropa

A excepción de la ceremonia de la boda y la recepción a continuación, para las cuales el traje deberá ser apropiado para la isla (o lo que esto les diga a ustedes), todas las demás actividades serán enteramente informales. Habrá penitencia para el que vista demasiado elegante.

Atención para los niños

Sabemos que muchos de ustedes viajarán con sus hijos y aprovecharán la ocasión para tomar unas vacaciones en familia. Los niños serán bienvenidos en todos los eventos A EXCEPCIÓN de la ceremonia y la fiesta a continuación. Hemos hecho arreglos con un servicio de atención para los niños que nos fue recomendado por nuestra asesora de bodas. Pueden comunicarse al número 1-800-231-6789, Guardería Niños.

Preguntas

Si hemos olvidado alguna información que les interese, les rogamos ponerse en contacto con nosotros por teléfono o por correo electrónico.

María: (57-1) 235 2780 o `Mreyes@algunsitio.com`

José: (57-1) 235 6228 o `Jmayoral@algunsitio.com`

Les seguiremos enviando correo e información a medida que se acerque la fecha en abril. (Saben que no podemos evitarlo…)

¡Esperamos verlos a todos muy pronto en Jamaica!

Un fuerte abrazo,
María y José

Indicaciones para llegar al lugar

En la información preliminar que se envía a los invitados sobre el lugar de destino antes de la boda, no debe faltar un mapa claro y bien diseñado del lugar, en particular si éste es un sitio exótico o remoto. Es buena idea incluirlo al tiempo con las invitaciones de la boda.

Si las indicaciones para llegar son sencillas y ustedes tienen bastante habilidad manual, tal vez uno de ustedes decida dibujar el mapa, con información llamativa sobre los lugares para visitar y las marcaciones de las calles. O quizás prefieran marcar con estrellas, sobre un mapa ya hecho, los lugares más atractivos para visitar —por ejemplo, "Los mejores perros calientes ¡del mundo!"—y agregar una leyenda.

En la web también hay lugares especializados en producir mapas. Si se escriben las palabras **mapas de invitación personalizados** en un buscador de internet, éste mostrará los nombres de diferentes compañías que se especializan en producir mapas personalizados, con la fecha de la boda y la información particular sobre ésta.

Si desean hacerlo, pueden imprimir el mapa con las indicaciones completas para llegar al lugar, además de información acerca de los lugares donde se puede ir de compras, los hospedajes y demás negocios del sector.

lices de tenerlos aquí". El presente puede ser desde una canasta de frutas y fiambres, hasta un morral con el logo de la boda de ambos. El contenido no tiene que ser extremadamente costoso o elaborado; lo más importante es la atención y el detalle con el que se prepara. Un presente de bienvenida puede incluir lo siguiente:

✔ **Una nota de bienvenida:** No tiene que ser muy larga. En ella se da la bienvenida y se agradece calurosamente a los invitados por haber hecho el viaje, se da una pequeña sinopsis del cronograma por día para el fin de semana, se recuerda exactamente dónde y cuándo se llevarán a cabo la ceremonia y la recepción, y se dan las indicaciones para llegar al lugar de acogida para los huéspedes de la boda, si el anfitrión lo ha solicitado.

✔ **Un mapa personalizado:** Éste muestra el lugar y señala los sitios favoritos de ambos para visitar. Si el mapa es de una ciudad se pueden agregar galerías de arte, mercados de pulgas, tiendas y restaurantes. Para un lugar de recreación se pueden demarcar los sitios en dónde hacer buceo o los bares más apetecidos. (Ver en el recuadro "Indicaciones para llegar al lugar", en este capítulo, consejos para elaborar mapas). El mapa también puede detallar qué medios disponibles de transporte existen y dar indicaciones para llegar a los diferentes lugares.

✔ **Bebidas y pasabocas:** La comida típica del lugar es siempre la mejor para incluir. En el Caribe, por ejemplo, se podría incluir el ron típico de la isla (Cocksbur en Barbados, por ejemplo) y frutas tropicales. En Italia, un vino tinto de la región y un paquetito de galletas típicas. O si la boda será en otro lugar, se pueden incluir cosas de la región de los novios.

✔ **Uno o varios recuerdos:** Algo de poco costo, llamativo y divertido, como tarjetas postales, llaveros o imanes.

✔ **Material informativo:** Éste puede incluir folletos informativos, datos curiosos u otro tipo de información impresa sobre el lugar, o una buena guía turística. También se pueden incluir los números telefónicos de los puestos de salud en la zona, de niñeras u otros números locales importantes a los cuales recurrir en caso de necesidad.

✔ **Aspectos particulares de la boda:** En una hoja separada que se da sólo a las damas de honor, los testigos y demás personas que tendrán alguna función en la ceremonia, se les informa los particulares sobre el lugar y la hora en donde se llevará a cabo el ensayo de la ceremonia y demás datos que deban conocer. (Ver el capítulo 8 para mayor información sobre el cronograma para el día de la boda.)

✔ **Detalles para los niños:** Estos incluyen un pequeño presente de bienvenida para los niños (que debe ser diferente del de los adultos y menos costoso). Dependiendo de la edad, algunos dulces, unos libros para colorear con sus respectivos colores, un diario o un cuadernillo que los niños puedan llenar con sus impresiones del viaje les encantará y los hará sentir que la pareja está muy contenta de que hayan venido.

Capítulo 7

Cómo crear un cronograma sin contratiempos para el día de la boda

· ·

En este capítulo

► Organizar el orden de las actividades

► Organizar el transporte para los proveedores y la comitiva de la boda

► Coordinar la fila de felicitación

· ·

*T*al vez hayan contratado a un asesor de bodas, quizás estén organizando la boda por cuenta propia, o la hayan confiado por completo a una casa de banquetes. De cualquier modo, encontrarán extremadamente útil hacer un cronograma para el día de la boda.

El cronograma deja saber a todos los responsables de la planeación de la boda —es decir, la comitiva de la boda, los proveedores y el personal asistente— lo que tienen que hacer y cuándo deben hacerlo. Ante todo, este cronograma es un medidor personal del tiempo y ayuda a percibir exactamente cómo se desarrollarán los eventos el día de la boda. No se trata de planear el Día D, pero un poco de organización sabia no hace mal a ninguna boda.

El cronograma para el día de la boda es una ayuda mediante la cual se organizan todas las personas que participan activamente en el evento —es decir, la comitiva de la boda y los proveedores— en una misma hoja de papel. La idea no es que sea un cronograma inflexible que se deba cumplir con la más estricta rigurosidad. Es decir, se debe dejar espacio para que el día fluya naturalmente.

Organizar a todos en una misma hoja de papel

Sería imposible crear un modelo único de cronograma para todas las bodas, dado que no hay una boda igual a otra. Aun así, aquí presentamos un modelo general sobre el cual basarse para hacer su propia versión. Lo mejor es hacer dos versiones:

- ✔ **Cronograma principal:** Esta versión completa y detallada describe con precisión cada detalle del día, minuto a minuto, desde unas horas antes de la ceremonia hasta después de la última canción. Esta lista se debe dar a cada una de las personas responsables de llevar el día a cabo como previsto —es decir, el banquetero, la orquesta, la florista, el pastelero, el jefe de banquetes y cualquier otra persona que deba saber quiénes son las demás personas que trabajan para la boda y cómo se relacionan entre sí.

- ✔ **Cronograma para la ceremonia:** La versión condensada del cronograma principal se concentra exclusivamente en la ceremonia. Este cronograma se debe entregar a la comitiva de la boda, el oficiante, los padres de los novios y los demás participantes. Así mismo, se debe repartir en el ensayo y repasarse atentamente. También se debe encargar a alguna persona de traer copias para la ceremonia real, a menos que los miembros de la comitiva sean todos actores capaces de memorizarse un guión entero con una sola leída.

El ensayo no debe ser la primera ocasión en que se deje saber a todos cómo ha de desarrollarse el día de la boda. Se debe crear un orden del día preliminar y encargar a ciertas personas clave de repartirlo a los demás, para que ellos, luego, aporten sugerencias sobre lo que se puede mejorar con el fin de que cada paso fluya sin contratiempos. El cronograma se puede revisar hasta el último momento, pero entonces será importante asegurarse de que todos cuenten con la copia más actualizada para prevenir, por ejemplo, que los padres esperen a entrar luego de un grupo de personas que hace tiempo se omitió del cronograma.

En el cronograma principal se incluyen los siguientes datos:

- ✔ Una lista de todas las personas involucradas en la planeación de la boda y sus datos correspondientes, como dirección postal, dirección de correo electrónico, número de *beeper*, número telefónico de la casa y la oficina, y número de celular.

(Ver el capítulo 1 para información sobre cómo organizar los datos personales de cada persona).

✔ La forma en que los proveedores trasladarán los implementos al lugar, inluyendo el nombre del proveedor y la hora en que debe llegar.

✔ Las indicaciones para llegar a los respectivos sitios de la boda.

✔ Los pasos a seguir antes, durante y después de la ceremonia.

✔ Los detalles específicos de la ceremonia.

✔ El tiempo programado para cada actividad, incluidos los brindis y discursos.

✔ Notas adicionales para cada proveedor, según se requiera.

✔ Una lista resaltada de los detalles importantes.

El cronograma principal se puede crear trabajando en línea con los proveedores y el asesor de bodas, si se recurrirá a este último. El jefe de banquetes puede decir cuánto tiempo tomará servir y recoger cada plato; el director de la banda, el tiempo que tomará una sesión de baile y orquesta, y así sucesivamente. Luego se hace llegar un primer borrador del cronograma a cada proveedor, de modo que cada uno pueda dar sus sugerencias. Así anotarán los cambios sobre la copia, que luego devolverán a la pareja, para que puedan hacer las correcciones y preparar la versión final del cronograma.

Transporte para el cortejo nupcial

Para el día de la boda quizás prefieran organizar que el cortejo nupcial y los padres se trasladen juntos hacia el lugar de la ceremonia, de modo que todos arriben al lugar al tiempo.

Las tarifas para las limosinas y los automóviles que han de transportar a la novia y a la comitiva de la boda se pueden negociar con la compañía de alquiler de autos; igualmente, se puede consultar con ellos sobre tarifas más bajas para los modelos menos lujosos. (Algunas compañías cobran menos cuando los vidrios no son oscuros). Es importante preguntar cuántos pasajeros exactamente pueden transportar los vehículos y si además cuentan con *sillas plegables* (sillas extras que se desdoblan de los asientos regulares). También, tómese en cuenta que contratar para que la limosina espere costará lo mismo que si se contrata para que se devuelva y regrese luego a recoger al pasajero (pues es poco factible que la compañía pueda contratar para recoger a otra persona durante este lapso de tiempo).

Claro está, una limosina no es absolutamente indispensable. También se puede pensar en vehículos menos costosos, como automóviles antiguos o vehículos de mayor capacidad, como las camionetas o los buses pequeños que, al poder transportar a más personas a la vez, son más económicos.

Luego de la página con los datos personales de cada persona involucrada en la boda, la siguiente página del cronograma se verá como se indica en la figura 7-1, que muestra dónde estarán los miembros de la comitiva durante el día y cómo se trasladarán al lugar. Esta hoja se debe dar a todo aquel cuyo nombre aparece en ella, así como a los conductores de los vehículos.

Coordinar el transporte para los invitados

A menos que todos los eventos estén planeados para llevarse a cabo en el hotel donde se están hospedando los invitados (o que de éste se pueda llegar a pie hasta el lugar de los eventos), y si el presupuesto lo permite, quizás quieran organizar el traslado de los invitados cómodamente y de forma segura. Tal vez piensen que éste es un gasto innecesario, pero valdrá la pena si, en caso de que llueva a cántaros, 300 invitados traten desesperadamente de conseguir taxis a la salida de la iglesia todos a la vez.

Se puede arreglar para que los vehículos partan de una ubicación central, con tiempos de por medio, de modo que no salgan sin las personas que se hayan quedado atrás. Si habrá invitados de edad o discapacitados, se puede pensar en proporcionar facilidades de traslado especial para ellos. Igualmente, se puede asignar a los amigos que quieran prestar ayuda la tarea de coordinar la salida y entrada de los vehículos, asegurándose de que no falte ningún invitado.

Indicaciones para trasladarse a los diferentes lugares

Es igualmente necesario crear un hoja de información adicional para las personas que no conozcan el pueblo o ciudad, o los lugares donde se llevarán a cabo los eventos. Este suplemento debe incluir las direcciones y las indicaciones para llegar a los sitios donde se ofrecerán la ceremonia y la recepión, así como para los lugares de parada intermedia, como el lugar en donde la comitiva de la boda se cambiará. Las indicaciones para trasladarse a los diferentes lugares

Hoja de transporte para la boda

Hora y lugar dónde recoger	Hora y lugar dónde dejar	Espera	Pasajero(s)	Número y tipo de vehículo
10 a.m. Casa de los padres del novio	10:20 a.m. Hotel Plaza	No	Sra. de Álvarez (Mónica, madre del novio) y Beatriz Álvarez (hermana del novio)	#1, camioneta
3 p.m. Hotel Plaza	3:20 p.m. Iglesia La Trinidad	Sí	(Damas de honor) Carla Méndez, Katia Gómez y Paula Arévalo	#2, limosina
4:30 p.m. Iglesia La Trinidad	4:50 p.m. Hotel Plaza	No	(Damas de honor y pajes) Carla Méndez, Katia Gómez, Paula Arévalo, Camilo Andrade, Antonio Vélez y Julián Esguerra	#2, limosina

Figura 7-1: Tabla para oganizar la hora en que se debe recoger y dejar a los diferentes miembros de la comitiva de la boda, que se entrega tanto a ellos como a sus conductores de vehículo.

se deben dar partiendo de diferentes ubicaciones, como el aeropuerto, el centro de la ciudad o el hotel donde se han reservado las habitaciones. Se puede economizar tiempo imprimiendo los mapas y las rutas por medio de un sitio web especializado en la producción de mapas. (Ver el capítulo 6).

Cómo hacer el cronograma principal

El cronograma principal (así sea únicamente para uso personal) debe comenzar con los rituales anteriores a la ceremonia, de vestirse y llevar a cabo la sesión fotográfica, si esta última no se ha programado para después de la ceremonia. El horario fijado para las actividades que han de llevarse a cabo antes de la ceremonia es de vital importancia. En este cronograma se debe incluir hasta lo que parecería menos significativo, por ejemplo un rato en el cual comer algo antes de la ceremonia. Incluir estos elementos en el cronograma permite recordar lo que es preciso hacer en un día en el que la agitación puede hacer olvidar ciertas actividades.

En muchos hoteles, el horario para registrarse es a partir de las 2 o las 3 p.m., por lo cual la novia debería poder quedarse en la habitación del hotel de la que hará uso (quizás en compañía de su dama de honor) desde la noche anterior a la boda, o bien se puede acordar con las directivas para que pueda registrase más temprano el día de la boda. Muchas parejas que viven juntas deciden pasar la noche en el hotel, en habitaciones separadas.

Si los miembros de la comitiva se vestirán en el hotel o en una casa particular, se debería arreglar para que puedan almorzar o tomar el té durante este tiempo. Recibir en la fiesta una copa de champaña sin haber comido nada durante varias horas puede producir estragos. La novia también debería ser la última en peinar y maquillar, con el fin de que sea la que menos deba esperar una vez arreglada.

Luego viene la ceremonia. En el capítulo 10 mostramos en qué consisten las principales ceremonias religiosas. Ahí veremos cómo planear el orden específico para la ceremonia, incluidas las entradas para las piezas musicales, para las lecturas y demás detalles. En el cronograma principal se busca definir las actividades mayores.

La última parte del cronograma principal corresponde a la recepción. Ésta indica al banquetero, a la orquesta, el jefe de bar y demás proveedores en qué momento (al menos en teoría) se espera comer, bailar y hacer los brindis. Nuevamente, una semana antes de la boda conviene dar a los proveedores una descripción precisa de las tareas que deben cumplir, en el formato breve y resumido que mostramos a lo largo de este libro.

Hemos planeado el modelo del cronograma principal que se muestra en las figuras 7-2, 7-3 y 7-4 según el gusto de las parejas, ahora muy popular, de llevar a cabo la sesión de fotografías *antes de la ceremonia*. (Ver el capítulo 21 para detalles sobre cómo planear la sesión de fotografías). Muchas parejas, sin embargo, prefieren no verse antes de la ceremonia. Si prefieren dejar a los invitados en el coctel durante un rato mientras realizan la sesión formal de fotografías, entonces pueden adaptar el cronograma según este modo de organización.

La forma correcta de hacer las entradas de los bailes puede hacerse aun más difícil si las parejas de padres no se hablan entre sí, si hay algunos padres o madres viudos o viudas, o si unas madres son

Modelo de cronograma para el día de la boda

Cronograma para antes de la ceremonia		
Hora	*Evento*	*Nota*
1-2:30	Peinado y maquillaje.	El maquillador y el peluquero han de llegar a la *suite* de la novia en el hotel a la 1 p.m.
2:30-3:30	La novia y la comitiva se cambian.	
2:30	Comen algo.	Ordenar el día anterior para recibir la comida en la habitación.
3:30	Fotografías en la habitación de la novia.	El fotógrafo llegará a la *suite* de la novia a las 2:45 p.m.
4:00	Los pajes arriban para las fotografías antes de la ceremonia.	Lugar: Jardín del Hotel Plaza.
4:00	La florista distribuirá las *boutonnières* y los *bouquets*.	
4:10	Momento a solas de los novios antes de la sesión de fotografías.	
4:30	La familia y demás miembros de la comitiva arriban para las fotografías.	Adjuntar lista de poses a este cronograma. Designar a una persona para dirigir las poses.
5:20	Partir para la ceremonia al finalizar la sesión de fotografías.	

Figura 7-2:
El horario para antes de la ceremonia permite que todos lleguen a ésta a tiempo.

extremadamente sensibles. Si la madre del novio siente que debería ser la primera en bailar con el novio (ojalá después de la novia), debería hacerlo. Si un padre no tiene pareja los novios deben encontrar una para él o ella y asegurarse de que sean una de las primeras parejas en comenzar a bailar. Si la situación parece demasiado complicada, bastará con invitar a todos a bailar luego del primer baile de los novios.

Cronograma para la ceremonia		
Hora	*Evento*	*Nota*
5:45	Se abren las puertas de la iglesia. Comienza el preludio.	La invitación se ha hecho a las 6 p.m.
6:00	Los edecanes entregan los programas a los invitados y les muestran dónde sentarse.	La tía Elisa Jiménez recogerá los programas en la imprenta.
6:15	Comienza la música de la procesión.	
Hasta las 6:25	Música de la procesión.	Ver en hoja adjunta quién entrará con quién.
6:25-7:00	Ceremonia.	Aprox. 35 minutos. Himno de salida comienza tras pronunciar el oficiante las palabras "los declaro marido y mujer".
7:00	Comienza el himno de salida.	
7:00-7:05	Himno de salida.	Ver en hoja adjunta quién saldrá con quién.
7:05	Los novios, la comitiva y los miembros de la familia parten para la recepción en los vehículos asignados.	Ver hoja de transporte adjunta.
7:15-7:30	La música de salida sonará hasta que todas las personas hayan dejado la iglesia.	

Figura 7-3:
Un crono-
grama para
la ceremonia
permite que
todos lleguen
al lugar a la
hora indicada.

Si en la fiesta se hará un baile étnico, éste se puede programar para después del primer plato, con el fin de animar nuevamente a los invitados a bailar una vez terminado el almuerzo o la cena.

Una vez que se ha servido el plato principal a los invitados, los miembros de la orquesta (los que no han sido asignados para tocar piezas suaves de fondo durante la comida), el fotógrafo y el cama-rógrafo también pueden sentarse a comer. El personal auxiliar debe comer luego de que todos hayan terminado, de modo que alguien pueda estar pendiente por si se hacen brindis o discursos espontá-neos. Se puede coordinar con el banquetero por anticipado para que el personal auxiliar pueda comer algo apetitoso, así no sea el menú de la comida principal.

Cronograma para la recepción		
Hora	*Evento*	*Nota*
7:15-8:30	El coctel comenzará en el Ala Imperial del Hotel Plaza. Los invitados comenzarán a llegar.	Los meseros se alistan con el vino; se abre el bar. Música de fondo.
7:15	Si el estado del tiempo lo permite, los novios se harán retratar al exterior.	
8:15	El jefe de banquete ajustará la luz en el salón de las mesas.	
8:20	Los novios y los padres darán una última mirada al salón de las mesas antes de recibir a los invitados.	El jefe de banquete o el asesor de bodas se encargarán de arreglar lo que sea necesario.
8:25	La orquesta comenzará a tocar.	
8:30	Se dirigirá a los invitados, que comenzarán a sentarse.	
8:45	Se servirá el vino. El padrino de bodas, Felipe González, pronunciará el primer discurso.	
8:50-9:15	Se servirá un *buffet* de picadas y luego éste se retirará.	
9:15	Primeros bailes. Pista de baile (20 minutos).	Ver lista adjunta para las entradas de los bailes.
9:35-10:20	Se servirá el primer plato. Tres discursos durante el primer plato de Amanda Carvajal, Mara Echavarría y Silvia Mallarino. Se retirarán los platos de las mesas.	
10:20-10:45	Pista de baile.	
10:45	Se servirá la champaña, se cortará la torta, se hará el brindis de los novios, se servirá la torta.	
11:10	Se servirá el café con dulces.	
11:10-12:30	La orquesta tocará. El director de la orquesta anunciará la última pieza a las 12:25.	

Figura 7-4: Determinar el orden de los eventos hará que la fiesta sea feliz.

Al lanzar el ramo

El jefe de meseros debe estar preparado para organizar el lanzamiento del ramo. Las participantes deben reunirse en semicírculo, unos pocos metros detrás de la novia. De ser posible, la actividad debe llevarse a cabo sobre una superficie más blanda que la pista de baile, pues la competencia es siempre muy reñida y en ocasiones algunas mujeres se han resbalado.

La novia ha de ponerse de espaldas al grupo, en un lugar en donde no cuelguen candelabros del techo o cualquier otro tipo de impedimento para lanzar el ramo con fuerte impulso hacia arriba. Al redo-

ble del tambor (de ser posible), la novia doblará sólo un poco las rodillas y lanzará el ramo por encima de la cabeza, procurando lanzarlo alto. Si el ramo se choca contra el techo o cualquier otro objeto u obstáculo, el lanzamiento habrá fallado y la novia deberá intentarlo de nuevo.

Si en la fiesta no hay un número significativo de mujeres solteras, la novia quizás desee ofrecer el ramo como recordatorio a alguna tía favorita u otra mujer a la que quisiera hacerle ese honor. Si quisiera conservar el ramo para ella misma, puede hacer uno específicamente para la fiesta, como describimos en el capítulo 11.

Cómo organizar la fila de felicitación

Aunque en el capítulo 21 hablaremos sobre la decisión de llevar a cabo la sesión de fotografías antes o después de la ceremonia, una cosa es cierta y es que si la fila de invitados para felicitar a los novios luego de la ceremonia es muy larga, las fotografías —incluidas las de los novios juntos— deberán tomarse antes de la ceremonia; a menos que quieran hacer esperar largo rato a los invitados antes de comer...

Si al evento se han invitado 125 personas y la pareja dedica 30 segundos a cada una, la fila de felicitación será de una hora. A pesar de esta estadística, muchos manuales de bodas aún consideran que la fila de felicitación es obligada. Es cierto que con la fila de felicitación la pareja saluda a todos los invitados. Sin embargo, esto puede hacerlo también pasando por cada mesa, lo cual permite además hacerlo más atentamente. Si la pareja considera que la fila de felicitación debería hacerse de todos modos, puede planearla para que sea corta. Por ejemplo, evitando que consista de los 24 miembros de la comitiva dando la mano a cada invitado. Una manera rápida de hacer la fila, si se puede, es organizarla a la salida del lugar de la ceremonia. Sin embargo, aun así tomará tiempo. El momento de la felicitación no debería ser una tortura para los invitados. Mientras esperan, conviene arreglar para que se les sirvan bebidas y pasabocas.

Una fila de felicitación lo suficientemente larga incluye, desde la izquierda, a la madre de la novia, la madre del novio, la novia y el novio. Una más larga, desde la izquierda, incluye a la madre de la novia, el padre de la novia o el novio, la madre del novio y el padre de la novia o el novio. Si no se tiene restricción de tiempo, se puede incluir además a la madrina de bodas y al padrino de bodas, aunque éste no se incluye normalmente en el orden común de la fila. Si existen conflictos entre padres divorciados habrá que entenderlo. No existe razón para pedir a dos personas que no se pueden ver entre sí el favor de ponerse juntas y fingir una sonrisa entre dientes.

La fila de felicitación es como la fila del juego del teléfono roto. Los invitados se presentan cada uno ante la madre de la novia, que a su vez presenta a la persona a la madre del novio. Ella la presenta a la novia y así sucesivamente.

Capítulo 8

Otros tipos de celebraciones

· ·

En este capítulo

▶ Dar un tema a la boda

▶ Planear una boda militar

▶ Decir nuevamente "sí, acepto"

▶ Disfrutar de las fiestas en su honor

· ·

Aunque no hay una boda idéntica a otra, unas son claramente tradicionales y otras tienen un estilo más particular. En este capítulo veremos una amplia gama de estilos de celebraciones, que cubre desde celebraciones tan estrictas como las de tipo militar, hasta otras más modernas. Veremos las ceremonias, cada vez más populares, en que se renuevan los votos matrimoniales, así como las bodas temáticas. Aunque estas ideas tal vez no sean del estilo de todas las parejas, sí confirman, empero, que los estilos de bodas que actualmente se practican son infinitos.

En este capítulo también veremos cómo planear la noche de la entrega de regalos. Así mismo, nos referiremos al papel de los novios en las fiestas que se ofrecen en su honor, como los *showers,* las fiestas de compromiso, las despedidas de solteros y demás.

Hacer algo diferente: quizás una boda temática

Muy a menudo, muchas parejas a quienes una boda temática les llama sobremanera la atención temen hacer un montaje completo de la misma. El tema de un circo, por ejemplo, en el cual los novios se sientan en la primera grada, los invitados comen en las demás gradas y todos devoran una torta decorada con galletas de animales, parecería más apropiado para una fiesta de quince años que para una fiesta de matrimonio. Las bodas temáticas pueden ser difíciles de realizar, costosas y también complicadas de entender para los invitados. Sin embargo, si su pasión realmente los lleva a recrear *El rey león*, entonces ¡adelante! Después de todo, es la boda de ustedes... Sin embargo, conviene tener en cuenta que pensar en hacer algo un poco teatral podría terminar siendo menos efectivo. Por ejemplo, pedirle a su padre que se descuartice bailando en su armadura medieval para una boda de este estilo es, quizás, demasiado y en realidad terminaría distrayendo del suceso central, que es la boda.

El tema para una boda puede estar basado en muchas cosas. Por ejemplo, algo que refleje la personalidad de la pareja, sus pasatiempos, su modo de vivir o su estilo personal. Incluso una boda muy elegante puede incorporar elementos temáticos en la decoración. Un tema tan sencillo como el otoño podría tener centros de mesa hechos con hojas secas y pintorescas, calabazas miniatura y manzanas, y evocar así la época de cosecha. Con manteles café y vinotinto, y un menú que incluyera platos típicos de estación, la recepción se haría elegante sin parecer rara. Incluso se podría organizar un paseo a los campos de heno la noche anterior a la boda y ofrecer frascos de conserva o frutas de mazapán como obsequio a los invitados. El tema, sin embargo, perdería su encanto si se apilaran gavillas de paja junto con una horqueta en medio del salón de baile del hotel.

Si se tiene pensado hacer una boda temática, lo más importante para tener en cuenta es el lugar. Éste debería ser acorde al tema escogido. Por ejemplo, una carpa es ideal para organizar una boda de estilo marroquí, mientras que un estudio puede llevar a crear una boda artística. Son raros los casos en los que las bodas temáticas que mejor funcionan no sean aquellas cuyos temas son los más sutiles.

En la siguiente lista damos ideas sobre el tipo de decoración, los elementos, la comida y el estilo de fiesta que se puede ofrecer según la boda. ¡A cada cual le corresponderá inspirarse!

✔ **Lejano Oeste:** Se pueden servir chuletas asadas, pollo, costillas de ternera, ensalada de repollo, fríjoles y mazorcas asadas. Luego de la comida, se puede organizar el arribo de una banda con bailarines que enseñen a bailar danza *country*. La novia podría pensar en cambiarse su vestido para este momento de la fiesta y ponerse un traje de novia al estilo vaquero. Éste podría ser de flecos, mientras que el novio podría usar un cinturón grueso de hebilla. Quizás quieran ambos partir en carreta usando sombreros vaqueros... Una pareja desarrolló este tema al máximo casándose en un establo. El tema del Lejano Oeste también puede funcionar muy bien para el día de la entrega de regalos.

Para hacer los cactus con los cuales decorar las mesas y el *buffet* se pueden cortar varias patillas por la mitad, a lo largo, y ponerlas en materas de terracota, clavándoles palillos por la superficie para simular las espinas de estas plantas.

✔ **Festividades:** Las fiestas del Día de San Valentín, el día de la Independencia, Navidad, Halloween y Año Nuevo son maravillosas para hacer bodas temáticas. Las posibilidades de decoración son infinitas y, puesto que el evento se lleva a cabo en una época de fiesta, los invitados se sentirán animados desde un principio. Dos aspectos que conviene tener en cuenta son, sin embargo: primero, como mencionamos en el capítulo 1, muchas personas pueden reservar una época de fiestas para tomarse unas vacaciones en familia y, segundo, las tarifas de servicio en épocas de fiesta pueden ser hasta una y media o dos veces más costosas que las normales, lo cual puede resultar excesivo. Lo positivo sería que muchos sitios quizás ya estén decorados para la época de fiesta, por lo cual sólo se necesitarían unas pocas cosas extras.

✔ **Nueva Era:** Lo primero serán las invitaciones, para las cuales se pueden utilizar varias capas de papel traslúcido y un estilo de redacción inspirador: *Acompáñennos en nuestra unión…* En varios puestos puede haber gitanas y astrólogos vestidos con túnicas de seda, que lean las cartas y la mano a los invitados que así lo quieran. La música del coctel pueden ser canciones líricas estilo Nueva Era (una fiesta entera con esta música correría el riesgo de enloquecer a los invitados…). También se puede decorar el lugar con muchas velas y manteles azules oscuros con patrones de astros y estrellas. Como obsequio, se pueden dar bolsitas en terciopelo llenas de pequeñas bolas de cristal y una frase de la fortuna, tomada de libros como el *I Ching*.

✔ **Renacimiento:** Aquí se pueden usar anillos de piedras y sombreros puntiagudos. También, forros de algodón debajo de los manteles, drapeados en retal de terciopelo de colores exuberantes. Los centros de mesa pueden ser cornucopias de naranjas, manzanas, limones, uvas y nueces. Algunos libros viejos, materas de terracota y canastos de paja se pueden pintar de dorado. Los músicos podrían tocar la cítara, el clavecín, el laúd y el mandolín y se podría contratar a una persona para que enseñara las danzas de la época.

✔ **Victoriano:** Para este tema se podría organizar un té nupcial que comenzara con un juego de croquet, o la boda completa para la cual se especificara utilizar trajes de la época en la invitación. Algunos lugares diseñan las invitaciones con flores pintadas a mano o hacen la papelería al estilo antiguo. En una

Toques especiales

Alquilar una máquina para hacer bombas de jabón, un equipo de karaoke o un puesto para hacer videos musicales no es sólo para las fiestas de bachilleres. Una de nuestras cosas extras favoritas y especiales que pueden hacer parte de la boda son los recuerdos fotográficos. Estos pueden ser fotografias instantáneas que los invitados se tomen a sí mismos en un puesto instalado para ello (ver el capítulo 21) o fotografías de diferentes poses que un fotógrafo tome a las parejas (y las cuales podría revelar o bajar en impresión digital ahí mismo y entregar montadas a cada pareja). Otros anfitriones quizás prefieran organizar actividades de mayor entretenimiento, como contratar a una pareja de bailarines para bailar y enseñar tango a los invitados o *DJs* que arrojen al aire juguetes como gafas gigantes de sol, anillos fosforescentes o sombreros brillantes para animar la fiesta.

boda muy bien planeada al estilo victoriano el novio llevaría traje completo con cubilete, guantes y el bastón de la época. La novia podría alquilar o mandar hacer su vestido al estilo antiguo.

Puesto que la era victoriana se caracterizó por demostrar una pasión especial por las flores, cada mesa podría llevar el nombre del atributo de una flor o planta en el centro de mesa. Así, la mesa Fidelidad tendría un centro de mesa en su mayoría de hiedra; la mesa de Amor tendría rosas y la mesa del Recuerdo tendría romero. Cada mesa podría tener un minidiccionario con el significado de las flores, de modo que los invitados pudieran conocer el de su centro de mesa.

Los tipos de flores deben escogerse cuidadosamente, pues algunas pueden transmitir el mensaje equivocado para una boda. Por ejemplo, la caléndula significa tristeza y la flor de lavanda, desconfianza.

Planear una boda militar

Las bodas militares son extremadamente formales y por lo general se llevan a cabo en la capilla o el centro religioso de una base militar. Cuando el servicio lo ofrece el capellán de la base, no se cancela una suma de dinero por aquél. Sin embargo, será necesario consultar con el capellán antes de contratar a los músicos o el fotógrafo.

El vestuario

Para los militares en servicio oficial es fácil saber cómo vestir:

✔ **Oficial:** Para el uniforme de gala en la noche se utiliza la corbata blanca de civil y sacoleva. Para el uniforme de media gala se utiliza el traje de corbata negra. Si la mujer es quien se casa, ésta puede vestir o bien su uniforme militar o el tradicional traje de novia. Los oficiales que utilizan sable o espada deben llevar también guantes blancos.

✔ **Sargento o cabo:** Se utiliza el uniforme del ejército tanto para bodas formales como informales.

✔ **Invitados militares:** Pueden asistir a la boda en uniforme si así lo desean.

Sin importar su rango, el hombre no debe nunca usar una *boutonnière* o flor de ojal con el uniforme.

Al pasar por el arco de espadas

La boda militar es exactamente igual a la boda civil, a excepción de la salida de los novios, que ambos hacen bajo un espectacular arco de sables (para el ejército y la fuerza aérea) o de espadas (para la armada). Una vez se termina la ceremonia, los portadores de los sables se hacen a uno de los dos lados de la iglesia. Para las bodas del ejército y la fuerza aérea, a la orden del portador de sable de mayor rango, los demás portadores dan un medio giro, se mueven hacia el ala del centro en parejas y, mirando al público, paran antes de la primera fila de bancas. Al comando "¡Mirando al centro!", giran nuevamente formando dos líneas que se miran de frente. Luego, al comando "¡Sables en arco!", los oficiales levantan los sables con el brazo derecho y la punta hacia arriba hasta tocar cada uno el sable del lado opuesto. Al pararse el público los novios emprenden su salida al sonar del himno de salida, pasando por debajo del arco. A la salida del arco de los novios, los oficiales reciben las órdenes "¡Carguen sables!", "¡Vuelta atrás!" y "¡Marcha adelante!", mediante las cuales avanzan hacia la salida de la capilla para hacer un nuevo arco.

Para la armada el acto es prácticamente el mismo, a excepción de que al comando "Oficiales, ¡saquen sus espadas!", estos sacan las espadas de sus fundas en un movimiento continuo y, con gracia, las levantan para tocarse en la punta con cada espada del lado opuesto. Luego, al comando "¡Inviertan espadas!", con un giro de la muñeca dan la vuelta a las espadas de modo que la punta quede hacia arriba.

Una vez la pareja ha pasado por el segundo arco, el comandante del escuadrón da la orden "¡Guarden espadas!", ante la cual los oficiales las regresan a sus fundas. Sólo la pareja de casados puede pasar por debajo del arco. El acto e himno de salida continúan hasta que los oficiales han salido de la capilla.

Según las costumbres del país, la ceremonia descrita anteriormente se realiza afuera de la iglesia, en el atrio, para no interferir con la ceremonia.

Si la novia es civil, se hace un último acto: al pasar los novios por debajo del arco, dos oficiales al final de éste bajan sus sables o espadas y detienen a la pareja momentáneamente. El oficial de la derecha toca suavemente a la novia por detrás con su sable o espada y le dice: "¡Bienvenida al ejército!" (o la rama de servicio en cuestión).

En la recepción, la pareja corta la torta con un sable o espada. Además de usarse flores u otros elementos para la decoración, ésta generalmente incluye la bandera del país y la de la unidad militar. Ver en el capítulo 5 el modo de usar los títulos militares para la invitaciones.

Sorprender a su futuro esposo o esposa

Mientras que anteriormente los matrimonios sorpresa eran poco frecuentes, ahora estos se han vuelto cada vez más populares entre las parejas que han estado casadas antes y que para la ocasión quisieran ofrecer una pequeña fiesta, mas no una boda entera. En este caso, la pareja envía invitaciones para algún tipo de celebración, pero sin especificar cuál: tal vez, una ceremonia de grado; tal vez, una de cumpleaños… Una vez los invitados se encuentran todos reunidos, la pareja anuncia que todos presenciarán su ceremonia de boda. Sabemos de una pareja que se disfrazó de novio y novia para una fiesta de Halloween que había organizado. Bien entrada la fiesta, pidieron la atención de todos y anunciaron que unas horas antes se habían casado en el ayuntamiento y que ahora querían agradecer a todos por haber venido a la recepción de su boda.

Otro tipo de boda sorpresa es bastante riesgosa, sin ir más lejos, y mejor valdría estar absolutamente seguro de su decisión antes de llevar a cabo el acto. En esta ocasión, el novio o la novia propone matrimonio a su pareja ante un grupo numeroso de amigos y a continuación dan comienzo a la celebración de la boda.

Ceremonia privada y fiesta para todos

Si la boda se hará en un lugar de destino, si será una luna de miel-matrimonio (ver el capítulo 6) o si por cualquier otra razón la ceremonia contará con un pequeño número de invitados, quizás decidan ofrecer la fiesta un tiempo después. En la fiesta la pareja puede mostrar fotografías grandes de su matrimonio: los invitados gozan inmensamente viendo este tipo de fotografías. También se puede hacer un montaje con las fotografías y ponerlo sobre un caballete o una mesa para que los invitados puedan verlo. En un emotivo brindis por sus padres e invitados, pueden explicar muy diplomáticamente por qué han escogido hacer la boda de este modo. ("Quisimos hacer nuestros votos en privado y resultó ser exactamente como lo pensamos. Poder tener lo mejor de ambas cosas y estar celebrando ahora con las personas que más queremos lo hace todo perfecto.") El objetivo es hilar los dos eventos de modo que los invitados puedan compartir el motivo de felicidad con la pareja.

Casarse nuevamente

Si se trata de segundas nupcias, rigen las mismas reglas que para los matrimonios de primera vez. Si en el caso de alguno de ustedes su primer matrimonio fue el sueño hecho realidad de los padres y no el propio, ésta es la oportunidad de organizar a su gusto la ceremonia y la recepción. (Como decía Samuel Johnson: el matrimonio por segunda vez es el triunfo de la esperanza sobre la experiencia.) En esta ocasión quizás decidan caminar hacia el altar con todo el atuendo matrimonial —cintas, tul, corbata blanca, sacoleva— o saltarse la pompa nupcial tradicional y ofrecer más bien un almuerzo modesto en que ambos vistan con trajes elegantes. Lo importante es hacer lo que tenga significado para los dos.

Uno de los asuntos más delicados que plantea un segundo casamiento son los hijos de la pareja anterior. Como con todo aspecto de la educación de un hijo, en este caso tampoco se debe presumir nada. Nombrar a un hijo damita o paje de honor, por ejemplo, puede ocasionarle un gran sentimiento de culpa frente al otro padre. Sin embargo, dejar a un niño por fuera de la ceremonia, sin permitirle escoger su grado de participación en ella, puede instarlo a distanciarse de la nueva unión familiar que se está tratando de crear. El papel que asuman los niños en la ceremonia dependerá de su edad, su actitud y el tipo de relación que tengan con cada uno de los esposos (con los esposos nuevos y anteriores por igual). Si los chicos son adolescentes es bueno dejarles invitar a algunos de sus amigos a la boda. Este tipo de aperturas puede llevar a hacer la relación familiar mucho más amena con el tiempo.

Renovar sus votos matrimoniales

Muchas parejas escogen reafirmar sus votos matrimoniales si la primera vez no hicieron (o no pudieron hacer) una ceremonia religiosa y ahora desean unirse en sagrado matrimonio. Otras razones para querer reafirmar sus votos matrimoniales pueden ser querer ofrecer una fiesta más grande cuando la recepción original fue muy sencilla, celebrar la renovación de la unión espiritual o sentimental entre la pareja, o celebrar un evento familiar importante, como el nacimiento de un nieto o nieta, o el aniversario de bodas de la pareja. Dado que este tipo de ceremonia no une a la pareja legalmente, ésta puede escoger el tipo de persona a quien desee para oficiar la ceremonia (o simplemente jurar sus votos sin la presencia de un oficiante). Escoger al mismo oficiante y cortejo nupcial que en la primera ocasión puede ser conflictivo a nivel emocional. Por lo general, la renovación de los votos matrimoniales se hace durante los servicios regulares de la parroquia o centro religioso al que atiende la pareja. De lo contrario, tanto la ceremonia como la recepción pueden hacerse en casa o, si se quiere hacer una fiesta más vistosa, en un lugar especial para eventos sociales (ver el capítulo 4).

Si se tiene planeado hacer una invitación para renovar los votos matrimoniales, se debe dejar en claro que no se esperan regalos bajo ningún motivo. Si la ceremonia será muy privada y la fiesta muy grande, seguramente los invitados entenderán de qué se trata, pero aun así quizás sea necesario especificar verbalmente las intenciones. Esto es particularmente importante si la renovación de los votos se hará menos de 15 años después del juramento original. A menos que a la pareja le haya ocurrido algo extraordinario, a la gente le puede parecer extraño asistir a una renovación de votos luego de tan poco tiempo.

Por lo general, la pareja es quien envía las invitaciones, aunque en ocasiones sus hijos o, lo que es menos común, algunos familiares o amigos ofrecen ellos mismos el evento. En el capítulo 5 se indica detalladamente cómo redactar las invitaciones. Sin embargo, aquí mostramos un modelo típico de invitación para renovar los votos matrimoniales:

El señor Jorge Uribe Martínez
y su señora
Laura Solano de Uribe
tienen el gusto de invitar a ustedes
a la renovación de sus votos matrimoniales...

O si se quiere algo menos formal:

Con motivo de
nuestros 25 años de felicidad juntos
queremos invitarles a la celebración de la
renovación de nuestras promesas de unión
por siempre...

Otra opción podría ser:

El señor Jorge Uribe Martínez
y su señora
Laura Solano de Uribe
tienen el gusto de invitar a ustedes
a la celebración de sus 25 años de matrimonio.
que tendrá lugar en la Capilla...
y al coctel que se ofrecerá a continuación.

Fiestas antes y después de la boda

La pareja encontrará que se organizarán bastantes fiestas en su honor, entre ellas las fiestas de compromiso, los *showers* y las despedidas de soltero y de soltera. Para estas ocasiones veremos qué reglas se aplican para los novios y cómo se pueden variar las normas tradicionales.

Es importante recordar enviar una nota con un pequeño presente de agradecimiento a todas las personas que ofrecieron una fiesta en su honor.

Las primeras fiestas: las fiestas de compromiso

Las fiestas de compromiso pueden ser sencillamente una cena informal en casa con las familias de los novios, en la cual se brinda por ellos, o una cena formal servida a la mesa. Este tipo de fiestas se suelen celebrar en las casas particulares.

Tradicionalmente los padres de la novia eran quienes ofrecían la primera fiesta de compromiso. Si esto no era posible, entonces la tarea correspondía a los padres del novio. Hoy en día, los amigos de la pareja son quienes generalmente ofrecen fiestas en su honor, en especial si los novios viven lejos de sus padres o si existen relaciones familiares complicadas que impidan que los padres ofrezcan una cena en honor de los futuros esposos.

Aunque la pareja o bien sus padres pueden publicar un aviso sobre su compromiso de matrimonio en el periódico local (ver el capítulo 3), enviar por correo a sus invitados tarjetas de compromiso impresas puede hacer parecer que la ocasión requiere dar un regalo. Sin embargo, las fiestas de compromiso no son ocasión para dar regalos. Sobra decir que bajo ninguna circunstancia se debe publicar un aviso de compromiso en el periódico si el hombre o la mujer aún se encuentran legalmente casados.

Todas las personas invitadas a la fiesta de compromiso deben estar invitadas también a la boda, si el mismo anfitrión es quien invita a ambos eventos. (De lo contrario, los invitados se preguntarían qué pudieron haber hecho mal en la primera fiesta para no haber estado invitados a la boda). Sólo en dos circunstancias se hacen excepciones: cuando la fiesta de compromiso es considerablemente más numerosa que la boda y cuando los amigos o familiares que no tienen control sobre la lista de invitados a la boda ofrecen la fiesta de compromiso.

Showers en honor a la novia o los novios

Cuenta la leyenda que la costumbre de ofrecer el *shower*, o lluvia de regalos, a la novia se originó hace varios siglos en Holanda, cuando el padre de una muchacha pobre pero hermosa dio palabra de casamiento de su hija a un adinerado hacendado de cerdos. El padre, ávaro como era, le había dicho a su hija que no le daría dote si se casaba con el molinero pobre pero honrado de quien ella estaba enamorada. Aunque los miembros de la comunidad no contaban con mucho para ofrecerles, se conmovieron tanto con el amor que se tenían la muchacha y el molinero que ellos mismos se ocuparon del asunto. Llenaron (o en inglés *"showered"*) a la novia de pequeños regalos útiles al punto de sobrepasar el valor de su dote, permitiéndoles así, a ella y a su novio molinero, casarse e instalar su propio hogar.

El *shower* de matrimonio ha pasado hoy de esta encantadora historia a ser una temida obligación social. Para muchas mujeres que conocemos, las invitaciones a los *showers,* en lugar de ser una ocasión maravillosa para conversar entre mujeres, son más bien tardes de tremendo aburrimiento. Los *showers* no tienen que ser un absoluto tedio. Las siguientes son algunas ideas para hacerlos más divertidos.

✔ **Juan y Juana:** Se puede hacer el shower mixto y centrarlo en una actividad como un juego de *volleyball* en la playa, de *softball* o de fútbol, seguido de un asado.

✔ **Fiesta andante:** La anfitriona alquila una pequeña camioneta para llevar a todas las invitadas a un restaurante diferente para los distintos platos de la comida. Las invitadas envían los regalos antes de tiempo a la última parada, en donde la novia los abrirá para finalizar la noche.

✔ **Concierto o cine:** Todos se reúnen para ver una obra de teatro o un concierto. Luego del espectáculo, van a un bar o café favorito donde comentan la función y toman un postre.

A menos que a la novia le gusten los *showers* sorpresa, no debe dudar en dejar en claro desde el principio a la anfitriona de la fiesta que preferiría evitar las sorpresas. Una vez la anfitriona le comunica a la novia sus planes, la novia ha de cooperar como más pueda con aquélla, suministrándole una lista de los invitados escrita en el computador, con los nombres y apellidos completos de cada uno, su dirección y sus números de teléfono. Si varias personas ofrecerán *showers* en honor a la novia, ella puede preparar las listas de invitados de modo que las mismas personas no estén invitadas a varios *showers* y así se sientan comprometidas a comprar demasiados regalos. Quizás la novia también desee crear su propio registro para el *shower*, puesto que a las amigas más cercanas siempre les gusta hacer regalos de tipo personal, como lencería, libros, música y demás.

A diferencia de las fiestas de compromiso, en los *showers* sí se dan regalos, de modo que las invitaciones sólo se deben enviar a personas que también estarán invitadas a la boda. La excepción puede ser cuando los amigos del trabajo, el colegio, el club o algo similar ofrecen un *shower*. En estos casos, el novio también puede ser el invitado de honor. En efecto, a muchas mujeres a quienes se invita a *showers* de sólo mujeres les agrada asistir a *showers* mixtos.

El "ufruf" para parejas judías

El sábado anterior al matrimonio, muchas comunidades judías celebran el *ufruf o aufruf*, o el "llamado al novio". En la sinagoga, se le concede al novio el honor de leer las bendiciones antes y después de las lecturas del Torah (la biblia hebrea). Muchas congregaciones ahora han modernizado el servicio al incluir tanto al novio como a la novia en las lecturas. Luego, la congregación hace un canto de felicitación para ambos y los llena de pequeños paquetes de dulces, nueces y uvas pasas.

Nuevos tipos de despedidas de soltero

> *Beban, muchachos, beban sin el juicio perder*
> *El matrimonio es un camino por el que no se puede volver;*
> *Nunca el búho vio menos que el enamorado;*
> *Beban y canten, camaradas; y piénsenlo sin dejarlo de lado.*
>
> —*Brindis de fiesta de soltero*

Originalmente, las despedidas de soltero las daban los amigos solteros al hombre que habría de comenzar una vida estricta, de modo que pudiera tener una suma de dinero con la cual salir a beber en el futuro, ahora que su condición de casado le exigiría rendir cuentas a su esposa hasta el último centavo. Antes de terminar la fiesta, sin embargo, los amigos brindaban por la novia y rompían las copas de modo que nunca se pudieran volver a usar para un brindis menos importante que ése.

Hoy en día, y según las costumbres de cada país, el padrino de bodas o los amigos cercanos del novio organizan este tipo de despedidas, pero el novio es quien decide qué tipo de evento quisiera que se llevara a cabo. Existen todo tipo de clichés que dictan cómo se supone que el hombre debe aprovechar al máximo éste, su último momento de libertad, por ejemplo haciendo burlas pesadas con los amigos contra el género de la mujer, cantándole coplas en ropa interior, visitando un burdel, bebiendo hasta emborracharse o haciendo cosas con las que sus amigos podrían chantajearle durante el resto de su vida de casado. Quizás porque muchas mujeres hoy en día también están dispuestas a celebrar despedidas de soltera a la par con las de los hombres, o porque muchos hombres hoy actúan más conscientemente, este tipo de exhibiciones se ha vuelto menos popular.

Los hombres ahora acuden a otras formas de despedir afectuosamente a sus amigos, que son incluso más divertidas. El novio puede, por ejemplo, invitar a su padre y a su futuro suegro a una sesión de vídeo en que dejen grabado para sus nietos un documento de anécdotas sólo para hombres mayores, sin tener para ello que esconder la evidencia o cambiar los nombres para proteger a los menores. He aquí algunas otras posibilidades para hacer la despedida de soltero:

- ✔ **Viaje por tierra:** Los hombres pueden viajar en tren o alquilar un auto, y partir un fin de semana a visitar museos, galerías, ir al cine, a un concierto de rock y llenarse de comida chatarra.

- ✔ **Deporte extremo:** Pueden gozar el momento y tirarse en grupo por paracaídas (tomar lecciones el primer día para hacerlo y lanzarse al segundo día). También pueden organizar una expedición de montaña con un guía experto en un fin de semana. O aprender a cocinar un banquete chino de siete platos y luego deleitarse con todas las exquisiteces.

- ✔ **Campeonato de tenis:** Se van eliminando los participantes hasta quedar los ganadores, a quienes todos premiarán luego con una cena en el restaurante del club, por ejemplo.

Dejar la despedida de soltero para la noche anterior a la boda puede ser arriesgado (a menos que uno quiera estar exhausto el día de su boda). Sin embargo, planearla para días antes también puede ser un problema si los amigos más cercanos del novio vendrán de afuera. Una alternativa es hacer la despedida el día de la boda (siempre y cuando la boda se realice en horas de la noche): por ejemplo, organizar un juego de *softball* y un asado, un juego de golf y luego un almuerzo en el club, o un paseo de compras al pueblo para luego desayunar en un buen café-restaurante. Este tipo de actividades también son un magnífico antídoto contra los momentos de angustia que vive el novio el día de la boda.

Planear la despedida de soltera

A nuestro parecer, las despedidas de soltera cuyo objetivo es emborracharse al máximo y entrar a las tabernas donde los hombres se desnudan son tan poco atractivas como las equivalentes para los hombres. Si se busca compartir un momento más íntimo con las amigas más cercanas, existen otras posibilidades que las harán sentir a todas mucho mejor. Entre éstas:

✔ Pasar el fin de semana con las amigas en un *spa* (incluso los *spas* lujosos ofrecen tarifas de grupo).

✔ Visitar a una astróloga que les lea la mano.

✔ Alquilar varias películas de bodas como *El padre de la novia* (tanto la versión original como la nueva) y *La boda de mi mejor amigo* y verlas todas en una sola sesión.

✔ Pasar la noche en casa de una de las amigas: una de las maneras más divertidas para las mujeres de compartir entre ellas.

Planear un almuerzo con las mujeres del cortejo nupcial

Muchas veces la novia organiza un almuerzo o un té con las mujeres que le han asistido en su boda. Invitar tanto a su madre como a la madre del novio y a algunas allegadas será un amable gesto de atención. Tal vez el momento más conveniente para hacerlo sea la semana anterior a la boda o la tarde misma de la boda (si la ceremonia y la recepción serán en la noche).

Si este evento se hará en casa o en un restaurante, de igual manera se podrá hacer todo cuanto se desee para la decoración de la mesa, puesto que no hay sino una de la cual ocuparse. Utilizar para la mesa una vajilla antigua o de cerámica para el té, pintada a mano, y unas cuantas fuentes de pisos llenas de trufas, galletas, pastelitos y pequeños sándwiches —y servidas sobre un mantel bordado—, creará un maravilloso ambiente femenino entre las mujeres. En algunos países se acostumbra hacer este tipo de invitaciones después de la boda, para agradecer a las personas que han tenido alguna atención (*shower*, cena de despedida) o que han colaborado en los preparativos. Se invita al nuevo hogar, que de paso les presentan a los invitados.

En señal de preparación: la comida prematrimonial

En caso de que se acostumbre, la cena prematrimonial, uno o dos días antes de la boda, puede llegar a ser incluso más íntima que la recepción de la boda. En medio de la conversación animada de todos por la expectativa, la noche puede convertirse en una prueba de fuerza emocional, a medida que se hacen emotivos brindis y se derraman algunas lágrimas al recordar a los seres queridos fallecidos, o se cuentan anécdotas indecentes y no aptas para ser oídas por un mayor número de personas.

Los novios pueden aprovechar esta oportunidad para agradecer de corazón a cada una de las personas que les ayudó a llegar al punto donde se encuentran ahora. Pueden agradecer a sus padres y su familia, así como a *cada* persona en el cortejo nupcial. (Ver el capítulo 15 para algunos comentarios sobre los brindis). Muchas parejas entregan sus presentes de agradecimiento a los integrantes del cortejo en esta ocasión, así como a sus padres.

Un vídeo hecho por los amigos de los novios sobre su vida y que se muestre la noche de la cena prenupcial puede llegar a ser una completa sensación. Otra posibilidad también puede ser proyectar fotografías de otra época de la familia y los amigos de los novios.

La lista de invitados para la comida prematrimonial puede ser tan difícil de preparar como la de la boda misma. Este grupo puede limitarse a los miembros del cortejo nupcial y los familiares más allegados, o puede incluir también a los invitados que han venido de afuera. (En el capítulo 6 se sugieren formas de atender a este tipo de invitados).

Dado que el número de invitados a la cena prematrimonial —así como el costo de ésta— se pueden volver excesivos, y debido también a que seguramente no se quiere competir con la fiesta de la boda, quizás prefieran hacer la cena prenupcial poco formal. El restaurante mexicano, chino o italiano del barrio puede ser una opción económica y a la vez agradable de atender a un grupo numeroso de invitados. La comida prematrimonial también puede ser un sencillo asado o picnic.

Si un grupo grande de invitados se está hospedando en el mismo hotel, quizás sea posible negociar un mejor precio en este lugar tanto para la comida prenupcial como para el desayuno el día después de la boda.

Para la comida se pueden incluir detalles especiales, tales como galletas de la fortuna o palillos chinos con los nombres de los novios y la fecha de su boda. Otro tema pueden ser "servilleteros" de pan, junto con un menú de pastas de diferentes colores que den un toque alegre a la fiesta.

En otros tiempos, si la boda corría por cuenta de la familia de la novia, la familia del novio solía ofrecer la cena anterior a la boda. Ahora, el costo de la cena prenupcial se puede repartir según como las parejas hayan arreglado las demás cuentas, según las personas que se haya invitado a la cena y según si los novios (o algún amigo de ellos) han coordinado un evento aparte para los invitados que han venido de afuera mientras ellos asisten a la comida con la comitiva de la boda y los miembros de la familia más cercanos.

Las invitaciones para esta cena pueden ser clásicas o más divertidas. Como no todos los invitados formarán parte del cortejo de la boda, éstas pueden decir, una "cena prematrimonial" o convidar "a celebrar la noche anterior a la boda de Hernán y Cecilia…" (ver en el capítulo 5 todo lo referente a las invitaciones). Hacer la comida anterior a la boda más relajada puede ayudarles a los novios a estar más tranquilos en el evento principal. Se puede pensar, por ejemplo, en hacer una fiesta en la playa y enviar las invitaciones para ésta en forma de concha de mar; o preparar una comida china, para la cual enviar las invitaciones en pequeños paquetes de colores llamativos; o bien organizar un picnic y mandar las tarjetas de invitación atadas a una lata de frijoles envuelta en un sobre acolchado o en una pequeña caja.

En la fiesta prenupcial los novios no tienen que celebrar hasta altas horas de la noche. Las personas entenderán si ambos se excusan temprano para poder dormir lo suficiente.

Para terminar el día después

Es muy común que un familiar, o un amigo o amiga de los novios prepare un desayuno de despedida para los invitados de la boda si estos han venido de lejos y deben viajar en avión o por carretera para regresar a sus hogares. Lo mejor para estos eventos es preparar *buffets* sencillos de panes, quesos, frutas, jugos, huevos, *quiches* individuales y cosas por el estilo. La invitación se puede incluir con la de la boda si los invitados a ambos eventos serán los mismos, o hacerse sencillamente por teléfono. Como el horario de cada cual será diferente (y los novios incluso sólo asistan por un corto rato, de tener el tiempo para hacerlo), este tipo de evento funciona mejor programándolo para varias horas: "Pasen a comer algo en el momento que deseen, entre las 9:30-1:00", por ejemplo. Naturalmente, no habrá puestos asignados y las mesas deberán limpiarse y prepararse de nuevo constantemente.

Parte III
Guía para llevar a cabo la ceremonia

"¡NO PONGAS ESA CARA! ¡ES UNA FIESTA AL LADO DE LA PISICINA! ¡UNO NO PUEDE USAR CAPA Y TRAJE FORMAL PARA UNA FIESTA ASÍ!"

En esta parte...

Nos adentramos en el corazón de la boda: la ceremonia. Además de dar una definición completa de los rituales tradicionales, sugerimos ideas sobre cómo personalizar su propia boda mediante la comitiva que se escoja, las flores, la música y las lecturas. Algo muy importante, sin embargo: no perderse en los detalles de la decoración —aunque este aspecto de la ceremonia sea encantador— sino, más bien, concentrarse en lo que se quiere decir y en la manera de hacerlo para que el mensaje se transmita.

Capítulo 9

Cortejo nupcial y acompañantes

● ●

En este capítulo

▶ Escoger a los miembros del cortejo nupcial

▶ Las damas de honor

▶ Vestir a los hombres

▶ Recompensar a los miembros del cortejo

● ●

*L*a boda comenzará en una hora. Mientras intenta ponerse agitadamente las enaguas, la novia se enreda con el lazo de su zapato de tacón y cae al suelo. Tendida ahí en total desorden, mira hacia arriba y ve a dos mujeres enervadas y cruzadas de brazos hablando entre sí. "¿Cuándo se desocupará alguien para que me peine?", se queja una de ellas. "Si al menos Julia saliera del baño", contesta la otra enojada, "yo podría depilarme las cejas".

La novia busca con la mirada a su madrina de bodas para que actúe de árbitro. Parece estarse odiando a sí misma frente al espejo. "Quisiera quemar este vestido", dice con rabia.

En otra parte de la ciudad, en el apartamento del novio, él y su padrino de bodas caminan de un lado a otro mirando el reloj. Suena el timbre. Ha llegado uno de los testigos del novio. "Lo siento por el esmoquin, hombre", le dice entre dientes. "Se me veía muy bien en la fiesta de grado del colegio". La entrada de los demás hombres, a medida que llega uno tras otro a la sala, parece un terrible desfile de trajes formales. El padrino de bodas no comprende: ¿acaso no había dado instrucciones claras al grupo sobre el uniforme que debían llevar? Se diría algún tipo de sabotaje subliminal o, acaso, simple apatía.

Elegir a los miembros del cortejo nupcial

En algunos países se acostumbra designar a varios allegados de los novios para que conformen un cortejo nupcial, con papeles asignados a cada uno. Quizás sus hermanos o hermanas, sus primos o primas, o sus mejores amigos o amigas aspiren a estar entre los elegidos, pero por cercanos que sean esto no significa necesariamente que deban formar parte del cortejo. Para evitar que ocurra algo vergonzoso en el momento menos apropiado, los novios han de escoger cuidadosamente a estas personas. Una vez postulados en su cargo, los novios deben informarles clara pero amablemente sobre la forma en que esperan que se lleve a cabo el evento.

Si se quiere hacer una distinción a ciertas personas, pero sin tener necesariamente que darles un papel como miembros del cortejo, se les puede asignar otro tipo de funciones especiales. Por ejemplo, se puede pedir a alguien que escriba un poema para la ocasión y lo lea, o que cante una canción, o bien asignarle el papel de ser uno de los cargadores de la *jupá* o dosel en la boda judía. Por el contrario, pedir a alguien que cargue el libro de firmas, reparta las tarjetas de ubicación o se desempeñe en alguna otra labor de este estilo es una carga más bien pesada.

Saber qué papel desempeña cada miembro del cortejo

En Estados Unidos y en algunos países en donde se guarda esta costumbre, una boda típica cuenta con cuatro damas de honor y cuatro testigos hombres, además de una madrina y un padrino de bodas. A menos que quieran que su boda sea un espectáculo, no se necesitará un equipo de cientos de personas en el altar. Para muchas personas, reducir el número de miembros del cortejo es una tarea difícil, pues creen que si piden el favor a un amigo o amiga, tendrán que hacerlo también con otros amigos. No ha de pensarse que por el hecho de haber sido testigo o dama de honor en el matrimonio de alguien diez años atrás, ahora se debe retribuirle el honor a esa persona. La gente entiende que las relaciones cambian. Aun así, si el dilema parece imposible de resolver, se puede pensar en las siguientes soluciones: pedir a su padre o madre ser el padrino o la madrina de bodas, incluir sólo niños en el cortejo nupcial (como se hace en varios países, entre ellos muchos latinoamericanos), o asignar los papeles sólo a los niños.

Una vez se ha decidido a cuántos miembros incluir en el cortejo nupcial y quiénes serán los elegidos, se debe pensar en la tarea específica que cada uno deberá cumplir. (Para saber cómo deben ir estas personas en la procesión, ver el capítulo 10). Idealmente los miembros del cortejo se desempeñarán de modo que la boda sea excepcional y que los novios no deban alarmarse por nada.

✔ **Madrina de matrimonio:** A la vez jefe porrista, consejera, terapeuta, santa y actriz, la madrina de bodas parece preocuparse por la boda tanto como la novia. Este papel con frecuencia lo desempeña la mamá de la novia, o también una hermana o una de sus mejores amigas. Puede además aconsejar a la novia en cuanto a su atuendo y el de los miembros del cortejo nupcial, así como hacer de maestra manteniendo el orden de la comitiva. Cuenta también con la responsabilidad de dejar saber a las personas, muy sutilmente y con gracia, dónde ha registrado la pareja su lista de regalos. Se asegura de que el atuendo de la novia, así como su maquillaje, estén como deben, momentos antes de la ceremonia. Puede ofrecer un *shower* para la novia o también planear el obsequio de un regalo especial para ella entre un grupo de amigas (además de su propio regalo que dará a la pareja). También puede ser ella quien organice la despedida de soltera para la novia.

✔ **Padrino de bodas:** Tiene especial habilidad para dar apoyo moral al novio, sin hacerlo explícitamente, al ser característico de muchos hombres el no demostrar sus sentimientos cuando así lo necesitan. La telepatía es una buena cualidad en el padrino de bodas. Así mismo lo es la puntualidad: si el novio llega retrasado con la corbata enredada, el padrino de bodas actúa al instante. Organiza la despedida de soltero. Escoge el regalo para el novio de parte del padrino y los testigos. (Así mismo, ofrece su propio regalo a la pareja). Dirige a los testigos hombres cuando no hay un líder entre ellos y se asegura de que su vestimenta sea la apropiada. Lleva el anillo de la novia en la ceremonia. Discretamente da al clérigo u oficiante, una vez terminada la ceremonia, la suma correspondiente a sus honorarios por la celebración. Firma la licencia de matrimonio como testigo. Hace un efusivo brindis por los novios en la recepción.

✔ **Dama de honor:** Es sinónimo de encanto en la boda y en los eventos que preceden la boda. Puede trabajar en conjunto con la madrina de bodas y otras damas de honor para planear el *shower* de la novia o su despedida de soltera. Es quien debería hacer cualquier reclamo sobre el vestido de la novia y su costo antes de comprarse éste. No debe llevar pintalabios en el altar. En teoría, debería estar siempre a disposición de la novia para lo que ella necesitara, en especial, para apoyarle en cuestiones emocionales. En la realidad, sin embargo, la dama de honor quizás esté bastante alejada del círculo de la novia como para prestarle la ayuda necesaria.

✔ **Testigos del novio o edecanes:** Los testigos o edecanes son alegres y divertidos en la despedida de soltero del novio, pero sin ser irrespetuosos. Toman su papel seriamente, al punto de no traer el whisky hasta después de la sesión de fotografías. Son capaces de recordar nombres, incluso habiendo visto a las personas sólo una vez antes, de modo que puedan asignarles sus puestos al menos para la ceremonia. Con buen sentido de orientación, muestran a los invitados sus puestos, así como el camino al estacionamiento, el baño, las mesas, etc. Un testigo es un número apropiado para atender a 50 invitados. Antes de comenzar la ceremonia, dos de ellos desenrollan la alfombra roja por el camino de entrada a la iglesia.

En muchos lugares se acostumbra nombrar edecanes, o auxiliares de boda. Estos son diferentes de los testigos. Los edecanes llegan al lugar 45 minutos antes de la ceremonia, dirigen a las personas a sus puestos y luego se sientan antes de comenzar la ceremonia. Los testigos del novio se quedan a su lado, así como tradicionalmente lo hacen las damas de honor con la novia. Luego de entrar con el cortejo nupcial, toman sus puestos junto al novio.

✔ **Niña de las flores:** Se ve preciosa. Es lo suficientemente grande para poder llegar hasta el altar sin que sus padres deban suplicarle en susurros que lo haga. La pareja la elige porque les tiene cariño especial a ella o a sus padres y no porque parezca una modelo de Laura Ashley. Riega pétalos por el camino, o lleva una canastilla o una corona de flores (ver el capítulo 11 para detalles sobre las flores). Sonríe alegremente durante todo el trayecto.

✔ **Paje de argollas:** Este papel tradicionalmente se da a un pequeño niño dulce y amoroso. Así como la niña de las flores, el paje de las argollas es igualmente adorable, pero también debe tener la madurez suficiente para poder completar el trayecto sin llorar o devolverse en la mitad de la procesión. Lleva una almohadilla con las argollas y, en caso de usarse, también llevaría las arras atadas a ésta. Se ve precioso en pantalón corto y medias y zapatos blancos, aunque también puede usar pantalón largo que haga juego con el traje del novio (pero sin que el suyo parezca una versión miniatura del traje adulto).

> ✔ **Damitas y pajes:** En esta categoría (entre los 7 y los 15 años) entran los niños y niñas jóvenes que ya no son tan tiernos como para ser la niña de las flores o el paje de las argollas. Las damitas y los pajes también caminan hacia el altar y se ven maravillosos. Las niñas llevan vestidos iguales y los niños visten traje.

El próximo paso: la vestimenta

El ideal de los trajes iguales para los miembros del cortejo, en los lugares en donde rige esta costumbre, data del siglo V en Gran Bretaña, época en la cual las damas de honor y los acompañantes del novio vestían exactamente igual a los novios, con el fin de engañar a los malos espíritus que intentaran interponerse entre la pareja para impedir su unión. (Al parecer estos espíritus malignos eran miopes). Esta costumbre ha ido variando a lo largo de los siglos. Ahora, las mujeres que acompañan a la novia se visten iguales entre sí (aunque no tan parecidas a la novia como para poder espantar incluso al fantasma más débil) y los hombres se visten un tanto parecido al novio.

Sí, los vestidos de las damas de honor pueden ser atractivos

El ideal para los vestidos de las damas de honor es escoger un diseño sencillo, no tan elaborado y de bajo costo. Así no habrá que lamentarse si al final de la fiesta el vestido se ha arruinado. Una segunda opción —que se ha vuelto cada vez más práctica— es escoger un modelo que a las damas de honor les guste y les quede bien, *y* que además pudiera servirles para ocasiones posteriores.

Existen infinidad de sastres elegantes, vestidos cortos y entubados, y vestidos largos de noche entre los cuales escoger como modelo para las damas de honor. La única razón por la cual una conspiración de mujeres involucradas en la boda escogería los colores más horrendos para las damas de honor sería maldad pura.

Claro está, encontrar un vestido que les quede bien a todas las damas de honor ya es otro asunto. Incluso si se lograra tal hazaña, seguramente no todas las damas se sentirían a gusto. El esfuerzo que se dedique a conseguir el vestido ideal para este grupo de mujeres dependerá de qué tanto se quiere que ellas conformen un grupo uniformado en la boda. Lo más importante quizás sea tomar en cuenta qué tipo de mujeres son sus amigas. Si se las quiere porque cada una es individual, entonces no tendría sentido tratar de hacer de todas un grupo de septillizas. Esto las haría sentirse incómodas y así lo demostrarían. Muchos vestidos para dama de honor ahora se hacen en modelos diferentes, pero con la misma tela y el mismo color, de modo que las damas puedan escoger entre estos diseños y aun así parecer un grupo uniforme. Si de cualquier modo se quiere que todas lleven el mismo vestido, éste puede ser un modelo muy sencillo y escogerse de manera que quede bien a la mujer de la talla más grande entre ellas. (Ver en la figura 9-1 algunas ideas para modelos de vestidos).

No hay razón para que la mejor amiga de la novia, si está embarazada, no pueda ser su dama de honor. Sólo habrá que salir a buscar el vestido con ella primero que con las demás mujeres, puesto que éste será el caso más difícil. El mejor material, en este caso, puede ser una tela que se deslice suavemente y que dé la posibilidad de incluir un poco de material extra para adaptarse al vientre de la mujer cuando esté más grande. En lugar de tacones de punta delgada convendría mejor escoger tacones con bases más anchas, de mayor soporte.

Cuello en V   Cuello alto   Strapless

Figura 9-1:
Escoger un corte sencillo que se adapte a la silueta de todas las damas de honor.

Vestidos para las damas de honor

"Yo creí que ustedes serían quienes pagarían"

Cuando se asigna un papel importante a alguien en la boda, la reacción usual de aquella persona es sentirse halagada... hasta que ve cuánto le costará todo. Ciertamente los papeles que se asignen pueden significar un costo mayor o menor según su importancia. Por eso ha de pensarse bien antes de nombrar a los miembros del cortejo, o a las damitas de honor y los pajecitos, si ellos o sus familias contarán con los medios para hacer el gasto, o si ustedes estarían dispuestos a asumir en gran parte o en su totalidad el costo. Una vez hayan decidido sus opciones, el momento de hacer saber a la persona quién se responsabilizará por los gastos o cómo se repartirán estos debe ser el instante en que se le pregunte si quiere aceptar el papel. Generalmente se crea confusión en torno a los siguientes asuntos:

✔ **La vestimenta apropiada:** Tradicionalmente los miembros del cortejo compran o alquilan su atuendo, aunque a veces la novia o el novio pueden comprarles a las damitas de honor como regalo un par de zapatos finos o a los niños acompañantes un chaleco. Si el gusto personal de los novios en cuanto al atuendo de los miembros del cortejo es muy exigente, deben compartir los gastos con ellos o encargarse de la compra de los trajes.

✔ **Peinado, maquillaje y arreglos de cabeza de las damas y damitas de honor:** Se deberá aclarar quién pagará por esto. Si los novios acuerdan pagar por ciertas cosas, habrá que establecer algunos parámetros.

✔ **Transporte de larga distancia:** Los matrimonios que se realizan en lugares distintos del de residencia pueden significar el gasto de una suma considerable de dinero para los invitados, aunque al menos ellos tienen la opción de escoger si asistir o no. Por el contrario, si los miembros del cortejo deberán pagar su tiquete de avión y también los costos en que incurrirán para desempeñar el papel asignado en la boda, conviene asegurarse de que esto no llegue a afectar su relación con ellos y también que realmente tengan los medios para hacer el gasto.

✔ **Transporte local:** Los novios deben proporcionar el transporte para los miembros del cortejo hacia el lugar de la ceremonia (y de la recepción, si esta última será en un sitio diferente). Si, como es común, las damas y damitas de honor se cambiarán en la habitación que luego será la *suite* de la luna de miel, ellas deberán llevarse sus cosas consigo una vez dejen la habitación para ir a la recepción. Si la pareja quisiera tener a todos los miembros del cortejo nupcial reunidos para la sesión de fotografías antes o después de la boda, podría pensar en proporcionar el transporte que los trasladara a todos al tiempo. Luego de la recepción, la pareja no está obligada a arreglar el traslado para los invitados a su lugar de hospedaje, puesto que cada uno parte generalmente a una hora y hacia un destino diferente.

La vestimenta masculina

El novio y los testigos son un grupo tan importante en el cortejo nupcial como el de la novia y las damas y damitas de honor. La vestimenta de los testigos debe ser el ejemplo clásico del hombre elegante, gentil y bien vestido. Un esmoquin de paño para una boda de día en clima cálido no haría sentir a la persona tan elegante y cómoda como si viste un saco formal azul oscuro y pantalones blancos. Aunque en este caso lo que más tendría sentido sería vestir de este último modo, le sería muy fácil dudar en cuanto a lo que cree que *sería* lo apropiado. Para evitar que los acompañantes del novio, confundidos, deban escoger entre lo que deberían llevar para un traje informal de día, por ejemplo, o uno seminformal para la noche, el novio debe escoger un traje que los haga sentir a todos bien, elegantes, atractivos y con el control de la situación, en lugar de un traje que los hiciera verse a todos como un grupo deplorable de pingüinos desamparados en un glacial.

Aun así, los testigos deben vestir o bien todos iguales o expresamente diferentes. Ciertamente los novios no querrán que tres de los acompañantes vistan camisas de cuello de pajarita y corbatín de tartán y que el cuarto lleve una camisa de cuello normal y corbatín negro. Todos repararían en el pobre hombre, lo que sería un grave error. Pedir a los testigos que vistan su mejor traje negro producirá mejores resultados que ver una fila de hombres con trajes de esmoquin de diferentes épocas.

Trajes de calle y de esmoquin

Ya sea que se escoja un vestido tradicional o uno más moderno, es importante conocer los estilos de traje que existen y cómo se usan estos, tal como se muestra en la figura 9-2.

El corte de los trajes de calle y de esmoquin es clave. Al poner el hombre los brazos a los lados con los dedos estirados, el dobladillo de las mangas del saco no debe sobrepasar el largo del dedo del corazón. La manga de la camisa debe llegar hasta la parte alta de la mano, y el ojal de las mancornas debe salir por fuera de la manga del saco no más de 13 milímetros. Por atrás, los pantalones deben rozar ligeramente con el tacón del zapato y por delante, pasar ligeramente por encima de la punta del zapato. Puesto que el saco con abotonadura a ambos lados atrae la mirada hacia el punto medio de la persona, este modelo se ve mejor en hombres altos y delgados. Para un corte de mayor elegancia se pueden añadir hombreras al saco y ceñirlo un poco en la cintura.

Las opciones incluyen:

✔ **Chaqué o sacoleva:** Por su diseño tradicional, este traje se utiliza para los matrimonios más formales de mediodía. Es una experiencia novedosa para los hombres acostumbrados a vestir de jeans y camiseta. La sacoleva puede ser negra o gris, y consta de un solo botón al nivel de la cintura y un faldón

Sacoleva

Corbata larga de nudo corredizo

Pantalón de rayas

Zapato de amarrar de punta redonda

¡Mejor imposible!

Me veo bien, ¿verdad?

Verdaderamente elegante

Saco blanco con doble abotonadura

Pantalones negros

Un traje sencillo para una boda de clima caliente

Saco azul oscuro

Pantalones blancos de lino

Corbata blanca o frac

Corbatín y chaleco, ambos de piqué

y un par de encantadoras mancornas

Figura 9-2: Las diferencias sutiles de estilo reflejan diferentes formas de vestir y comunican diferentes mensajes.

largo atrás. Se utiliza con camisa de cuello de pajarita, plastrón o corbata ascot y pantalones de rayas. Si quiere vestir el traje formal completo y —esto es importante— cree que lo puede hacer sin parecer disfrazado, se pueden usar además guantes, polainas y cubilete, y quizás también bastón. El atuendo puede hacerse menos formal utilizando una corbata con diseño estampado en lugar de plastrón.

✔ **Chaqueta de esmoquin blanca:** Puede ser en el clásico blanco, de color crema o una combinación de ambos colores. Las solapas pueden ser en punta o redondas. Es muy apropiada para clima caliente o templado, para la tarde o la noche, y se utiliza también como sustituto del tradicional esmoquin. Se ve particularmente elegante con pantalones negros de esmoquin galonados en satín: por ejemplo, al estilo de Humphrey Bogart en *Casablanca*. Se puede alquilar o comprar en cualquier almacen de trajes formales. (Con buen ojo, se puede buscar una chaqueta blanca en las tiendas de ropa usada, aunque se debe reparar con especial cuidado en que no esté manchada, rota o le haga falta algún botón). El novio puede muy bien vestir de chaqueta blanca, y sus acompañantes de esmoquin enteramente negro. Algunos diseñadores están presentando ahora vestidos completos en blanco de pantalón, chaqueta y chaleco. En las ciudades caribeñas, se utiliza también la *guayabera*, una camisa elegante con bolsillos y bordados, que se usa por fuera del pantalón, al estilo de una chaqueta.

✔ **Semietiqueta:** Variación del chaqué o levita, generalmente con el largo hasta la cadera. Se ve bien con chalecos elegantes. Diseñadores como Kenzo y Christian Dior París han producido en años recientes versiones con toques de su propio estilo.

✔ **Frac:** Chaqueta corta adelante con dos faldones largos abiertos atrás. Se lleva con tirantes y camisa, chaleco y corbatín de piqué (como se especifica para "corbata blanca"). Muy formal.

✔ **Esmoquin tradicional o corbata negra:** Normalmente se utiliza después de las 6 p.m., aunque también puede llevarse para un matrimonio de día formal a cualquier hora después de mediodía. La chaqueta más tradicional es la negra o gris de un solo botón. Puede ser de solapa redonda, en punta o en V (dos de las cuales se muestran en la figura 9-3). Se utiliza con pantalón compañero de uno o ningún prense, corbatín (sin ganchos o colores brillantes) y tirantes, chaleco o faja. Para conservar la elegancia del traje de frac pero sin utilizar el atuendo de gala completo, se puede vestir el esmoquin con chaqueta y corbata ambas blancas.

✔ **Corbata negra moderna:** El traje de noche con las solapas del saco y el pantalón galoneados ambos en satín, aunque más sutilmente que en el esmoquin, es una nueva variación del tradicional esmoquin. Este tipo de esmoquin se usa con camisa y corbata negra, en lugar de corbatín, y generalmente con cinturón en vez de tirantes.

✔ **El traje oscuro refinado:** Se utiliza para un matrimonio elegante, mas no formal, o para el novio que no desea usar esmoquin. Puede ser de color gris oscuro, azul oscuro o negro y combinarse con una corbata de un solo color o de un diseño discreto.

Camisas

Seguramente, como hombre, haya llegado ya a un punto en su vida en que sabe qué tipo de camisas son las que le gustan. Sin embargo, si los trajes formales son algo completamente ajeno a usted, quizás encuentre que no el mismo cuello (o tipo de mancornas) les queda bien a todos los hombres.

✔ **Camisa de mancorna:** Los puños se doblan hacia afuera y se abotonan con mancornas. Vale la pena dedicar un tiempo a buscar algún tipo de mancornas que le llamen la atención para usted y para los testigos. Prestar atención a este detalle da muestra de un gusto impecable.

Diferentes tipos de solapa

Uno de los aspectos más importantes del corte de una chaqueta o saco de vestido es la solapa, en especial cuando se le pone una *boutonnière*. Estos son los tipos más comunes de solapas:

✔ **Solapa en V:** Este tipo de solapa tiene un corte en V que mira hacia adentro en el punto donde el cuello y la solapa se tocan con la chaqueta (tal como se muestra en la figura 9-3). Como ésta hace ver el cuerpo ancho, no es una buena opción si el hombre es de talla grande.

✔ **Solapa en punta:** Esta solapa consta de dos puntos de tela a cada lado que miran hacia arriba, con un espacio pequeño entre el cuello y la solapa.

✔ **Solapa de cuello redondo:** Solapa de tipo redondo que sigue una línea continua hacia atrás y adelgazadora. Los cuellos redondos dobles llevan al reverso un forro de satín. Se ve muy elegante galoneada en satín o en un cordón de color vivo. Queda muy bien a los hombres altos y fornidos, bajos y anchos, o a los hombres de mucho peso y que buscan acentuar una línea más delgada.

✔ **Cuello mandarín:** Recuerda la chaqueta de tipo hindú que se usó tanto en los años sesenta. Su cuello alto y en forma de tira está ahora muy de moda tanto para las camisas como para los sacos de vestido. El cuello mandarín se ve muy bien con sacos de corte alto en V. (Ver la figura 9-4).

✔ **Cuello alto:** Camisa de cuello elegante con una tira larga que cierra el cuello hasta arriba. Se le llama también cuello inglés, al haberlo inventado el duque de Kent y ser aún el estilo favorito del príncipe Carlos.

✔ **Cuello normal de camisa:** Éste es el cuello normal de camisa, un tanto menos formal pero más cómodo que el cuello de pajarita. Este tipo de camisa puede también tener prenses adelante y puños para mancornas.

✔ **Cuello de pajarita:** Muy elegante. La tira del cuello es rígida y las puntas se doblan hacia afuera. De pecho duro adelante, puede ser también plisada. (Ver la figura 9-4). Se ve mejor en los hombres de cuello largo y delgado.

Conjunto de esmoquin

Solapa en V

Solapa de cuello redondo

O

Figura 9-3:
Existen diferentes tipos de esmoquin que se pueden adaptar a un estilo más moderno según los accesorios que se escojan.

Nota: Usar chaleco o faja, pero ¡nunca los dos juntos!

Consejo: Los chalecos también se ven estupendos con traje de dos piezas.

Tipos de cuellos

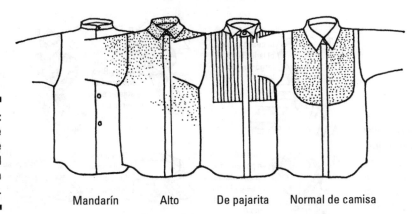

Mandarín   Alto   De pajarita   Normal de camisa

Corbatas y corbatines

Esta prenda permite sacar a relucir la personalidad.

✔ **Plastrón o corbata ascot:** Tipo de pañoleta que se sostiene con un alfiler. Se ve prentensiosa para todas las demás ocasiones excepto en la boda formal de día, en la cual se ve sumamente elegante. Por lo general, hace muy buen juego con el conjunto de pantalón gris de rayas y sacoleva del chaqué, aunque el diseño estampado puede ser otro diferente.

✔ **Corbatín:** Se utiliza con esmoquin y chaqueta de esmoquin. Puede ser del tradicional negro, aunque también puede considerarse el plateado de bodas, o un negro elegante sobre negro damasco. Debe hacer conjunto con la solapa del esmoquin (seda con seda u opaco con opaco) y combinar con la faja, sin ser necesariamente exacta a ésta. Es más elegante de anudar, o de nudo mariposa o de lazo (ver la figura 9-5 para instrucciones sobre cómo hacer un nudo de corbatín). Los materiales brillantes o deslumbrantes se deben dejar para los magos.

✔ **Corbata larga de nudo corredizo:** El término puede ser confuso. Este tipo de corbata es muy parecida a la corbata común y corriente, pero es de una tela más fina. Para darle su característica vistosa habitual, se debe asegurar de que el nudo quede hecho con una pequeña plegadura exactamente en el centro debajo del mismo (ver la figura 9-6). En plateado, la corbata con un traje azul oscuro se ve extremadamente elegante, y en un estampado llamativo, puede hacer el traje menos formal.

Cómo hacer un nudo de corbatín

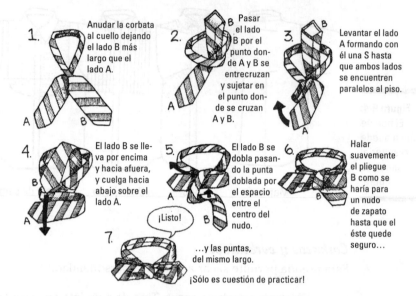

1. Anudar la corbata al cuello dejando el lado B más largo que el lado A.

2. Pasar el lado B por el punto donde A y B se entrecruzan y sujetar en el punto donde se cruzan A y B.

3. Levantar el lado A formando con él una S hasta que ambos lados se encuentren paralelos al piso.

4. El lado B se lleva por encima y hacia afuera, y cuelga hacia abajo sobre el lado A.

5. El lado B se dobla pasando la punta doblada por el espacio entre el centro del nudo.

6. Halar suavemente el pliegue B como se haría para un nudo de zapato hasta que el éste quede seguro…

7. ¡Listo!

…y las puntas, del mismo largo.

¡Sólo es cuestión de practicar!

Figura 9-5: Una vez se aprenda a hacer el nudo de corbatín no habrá necesidad de guardar más los corbatines de gancho.

Accesorios

Los siguientes son algunos accesorios posibles:

✔ **La faja:** Banda ancha para la cintura con prenses en satín plegados hacia arriba. (Ver la figura 9-3). Se utiliza en lugar de los tirantes o el chaleco. Debe hacer juego con el corbatín.

✔ **Los tirantes:** Dan una apariencia más ordenada al hombre. Sin embargo, usar tirantes y cinturón a la vez harán ver al hombre inseguro de sí mismo.

✔ **Chaleco:** El chaleco cubre la línea de la cintura, por lo cual no se necesita llevar al mismo tiempo la faja (ver las figuras 9-2 y 9-3). Puede hacer juego o contrastar con la tela del saco de vestido. Últimamente se ha puesto muy de moda vestir de chaleco con traje elegante para los hombres y puede ser más cómodo que la faja. Diseñadores como Terence Teng están confeccionando ahora chalecos hechos a la medida y de modelos únicos tan preciosos como los tapices tejidos a mano. En colores vivos de satín, piqué blanco, brocado o tejidos en cinta de gro, estos chalecos pueden ser un magnífico regalo para los acompañantes del novio.

Figura 9-6:
Cómo hacer
un nudo de
corbata.

 Es importante que el chaleco tenga espalda, de modo que si el saco se llegara a abrir o, inesperadamente, la persona se lo quitara para bailar, no tuviera que pasar una vergüenza.

Calzado

Los zapatos, sea cual sea el tipo que se lleve, deben estar en excelente condición, lo cual quiere decir no estar desgastados; tampoco deben estar desgastados los tacones y no se deben llevar cordones diferentes. Si para la ocasión se comprará un par de zapatos nuevos, estos se deben usar unas cuantas veces antes en la casa.

- ✔ **Medias:** ¡Nada de medias gruesas! Si compra un par de medias de seda sólo una vez en su vida, que sea para su matrimonio. Sin embargo, puede llevar un par adicional un poco más grueso si piensa bailar mucho.

- ✔ **Escarpín de charol:** Tradicionalmente para el atuendo formal se ha usado siempre el zapato de tipo descubierto y de suela delgada, con lazo adelante. Muchos hombres, sin embargo, optan ahora por el zapato más cómodo, cerrado y de amarrar.

- ✔ **Zapato blanco:** Forma un magnífico conjunto con saco azul oscuro y pantalones blancos. Los zapatos deben estar impecables.

Alquilar o comprar el esmoquin

Comprar un esmoquin o un buen traje es siempre una mejor inversión que alquilar un esmoquin que no es tan fino. Un esmoquin alquilado por desgracia parecerá siempre alquilado y se verá tan mal e incómodo como una mala peluca. Alquilar un esmoquin tampoco es barato: su precio suele fluctuar entre el 25 y el 50 por ciento del precio corriente de un esmoquin nuevo. De seguro sacará más provecho del que se imagina al comprar un esmoquin. También es bueno recordar que las fotografías de la boda perdurarán. Si de cualquier modo se tiene planeado alquilar el esmoquin, no vale la pena invertir el dinero extra alquilando también los zapatos. Los zapatos alquilados no quedan nunca bien y lo harán verse peor. Es mucho más sensato lustrar unos zapatos propios. Es su matrimonio, no un partido de bolos.

Encontrar el traje, el esmoquin y los accesorios perfectos puede tomarle al hombre tanto tiempo como le toma a la mujer hallar el traje de novia ideal. Si la boda se hará en un mes popular para contraer matrimonio y se tiene planeado alquilar el esmoquin, es importante hacerlo con antelación. Como el novio estará en su luna de miel, puede encargar al padrino de bodas o a un amigo que devuelva el traje alquilado el primer día hábil de la semana después de la boda.

Si decide alquilar, usualmente el esmoquin se puede recoger dos o tres días antes. Es importante asegurarse de que tenga todos los botones y que ninguno esté a punto de caer, y que no tenga manchas, quemaduras de cigarrillo u otros aditamentos extras.

El vestido de la madre de la novia

Tradicionalmente, la madre de la novia escoge el tipo y color de su vestido primero que la madre del novio (y ojalá después que la novia) y deja saber luego a la madre del novio cómo es su traje. La madre del novio entonces escoge su atuendo de estilo parecido (pero no igual) en color y grado de formalidad al de la madre de la novia.

Si el estilo de la madre de la novia es informal pero elegante, no tendría sentido que su hija le pida que vista un traje pomposo de lentejuelas. Por el contrario, si a la madre le gusta vestir vistosamente, ha de dejársele hacerlo así. Discutir su hija con ella para que se conforme al estilo de la boda que la novia tiene en mente traerá pocos beneficios. Después de todo, la madre posiblemente ha soñado con este día por más tiempo que la misma novia.

Padres elegantes

Si el matrimonio es de día los hombres acostumbran vestir de traje de corbata. Si el papel del invitado es importante, se le coloca un *boutonnier* en la solapa. A veces se acostumbra que el padre de la novia y del novio se vistan de sacoleva, lo mismo que el novio (si el matrimonio es de día). Si es de noche el novio iría de frac. A veces los padres de los contrayentes tambien se visten de frac o si no de esmoquin, como el resto de los invitados.

Agradecer a los miembros del cortejo

Suficiente por ahora de los novios. Como novio o novia, ¿qué hará por todas aquellas personas que le apoyaron incondicionalmente durante la planeación de la boda y que ahora están preparadas para desempeñarse ejemplarmente para la ocasión? Se les debe dar un obsequio como recordatorio de su boda que sea a la vez significativo para cada persona.

La cena anterior a la boda, si se usa, es la ocasión perfecta para hacer obsequio de estos regalos (aunque también se suele escoger para ello las despedidas de soltera y soltero). Al entregar cada presente a las personas, se puede hacer un brindis por cada una de ellas. Otra opción es dejar esto para después de que los novios hayan llegado de la luna de miel y estén instalados en su nuevo hogar. Se pueden hacer varias invitaciones para agradecer, y de paso para dar a conocer su nueva vivienda.

No porque tengan que ceñirse a su presupuesto deben dar sólo broches para corbata o perlas falsas. Tampoco hay necesidad de dar el mismo regalo a todas las personas. He aquí algunas ideas para agradecer a las mujeres del cortejo nupcial, o que han colaborado con la realización de la boda:

✔ Una joya tipo broche para usar en los zapatos para la boda y en futuras ocasiones.

✔ Un dije diferente para cada dama de honor.

✔ Una pañoleta o cartera.

Algunos regalos que suelen gustar mucho a los hombres son:

✔ Un conjunto de vasos, como jarros para cerveza.

✔ Una bolsa de viaje de cuero para llevar los implementos de afeitar.

✔ Una bolsa para los palos de golf.

También se pueden ofrecer regalos que no necesariamente son para hombre o para mujer:

✔ Un marco de plata para fotos con la fecha de la boda y los nombres de la pareja. Luego de la boda, la pareja puede enviar a la persona una foto suya para el marco en un momento especial de la ceremonia o en algún momento ameno de la recepción.

✔ Un vaso, reloj o bandeja de plata antiguos, con una tarjeta escrita a mano en el empaque que dé cuenta del origen o procedencia del objeto.

✔ Una bata de baño con las iniciales de la persona.

Otros objetos de especial significado y generalmente de bajo costo que se pueden conseguir pueden ser una tarjeta postal enmarcada de la ciudad natal de los novios o del lugar en donde se celebró la boda, una joya u objeto antiguo monografiado, o un libro antiguo que vaya con la personalidad de la persona. Éste puede ser una novela de ficción, un libro desconocido de etiqueta, la biografía de un deportista, un libro de cocina, etc.

A los niños del cortejo se les puede agradecer con un regalo apropiado para su edad. Algunas posibilidades pueden ser collares de piedras preciosas asociadas con el mes de nacimiento de la persona,

Para su amado o amada

Antiguamente, en las tribus germánicas y danesas la tradición dictaba que el esposo diera a su nueva esposa una joya el día después de la boda como símbolo de su amor. Hoy en día, muchas parejas se envían entre sí un presente momentos antes de la boda o reservan un instante inmediatamente después de la ceremonia para entregarse un objeto o dádiva de especial significado como forma de demostrar su afecto el uno al otro. Estos presentes no tienen que ser algo extravagante: en efecto, pueden ser algo tan sencillo como una elegante colección empastada de sonetos de amor con una emotiva dedicatoria, una pequeña caja para guardar objetos personales o un reloj, grabado quizás con la fecha de la boda.

llaveros con las iniciales del niño o la niña, un par de binóculos, hebillas para el pelo con piedras de fantasía, o un aparato pórtatil para CD con un CD de moda. Un bonito detalle es enviar a sus padres una fotografía enmarcada de los niños en el momento de caminar por la nave de la iglesia o templo.

Los novios pueden agradecer a sus padres por su apoyo y ayuda durante la planeación de la boda obsequiándoles algo que les cause placer. Darles unas boletas para una función de teatro, comisionar un dibujo de su casa o arreglar para que se les envíe flores con una nota de agradecimiento durante la luna de miel, son estupendas maneras de dar las gracias.

Capítulo 10

Ceremonias sensacionales

● ●

En este capítulo

▶ Trabajar en conjunto con el oficiante

▶ Determinar cómo se hará la ceremonia paso por paso

▶ Incluir rituales religiosos y costumbres étnicas en la ceremonia

▶ Personalizar sus votos matrimoniales

▶ Ensayar para la ceremonia

▶ Diseñar el programa de la ceremonia

● ●

*A*unque cueste creerlo, durante los preparativos para la boda es muy fácil pasar por alto los detalles de la ceremonia, que es la parte más importante: el momento en que se intercambian los votos. Si tanto la novia como el novio son de la misma religión y practicantes, su tendencia es pensar que todo ha de salir normalmente sin que deban pensar demasiado en ello. Ciertamente las ceremonias religiosas tienen un orden de desarrollo determinado, pero aun así la pareja necesitará hacer su tarea. Es decir, dedicar un buen tiempo a la búsqueda y la investigación para saber bien en qué se cree y qué espera.

Saber claramente cuáles son sus convicciones y creencias religiosas les permitirá planear una ceremonia significativa para sí y en función de los demás. Incluso si se es una persona creyente, se necesitará pensar en la música para la ceremonia, en recibir asesoría prematrimonial de parte del oficiante y en personalizar sus propios votos matrimoniales. Si ninguno de los novios es creyente de alguna religión pueden escoger llevar a cabo una ceremonia no adscrita a ninguna creencia en particular.

Evaluar a los posibles oficiantes

Las ceremonias no religiosas o ceremonias civiles debe realizarlas un notario, juez o alcalde con investidura legal para celebrar el casamiento. Para saber qué requisitos específicos deberá cumplir el oficiante que casará a la pareja en el lugar donde se celebrará la boda, los contrayentes puede informarse con la notaría de su región de residencia.

Para que una ceremonia religiosa sea válida ante la religión que profesa la ceremonia, ésta debe oficiarla un clérigo (como un sacerdote, pastor o rabino). En un país diferente de aquél en donde reside la pareja, la ceremonia de casamiento la realiza casi siempre un oficiante civil o religioso local (del país en cuestión) y no un funcionario diplomático o del consulado del país de origen de los novios.

La mejor forma de saber si el estilo del oficiante está acorde con el que se busca es asistiendo a uno de sus servicios. De ser posible, se debe asistir a una ceremonia de casamiento, misa u otro servicio de esta índole ofrecido por el oficiante.

Claro está, si se quiere llevar a cabo la ceremonia en un establecimiento religioso específico, habrá poca oportunidad de escoger al oficiante y su manera de ofrecer la ceremonia. En efecto, el oficiante puede llegar a considerar poco prudente de parte de la pareja el hacer demasiadas preguntas en sus reuniones prematrimoniales con él, razón por la cual la pareja debe proceder cuidadosamente en este respecto.

Sin embargo, si la pareja entrevistará de todas maneras a posibles oficiantes, a continuación damos una lista de preguntas para hacer:

✔ ¿Podría el oficiante ofrecer la ceremonia en un establecimiento no religioso, si así lo desearan los novios?

✔ ¿Cuáles son sus honorarios y cuándo se deben pagar?

✔ ¿El oficiante celebra la ceremonia según un canon de organización previamente determinado? ¿En qué momento puede la pareja hacer sus propios votos (si le está permitido hacerlo)?

✔ ¿La licencia de matrimonio puede firmarse antes de la ceremonia por comodidad?

✔ ¿Existe alguna restricción para utilizar videocámaras o fotografía con flash en el establecimiento religioso?

✔ ¿El oficiante estará o podría estar presente durante el ensayo de la ceremonia?

Quizás sea el clérigo de la familia quien case a la pareja. Sin embargo, si se llegase a contratar a un oficiante religioso no vinculado a un establecimiento de esta índole, es importante saber exactamente qué tipo de respaldo o validez ante la religión que profesa el oficiante tendrá el matrimonio. Se debe requerir al oficiante demostrar su acreditación para celebrar un matrimonio del culto en particular y llamar al establecimiento con el cual el clérigo está vinculado para pedir referencias suyas. El hecho de que una persona esté legalmente autorizada para celebrar el matrimonio en una localidad específica no significa que haya sido ordenada por un cuerpo religioso para ello.

Si la ceremonia será de índole no religiosa, quizás se esté en desacuerdo con la forma en que el oficiante se refiera a Dios, la espiritualidad o a alguna religión en particular. Siendo respetuoso de su estilo, los contrayentes deben hablar claramente con él sobre estos puntos con el fin de estar a gusto con la forma como tratará los aspectos religiosos en la ceremonia.

En las ceremonias que cuentan con dos oficiantes, sólo uno de ellos puede firmar oficialmente los documentos legales. De antemano, la pareja debe aclarar con ellos quién será la persona que firme.

Contraer matrimonio en un establecimiento religioso

Contraer matrimonio en una iglesia, templo o sinagoga implica regirse por las normas propias de la casa religiosa. Para ello es importante tener claros los siguientes puntos. Muchas veces, la manera más fácil (y diplomática) de obtener respuesta a estas preguntas es informándose con la persona encargada de las ceremonias matrimoniales en el despacho parroquial o el despacho de la sinagoga, en lugar de averiguar con el sacerdote mismo.

✔ ¿Deben utilizarse los servicios del organista o de los músicos del establecimiento? En caso contrario, ¿debe pagarse una suma de dinero extra por no tomarlos?

✔ ¿Qué reglas y recomendaciones se deben seguir para organizar la música de la ceremonia?

✔ ¿Cuánto dura la ceremonia? ¿Cuáles son las últimas palabras que se dicen (para saber cuándo dar la entrada a los músicos)?

✔ ¿Qué normas rigen el uso de las cámaras de video y de fotografía?

✔ ¿Se debe asistir a un curso prematrimonial? ¿Es preciso asistir a servicios religiosos semanales durante los meses anteriores a la boda?

✔ ¿Cuántas horas se programan entre las ceremonias?

Decidir cómo será el orden de la ceremonia

Una vez se ha decidido de qué índole será la ceremonia, habrá que planear el orden del servicio. Este *orden religioso*, como también se le llama, caracteriza la naturaleza del servicio y su forma de desarrollarse. Quizás se decida enfatizar ciertos momentos por medio de la música o incitar a la reflexión con una lectura de las escrituras. Lo importante es mantener un buen ritmo para el desarrollo del evento, pero sin que sea apresurado y, a la vez, reflejar la trascendencia y celebración del momento.

Quizás decidan regirse estrictamente por el plan de celebración de la ceremonia como lo prescribe el establecimiento religioso, o si la pareja misma creará su propio programa, tal vez agregue o edite los pasos a su gusto.

Casi todas las ceremonias comprenden todos o algunos de los siguientes elementos:

✔ **Palabras de introducción:** Por lo general, el oficiante es quien pronuncia estas palabras, acogiendo a los participantes, presentando a la pareja y mencionando el motivo por el cual están todos reunidos en esta ocasión. Las palabras de introducción establecen el tono de la ceremonia y son a la vez formales y cordiales.

✔ **Rezo introductorio:** Este rezo, conocido también como el rezo invocatorio, da más ampliamente el tono a la ceremonia y establece la naturaleza de los ritos religiosos que seguirán a continuación.

✔ **Recordatorio a la pareja:** El oficiante recuerda a la pareja que jurará su unión ante Dios y las personas ahí presentes.

✔ **Declaración de consentimiento:** En la cual los novios declaran querer contraer matrimonio por libre consentimiento, antes de hacer sus votos matrimoniales.

✔ **Presentación de la novia:** Rito mediante el cual el padre da a su hija en matrimonio al hombre. Dado que muchas personas se oponen hoy en día al hecho de que se trate a la mujer como propiedad, el rito puede modificarse de modo que la familia y los amigos manifiesten su apoyo a la pareja y su acuerdo con la unión.

✔ **Lecturas bíblicas:** Las lecciones de las escrituras son parte esencial de las tradiciones hebrea y cristiana. Las ceremonias cristianas normalmente constan de tres lecturas: una del Antiguo Testamento, otra de las Epístolas y otra de los Evangelios.

✔ **Intercambio de votos matrimoniales:** Uno de los momentos más importantes de la ceremonia, en el que los contrayentes expresan su acuerdo para contraer matrimonio.

✔ **Bendición y presentación de las argollas:** El anillo recuerda físicamente a la persona su compromiso. Generalmente los novios se valen de palabras de su escogencia para dar fe de su sentimiento a su pareja.

✔ **Proclamación o declaración del oficiante:** Es el clímax de la ceremonia, en el cual el oficiante declara oficialmente marido y mujer a la pareja.

✔ **Plegaria de matrimonio:** El hombre y la mujer piden a Dios bendecir su unión una vez han intercambiado sus votos matrimoniales.

✔ **Afirmación de la comunidad:** En la ceremonia cristiana, esta parte del programa permite expresar a los invitados su determinación de apoyar a la pareja en su unión. En la ceremonia judía, los invitados expresan este momento con las palabras "¡Mazel tov!", una vez la pareja rompe la copa de vino con el pie.

Ritos religiosos y sus normas

Incluso siendo uno devoto de su religión, quizás no conozca en su totalidad cómo son los ritos de matrimonio pertinentes, que a veces pueden ser sumamente complejos. A continuación ofrecemos una breve descripción de las tradiciones que se siguen en algunas religiones.

Católico

En la religión católica, el matrimonio es uno de los siete sacramentos, de modo que para que éste sea santificado la pareja debe casarse en una iglesia católica. Sólo el vicario general de una diócesis puede otorgar permiso para que el matrimonio se lleve a cabo en un lugar diferente a la parroquia correspondiente a la residencia de la novia.

La iglesia católica requiere que los novios presenten los siguientes documentos que demuestran que ambos están libres para contraer matrimonio:

✔ Fe de bautismo y confirmación.

✔ Carta de libertad, mediante la cual la persona da fe de no haber estado casada antes por lo civil u otra religión.

✔ Carta de consentimiento de los padres a su hijo o hija para casarse si es menor de 18 años.

✔ Investigación prematrimonial, que es sólo un formulario que llena el párroco durante una entrevista informal con los contrayentes.

Normalmente el casamiento se realiza en la parroquia correspondiente a la residencia de la novia, de modo que el novio debe obtener una carta de autorización de su parroquia. Si los novios desean contraer matrimonio en una parroquia distinta de la de la novia, deben llevar el permiso otorgado en la parroquia de la novia a la otra parroquia en donde desean casarse. Si éste es el caso, la parroquia donde se oficiará la ceremonia cobrará una suma por los derechos. Si ninguno de los novios pertenece a una parroquia en particular, pueden informarse con el prelado sobre la forma de proceder según la ley canónica para obtener una dispensa.

Si la pareja desea contraer matrimonio por la religión católica en otro país, quizás necesite solicitar al sacerdote de la parroquia a la cual asiste una carta confirmando que la pareja hizo el curso prematrimonial en su ciudad de residencia y que solicita casarse en la parroquia en cuestión. Para realizar la ceremonia en un lugar exterior o secular, se requiere de una dispensa especial.

Para casarse una persona católica con una persona bautizada en otra religión o una persona que no ha sido bautizada, el contrayente católico deberá obtener una dispensa con instrucciones específicas. El contrayente católico también puede solicitar una dispensa de la religión de su pareja para casarse por esta religión. El ministro o rabino del otro cónyuge puede participar en la ceremonia de casamiento, haciendo una plegaria o diciendo algunas palabras, o dando una bendición. Sin embargo, sólo un sacerdote o diácono puede oficiar la ceremonia si ésta se realiza en una iglesia católica.

El cupo para la ceremonia en la iglesia debe reservarse mínimo con seis meses de antelación y en algunas parroquias es preciso hacerlo un año antes. En los meses previos a la boda, la pareja debe hacer un curso prematrimonial. La mayoría de las parroquias dictan este curso en talleres intensivos los fines de semana, y tratan temas como la conciencia individual, la sexualidad humana, la comunicación, la toma de decisiones, la creación de la familia, el sacramento, etc.

Aunque el canon de celebración de la liturgia es siempre el mismo, la pareja puede —con la autorización del oficiante— añadir sus propias palabras al intercambio de votos conforme lo establece la Iglesia, encender una vela ante el altar (ver el recuadro "El rito de las velas", en este capítulo) o hacer una plegaria o súplica propia. Antes de comenzar la procesión de salida, la novia puede poner un ramo de flores en el altar o estatua de la Virgen en señal de devoción.

La pareja puede decidir celebrar una misa junto con la ceremonia o incorporar la ceremonia a la misa (lo que se denomina una misa nupcial). La cermonia puede comenzar con la procesión de entrada tradicional, si la hay, o el sacerdote y sus asistentes pueden reunirse con los novios y el cortejo nupcial a la entrada de la iglesia y proceder todos juntos hacia el altar. En muchos países también se acostumbra que entren a la iglesia primero las damitas de honor, el pajecito con las argollas, y detrás la novia, que ingresa del brazo de su padre. El novio ya ha entrado al templo con su madre, y está adelante esperando a la novia, quien es entregada por su padre a su futuro esposo. No se pone mucho énfasis en el orden de ingreso de los demás invitados. Por lo general los padrinos y otros invitados ya están en la iglesia. Otras veces sí van detrás de la novia y se van repartiendo en las bancas en puestos asignados. Durante la ceremonia, los novios permanecen frente al altar y se arrodillan, se ponen de pie o se sientan.

El celebrante comienza con una plegaria introductoria (generalmente de la escogencia de los novios) y prosigue con varias lecturas, entre ellas un pasaje del Evangelio. La pareja intercambia luego los votos y los anillos, que el sacerdote bendice. Después de haber bendecido las argollas y de casar a los novios, se procede al ofertorio, el Santus, la consagración del pan y el vino, el Padre Nuestro y luego el saludo de la paz se hace extensivo a los novios y demás asistentes a la cermonia. Si en la ceremonia no se incluye la misa, el oficiante concluye con una última plegaria y la bendición nupcial.

Judío

El judaísmo cuenta con cuatro ramas principales: la ortodoxa y la conservadora, que son extremamente religiosas, y la reformista y la reconstructivista, las cuales son menos estrictas.

Quién, cuándo y dónde

El oficiante en la boda judía es quien *ordena* la boda, pues para los judíos la pareja no se casa *ante* una persona sino *entre* sí. La persona que dirige la boda puede ser un cantor, rabino, líder comunitario o conocedor experto de la religión judía. Por esta razón, es posible que la ciudad o localidad donde se oficia la ceremonia reconozca la ceremonia como válida, pero no así la religión misma, o viceversa.

Si tanto el novio como la novia son judíos y están vinculados a la misma sinagoga, llevar a cabo la boda en ella no tendrá problema. La mayoría de los rabinos están generalmente de acuerdo en oficiar la ceremonia conjuntamente con otro rabino: por ejemplo, el rabino de la familia del otro cónyuge. Por el contrario, si la pareja no está afiliada a ninguna sinagoga o establecimiento religioso, podrá informarse entre sus amigos para que le recomienden a un rabino.

Conseguir a un rabino practicante que oficie la ceremonia entre una persona judía y una no judía es algo difícil. Los rabinos ortodoxos y conservadores no lo harán; los reformistas y reconstructivistas generalmente lo hacen, dependiendo de las circunstancias específicas. Los rabinos y cantores no afiliados, sin embargo, pueden aceptar oficiar el servicio por una suma alta de dinero, muchas veces sin conocer necesariamente a la pareja de antemano.

La boda judía no puede realizarse durante el *sabbath;* es decir, entre la caída del sol del viernes y el amanecer del sábado. La tradición judía no permite viajar o trabajar durante el *sabbath,* como tampoco celebrar dos ceremonias durante este tiempo (siendo una de ellas el *sabbath*). Si se tiene planeado realizar una ceremonia religiosa es importante verificar las fechas para ello con el rabino. Las bodas judías tampoco pueden celebrarse en las fiestas más importantes como el *Rosh Hashanah*, el *Yom Kippur*, la Pascua, el *Shavuot* y el *Sukkot*. Tampoco se pueden celebrar durante un periodo de tres semanas entre julio y agosto, ni durante las siete semanas entre la Pascua y el *Shavuot* (usualmente en abril y mayo). Una vez se fije la fecha, ha de veri-

Más que un papel

El *ketubah* o contrato matrimonial judío puede ser un simple rollo de papel o pergamino, o, más comúnmente, un manuscrito en español y hebreo, finamente elaborado y pintado a mano (un manuscrito "iluminado"), el cual el rabino lee en la ceremonia y que se exhibe luego en la recepción. Muchas parejas enmarcan el *ketubah* y lo cuelgan en su casa. Algunas tiendas judaicas venden el *ketubah* ya listo para que los contrayentes lo firmen. Muchas sinagogas cuentan con una lista de fabricantes de *ketubahs* que confeccionan el documento según el gusto de la pareja.

ficarse en un almanaque la hora exacta en la que caerá el sol ese día. Entonces se debe averiguar con el oficiante si éste viajará únicamente después de esta hora y a qué hora oficiaría la ceremonia. Algunos rabinos prefieren que sea por lo menos una hora y media después de la caída del sol, para asegurarse de no violar ninguna norma.

La boda judía puede celebrarse en cualquier lugar —los lugares exteriores se han vuelto muy populares para ello—, siempre y cuando se haga bajo una *jupá* o especie de tienda para la boda. La *jupá* simboliza numerosas tradiciones judías ancestrales. A lo largo de su historia nómada, los judíos realizaron siempre sus bodas al exterior, bajo las estrellas, significando así que la pareja debía engendrar tantos hijos como había estrellas en el cielo. Eventualmente las ceremonias se fueron realizando bajo una tienda o toldillo con el fin de proteger espiritualmente a la pareja, y hoy en día la *jupá* tiene diferentes significados: la vivienda del hombre a la cual él lleva a su esposa, un hogar de gran hospitalidad (abierto a los cuatro lados) y una metáfora mediante la cual el hombre arropa y toma a la mujer. (Ver el capítulo 11 para consejos sobre cómo construir una *jupá*.)

Antes de la boda

En una ceremonia religiosa y tradicional judía, el novio atiende a sus amigos y familiares en una habitación privada antes de la boda. Anteriormente, dos hombres adultos judíos sin relación alguna entre ellos o entre los novios presenciaban la ceremonia como testigos y firmaban el documento completo del contrato de matrimonio o el *ketubah*. Hoy, el *ketubah* moderno es elaborado con mucho estilo y, dependiendo del rabino, puede o no firmarse ante los amigos y amigas de la pareja. Luego, el novio presenta el *ketubah* a la novia bajo la *jupá* y se da comienzo a la ceremonia.

Con frecuencia, el novio y sus acompañantes se dirigen luego a la habitación de la novia donde se lleva a cabo el *bedeken* (o la tradición de cubrir el novio a la novia con un velo). Muchas mujeres extremadamente devotas a la religión judía, sin embargo, han dejado de acogerse a este rito, al compararle con el *Purdah* del Medio Oriente, o la tradición estricta de cubrirse las mujeres con un velo.

Durante la boda

Aunque la procesión para la ceremonia judía no suele obedecer a un código de reglas estrictas, generalmente sigue un orden tradicional. El rabino y el cantor (si se contará con éste) dirigen la procesión, seguidos de los abuelos de la novia y los abuelos del novio, que se sientan en la primera fila. El lado derecho es para la novia y el izquierdo, para el novio.

El cantor canta, como también pueden hacerlo los invitados. La música debe ser alegre pero solemne. El cortejo nupcial avanza en el siguiente orden: los edecanes; el testigo; el novio con sus padres, quienes se acomodarán al lado izquierdo de la *jupá*; las damas de honor, en parejas o una por una; la matrona de honor y, finalmente, la novia y sus padres, quienes se acomodan al lado derecho de la *jupá*. (Para consejos sobre cómo dirigir al grupo, ver la sección "¡Todos a sus puestos!: Hora del ensayo", más adelante en este capítulo).

Normalmente, el novio se acerca a la novia antes de que ella llegue a la *jupá* y la lleva hacia la tienda, simbolizando así el acto de conducirla a su casa.

Dependiendo de qué tan rigurosamente la pareja siga la ley judía, puede incluir en la ceremonia todos los aspectos religiosos particulares a la ceremonia o sólo algunos de estos. Según el grado de fe de la pareja, un ritual judío ortodoxo puede parecerle esencialmente místico o tremendamente sexista: la mujer rodea al hombre siete veces envolviéndolo con la cola de su vestido y finalmente toma su puesto junto a él a la derecha.

Una vez se encuentran todas las personas reunidas bajo la *jupá,* el rabino da la bienvenida a los invitados, incluidos los novios, e implora la bendición de Dios. La ceremonia comienza con la bendición del vino, del cual beben los novios. La madre de la novia o una amiga tiene luego el honor de quitar el velo a la novia. El punto culminante de la ceremonia ocurre cuando el novio presenta el anillo a la novia. Éste pone el anillo en el dedo índice de la mano derecha de la novia; la argolla debe ser sencilla, sin piedra preciosa alguna que pudiera decepcionar a la novia en cuanto a su valor. (La novia puede cambiarla luego al dedo de la mano que desee). El rabino lee el *ketubah* en voz alta y el novio lo presenta entonces a la novia (siendo éste de su propiedad), y ella lo da a un miembro en la comitiva o a sus padres para que éste o estos lo guarden. A continuación el rabino pronuncia un breve discurso sobre la pareja, al que luego ella añade poemas, rezos o palabras personales.

En la siguiente etapa se bendice el vino nuevamente y la pareja bebe de una segunda copa o de la primera. (Algunas parejas ahora traen dos copas, una que simboliza el pasado y los familiares que han muerto y otra que simboliza el futuro). A continuación sigue el *sheva b'rachot* o las siete bendiciones. El oficiante declara entonces legalmente casados a los esposos y da quizás una bendición final para concluir el servicio.

Seguidamente se rompe la copa de cristal, la parte más conocida de la ceremonia judía. Tradicionalmente el novio se para sobre ella y la rompe, aunque hoy en día muchas parejas la rompen juntas. Este ritual tiene diferentes significados: recuerda la destrucción del templo, la fragilidad del matrimonio y la intensidad de la unión sexual.

En una ceremonia religiosa, la pareja pasa al *Yichud,* una habitación privada en la que se reúne a solas durante 15 a 20 minutos luego de la alegría de la celebración. El banquetero generalmente prepara esta habitación con entremeses y champaña para el gusto de la pareja antes de salir ésta ante los invitados nuevamente. Para muchas parejas de diversas religiones el concepto del *Yichud* les es tan llamativo que ahora lo incorporan en sus propios ritos tradicionales.

Si alguno de los novios se casó previamente por otra religión, para casarse nuevamente por la religión judía debe obtener un divorcio religioso.

Protestante

En los Estados Unidos la Iglesia Anglicana Ortodoxa cuenta con 6.000 miembros, aunque la Iglesia Espiscopal es la rama estadounidense más nueva y exitosa, con 2.7 millones de miembros. La religión protestante también tiene otras ramas principales, así como cientos de pequeñas ramas independientes en las comunidades locales.

Rama episcopal

La Iglesia Episcopal considera el matrimonio un sacramento, y por esta razón el casamiento sólo puede celebrarse en una iglesia, a menos que el obispo local dé un permiso excepcional para lo contrario. *El libro del rezo cómun* prescribe cómo debe ser la ceremonia de matrimonio, la cual puede o no incluir la Sagrada Comunión.

La ceremonia es de tipo tradicional. El padre de la novia camina con ella hacia el altar. Durante el ingreso de la procesión se canta o toca un himno, salmo o antífona. El celebrante (que puede ser un sacerdote, un obispo o, en algunas comunidades, un diácono), dice unas palabras introductorias, comenzando con las tradicionales, "Queridos hermanos y hermanas: nos encontramos aquí reunidos…". Luego sigue la declaración de consentimiento, por medio de la cual el celebrante pregunta al novio y a la novia si cada uno acepta al otro como su pareja. Los contrayentes responden cada uno, "Sí, acepto" y el oficiante pregunta a la congregación si apoya tal unión. Si la respuesta es sí, se precede con un canto. Luego se hace una "Intervención de la Palabra" o lectura de las Santas Escrituras. Si la ceremonia incluye la Sagrada Comunión, se concluyen las lecturas

Juntos pero diferentes

En ocasiones, cuando los miembros de la pareja tienen religiones diferentes, de común acuerdo y también como señal de respeto hacia sus padres o sus abuelos, ambos pueden decidir llevar a cabo dos ceremonias religiosas (en lugar de contar con un clérigo para cada religión en la ceremonia). Una boda de dos ceremonias puede constar de una pequeña ceremonia religiosa el primer día y una ceremonia civil más grande al día siguiente o quizás de dos ceremonias religiosas seguidas, celebradas en el mismo lugar.

con un pasaje del Evangelio. Seguidamente puede venir una homilía o alguna otra respuesta a las lecturas.

La pareja intercambia luego sus votos matrimoniales y el celebrante bendice las argollas. Después de uno o más rezos, el oficiante bendice a los nuevos esposos, que se arrodillan ante él.

Luego sigue "la Paz", en la que el celebrante dice, "Que la paz del Señor esté siempre con vosotros". La congregación responde, "Y con tu espíritu", momento en el cual los novios se dan el saludo de paz junto con los miembros de la congregación. Si se sigue con la Comunión, la pareja puede ofrecer el pan y el vino ella misma a los demás, una vez recibe la comunión después de los ministros. Cuando un obispo y un sacerdote ofician conjuntamente la ceremonia, el obispo debe ser quien dé la bendición y presida la Comunión.

Ramas principales

Para las ramas bautista, luterana, metodista y presbiteriana el matrimonio es una unión sagrada y deseable, más no un sacramento. El grado en el que cada cual puede personalizar su ceremonia varía según las congregaciones, aunque prácticamente todas permiten celebrar el matrimonio en un lugar distinto a un establecimiento religioso. Todas estas ceremonias incluyen lecturas de pasajes bíblicos, el intercambio de los votos matrimoniales y las argollas entre los novios, y la bendición del celebrante.

Gracias a la televisión y el cine, muchas personas saben hoy cómo es una ceremonia protestante. En efecto, todos los casamientos protestantes incluyen una procesión tradicional de entrada, y una de salida.

Los testigos y las damas de honor suelen entrar en pares, pero la procesión también puede incluir parejas de un hombre y una mujer, o constar de individuos en la procesión de entrada y de parejas combinadas en la procesión de salida.

Antes de comenzar la procesión, la madre de la novia debe ser la última en sentarse. Generalmente ella se sienta en la primera fila, en el ala contigua al camino de entrada, reservando el puesto a su lado izquierdo para el padre de la novia. Si los padres de la novia son divorciados, el padre se sienta junto con su nueva esposa (si tiene una nueva pareja) en la fila detrás de la de la madre de la novia, que a su vez se sienta con su nuevo marido (si ella tiene una nueva pareja).

Una vez los miembros del cortejo han tomado sus puestos en el altar, se voltean hacia la novia, que comienza su procesión luego de una pausa suficientemente larga.

Cuando la novia se acerca al altar, su padre le levanta el velo, la besa y le baja el velo nuevamente. El celebrante entonces pregunta, "¿Quién da a esta mujer en matrimonio" o algo similar y el padre de la novia (o la persona que la da en casamiento) responde, "Yo

El rito de las velas

Inspiradoras de temor reverente y místicas, las ceremonias con velas pueden hacerse al atardecer o en la noche.

Las *velas de unidad* suelen ser tres velas que los novios encienden en el altar. Estos toman las dos exteriores ya prendidas y prenden la del medio, significando así la unión de dos personas y su compromiso con el matrimonio. Los invitados también pueden participar del ritual, prendiendo una vela con la de la persona a su lado en las filas de bancas, por las cuales pasan los novios encendiendo la de la persona en el ala exterior de cada banca. En otros casos sólo los padres de los novios y los familiares más allegados toman parte en el rito de las velas. Las velas de unidad también pueden significar la unión de la pareja en Cristo Jesús. Los novios toman cada uno una de las velas exteriores encendidas, significando la persona individual de cada uno, y encienden la del medio para simbolizar su unión como pareja y ante Cristo.

En Estados Unidos, las parejas de raza negra que celebran su casamiento entre el 26 de diciembre y el 1 de enero tienen la suerte de poder participar además del rito de las siete velas de Kwanzaa en la ceremonia. Para éste se utilizan tres velas rojas, una blanca y tres verdes. Desde puntos opuestos, los novios avanzan hacia el centro tomando en cuenta el principio que simboliza cada vela: *ujima* (unidad), *ujamaa* (finanzas conjuntas), *kujichagulia* (autodeterminación), *nia* (propósito), *kuumba* (creatividad) e *imani* (fe).

la doy". (Muchas veces ambos padres de la novia son quienes responden, "Nosotros la damos"). El padre de la novia puede abrazar al novio o darle la mano antes de sentarse. El novio da entonces su brazo izquierdo a la novia, quien acomoda su ramo para recibir el brazo de él.

Muchas parejas que consideran que la presentación de la novia es un acto arrogante y condescendiente prefieren omitirla de la ceremonia. En este caso, el celebrante no hace la pregunta, "¿Quién da a esta mujer en matrimonio?" El padre de la novia se sienta entonces luego de bajarle el velo (y saludar al novio). Otra variante consiste en que la novia camine sola, o lo haga, como en el rito judío, acompañada de su padre y de su madre.

Las damas de honor y los testigos que miran hacia el altar en ángulo deben pararse de manera que puedan ver a la novia pero sin dar totalmente la espalda al público. Si se decide incluir a la niña de las flores y el paje de argollas en la ceremonia, se les puede asignar su puesto en la primera fila para evitar que correteen durante toda la ceremonia.

La niña de las flores y el paje de argollas son opcionales. Deben estar en capacidad de quedarse quietos durante ¡20 minutos!

Las principales ceremonias protestantes pueden durar sólo unos minutos, según el número de lecturas y piezas musicales que se ofrezcan. Como en las ceremonias episcopales, éstas también incluyen rezos, antífonas y lecturas.

Una vez termina la ceremonia, se da comienzo a la procesión de salida. Primero salen los novios, seguidos del padrino y la madrina. (La niña de las flores y el paje de argollas pueden seguir después de los novios, aunque sólo cuando tienen edad suficiente para poder tomar sus puestos a la señal de salida). Luego siguen las damas de honor y los testigos, y después los padres de la novia, seguidos de los del novio.

Pronunciar los votos

Además del casamiento legal de la pareja por parte del oficiante, otro momento de trascendental importancia en la ceremonia es el intercambio de los votos matrimoniales, que reviste una gran tradición histórica. Muchos servicios religiosos datan de más de mil años. Pronunciar como pareja las palabras que han unido a un número incontable de generaciones anteriores puede colmar a los contrayentes de seguridad y afianzar aún más su conexión con las tradiciones ancestrales. Quizás sientan que alterar estas palabras les reste significado u ofenda las costumbres de sus antepasados. En este caso, regirse por el protocolo tradicional de su religión tal vez sea lo más apropiado y lo que los haga felices.

Aun así, cada vez es más usual que las parejas personalicen los ritos tradicionales de casamiento, y que incluyan en la ceremonia elementos de varias religiones y culturas; también es frecuente no sólo que redacten sus propios votos, sino también que escriban las palabras para la ceremonia entera.

Quizás sientan como pareja que los votos convencionales no expresan aquello que tiene mayor significado para ambos. Sin embargo, al tratar de poner en palabras aquello que el uno siente por el otro, así como el respeto que tienen por la fuerza sobrenatural de la vida, tal vez sus palabras les parezcan carentes de vida, banales y trilladas. ¿Qué se puede decir que no se haya dicho antes? Al fin y al cabo, sobre el amor se ha escrito durante siglos. Sin embargo, eso no significa que no se pueda hacer una versión propia. Aunque las palabras ya se hayan escrito de antes, no han sido pronunciadas por *ustedes*.

Redactar el texto para la ceremonia

Se pueden considerar las siguientes ideas al redactar sus propios votos matrimoniales o simplemente si se busca dar un estilo propio a la ceremonia:

✔ Comenzar haciendo una lista de palabras que describan a la pareja, las razones por las que se enamoraron y las esperanzas que ambos abrigan para el futuro.

✔ Llevar un diario o libreta en la cual anotar poemas, letras de canciones, o partes de películas que hayan causado una impresión profunda.

✔ Aunque sea algo bastante obvio, la investigación de temas como el amor, la pasión y el matrimonio en enciclopedias, libros de frases célebres, diccionarios e internet les mostrará cómo se han expresado estos temas, y despertará su creatividad.

✔ Buscar sonetos, poemas o canciones poco comunes y analizar atentamente el contenido de los versos. ¿Se podrían utilizar algunos versos en la ceremonia?

✔ Tomar en cuenta a las personas a su alrededor. Quizás quieran dirigirse a la familia y los amigos y dar gracias a Dios (o a quien sea) por los allegados que ya no están y que fueron importantes en su vida, o pedir por la salud de sus familiares de mayor edad, o hacer plegarias similares.

✔ Incluir en las palabras a sus hijos, si se tienen, o a sus sobrinos. Éste también puede ser para ellos el día más grande de su vida, (al menos por un tiempo), y quizás permanezcan cerca de ustedes más tiempo que cualquier otra persona, recordándoles los momentos de su boda.

✔ Incluir un rito o poema de la cultura propia o de alguna cultura que se admire.

✔ Los votos deben redactarse de forma amena y positiva. Se debe evitar usar todo estilo excesivamente sentimental.

✔ Lo importante es crear un diálogo, no dos monólogos.

✔ Recordar a los familiares fallecidos, poniendo un ramo de flores en la ceremonia, escogiendo un pasaje musical en especial o simplemente pronunciando unas palabras en memoria de estas personas.

No se debe olvidar que si la boda se celebra en una iglesia o una sinagoga, la libertad con que se contará para variar los votos matrimoniales será más bien escasa. Si de cualquier modo se tendrá alguna libertad para redactar los votos, será importante comunicar al oficiante las ideas que se piensan desarrollar, con el fin de evitar cualquier malentendido por algo que se diga y que el celebrante considere ofensivo o irrespetuoso.

Aunque al crear textos propios está bien tomar en cuenta el lado cómico y divertido de la vida, no debe olvidarse que éste es un momento solemne. Años después, querrán recordar calurosamente las palabras que ambos se dijeron y no sentirse terriblemente avergonzados por ellas. Si existen dudas, conviene basarse en las palabras tradicionales que se han dicho las parejas a través de los siglos:

✔ *Libro de la oración común:* Yo, [nombre] te recibo a ti [nombre] como mi legítima esposa/como mi legítimo esposo de hoy en adelante, ora mejore o empeore tu suerte, seas más rica/rico o más pobre, ora sana/sano, ora enferma/enfermo, para amarte, y cuidarte hasta que la muerte nos separe, según la santa ordenanza de Dios; y de hacerlo así te doy mi palabra y fe.

✔ **Religión católica:** Yo, [nombre], te recibo a ti, [nombre], como esposo/esposa y me entrego a ti, y prometo serte fiel en la prosperidad y en la adversidad, en la salud y en la enfermedad, todos los días de mi vida.

✔ **Matrimonio civil:** Yo, [nombre], te recibo a ti, [nombre], como mi legítima esposa/legítimo esposo. Ante estos testigos, me comprometo a amarte y cuidar de ti hasta que la muerte nos separe. Te acepto con tus faltas y tus fortalezas, y me ofrezco a ti con mis faltas y fortalezas. Te brindaré mi apoyo cuando así lo necesites, y buscaré el tuyo cuando yo lo necesite. Te elijo como la persona con quien pasaré mi vida.

Aunque la liturgia clásica del matrimonio judío no incluye votos matrimoniales, muchos rabinos hoy en día, en deferencia de la tradición cristiana de decir "Sí, acepto", han añadido votos de compromiso a la ceremonia, luego del intercambio de las argollas.

Hoy en día existen tantas variaciones de votos matrimoniales como parejas casadas. El lenguaje abarca desde el estilo prosaico hasta el místico. En diversos libros y fuentes de internet se pueden encontrar ejemplos de votos matrimoniales. A continuación presentamos algunos ejemplos que les pueden servir de inspiración para crear sus propios votos:

✔ Nuestro milagro reside en el camino que hemos escogido juntos. Yo, [nombre], me entrego a este matrimonio sabiendo ambos que la verdadera magia del amor no es evitar los cambios, sino afrontarlos con éxito. Comprometámonos ante el milagro de trabajar juntos para que cada día sea como ha de ser.

✔ Respetándonos mutuamente, nosotros nos comprometemos a vivir nuestra vida juntos por el resto de nuestros días. Yo, [nombre] te pido que compartas este mundo conmigo, en la prosperidad y en la adversidad. Sé mi compañero/compañera y yo seré la tuya/el tuyo.

✔ Hoy pasamos de "yo" a "nosotros". [Nombre], toma esta argolla como símbolo de mi decisión de unir mi vida con la tuya, hasta que la muerte nos separe. He venido hoy a este lugar para encontrarme contigo; de este mismo lugar partiremos juntos.

✔ Hoy, yo, [nombre], uno mi vida a la tuya no sólo como esposo/esposa, sino como tu amigo/amiga, amante y confidente. Déjame ser la persona en quien busques apoyo, la roca sobre la que descanses, el compañero/la compañera de tu vida. Contigo seguiré mi camino desde este día en adelante.

Para más inspiración, se pueden buscar otros ejemplos de votos matrimoniales en la red. Muchos sitios proporcionan ejemplos de votos comunes sin costo alguno. Otros ofrecen a las parejas el servicio de personalizar el texto para su ceremonia a un costo establecido. *Belief-*

Net (www.beliefnet.com) cuenta con una selección útil de ejemplos de votos, llamada "Wedding Vows Exchange" [Intercambio de votos matrimoniales], en la que las parejas hacen un recuento de la ceremonia de su boda y aportan cientos de ideas en las cuales basarse.

Ideas para lecturas

Al escribir el texo para la ceremonia, se puede pensar en incluir poemas, escrituras sagradas, textos de canciones, citas memorables u otras lecturas de particular significado para los contrayentes. Podríamos llenar cientos de tomos y discos compactos si reprodujéramos acá las posibilidades concretas que existen. En lugar de esto, daremos algunas guías generales que se pueden explorar:

- ✔ **Textos sagrados:** El Génesis, El Cantar de los Cantares, el Talmud, Corintios 1, Romanos, el Evangelio según San Juan, el Evangelio según San Mateo, Efesios, Salmos, Confucio, el I Ching.

- ✔ **Literatura:** *El principito*, de Antoine de Saint-Exupéry; libros de Kahlil Gibran; *Almas gemelas*, de Thomas Moore; *El arte de amar*, de Erich Fromm.

- ✔ **Poesía:** Elizabeth Barrett Browning, Shakespeare, Shelley, Marge Piercy, Walt Whitman, Carl Sandburg, E. E. Cummings, T.S. Eliot, John Donne y muchos otros.

Si se tiene pensado asignar a familiares o amigos el honor de leer un pasaje en la ceremonia, los elegidos deben contar con tiempo suficiente para escogerlo (si es el caso), aprenderlo y practicarlo, de modo que la lectura fluya fácilmente.

Si la pareja ha escrito sus propios votos, que además incluyen un pasaje o un poema largo, estos se pueden escribir en tarjetas de archivador y pedir a alguien que esté al lado frente al altar durante la ceremonia que las guarde en un bolsillo hasta que llegue el momento de leer el texto.

¡Todos a sus puestos!: hora del ensayo

Los ensayos, en lugares en donde esto se acostumbra, no sólo permiten que la boda se desarrolle como previsto; también contribuyen en gran medida a bajar el nivel de ansiedad de los integrantes del cortejo nupcial. Si el cortejo cuenta con niños, el ensayo les mostrará lo que deberán hacer. (Pensándolo bien, también por esto los adultos necesitan ensayar).

El hecho de que se les dé a los miembros del cortejo un itinerario para la boda en el ensayo puede exasperar a algunos de ellos (ver el capítulo 7), e incluso instarlos a hacer bromas sobre el "maniático" y "psicorrígido" que escribió una hoja tal. Estas personas son generalmente las mismas que piden una nueva copia una hora antes de la ceremonia y que se aferrán a ésta como si fuera un amuleto de vida.

Un ensayo rápido

En Estados Unidos, el ensayo se hace la noche antes de la boda, de ser posible en el lugar en donde se realizará la ceremonia. Para una boda judía ortodoxa o conservadora, el ensayo puede hacerse más temprano en la semana o unas horas antes de la ceremonia, de modo que no interfiera con el *Sabbath*. El ensayo debería hacerse suficientemente entrada la tarde para acomodarse a las personas que vienen de trabajar, pero también lo bastante temprano en la noche como para poder preparar la comida de despedida o cena prematrimonial (si se usa) que seguirá a continuación. Éste no es el momento de planear una coreografía para el ensayo. Con un itinerario bien organizado, el ensayo no debería tomar más de 45 minutos, incluso si la ceremonia es bastante elaborada. Si muchas de las personas que asistirán al ensayo no se han visto hace mucho tiempo, se debe incluir tiempo adicional para los saludos y el chismorreo.

Generalmente en el ensayo en la iglesia o la sinagoga están presente el oficiante y la persona encargada de la capilla, que guía a cada miembro del cortejo en lo que él o ella debe hacer. Si el oficiante ha participado en el ensayo, se le debe invitar a la cena de despedida. Un oficiante que es el párroco o rabino de la familia también debe estar invitado a la recepción. Se puede pedir al oficiante presidir la acción de gracias antes de comenzar la cena o al rabino hacer la oración tradicional ante el pan. No ha de olvidarse, sin embargo, que los rabinos ortodoxos y conservadores quizás no asistan a una cena que no sea *kosher*, incluso si se les prepara un plato especial para ellos. Para evitar cualquier situación embarazosa, valdrá la pena aclarar esto con ellos antes de invitarlos.

Si la ceremonia se realizará en un lugar popular en donde también se llevan a cabo otros tipos de eventos, es importante reservar el cupo para el ensayo lo más temprano que se pueda en la planeación de la boda. Con anticipación, el administrador del lugar puede guardar el cupo u organizar los demás eventos de modo que la hora para un ensayo corto de la boda quede reservada.

Si la boda se hará en un hotel o una casa de banquetes, lo más probable es que el jefe de banquetes sea quien coordine la hora del ensayo para uno. Esta tarea también puede corresponder al asesor de bodas. Si no es posible hacer el ensayo en el lugar en donde se realizará la ceremonia, habrá que improvisar otro lugar de ensayo. Éste puede ser el sitio donde se realizará la cena de despedida. En este caso, se debe planear terminar el ensayo con suficiente tiempo antes de la cena para poder asistir a ésta adecuadamente. Al organizar las sillas para el ensayo, se debe dejar un espacio para el ala central, de modo que los participantes sepan dónde deberán colocarse, con qué persona entrarán a su lado y en qué orden lo harán.

Al organizar las sillas en un sitio para la ceremonia distinto de un establecimiento religioso, hay que cerciorarse muy bien de dejar suficiente espacio en el ala del medio. El ancho del ala se debe revisar varias veces, contando con la asesoría del jefe de banquetes. La ceremonia se arruinaría por completo si la novia, con traje amplio y sus padres de cada lado, por ejemplo, no cupiera bien entre las sillas porque se dejó un espacio muy angosto entre ellas.

A menos que se haya contratado al organista de la iglesia para tocar la música en la ceremonia, planear para que los músicos que tocarán en la ceremonia toquen también en el ensayo puede resultar extremadamente costoso. Por fortuna, no es indispensable contar con la música de la ceremonia para ensayar las entradas de los miembros del cortejo. Si de cualquier modo estarían más tranquilos haciendo el ensayo con música incluida, se puede utilizar un casete con la música de la ceremonia, y pedir a alguien que lo ponga según lo previsto para las entradas de las procesiones de entrada y de salida.

Se debe poder hacer una seña visual a los participantes para que ellos sepan en qué momento deben entrar en la procesión. Una posibilidad es hacerles esperar hasta que la persona de adelante haya llegado hasta una determinada fila de bancas. Si no se tiene un asesor de bodas, se debe nombrar un director para que éste dé las entradas a los músicos y a los miembros del cortejo.

Repasar las reglas y expectativas para llevar a cabo la ceremonia

Ensayar la procesión de entrada y de salida una vez es más que suficiente. Sólo habrá que asegurarse de que la persona encargada de dirigir el ensayo para una ceremonia que no se hará en un establecimiento religioso tome también en cuenta los siguientes detalles:

✔ Dar la pauta para que la música de introducción comience cuando los invitados empiecen a llegar, entre 15 a 30 minutos antes de la ceremonia. Al finalizar la ceremonia, la música debe continuar hasta que la última persona haya salido del lugar, o hasta que comience la música de la recepción, si ésta última es en un lugar contiguo al de la ceremonia.

✔ Instruir a los auxiliares para que atiendan y dirijan a los invitados, en lugar de quedarse todos en un rincón. El personal auxiliar debe poder indicar en dónde quedan los baños y cómo llegar al lugar de la recepción.

✔ Mostrar al personal auxiliar durante el ensayo cómo sentar a los invitados, e instruirlo para que dirija a quienes no tienen puestos reservados a los puestos inmediatamente detrás de estos. Se debe advertir a los auxiliares que las personas son tímidas y que si no se les muestra dónde sentarse, las filas delanteras podrían quedar vacías, lo que sería desconcertante para los novios.

✔ Si habrá niños en el cortejo nupcial, antes de la ceremonia debe mostrárseles dónde está el baño.

✔ Hoy en día no se acostumbra reservar más que las dos o tres primeras filas de asientos para la familia y los amigos más cercanos. Puesto que muchas parejas de novios invitan ambos a sus familiares y allegados, no es necesario que el personal auxiliar de la boda pregunte a los invitados, "¿Del lado de la novia o del novio?"

✔ Al llegar al altar o el *bima* judío, la novia debe dar su ramo de flores a la madrina o a algún familiar cercano, de modo que pueda tener las manos libres durante la ceremonia. Si usa guantes, debe quitárselos antes del intercambio de las argollas y dárselos a un miembro de la comitiva para que se los guarde. Esta persona debe acordarse de devolvérselos antes de que comience la procesión de salida.

Cómo sentar a los invitados

Para una ceremonia en un establecimiento no religioso, en que no es preciso seguir una serie de normas estrictas, los puestos y el altar se pueden organizar de diferentes formas. Por ejemplo, los novios pueden mirar al público en el momento de intercambiar los votos. También se pueden organizar los puestos en semicírculo, haciendo cada fila atrás más corta que la de adelante. Para esta organización debe dejarse un ala a través, en el centro, lo suficientemente ancha como para el doble del número de personas que van a pasar por ahí. (El ala debe tener el mismo ancho a ambos lados).

Para la organización de los puestos en una iglesia, la distancia entre cada fila de asientos debe ser de un metro. Las filas no deben ser muy largas para facilitar la entrada y salida de las personas. Si se hacen filas largas, conviene crear una o dos alas extras a través para que los invitados pudieran entrar y salir cómodamente. Las filas largas de asientos inevitablemente hacen que las personas deban pararse para dejar entrar a los que se sientan en el medio. ("Perdón. Perdón. Perdón. Lo siento, ¿le pisé?") También es importante formar las filas con números pares de asientos, pues frecuentemente las personas se sientan en parejas.

Cuando no se han demarcado los puestos con tarjetas formales para sentar a los invitados o con una cinta que reserve determinados asientos para ciertos invitados, los auxiliares de boda son quienes dirigen a los invitados preferenciales a los puestos reservados. La cena de despedida es generalmente una buena oportunidad para presentar a los invitados especiales a los auxiliares de la boda. Una vez en la ceremonia, las personas no considerarán muy educado hacer saber a los auxiliares que a ellas se les ha asignado un puesto reservado. Por esta razón, es importante dejar saber a los auxiliares con anterioridad quiénes son los invitados especiales, pues de lo contrario las filas reservadas podrían quedar vacías durante la ceremonia. También se pueden demarcar los puestos reservados con tarjetas pequeñas e informales.

✔ Las personas que estarán de pie durante la ceremonia deben relajar las rodillas. Si las rodillas se contrajeran por permanecer de pie ante el altar durante un periodo de tiempo prolongado, el oxígeno no fluirá en la sangre y podría producirse un desmayo.

✔ Los testigos y las damas de honor deben verse tranquilos y contentos durante la procesión hacia el altar.

✔ Las puertas de entrada de muchas iglesias y sinagogas suelen ser grandes y pesadas. Una persona (usualmente el sacristán o la persona encargada del establecimiento) debe estar junto a las puertas para abrirlas a la entrada y nuevamente al comenzar la música de la procesión de salida. Sería incómodo que los novios tuvieran que detenerse ante las puertas, empujar para abrirlas y luego aguardar a que alguien las mantuviera abiertas.

✔ Si la ceremonia se realiza en una casa privada o un lugar en donde hay teléfono, éste debe ponerse en silenciador o desconectarse durante la toda la ceremonia.

✔ Si no se cuenta con un coordinador que dirija la entrada y salida de vehículos que llegarán para la recepción, se debe designar a alguien de confianza para que cumpla esta función.

Seguir el orden del programa

El programa de la boda cumple varios propósitos: es un maravilloso recuerdo del evento, una forma atenta de atender a los invitados y un folleto que muestra a las personas el orden de los eventos de la ceremonia.

Muchos establecimientos religiosos proporcionan el programa a las parejas; en otros casos, ellas mismas hacen su propio programa. De cualquier modo, el oficiante o la persona encargada debe revisar el programa antes de mandarlo imprimir. Los programas pueden ser sencillos o elaborados, fotocopiarse en papel normal o grabarse en papel grueso de tarjeta, caligrafiarse o imprimirse en letra de imprenta, o llevar diseños decorativos, cintas y color. Un diseño típico de impresión para un programa de cuatro páginas (cubiertas delantera y posterior y dos páginas interiores) incluye:

✔ **Cubierta delantera:** Nombre de los novios —"Ceremonia de casamiento de Carlota y Carlos", por ejemplo— junto con la fecha y el lugar de la ceremonia. La cubierta puede incluir un elemento decorativo como un sello de familia, un logo personal, un dibujo a mano de una flor, un boceto en tinta del lugar de la ceremonia o cualquier otra imagen significativa para los contrayentes.

✔ **Página interior izquierda:** Los nombres de todos aquellos relacionados con la ceremonia: el oficiante o los oficiantes, los novios, sus padres y los padrinos y parientes más cercanos. Muchas veces, además de los nombres, se escribe también el parentesco o relación que tienen con los novios.

✔ **Página interior derecha:** La ceremonia paso por paso, incluyendo la música y las lecturas.

✔ **Cubierta posterior:** Si el espacio lo permite, se puede incluir un poema especialmente significativo para los novios, un verso o una plegaria. Éste también es un buen espacio para agradecer a la familia y los amigos; recordar a un ser querido, familiar o amigo fallecido; proporcionar información sobre el sitio de la recepción, o dejar saber cordialmente a los invitados que el uso de cámaras de video o cámaras con flash no está permitido.

En un programa más elaborado, con bastantes páginas, los agradecimientos a la familia y los amigos se inscriben normalmente en la cubierta interior. En las páginas interiores se puede incluir un programa más detallado, particularmente si muchos de los invitados desconocen algunos de los ritos de la ceremonia: por ejemplo, los momentos de responder en la Misa Nupcial. Quizás quieran incluir las traducciones de pasajes en idiomas extranjeros; el texto de las lecturas, canciones, plegarias o bendiciones, o las descripciones de los ritos tradicionales de una religión o cultura, de ciertas costumbres o de tradiciones militares. Aparte de incluir nuevamente detalles sobre el sitio de la recepción, no se debería dar más información en el programa que lo que los invitados necesitan saber sobre el cronograma para el día de la boda (ver el capítulo 7).

Los detalles sobre la música en el programa deben incluir información sobre la pieza introductoria, la música de la procesión de entrada, las piezas o canciones interpretadas durante la ceremonia (junto con el número de los himnos) y la música de salida. También se deben listar los nombres de los solistas y los músicos, y dejar saber quién interpreta qué.

La figura 10-1 muestra un programa típico para una ceremonia católica. La figura 10-2 muestra cómo puede ser la estructura de un programa para una ceremonia judía reformista.

Qué se puede arrojar a los novios

Soltar globos de helio hacia el cielo y verlos perderse en las nubes es muy romántico, pero esta práctica no es muy favorable para el medio ambiente. Como los globos terminan desinflándose, caen al suelo como basura, quedan engarzados en los árboles o caen en los ríos y los mares, contaminando el hábitat de animales como ballenas, pájaros y delfines, que corren el riesgo de morir al tragarlos. El arroz también se ha dejado de arrojar porque se expande en el estómago de los pájaros y otros animales, afectándoles gravemente. Si realmente se quiere que algo les sea arrojado a los novios, puede ser semillas para pájaros, pétalos de flores o pompas de jabón.

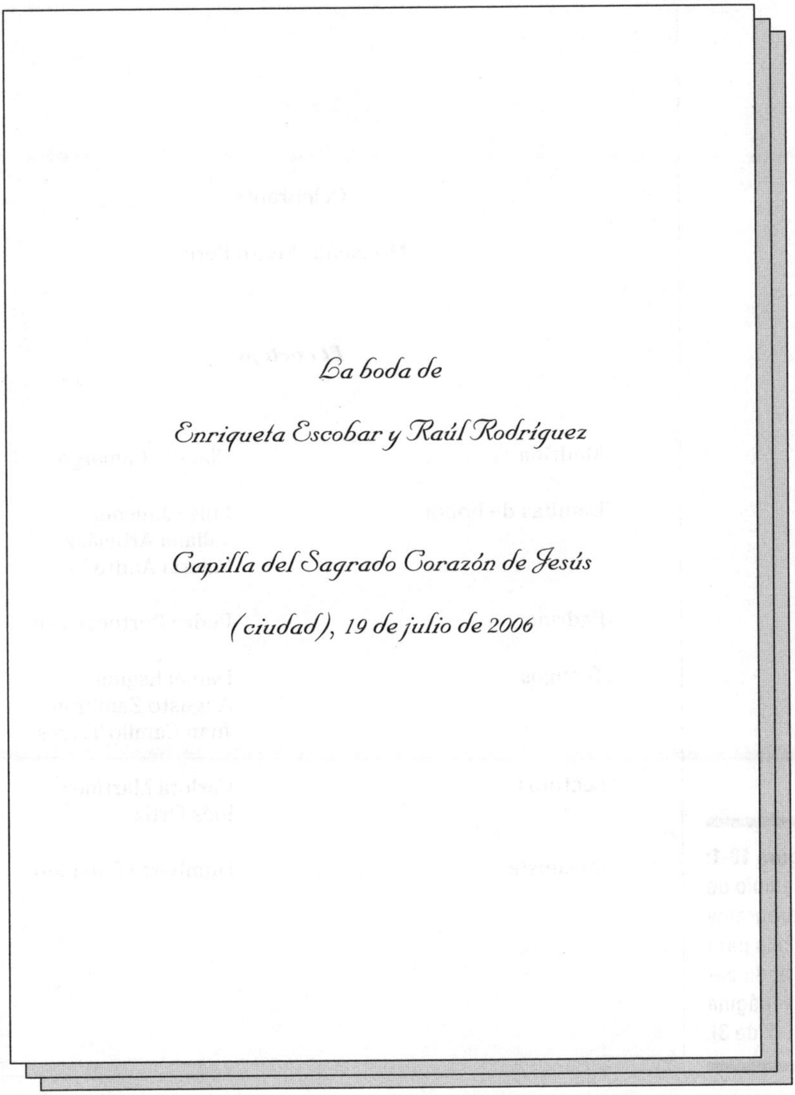

La boda de

Enriqueta Escobar y Raúl Rodríguez

Capilla del Sagrado Corazón de Jesús

(ciudad), 19 de julio de 2006

Figura 10-1:
Ejemplo de
un programa
sencillo para
una boda ca-
tólica (página
1 de 3).

Celebrante

Monseñor Pedro Pérez

El cortejo

Madrina	Claudia Camargo
Damitas de honor	Luisa Jiménez Juliana Arbeláez Valeria Andrade
Padrino	Pedro Portocarrero
Testigos	Daniel Esguerra Augusto Zambrano Juan Camilo Torres
Lecturas	Carlota Martínez Inés Ortiz
Organista	Humberto Caballero

Figura 10-1: Ejemplo de un programa sencillo para una boda católica (página 2 de 3).

Ceremonia de matrimonio
Verónica y Pablo
Sábado 12 de noviembre de 2006 – 11 am.
Iglesia Santa María de los Angeles

Programa musical
Entrada del novio:
Concierto para dos trompetas   *Antonio Vivaldi*

Entrada de la novia:
Música del agua   *Georg Friedrich Haendel*

Kyrie:
Kyrie (Misa de la Coronación)   *Wolfgang Amadeus Mozart*

Salmo responsorial:
Alleluya (El Mesías)   *Georg Friedrich Haendel*

Ofertorio:
Ave María   *Charles Gounod*

Sanctus:
Sanctus (Misa en do mayor)   *Franz Joseph Haydn*

Elevación:
Adagietto (5° Sinfonía)   *Gustav Mahler*

Saludo de paz:
Agnus Dei   *Georges Bizet*

Comunión:
And the Glory of the Lord   *Georg Friedrich Haendel*
Canon   *Johann Pachelbel*

Firma del acta:
Con te partiró (Por ti volaré)   *Quarantotto / Sartori*

Salida novios:
Marcha Pompa y Circunstancia   *Edward Elgar*

Figura 10-1:
Ejemplo de un programa sencillo para una boda católica (página 3 de 3).

Boda de

Bebe Rebecca Kerfuffleberg

e

Isaac Ezra Blandstein

Sábado
30 de octubre de 2005

La Sinagoga
(ciudad)

Figura 10-2:
Ejemplo de
programa para
una boda judía
reformista (pá-
gina 1 de 4).

Para nosotros es muy grato poder compartir este día con tantos de nuestros amigos y familiares. Hemos incluido en la ceremonia varios rituales tradicionales de gran belleza. Esperamos que esta pequeña explicación, que hemos tomado en parte de un folleto escrito por el rabino Katzenberg, les permita a todos los invitados comprender más a fondo y participar del significado de nuestra celebración.

Bebe e Isaac

Procesión de la boda

Rabino Felipe Katzenberg
Cantor Marco Tonalman

Tatiana Kerfuffleberg	Abuela de Bebe
Adán Kerfuffleberg	Primo de Bebe
Betty Meyer	Abuela de Isaac
Samuel Meyer	Abuelo de Isaac

Damas de honor y edecanes

Helena Kerfuffleberg	Prima de Bebe
Julián Meckler	Amigo de colegio de Isaac
Sara Rubinstein	Amiga de universidad de Bebe
Andrés Wagenberg	Amigo de universidad de Isaac
Tora Ashkenazy	Prima de Bebe
Abraham Goldstein	Primo de Isaac

Testigo

Miguel Blandstein	Hermano de Isaac

Isaac caminará hacia la Jupá con sus padres Marco y Tamara.

Matrona de Honor

Mimi Kerfuffleberg	Hermana de Bebe

Bebe caminará hacia la *Jupá* con sus padres Teodoro y Roberta.

Figura 10-2:
Ejemplo de programa para una boda judía reformista (página 2 de 4).

Ceremonia de casamiento

El matrimonio judío no es un matrimonio sólo entre dos personas, entre su familia y un círculo de amigos; es una ocasión de celebración para toda la comunidad judía. No significa sólo la felicidad de la pareja, sino también la posibilidad de esta pareja de hacer un mundo mejor por medio de la virtud de su unión.

El matrimonio de Bebe e Isaac se anunció en un Aufruf durante el servicio del Sabbath en la Sinagoga de (ciudad), el 15 de septiembre de 2005. Bebe e Isaac fueron llamados al *bima* y les fue dado el honor de leer ante el Torah.

Antes de la ceremonia, Jaime Kerfuffleberg (hermano de Bebe) y Daniel Blandstein (tío de Isaac) firmaron la licencia de matrimonio como testigos. Federico Solomon (tío de Bebe) y David Blandstein (primo de Isaac) firmaron como testigos la Ketuba (contrato judío de matrimonio). La Ketuba fue un concepto revolucionario, que protegía el derecho de la novia y obligaba al esposo a cuidar del bienestar de ella.

La boda se realiza bajo la Jupá, que simboliza el hogar que Bebe e Isaac formarán juntos. La Jupá no tiene paredes; el matrimonio se incia sólo con el techo, y Bebe e Isaac construirán los muros con amor y amistad. La Jupá está abierta en todos sus lados para recibir siempre con alegría a la familia y los amigos.

Con la ceremonia del vino se hace una bendición de *birkat erusin* o una bendición nupcial, seguida de otra bendición en señal de alabanza a Dios, quien unió a Bebe e Isaac. Bebe e Isaac beberán el vino de la misma copa, simbolizando así la vida que compartirán juntos de este día en adelante.

Luego vendrá el intercambio de las argollas. La tradición judía requiere que los anillos sean de una pieza entera de metal, sin adornos que rompan la continuidad de la argolla, representando así la unidad del matrimonio y la esperanza de que la unión no se deshaga nunca. Bebe llevará el anillo que su tatarabuela llevó al casarse hace 96 años. Isaac le pondrá el anillo a Bebe en el dedo índice derecho y dirá las palabras de casamiento: "He aquí, te casas ante mí con este anillo, como lo dicta la ley de Moisés y de Israel". Luego Bebé le presentará una argolla a Isaac y dirá: "Pertenezco a mi amado y mi amado me pertenece".

Luego se leerá la Ketuba, que se presentará a Bebe. Una vez terminado el canto de las siete bendiciones nupciales —el *sheva b'rachot*— la pareja beberá de una segunda copa de vino.

Al concluirse la ceremonia, Isaac romperá una copa de vidrio con el pie. Esta antigua práctica tiene varias interpretaciones. La más común es que nos recuerda la destrucción del templo sagrado de Jerusalén y las muchas pérdidas que ha sufrido el pueblo judío. Otra explicación es que el amor, como el cristal, es muy frágil y si no se protege y se rompe, es muy difícil de reconstruir después. (Agradecemos especialmente a la artista Linda Fishbein por la hermosa copa de cristal en color que nos ha hecho para la ceremonia, y de la cual haremos una *mezuza*).

Yichud (seclusión): Inmediatamente después de la ceremonia, Bebe e Isaac dejarán la Jupá y pasarán sus primeros minutos de casados solos en un lugar privado.

Figura 10-2:
Ejemplo de programa para una boda judía reformista (página 3 de 4).

Queridos familiares y amigos,

Nos sentimos muy felices y agradecidos de que todos ustedes puedan estar hoy aquí con nosotros. Somos muy afortunados de tener una familia y unos amigos tan maravillosos como ustedes. Gracias por ser una parte tan especial de nuestra vida.

Queridos padres,

Gracias por el amor y el apoyo que nos han dado durante todos estos años. Verdaderamente tenemos mucha suerte de que ustedes sean no sólo nuestros padres, sino también nuestros mejores amigos.

Queridos miembros del cortejo,

Ustedes son parte muy importante de nuestra vida. Gracias a todos por ser tan buenos amigos a lo largo de los años y por hacer parte de este día tan especial.

En este momento recordamos especialmente a nuestros queridos abuelos, Jerónimo Kerfuffleberg y Bianca Blandstein.

Figura 10-2:
Ejemplo de programa para una boda judía reformista (página 4 de 4).

Capítulo 11

Arreglos florales

. . . .

En este capítulo

▶ Decorar un establecimiento religioso

▶ Dar un estilo propio a un ramo de flores

▶ Preparar la decoración floral para la recepción

▶ Hacer arreglos personales

. . . .

Son raras las excepciones en que las flores no sean el elemento decorativo predominante de una boda. Incluso quienes no son expertos en horticultura saben apreciar el simbolismo y la elegancia que traen consigo las flores. Y aunque "aquello que llamamos una rosa con cualquier otro nombre tendría el mismo aroma exquisito", un ramo de flores de tallo largo ligeramente atadas refleja una intención enteramente diferente a la de un adorno de pétalos minuciosamente arreglados con alambre para simular la apertura de una rosa.

Lo importante es encontrar a un o una florista que sepa interpretar las ideas que se tienen para todos los arreglos, incluidos los de la ceremonia, la recepción y los personales. Antes de comenzar a entrevistar a varios o varias floristas, es importante saber qué tipo de flores se quiere utilizar para la boda. Para ello, se pueden mirar diferentes revistas (no sólo las especializadas en bodas) y pegar en una pancarta de recortes las fotografías de salones que reflejan un ambiente similar al deseado. Si en una fotografía ven un arreglo que les gusta particularmente y se menciona en ella el nombre del decorador o decoradora, se puede anotar para comentarle a el o la florista; él o ella puede conocer el tipo de decoración que hace este diseñador o diseñadora, e inspirarse en ese estilo para hacer los arreglos de la boda. No se necesita ser el presidente o la presidenta del club de jardinería para escoger los colores de las flores, la intención que han de reflejar o el estilo que debe seguir la decoración, por ejemplo, un estilo romántico, moderno o rococó. Lo importante es tener una idea general de la decoración y luego, buscar las flores que se conformen a este ideal.

Encontrar una florista estupenda

Al escoger a la florista (aunque los floristas pueden ser de ambos sexos, aquí utilizaremos el género femenino para simplificar) indicada para la boda, es importante pedir recomendaciones a amigos, editores de revistas locales de bodas y decoración o a otros especialistas. En la entrevista conviene ver fotografías de arreglos florales y de la decoración de bodas o eventos para los cuales la florista proporcionó las flores o hizo la decoración floral.

He aquí algunas preguntas que conviene hacer:

✔ ¿Ha trabajado la florista antes en el lugar en donde se realizará la boda? Si no lo ha hecho, ¿visitará el lugar antes de presentar una propuesta?

✔ ¿Qué elementos de decoración, tales como manteles, materas y otros objetos extras similares, puede suministrar la florista? ¿Qué cosas será preciso alquilar y quién se encargará de hacerlo?

✔ ¿El ambiente de la floristería o espacio de trabajo de la florista es agradable?

✔ ¿Sus ideas son originales? ¿Cómo responde la florista a las sugerencias que se le hacen? ¿Se interesa por los recortes de fotografías que se le muestran?

✔ ¿Cómo sustituiría la florista otra clase de flores si las encomendadas originalmente no estuvieran disponibles debido a circunstancias imprevistas?

✔ ¿Presentará una muestra de centro de mesa o de decoración para las mesas?

✔ ¿Cuáles son sus tarifas mínima y máxima para el costo total del trabajo?

✔ ¿Qué tan pronto presentará la propuesta?

✔ ¿Cómo son sus métodos de pago?

✔ ¿Considera realista el presupuesto que ustedes han fijado para la decoración floral? Si no lo considera, ¿cuánto considera la florista que pueden costar los arreglos para la ceremonia y la recepción?

Durante la conversación, se debe estar atento a todo cuanto responda la florista. Si el punto de vista de ustedes es enteramente diferente al de ella, no vale la pena que ni ella ni ustedes inviertan más tiempo en el asunto. Lo mejor en este caso será proseguir con una nueva búsqueda.

Ceremonias con aroma

Si no tienen muchos conocimientos sobre flores, pero saben qué les gusta cuando lo ven, pueden iniciar la búsqueda en Google. Para ello, basta con entrar al buscador de internet www.google.com y escribir palabras de búsqueda tales como **flores, ramo de novia, rosas** y luego hacer clic sobre las imágenes que aparecen y que llevan a más enlaces. Se puede imprimir una imagen en particular, o enviar la dirección del enlace o URL por internet a la florista.

Para una búsqueda más completa, también se puede consultar el sitio www.aboutflowers.com, patrocinado por la *Society of American Florists* [Sociedad Norteamericana de Floristas] y en el cual se encuentran prácticamente todas las flores del mundo.

Decorar el lugar de la ceremonia

Ya sea el lugar para la ceremonia una antigua iglesia, un peñasco cubierto de hiedra junto al mar o un estudio de fotografía, éste requerirá de flores para la boda. La decoración del lugar quizás implique arreglar con muy poco un sitio ya de por sí majestuoso, o tal vez resaltar su elegancia con la decoración, o bien transformar un lugar secular en un espacio apropiado para una ceremonia de casamiento.

Al visitar el lugar de la ceremonia con su florista (o asesor de bodas), pensar en el orden de los eventos de la ceremonia les ayudará a planear la decoración. ¿Qué verán los invitados, por ejemplo, al entrar en el espacio? ¿Cómo se verá el espacio desde donde ellos se sentarán? ¿Dónde se instalarán los músicos? ¿Por dónde entrará el cortejo nupcial? ¿Por dónde saldrán todas las personas? Tomando en cuenta la configuración del espacio, se podrán resaltar ciertas partes según cómo se arreglan y dejar sin decorar los rincones menos importantes.

Para las ceremonias en exteriores, por ejemplo, debe tomarse en cuenta el espíritu de naturaleza de un campo abierto. En efecto, adornar un jardín con telas y tul le restaría al alma campestre del lugar y sería más bien una utilización poco efectiva de este material.

Algunos expertos consideran que las flores utilizadas para la *jupá* judía o el altar de la iglesia deben cumplir una doble función y trasladarse rápidamente del lugar de la ceremonia al de la recepción. Esta artimaña, sin embargo, se complica cuando ambos eventos se realizan en lugares separados. El costo de ordenar más flores para la decoración se puede comparar con el costo que implicaría transportar los arreglos florales para ambos eventos de la boda. Si la cantidad de dinero que se ahorrara fuera considerable, entonces se podría determinar con el florista cómo organizar los arreglos de modo que su reaparición fuera menos obvia.

Cuando la boda se realiza en un establecimiento religioso, como una iglesia o una sinagoga, por lo general hay una persona encargada de la administración del lugar que especifica cuáles son las normas de decoración y verifica que éstas se cumplan. Esta persona también deja saber en qué momento se puede comenzar a arreglar el lugar y cuándo se debe levantar la decoración del sitio. Las reglas para la decoración en los establecimientos religiosos pueden ser muy estrictas. Muchas veces, por ejemplo, las iglesias exigen que se usen para los arreglos florales sus propios candeleros o los floreros que utiliza el establecimiento para el altar y las alas de las bancas. Así mismo, antes de transportar los arreglos del altar para cumplir su doble función en la recepción, es importante verificar las reglas del establecimiento. Algunas iglesias consideran que las flores deben ser una donación para el uso y goce de la congregación.

Si la iglesia o sinagoga ha coordinado otro evento para antes o después del de ustedes, se puede pensar en repartir el costo de la decoración con la pareja que ofrecerá el otro evento. Por lo general las personas encargadas de la organización de bodas en estos establecimientos gustosamente ponen en contacto a las parejas en cuestión.

Los adornos para las bancas

Las extremidades de las bancas junto al ala central pueden llevar arreglos tan sencillos como moños de cinta o arreglos de rosas más elaborados, por lo general cada dos o tres filas de bancas, y montarse sobre pedestales individuales o en floreros sujetados a las bancas.

Las flores del altar o el bima

Los altares normalmente llevan arreglos a cada lado. De lejos, las flores delicadas se ven menos, de modo que este tipo de arreglos deben hacerse con flores grandes. Las hojas verdes funcionan muy bien como ornamentación, al dar un espíritu ligero y vaporoso al conjunto entero. Como la luz en las iglesias tiende a ser escasa, para éstas normalmente se utilizan flores de colores tenues o vivos, aunque la tonalidad debe ser uniforme. Los arreglos florales deben hacer resaltar a los novios y todo cuanto les rodea, sin atraer toda la atención hacia las flores mismas.

Al decorar el altar o bima, es importante tomar en cuenta el espacio. Cubrir el altar de una preciosa y pequeña capilla de campo con una cantidad de flores gigantes suficientes para llenar la catedral principal de una ciudad tendría poco sentido. La personalidad del establecimiento religioso debe mantenerse, incluso con la decoración más elaborada.

Otras partes que se pueden decorar con flores

En una iglesia, la pila bautismal puede parecer el elemento preciso para dar el toque a la decoración, aunque es bueno averiguar primero si ésta se puede decorar. Si se puede hacer, regar pétalos de diferentes colores en la fuente de agua o adornar su base con guirnaldas llenará el lugar de encanto, como también sucederá adornando las ventanas con coronas de flores o con plantas en la parte exterior de las mismas.

Adornar con una guirnalda el marco de una puerta principal, una baranda o una reja de entrada indica el camino a los invitados que vienen en automóvil y los acoge a su llegada.

La jupá

Aunque la boda judía debe celebrarse bajo la *jupá* (ver el capítulo 10), la religión no establece normas con respecto al tamaño o tipo de decoración a los que el dosel debe conformarse. Normalmente, la *jupá* es una tienda abierta a los cuatro lados que se fabrica especialmente para la boda. La *jupá* puede sostenerse bien sobre bases firmes e independientes o construirse para ser llevada y sostenida durante la boda por cuatro personas en cada esquina a quienes la pareja concede este honor.

La *jupá* puede ser muy sencilla y hermosa, y hacerse fácilmente como se muestra en la figura 11-1. Ésta puede constar de un toldo de significado especial para la pareja, como un *talit,* o manto de rezo, obsequiado al novio por la novia y su familia, o bien de un manto finamente bordado en encaje con símbolos relativos al matrimonio u otras imágenes de la escogencia de los novios.

Se puede galardonar cada lado de la *jupá* con una cenefa ligeramente suelta y sujetada a las terminaciones o remates de los postes. La *jupá* también puede ser muy elaborada. Ésta se ha hecho últimamente bastante popular, al llevarse a cabo muy a menudo las bodas judías o las bodas con dos personas de diferente religión en lugares con servicio de planta externo o en las salas de baile de los hoteles. En casos como estos, la *jupá* parece flotar por encima de la congregación entre telas de tul y arreglos de flores y hiedra, suspendida por cables de alambre invisibles. En otros casos, descansa sobre canastas de hojas, y en las columnas lleva adornos de guirnaldas de vistaria y hojas secas, simulando un ambiente de campo.

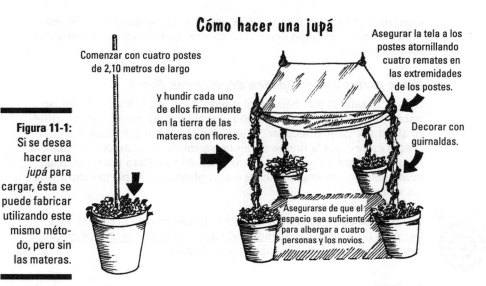

Cómo hacer una jupá

Comenzar con cuatro postes de 2,10 metros de largo

y hundir cada uno de ellos firmemente en la tierra de las materas con flores.

Asegurar la tela a los postes atornillando cuatro remates en las extremidades de los postes.

Decorar con guirnaldas.

Asegurarse de que el espacio sea suficiente para albergar a cuatro personas y los novios.

Figura 11-1: Si se desea hacer una *jupá* para cargar, ésta se puede fabricar utilizando este mismo método, pero sin las materas.

Si el manto de la *jupá* se hace a mano o se manda hacer elaboradamente con el propósito de que se pase entre generaciones en la familia, éste puede colgarse después sobre la cama (como forma de simbolizar el significado original del toldillo); también se puede enmarcar o colgar en la pared luego de la boda.

Es importante pensar en el tamaño que tendrá la mesa sobre la cual el oficiante pondrá la copa de vino, el vino y el libro sagrado bajo la *jupá,* así como en el mantel que cubrirá la mesa. Si el auxiliar del rabino pusiera un manto de color rosado fuerte sobre la mesa, éste podría atraer la mirada sólo hacia ese punto, arruinando el efecto que se había buscado crear con la decoración.

Al desenrollar la alfombra nupcial

Muchos servicios de limosina y floristas incluyen como aditamento de cortesía en el servicio un tapete de entrada para la ceremonia en papel. Aunque quizás éste resista al desenrollarlo antes de comenzar la ceremonia, seguramente luego de que la novia haya caminado hacia el altar, se deshará por completo. Las alfombras en lona o tela son bastante más resistentes y duraderas, y se pueden adornar fácilmente y a bajo costo con un estarcido en los bordes. Si se duda acerca de utilizar o no la alfombra, se puede prescindir de ella.

Las flores personales

Las *flores personales* son aquellas que conforman el ramo de la novia y la flor que lleva el novio en el ojal de la solapa o *boutonnière;* también son las flores que llevan los miembros del cortejo en sus manos o como accesorio de su vestido, así como los miembros de la familia u otras personas a quienes la pareja desea conceder este honor. Generalmente los hombres escogen la flor que desean llevar como *boutonnière* para el día de su boda, muchas veces con preferencias específicas. Para las damitas de honor, es claro que el ramo que llevan en su camino hacia el altar es parte indispensable del traje.

Se debe especificar a la florista el lugar al cual se deben enviar las flores personales, junto con una marca para cada flor con el nombre de la persona que la portará. Esto evitará que por equivocación uno de los testigos use para su solapa el hermoso botón destinado para la damita de honor.

La novia y el cortejo nupcial

A principios del siglo XX, la novia y sus damitas de honor llevaban ramos tan elaborados que les era casi necesario ayudarse de un carro pequeño para cargarlos hasta el altar. Los ramos pueden ser espectaculares, pero no deben desviar nunca la atención hacia ellos mismos; la atención debe concentrarse en la novia antes que en el ramo. Como accesorio, el ramo debe complementar el vestido, así como la figura de la novia. Los ramos de las damitas de honor no tienen que ser necesariamente una versión miniatura del ramo de la novia, pero sí pueden ser arreglos pequeños sumamente elaborados.

Una hermosa terminación para los ramos, aunque algo costosa, son los moños atados al tallo, en cintas imitación antigua, organza o cinta con borde de metal. Una de nuestras combinaciones preferidas es hacer cada ramo para las damas de honor en un color vivo y diferente para cada una y atarlo con un moño de lazo del mismo color del ramo.

Durante años, se consideró que el ramo de la novia para una boda formal debía ser sólo uno: rosas, estefanotis y lirios. Hoy en día, este concepto ha dejado de ser válido. Incluso en las ceremonias muy formales, las novias llevan ahora *bouquets* de diferentes flores, formas y colores.

A pesar de su belleza y encanto, las flores pueden hacer estragos en el atuendo si no se preparan primero cuidadosamente. Antes de entregarlas a los miembros del cortejo, deben darse a una persona encargada para que revise que estén secas y, de ser necesario, corte los estambres que pudieran manchar los trajes.

Conviene llevar el ramo con los codos doblados y agarrándolo de modo que quede a la altura del ombligo. Así mismo, la novia debe poder cargar el ramo cuando camine con su brazo entrelazado al del hombre que la acompañará hasta el altar, a menos que ella decida llevar un *bouquet* de desfile o presentación, que tendrá que llevar con ambas manos. Es decir, la persona con la que la novia caminará hacia el altar y la forma como caminará a su lado afectarán el tipo de *bouquet* que ella pueda llevar cómodamente en la mano. Algunos de los siguientes ejemplos de ramos se ilustran en la figura 11-2:

- ✔ **Biedermeier:** Se compone de flores circulares, arregladas en forma compacta y sostenidas por una base de alambre forrada en lazo o una base similar.

- ✔ **Cascada o fuente:** De forma clásica y elaborada, se compone de hiedra y flores de tallo largo atadas con alambre o cayendo hacia fuera para crear el efecto de una cascada.

- ✔ **Compuesto:** Ramo formado con miles de pétalos verdaderos y atados con alambre para crear una flor gigante.

- ✔ **Medialuna:** Se compone de una flor entera y un tallo de flores, para lo cual se usan generalmente orquídeas que se unen con alambre para dar la forma de una manija, que se lleva con una mano. El ramo en medialuna puede llevar la forma de un círculo entero, de un mediocírculo con una flor en el centro y retoños de flores cayendo de los lados, o de una media medialuna, la cual lleva sólo un tallo de cola.

- ✔ **Para lanzar:** Un ramo que se hace especialmente para lanzarlo de modo que la novia pueda guardar el verdadero como recuerdo. El ramo para lanzar no tiene que ser una copia exacta del original.

- ✔ **Presentación:** *Bouquet* de desfile constituido por flores de tallo largo y que se lleva con ambas manos.

- ✔ **Ramillete:** Es una versión más pequeña del ramo pequeño. Generalmente lleva además cintas y flores de seda.

- ✔ **Ramo en vaso pequeño:** Ramillete característico del siglo XIX, con un pequeño vaso de metal como base para llevar en la mano. Muchas veces lleva atada una cadenita para poderlo sujetar más fácilmente.

- ✔ **Ramo pequeño:** Es redondo (aproximadamente de 40 a 45 centímetros de diámetro) y lleva flores, hojas verdes y ocasionalmente espigas de hierbas, todas atadas con alambre o pita.

En lugar de un ramo, también se pueden hacer arreglos creativos de menos flores tales como:

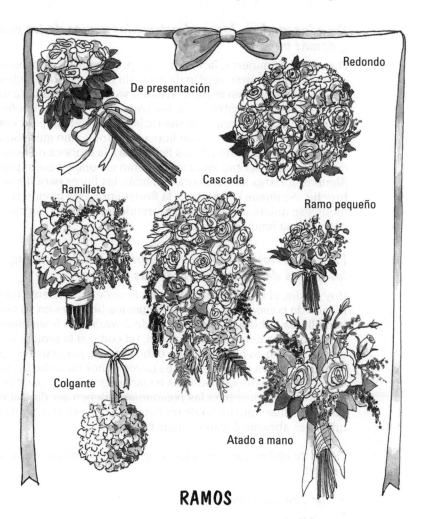

Redondo

De presentación

Cascada

Ramillete

Ramo pequeño

Colgante

Atado a mano

Figura 11-2:
La forma y el tipo de ramo son tan importantes como la clase de flores de que se compone.

RAMOS

✔ Un libro de rezo usado antiguamente en la familia y decorado con flores.

✔ Una sola flor de tallo largo, tal como una rosa, o un lirio blanco o amarillo.

✔ Una corona de flores para el pelo.

✔ Un sombrero arreglado con flores frescas.

✔ Una hebilla, cinta o diadema para el pelo cubierta con un lazo o moño de flores.

✔ Un borde en flores para el velo o el reborde del vestido.

Para las madres, las madrastras, las novias de los padres y demás mujeres

Para muchas mujeres, llevar una flor-prendedor de adorno es el equivalente a teñirse el pelo de azul, sin hablar de los agujeros que los alfileres hacen en la ropa. Existen varias alternativas a los prendedores de flores, entre éstas, los *bouquets* en vaso pequeño, estilo siglo XIX, que se llevan en la mano; las flores para sujetar con alfiler a la cartera; o las pulseras de flores, que son como guirnaldas miniatura, pero diferentes de las flores para la muñeca de la mano, las cuales pueden ser tan incómodas como el *bouquet* estilo prendedor. Algunas floristas hacen ahora con imán las flores para llevar como broche. Se puede preguntar a la florista por esta opción si de todos modos se quiere encargar flores-prendedor para las mujeres que tendrán alguna función en la boda.

Para el novio, los testigos y padrinos, los padrastros, los novios de las madres y demás hombres

Hoy en día, el novio ya no tiene que llevar estrictamente un clavel blanco de *boutonnière* como lo hacían los hombres en su fiesta de bachilleres. Ahora, el hombre puede llevar como *boutonnière* una flor igual a las del ramo de la novia, tal como si la tomara de ahí para poner en su ojal. El novio debe escoger para sus testigos y los demás hombres a quienes desea hacer honor en su boda las *boutonnières* de su gusto, que además hagan juego con el traje de cada hombre. Las flores para las *boutonnières* deben ser de una clase que no se marchite luego de un tiempo o con el calor, y que resistan múltiples abrazos durante largas horas.

Flores de ojal que se pueden escoger como sustituto de las acostumbradas:

- ✔ Flor de aciano
- ✔ Bellotas
- ✔ Rosas de colores vivos adornadas con espigas de hierbas
- ✔ Fresas salvajes montadas sobre una hoja de la misma planta
- ✔ Hojas combinadas de hiedra, helecho y pino
- ✔ Una flor de hortensia con tallo

Terminar una *boutonnière* de tipo común con un anudado de cinta vistosa y en un estilo novedoso puede volver este adorno para la solapa extremadamente elegante.

La *boutonnière* debe llevarse en la solapa izquierda y sujetarse con el alfiler por la parte trasera de la solapa, de modo que éste no quede a la vista.

Es aconsejable ordenar un número extra de *boutonnières*, dado su bajo costo y también porque es posible que algunas no sobrevivan a los abrazos bien intencionados que sus portadores reciban de los invitados. También es bueno tener unas cuantas flores extras para los hombres que no se hayan contado originalmente.

Toques para los pequeños

Los accesorios para las damitas (o para las niñas en general) deben hacerse de un tamaño adecuado para su edad. En efecto, no se esperaría ver a la damita llevar con dificultad una flor prácticamente más grande que ella. He aquí algunas alternativas sencillas que se pueden escoger en lugar de la tradicional canastilla de flores:

✔ **Diadema:** Cinta o corona de ramas para la cabeza, adornada con botones de flores.

✔ **Guirnalda:** Corona de varas de abedul cubiertas de flores que pueden llevar dos o más niños y niñas en fila. Los niños se ven preciosos llevando este arreglo, además de que les da unidad.

✔ **Aro:** Zurco formado con varas de enredadera y cubierto a través con flores, para formar una especie de tambor que se lleva a la mano.

✔ **Ramo colgante:** Esfera en polietileno, cubierta de lazo y tul y acabada en flores, que cuelga de la muñeca (ver la figura 11-2).

Los pétalos frescos pueden ser resbaladizos. Si en la procesión se contará con niños y niñas que rieguen pétalos de flores en el camino al altar delante de los demás adultos miembros del cortejo, es importante instruirlos sobre la forma de regar los pétalos, a cada lado del camino y no en el centro, por donde alguien podría caer.

El accesorio principal del paje de las argollas es la almohadilla de los anillos, la cual puede estar confeccionada en materiales finos, tales como raso, seda, terciopelo o tela de torzal. Muchas veces los bordes de la almohadilla se terminan en bordado o en seda, con adornos de flores o borlas. Los anillos se anudan a las cintas cosidas al cojín. Aunque este pequeño cojín es sumamente especial, al pajecito puede atraerle más llevar una flor en la solapa como la de los testigos.

Formas de hacer los ramos

Son muy pocas las veces en que con las solas flores se puede hacer un arreglo. Normalmente, crear decoraciones elaboradas e incluso arreglos sencillos requiere una ingeniosa habilidad. A continuación se muestran algunas formas de hacer arreglos de flores, los cuales tienen diferentes costos.

✔ **Atado de alambre individual:** Los tallos se cortan y se fijan con cinta a tiras de alambre, para así hacer las flores más manejables. A las hojas verdes, tal como la hiedra, se les debe perforar primero un agujero pequeño con un alambre fino de plata. Este procedimiento es complicado y dispendioso, y por tanto bastante costoso.

✔ **Arreglo en recipientes para las flores:** Los recipientes para las flores, de plástico y en forma de cono con un asa para agarrarlos, se llenan primero con espuma floral diluida en agua. Luego se meten las flores en los recipientes.

✔ **Atado en racimos:** Ramos naturales de flores atados con un lazo, que se ven preciosos con un atado de tejido tipo francés o terminados con un moño. Para un estilo más natural, los tallos se pueden dejar a la vista.

Aconsejamos no poner los anillos verdaderos en la almohadilla de las argollas. Para proteger el ego del niño, se pueden anudar al cojín dos argollas falsas y planear para que el padrino de bodas los desate normalmente. Los anillos verdaderos los llevará consigo en realidad el padrino o la madrina de bodas.

Recepciones fragantes

Como el elemento ornamental más importante del lugar de la recepción, las flores quizás constituyan la mayor parte del presupuesto de la boda destinado para la decoración. (Para una descripción más detallada de cómo decorar el lugar de la recepción, ver el capítulo 17.) Además de que las flores son generalmente costosas, éstas deben igualmente seleccionarse, prepararse, transportarse y arreglarse para el evento, lo cual puede significar una suma considerable de dinero adicional. Para que las flores conserven su aspecto fresco y su color durante toda la recepción, éstas no pueden arreglarse sencillamente en un florero. Primero se deben preparar, quitando a los tallos las espinas, anteras, estigmas y hojas extras (para evitar que se pudran en el agua y produzcan mal olor), así como cortando las puntas de los tallos y preparando estos con alambre. Si se desea que la decoración conste de rosas abiertas, éstas deben estar abiertas en la medida correcta. Incluso la apariencia de unas flores cortadas al natural y puestas en un florero en casa implica trabajo. También para lograr una apariencia natural debe hacerse primero un estudio previo.

Cómo hacer magníficos arreglos florales

Según muchos anfitriones, los centros de mesa no deberían sobrepasar el nivel de la mirada de las personas. Aunque con frecuencia la florista y el cliente suelen tener ideas opuestas sobre este tema, es justo tener en cuenta que las personas por lo general conversan con la persona que está a su lado, más que con la que está enfrente.

Claro está, las personas siempre querrán al menos poder sonreír a los otros al otro lado de la mesa. Sin embargo, a nuestro parecer, si los centros de mesa son livianos y abiertos, estos no obstruirán la vista por completo. Lo importante es no poner un seto de alheñas miniatura que dividan la mesa de un lado a otro, por ejemplo... Puesto que cada vez se usan más a menudo mesas de diferentes tamaños y formas para una misma recepción, los decoradores hacen así mismo arreglos florales de distintos tamaños y formas que se adapten a las diferentes mesas de la fiesta.

Si definitivamente se quiere que la decoración de la mesa no obstruya la vista, se puede usar la distancia del antebrazo al codo para medir el alto de los arreglos. Al poner el codo sobre la mesa, subiendo el antebrazo de modo que éste quede perpendicular a la mesa con los dedos extendidos, los centros de mesa bajos no deberían sobrepasar la punta de los dedos (más o menos 35 centímetros) y los centros de mesa altos, en los que las flores sobrepasan el nivel de la mirada, deberían comenzar a partir de esta altura.

Se pueden utilizar flores de relleno, tales como las flores comunes y las hojas verdes, para complementar los arreglos en las partes donde sea necesario. Idealmente, el relleno de hojas verdes se conforma con las hojas que se han quitado a los tallos de las flores mismas y se utiliza únicamente para complementar el arreglo o disimular el montaje que se ha usado para darle altura y aire, tal como espuma floral, estructuras de alambre, cinta pegante, alambre y tubos con alambre. En un arreglo de centro de mesa, sea éste sencillo o elaborado, estos materiales no deben quedar nunca a la vista.

Hoy en día, los centro de mesa para las recepciones de las bodas no siguen una línea de diseño floral establecida (ver la figura 11-3). Ahora, los decoradores arreglan el salón basándose en los diferentes colores, tipos de flores y estilos para cada mesa. Algunas de ellas pueden constar de arreglos bajos y velas pequeñas, y otras, de centros de mesa altos y velas largas. También es común que se usen para las mesas manteles de tipos de telas y colores diferentes.

Cómo decorar los centros de mesa

Existen diferentes estilos y tipos de arreglos entre los cuales escoger:

✔ **Para llevar:** Arreglo de un número vario de exquisitos ramilletes de flores, cada uno en un pequeño florero y juntados de tal modo que formen un ramo gigante. Al finalizar la fiesta, cada persona de la mesa toma un pequeño florero para llevarse consigo de recuerdo. (En el intermedio de cada plato, cuando la pareja pasa saludando a los invitados de cada mesa, les deja saber que los floreros son para que cada persona lleve uno consigo).

✔ **Candelabro:** Candelero de cuatro o seis brazos, en los que se colocan velas largas. Las flores se colocan a la altura de la mirada en una vasija alta en el centro del candelabro.

✔ **Pecera o globo:** Copas de vidrio redondas que se llenan de flores, tales como rosas, y que hacen un buen centro de mesa bajo.

✔ **Jardín:** Una combinación abundante de flores y follaje, tales como rosas y zarcillos de hiedra, que simulan un jardín en el medio de la mesa. Las hojas verdes pueden tapar por completo el objeto en el que se ha hecho el arreglo, que en este caso podría ser poco vistoso, o dejar ver al menos un tanto del objeto, que podría ser una bonita cesta o una jarra con un motivo o diseño.

✔ **Ikebana:** Arte japonés de ordenar los objetos en el espacio tomando en cuenta sus proporciones y relación armoniosa entre sí.

✔ **Estilo *pavé*:** Estilo de decoración europea en que se cortan únicamente las cabezas de las flores, dejando muy poco del tallo, y en que se arreglan luego los pompones de flores en grupos compactos. Funciona muy bien para las mesas de *buffet,* así como para los centros de mesa.

✔ **Naturaleza muerta:** Arreglos que además de flores contienen frutos y vegetales de colores vivos, como espárragos, alca-

Arreglos florales
para los centros de mesa

Figura 11-3:
Hoy en día se utiliza más de un estilo para los centros de mesa.

chofas, grosellas, manzanas rojas y verdes, uvas, col, naranjitas pequeñas, nueces, o frutos de temporada o de estación.

✔ **Arreglo combinado:** Puede ser un marco de metal en forma de esfera, o una forma más compleja, como un cupido, el cual se recubre con hiedra cortada al ras de la forma, o puede ser también un árbol de formas combinadas, hecho con esferas de polietileno, recubiertas de musgo y terminadas con flores, frutas, cintas y otros adornos.

Adornar el área de la orquesta o el borde de la pista de baile ambos con flores no es generalmente una buena opción en qué invertir el dinero, puesto que estos arreglos deben quitarse cuando la música comienza.

El decorador o decoradora de la boda y el pastelero deben ponerse en contacto en un momento dado para coordinar, por ejemplo, que las flores de pasta de azúcar de la torta sean del mismo estilo que las de los centros de mesa o las del ramo de la novia. Si la torta lleva flores verdaderas, la florista necesitaría saber de qué colores será el pastel y cuál será su forma para poder suministrar las flores.

Alternativas para arreglos

Quizás uno de los elementos más costosos de la decoración floral sea la mano de obra. Si la novia cuenta con el tiempo y la destreza manual necesarios para hacer ella misma los arreglos (o tal vez con la ayuda de un grupo numeroso de amorosas tías ávidas por participar en la decoración de la boda), quizás decida hacer el trabajo. Para reducir los costos, también se puede pedir a la florista que se base en diseños más sencillos que requieran de menos trabajo o de un menor número de flores para su creación.

A continuación, sugerimos métodos para hacer arreglos con menos flores pero siempre llamativos:

✔ Crear los centros de mesa con elementos diferentes a las flores. Por ejemplo, globos de vidrio con manzanas verdes y hiedra, platos de tres pisos decorados con uvas de diferentes clases, calabacines miniatura y bellotas, o arreglos sobrios y muy elegantes, como los arreglos de ikebana. Puesto que la decoración del salón incluye la totalidad de las mesas, alternar entre unas muy ornamentadas y otras más sencillas no restaría armonía a la decoración.

✔ Hacer arreglos con floreros de vidrio de forma cilíndrica, llenándolos de manzanas, limas o limones, y terminándolos con flores.

✔ Utilizar los manteles que provee la casa o el servicio de banquetes, como los manteles de base para las mesas, y encima decorar con una carpeta de color, que haga juego con el mantel, o con una carpeta de tela más elegante.

✔ En lugar de hacer un arreglo de flores combinadas, se puede hacer un arreglo con plantas en materas pequeñas, tales como belloritas, pensamientos, violetas africanas y una orquídea para hacer el arreglo un poco más alto, puestas todas éstas sobre un plato de barro para matera grande, cubierto de musgo.

✔ Decorar la mesa del pastel con pétalos de flores y hojas verdes en lugar de flores.

✔ Decorar la mesa de las tarjetas para sentar a la mesa con plantas en materas pequeñas como hierbas o plantas de flores, o con pétalos regados al estilo de una alfombra, en lugar de un florero grande y elaborado.

✔ Resaltar la decoración sencilla de una mesa con manzanas o peras a las cuales se les ha quitado la tapa y el relleno, y se ha puesto dentro una vela plana en forma de disco (o una vela de altar). Rociar con jugo de limón la parte de la fruta cortada para evitar que ésta se torne café.

✔ Plantar flores de tallo grueso (atándolas con alambre si fuera necesario), tales como gérberas, girasoles o lirios, en materas pequeñas de barro altas o redondas, llenas de espuma floral diluida en agua, y tierra o musgo.

✔ Atar las servilletas con un moño, lazo o rafia y añadir al adorno una ramita de hiedra, romero o una flor de bajo costo. Cuando la decoración de la mesa entera se conforma de diferentes elementos llamativos, se hace menos necesario incluir un centro de mesa.

En lugar de flores, la decoración de los baños puede constar de velas de olor arregladas con una ramita de hiedra o romero.

Guardar las flores como recuerdo

Si la novia decide guardar para sí su ramo y no lanzarlo, puede recurrir a los siguientes métodos para conservarlo:

✔ **Secado al aire libre:** El ramo (y si se desea también la *boutonnière*) se cuelga hacia abajo en un espacio oscuro y ventilado, separando las flores por clases para obtener mejores resultados.

✔ **Secado en frío:** Con este procedimiento profesional, los colores de las flores se preservan mejor que secándolas al aire libre. Las flores se pueden montar luego en una esfera de vidrio o en una caja translúcida.

✔ **Preservación con desecantes:** Método artesanal sencillo pero demorado mediante el cual se sumerge el ramo en gel de sílice, que se consigue en las tiendas de productos para hacer manualidades.

✔ **Potpurrí:** Las flores se secan y se quitan los pétalos, a los que se añaden fragancias de aceites, hierbas y especies. Estos se conservan en un frasco cerrado al vacío que se agita una vez al día durante seis semanas.

Como gesto de generosidad, muchas parejas piensan en obsequiar las flores de su boda a un hospital local. Éste es un bonito detalle, pero en realidad no muchos hospitales desean recibir las flores. Sin embargo, si realmente se desea hacer una obra de caridad, se puede acordar con el hospital antes de la boda el lugar y la hora en que han de enviarse ramos pequeños y bien arreglados una vez terminada la recepción. El costo de este envío debe negociarse previamente con la florista. Otra posibilidad es convenir con la florista que un asistente suyo envuelva las flores de los centros de mesa y otros arreglos de la boda al final de la recepción en arreglos individuales para que los invitados se lleven uno consigo como recuerdo del evento.

Capítulo 12

Música para casarse

*L*a música de la boda le da el tono a la ceremonia. Por esta razón, el tipo de piezas que se va a tocar se debe escoger cuidadosamente, al igual que los demás aspectos de la ceremonia. En este capítulo damos sugerencias para diversos tipos de ceremonias, así como guías para crear su propia selección musical para la boda.

Están tocando nuestra canción

Aunque de gran belleza, ciertas piezas del repertorio clásico se tocan tanto en las ceremonias de casamiento que han ido perdiendo su calidad inspiradora. Aun así, esto no significa que no se puedan incluir en la selección musical de la boda. La clave está en encontrar el grupo de músicos idóneo. Si estas piezas no son de su gusto, pueden comenzar buscando selecciones clásicas de música para matrimonio en CDs y casetes. Si buscan algo diferente, pueden expandir su conocimiento musical oyendo otro tipo de selecciones. Por ejemplo, se pueden oír compositores como Handel, Marcello y Quantz.

Antes de decidirse por una pieza musical que guste sobremanera, es importante asegurarse de que ésta se pueda tocar en órgano solo o que el grupo de músicos que se ha contratado para la boda la pueda interpretar. Es posible que algunas de las piezas que se escojan requieran de una orquesta entera para su interpretación o de instrumentos específicos que no hacen parte del conjunto que ha sido contratado para la boda.

Si la boda se realizará en un establecimiento religioso, es aconsejable obtener de éste una lista de la música sugerida o aprobada para tocar en el recinto. No debe suponerse que aunque la música seleccionada conste de piezas clásicas, éstas concuerden con la guía musical proporcionada por la iglesia. En muchas iglesias cristianas, incluir la "Marcha nupcial" de la ópera *Lohengrin* de Wagner como parte de la procesión de entrada y la "Marcha nupcial" de Mendelssohn para la procesión de salida es parte esencial del servicio, como lo es el intercambio de votos matrimoniales. Por el contrario, muchas iglesias no permiten incluir estas piezas en la ceremonia porque las consideran de carácter secular y no religioso. Muchas sinagogas tampoco permiten que se incluyan estas piezas puesto que Mendelssohn se convirtió al cristianismo y Wagner fue notablemente antisemita.

Las cinco partes de la música para la ceremonia

Normalmente la ceremonia de casamiento consta de cinco partes musicales:

✔ **El preludio o la introducción:** Suena durante 15 a 30 minutos antes de la ceremonia, mientras los invitados entran y toman sus puestos. Esto se debe tomar en cuenta cuando se escoja la música: es decir, si se busca un tono alegre, solemne o religioso para las pasajes musicales. En algunos países la música sólo empieza a sonar en el momento en que entra la novia.

Si la música de la introducción no ha de obeceder a normas específicas, ésta puede incluir un sinnúmero de posibilidades no tradicionales como, por ejemplo, un trío de voces, un solista operático, o un cuarteto especializado en tocar versiones clásicas de las canciones de los Beatles. Algunas parejas deciden incluir su propia selección de música grabada como alternativa a las tradicionales piezas de matrimonio. Piezas favoritas de jazz que incluyen desde Duke Ellington hasta Ella Fitzgerald o Nat King Cole crean un ambiente romántico desde el principio, manteniendo entretenidos a los invitados mientras esperan a que comience la ceremonia.

✔ **La procesión:** Esta música establece el ritmo de procesión de los miembros de la comitiva. El ritmo debería ser lo suficientemente andante para proceder los miembros del cortejo a un paso natural. Frecuentemente una pausa anuncia la entrada de la novia, acompañada de un son de trompetas.

Si se es una pareja ambiciosa, se puede planear la música de tal modo que ésta cambie para cada etapa de la procesión.

Así, una pieza puede corresponder a la entrada de los testigos, y otra, a las de las damas de honor y la madrina, seguida de una pausa antes de la entrada decorosa de la novia. Sin embargo, los músicos o el DJ deben tener gran destreza y habilidad para que este arreglo se lleve a cabo sin complicaciones.

✔ **La ceremonia:** La pareja puede decidir en qué momentos de la ceremonia ha de tocarse la música, o intervenir el coro o el solista. Estos pueden ser antes de una lectura o en el momento de prender las velas de unidad. (Para las ceremonias religiosas, el oficiante es quien determina en qué momento se tocan las piezas musicales y la selección de éstas).

Los invitados deben poder oír adecuadamente tanto las palabras de los lectores como la música de la ceremonia. Para ello, es importante asegurarse de que los novios, el oficiante, los lectores y los músicos se escuchen adecuadamente. Dependiendo del lugar de la ceremonia, debe usarse un micrófono de base o bien instalar micrófonos en el lugar o proporcionarlos a los participantes.

✔ **La procesión de salida:** Esta música, al concluirse la ceremonia, debe ser alegre y triunfal. De cualquier modo, por lo general siempre es más fuerte y más rápida que la música de entrada. Para ésta se puede escoger una selección de música *gospel* interpretada por un coro efusivo; una canción de rock, de la escogencia de la pareja, grabada y apropiada para la ocasión; o incluso un grupo de gaitas. Cualquier pieza funcionará siempre que sea de espíritu jubiloso y de celebración, y que alegre a los invitados a su salida.

✔ **El postludio:** Continuación de la música, alegre y de celebración, que hace sentir a los invitados que son parte de la ceremonia hasta que todos han salido del lugar de la misma.

Un solista, un coro o algo intermedio

Organizar la música para la ceremonia es un proceso que consiste en encajar unas cosas con otras. Para ello han de escogerse las piezas musicales, el momento de tocarse éstas y a los intérpretes. Aunque algunas combinaciones simplemente no funcionarían (por ejemplo, una pieza para trompeta sola de Clarke arreglada para guitarra sola), muchas obras musicales pueden adaptarse para ser interpretadas por diversos estilos de grupos musicales.

Al seleccionar las piezas para la ceremonia, es importante tomar en cuenta el número de músicos que se está en capacidad de pagar y el equipo que requieren. A continuación se muestran posibilidades para conformaciones de grupos musicales:

✔ **Coro pequeño:** Se conforma generalmente de tres o cuatro cantantes sin acompañamiento instrumental. Es muy animado y alegre.

✔ **Solista:** Un cantante con acompañamiento instrumental o coral de tres o cuatro voces.

✔ **Coro:** Mínimo seis cantantes con acompañamiento instrumental.

✔ **Piano:** Solo o como parte de un conjunto musical, este instrumento puede ser un teclado eléctrico, o un piano de cola o de pared.

✔ **Órgano:** Este instrumento hace parte esencial de la ceremonia en muchas iglesias y templos.

✔ **Conjuntos de música clásica:** Se conforman de una gama infinita de posibilidades entre las cuales se pueden escoger diversos grupos de instrumentos (ver algunos ejemplos en la tabla 12-1).

✔ **Pequeñas orquestas:** Conjuntos de seis o más instrumentos, tales como un cuarteto de cuerdas doble o un cuarteto de cuerdas, órgano y flauta.

✔ **Conjunto de jazz:** Trío o cuarteto conformado por una o varias guitarras, un bajo y una batería.

✔ **Música grabada:** Casete o CD que se toca en un equipo de sonido.

Los conjuntos de música clásica son los más populares para una boda. Si se desea ahorrar dinero, se puede preguntar a los músicos de la recepción si podrían tocar en la ceremonia a una tarifa extra por hora.

Tabla 12-1

Tipo de conjunto	Instrumentos
Dueto	Flauta y violín; violín y violonchelo; dos violines; arpa y flauta; flauta y guitarra
Trío	Arpa, flauta y violonchelo; violín, flauta y piano; dos violines y una flauta
Cuarteto de cuerdas	Cuatro violines; dos violines y dos violas; dos violines, una viola y un violonchelo

Tipo de conjunto	Instrumentos
Cuarteto de vientos	Flauta, clarinete, oboe y fagot
Cuarteto de cobres	Dos trompetas, trombón y corno o tuba
Quinteto	Cuarteto de cuerdas y piano; cuarteto de cuerdas y arpa

Si se planea realizar la ceremonia al aire libre, los intérpretes de música clásica —en especial los arpistas— solicitarán que se proporcione algún tipo de espacio cubierto que los proteja del sol. Puesto que sus instrumentos son tan costosos, incluso la posibilidad más remota de que pudiera lloviznar a kilómetros de distancia del lugar de la ceremonia haría que el o la arpista se abstuviera de tocar a menos que pudiera hacerlo dentro de una edificación o una carpa.

Menús musicales a la carta

Dependiendo del tipo de ceremonia que se celebre, ésta podría incluir diferentes tipos de música para determinados momentos. A continuación, se muestran ejemplos de selecciones musicales para diferentes tipos de ceremonias religiosas.

Católica

En la tabla 12-2 se muestra un ejemplo de programa para órgano de iglesia y solista.

Tabla 12-2	Ejemplos de selecciones musicales para una ceremonia católica
Acción	**Música**
Preludio	Órgano: "Jesus, Joy of Man's Desiring" (Bach) "Oda a la alegría" (Beethoven)
Los padres del novio se sientan; la madre de la novia se sienta; el novio, el padrino y el sacerdote toman sus puestos en el altar	Órgano: *Preludios y fugas para órgano* (Bach)
Se da comienzo a la procesión de entrada; los testigos avanzan; las damas de honor avanzan, luego lo hace la madrina	Órgano: "Marcha del Príncipe de Dinamarca" (Clark)

Acción	Música
Prosiguen la novia y su padre	Continúa la "Marcha del Príncipe"; la música suena más fuerte
La Comunión	La congregación con el organista: "Oración del Señor" Organista: "Señor de la esperanza" (Struther); "Panis Angelicus" (Franck)
Se enciende la vela de unidad	Organista: "When Thou Art Near (Bist Du Bei Mir)" (Bach)
Ofertorio a la Virgen María	Solista: "Ave María" (Shubert)
Procesión de salida	Órgano: "Trumpet Tune" [Pieza para trompeta sola] (Purcel)
Postludio	Órgano: "La Rejouissance" (Handel); "Rondeau" (Mouret); "Aria" (Peeters)

Protestante

En la tabla 12-3 se muestra una manera tradicional de coordinar el orden de las piezas musicales con el órgano de la iglesia y un cuarteto de cuerdas para una ceremonia en una iglesia protestante. Aunque en este ejemplo no se muestra, el servicio protestante también puede incluir una versión cantada de la "Oración del Señor", así como una pieza para voz o instrumentos en el momento de encender las velas de unidad.

Tabla 12-3	Ejemplos de selecciones musicales para una ceremonia protestante
Acción	**Música**
Preludio	Cuarteto: Concierto para violín en sol menor, Op. 8 (Vivaldi); "La música del agua" (Handel); Concierto para violín en mi mayor, Op. 8, No. 1 "Primavera" (Vivaldi); Concierto Brandenburgués (Bach); "Rondeau" (Mouret)

Acción	Música
Se sientan las madres	Cuarteto: "Jesus, Joy of Man's Desiring" (Bach) [para trompeta sola] (Clarke)
La música se detiene luego de que el novio, el padrino y el oficiante toman sus puestos, y procede a continuación	Órgano y cuarteto: "Trumpet Voluntary" [Pieza para trompeta sola] de (Clarke)
Prosiguen los testigos, las damas de honor, la niña de las flores, el paje de las argollas y la madrina o matrona de honor	Continúa la "Pieza para trompeta sola" de Clarke
Se abren las puertas	Pieza pomposa para órgano solo
Proceden la novia y su padre	Órgano: "Coro de la novia, Lohengrin" (Wagner)
Ceremonia	Sin música
Procesión de salida	Cuarteto y órgano: "Marcha nupcial" (Mendelssohn)
Postludio, hasta que todos los invitados han salido de la iglesia	Cuarteto: "Sinfonía del Nuevo Mundo" (Dvorak); "Canon en re mayor" (Pachelbel); "La Rejouissance", de la *Música para los fuegos artificiales* (Handel)
Afuera de la iglesia, al salir el cortejo nupcial y los invitados	Dos gaitas: Música tradicional escocesa (aproximadamente 20 minutos)

Judía

En la tabla 12-4 se muestra una selección de las piezas musicales que pueden incluirse para una ceremonia judía realizada con todos sus componentes; muchas ceremonias pueden no incluir todos los componentes, y otras pueden constar de una selección musical menos tradicional.

Tabla 12-4   Ejemplos de selecciones musicales para una ceremonia judía

Acción	Música
Preludio	Órgano o piano: "Yedid Nefesh" ("El amor de mi alma")

Acción	Música
Cantor	Cantor: "Dodi Li" ("Soy de mi amado/a")
Procesión de entrada	Órgano o piano: "Havana Babanot" ("Mujer hermosa")
Bajo la *jupá*	Cantor: "Eshet Chayil" ("Mujer de valor") Congregación: "Niggun" (melodía sin palabras)
Procesión de salida	Órgano o piano: "Siman Tov u'Mazel Tov" ("Signo de buen presagio y buena suerte")
Postludio (y luego para la recepción del coctel)	Selecciones del Klezmer

No confesional

Una ceremonia realizada en un lugar no religioso, para la cual los novios planean el programa musical entero de acuerdo con sus preferencias personales y con total aceptación por parte del oficiante, puede tomar un carácter enteramente diferente. La tabla 12-5 muestra cómo se puede planear un programa tal, que aquí comprende un piano, una guitarra y un violín.

Tabla 12-5   Ejemplos de selecciones musicales para una ceremonia de carácter no confesional

Acción	Música
Preludio (la madre de la novia y los padres del novio se sientan al concluirse la última pieza musical)	"Camelot", "Night and Day" (Porter); "Smoke Gets in Your Eyes" (Kern) "Here, There and Everywhere" (Lennon/ McCartney); "Tema de *Chariots of Fire*" (Vangelis)
El novio, el padrino y el oficiante toman sus puestos; el padrino y la madrina proceden por el camino de entrada	Solista acompañado por el teclado y la guitarra: "In My Life" (Lennon/ McCartney)
Prosigue el resto del cortejo nupcial compuesto sólo de niños y niñas (pareja de pajes de las argollas y pareja de niñas de las flores)	Trío: "Vals de los copos de nieve", "Cascanueces" (Tchaikovsky)

Acción	Música
Prosiguen la novia y su padre	Trío: Pompa: "Tema de amor de Romeo y Julieta" (Tchaikovsky)
Luego de la introducción y las lecturas	Solista acompañado del teclado y la guitarra: "Wedding Song" (Dylan)
Procesión de salida	Grabación en CD: "Brown-Eyed Girl" (Morrison)
Postludio	Trío: "Embraceable You", "S'Wonderful" (Gershwin); "I've Got My Love to Keep Me Warm" (Berlin)

Escoger los músicos de la ceremonia

Si el establecimiento religioso provee los músicos de la ceremonia, en este caso no se necesitará de un contrato, únicamente una confirmación del tiempo que tocarán los músicos y las tarifas correspondientes a estas horas. Por el contrario, si por aparte se contratará a un solista, un cuarteto u otro conjunto musical para la ceremonia, conviene solicitar a los músicos por escrito toda la información pertinente.

Normalmente los directores de música en las iglesias y los templos poseen gran experiencia en cuanto a las posibilidades para conjuntos musicales que podrían convenir a la ceremonia, así como el tipo de selecciones musicales que el oficiante considera apropiadas. Para una ceremonia que se lleve a cabo en un lugar de índole no religioso es muy probable que se cuente con una mayor libertad para planear el programa musical. De cualquier modo, al entrevistar a los músicos para la ceremonia, se deben hacer las siguientes preguntas y tomar notas al respecto:

✔ ¿Cuentan los músicos con una grabación de su trabajo que el anfitrión pueda oír?

✔ ¿Serán los músicos de la grabación los que toquen en la ceremonia?

✔ ¿Los músicos han tocado antes en el lugar en donde se celebrará la ceremonia? Si no lo han hecho, ¿se reunirá el líder del grupo con la persona encargada del lugar?

✔ ¿Los músicos están en capacidad de guiar a la pareja en cuanto a las piezas que podría escoger para diversas partes de la ceremonia?

✔ Si se deseara que los músicos interpretaran una pieza en particular para la ceremonia, ¿podrían ellos hacerlo y a qué costo?

✔ Si además de los músicos se contratará a un solista u otro grupo musical para la ceremonia, ¿los músicos planearían ensayar con estos?

✔ ¿Cuántas horas de interpretación se incluyen en el precio base? Si la ceremonia se extiende más del tiempo programado, ¿se incluiría un tiempo extra sin costo adicional dentro de la tarifa?

✔ ¿Qué atuendo vestirán los músicos?

✔ ¿Requieren los músicos de algo en particular, tal como sillas sin brazos, luces para los atriles, o una carpa para una ceremonia al aire libre?

✔ ¿Podrían ellos asistir al ensayo de la ceremonia? ¿Cobrarían una tarifa adicional por hacerlo? *Nota:* Si la ceremonia es elaborada y se cree que las entradas de la música podrían ser complicadas, conviene negociar un precio con el conjunto para que éste (o al menos, el director del grupo) pueda estar presente durante el ensayo.

Parte IV
Una fiesta inolvidable

La 5a ola   **por Rick Tennant**

"ALLÁ ABAJO SE ESTÁN PELEANDO A MUERTE POR EL RAMO. PARECE QUE LO COGIÓ LA TÍA JUDIT... NO, AHORA LO TIENE EL TIBURÓN... AHORA JUDIT... EL TIBURÓN... JUDIT..."

En esta parte...

Guiamos al lector por el complicado proceso de planear una fiesta inolvidable. La celebración de una boda es una de las ocasiones más festivas, ya sea que se sirvan sólo cocteles y pastel, o té para 200 invitados, o un banquete formal. Mostramos aquí cómo obtener el máximo de valor por su dinero en materia de alimentos, bebidas, música y decorado –y cómo hacer con estos ingredientes una ocasión memorable.

Capítulo 13

A bailar se ha dicho

*L*os novios entran dominados por la emoción, para bailar por primera vez como marido y mujer. Por un instante les parece que el director de la orquesta pronunció mal sus nombres al presentarlos, pero no hacen caso: más les importa prepararse para ese baile que han pasado semanas perfeccionando. Con mucho ánimo rompe a tocar la orquesta y a ellos les suena un poco como el áspero carraspeo de la tía Marta por las mañanas.

Lágrimas (y ciertamente no de felicidad) les corren por las mejillas y quisieran despertar sudando frío, como tantas veces durante el último mes.

El hecho es que la música es una parte sumamente importante de la ceremonia y sin duda el elemento que fija el tono y ritmo de la recepción. Es posible que los invitados no recuerden después qué comieron, pero sí recordarán si bailaron toda la noche o si tuvieron que taparse los oídos.

Fijar el tono

Para mantener vivo el interés de los invitados y ver que la fiesta transcurra sin contratiempos, hay que planear diferentes tipos de música para distintas etapas de la recepción.

Recepciones de coctel

A medida que van llegando los invitados, se les debe recibir con música. Van entrando poco a poco, y especialmente para los primeros que llegan la música de fondo es como un tapiz sonoro que les da la bienvenida. Hay que ponerse de acuerdo con el maestro de ceremonias para situar a los músicos para el coctel de manera que no estorben las entradas y salidas ni los puestos donde están los pasabocas o el bar.

El número de músicos depende del número de invitados, pero en ningún caso deben ser menos de dos. Nadie oye un solo de flauta o de guitarra en medio del ruido de la charla que sigue a la ceremonia y el chocar del hielo en los vasos de las bebidas. Si los invitados son más de 125, hay que pensar seriamente en tres músicos.

Por lo general se puede llegar a un acuerdo con el grupo musical o la orquesta para que unos pocos toquen en la ceremonia o en los cocteles a determinado precio por músico. Aun cuando esto sea financieramente ventajoso, puede tener algunos inconvenientes desde el punto de vista musical y logístico. En primer lugar, a menos que cada uno sepa tocar algún instrumento distinto del que tocó en la cena, toda la recepción sonará igual. En segundo lugar, ya sea que el matrimonio y la recepción se celebren en el mismo aposento o en diversos lugares, los músicos tienen que cambiar de ubicación para tocar en el coctel. O se salen de la ceremonia antes que los invitados, o apenas se estarán volviendo a instalar cuando estos lleguen en busca de cocteles. Después, para la comida, los mismos músicos tienen que pasar por entre el gentío llevando sus instrumentos al comedor, a menos que se disponga de un segundo juego, cuando lo ideal sería que toda la banda estuviera ya instalada allí con 20 minutos de anticipación. Muchos ni notarán que la música ha cesado pero sí extrañarán que los músicos abandonen el salón.

Si se toca música clásica durante la ceremonia, y si el presupuesto lo permite, considérese algo distinto para la hora del coctel. Aun cuando sólo sea jazz en un tocadiscos, resulta un agradable cambio pasar de lo serio a lo festivo. Se puede pensar en las siguientes opciones:

> ✔ **Dos o tres instrumentos del grupo musical:** Éste se compone por lo general de una o dos guitarras, un teclado eléctrico y una trompeta o saxofón. Estos instrumentos son los más fáciles de pasar al salón de la recepción. Piensen en una sala de jazz: Miles Davis, Herb Alpert, Sinatra, Tony Bennett, George Gershwin, Fats Waller.

✔ **Piano y un cantante:** Si en el local hay piano o si se dispone de presupuesto para tomar uno en alquiler. Esta combinación funciona mejor con un piano de media cola. También sirve para romper el hielo. Piensen en un cabaret, al estilo de Billie Holiday o Sarah Vaughn. Hay que tener en cuenta la acústica; este dúo no debe ser tan recio que monopolice la recepción de coctel.

✔ **Algo fuera de lo común:** Las recepciones de coctel pueden resultar muy divertidas poniendo a la entrada un grupo a capella o zydeco, klezmer o doo-wop.

Al entrar los invitados al salón de la recepción

Después de los cocteles se invita a los asistentes a pasar al salón principal de la recepción, donde un DJ o un grupo musical deben recibirlos con música. Ésta debe ser animada y reconocible.

La primera pieza

El momento de bailar la primera pieza varía muchísimo. Algunos prefieren que se toque únicamente música de fondo hasta después de que se sirva el plato principal; a otros les gusta salir de la primera pieza y continuar con danzas de parejas entre uno y otro plato. En muchos lugares el baile sólo empieza después de haber terminado el almuerzo o la cena. Sin embargo, cuando la pareja se casa a una hora menos convencional, por ejemplo a las 3 p.m., es aconsejable que bailen una o varias tandas de música antes de pasar al comedor.

Hay parejas que prefieren bailar su primera pieza con música grabada, aun cuando hayan contratado una banda. Les parece que sólo el artista original puede hacer justicia a su canción, o tal vez han ensayado esa versión específica y desconfían de toda posibilidad de cambio. Si quieren usar una grabación para su primera pieza, deben calcular el tiempo con mucha precisión de manera que esa música empate sin desentonar con la de la banda que empezará a tocar para el segundo número. Naturalmente eso significa que hay que encargar a alguien de manejar el equipo de sonido y prestar atención.

Aun cuando hay incontables posibilidades para escoger esa primera pieza, las dos consideraciones principales deben ser: que la canción tenga algún significado especial para ambos novios, y que se sientan seguros de sí mismos bailando al son de ella.

Los que crean que una danza lenta consiste en permanecer abrazados estrechamente el uno al otro, deben tomar clases de baile sin pérdida de tiempo.

Tradicionalmente, se suele empezar el baile con un vals. Sin embargo, algunas parejas prefieren algo distinto. Aun cuando algunas canciones puedan parecer bien románticas para bailar su primera pieza como marido y mujer, hay que prestar atención cuidadosa a la letra – no sólo al coro – en busca de su verdadero significado, pues podría resultar inapropiado para la ocasión. "Te quiero de veras" de Olivia Newton John trata de la terminación de unos amores extra maritales; y "Yo siempre te amaré" de Whitney Houston es sobre una separación, lo mismo que "La danza" de Garth Brooks. Las baladas son especialmente engañosas.

El segundo número

El número que se toca en seguida de la danza inicial de los recién casados es para los novios con sus respectivos padres (ver la sección siguiente), y después se invita a todos los asistentes a tomar parte en el baile. Si esto resulta embarazoso por tratarse de parejas que se han divorciado, o por cualquier otra causa, se dan instrucciones a los amigos más cercanos para que entren a la pista de baile en cuanto se empiece a tocar la segunda pieza. Otros invitados con toda seguridad harán lo mismo. Si no, el director de la banda los puede invitar.

Danzas étnicas

No hay que dar por sentado que el animador o la banda tienen un repertorio completo de música tradicional o étnica. Lo más probable es que sepan tocar una que otra tonada; pero si se quiere una serie completa de danzas étnicas, como música india, deben ponerse de acuerdo con los músicos o el animador por anticipado, a fin de que tengan tiempo de buscar la música y aprendérsela.

Danza con los padres

A veces, ya sea como segundo número o más adelante en la recepción, el padre de la novia o la madre del novio pueden querer bailar una determinada tonada con su hijo o su hija. Se debe escoger algo que tenga algún significado (y ojalá no tontamente sentimental). Un padre y su hija pasaron semanas coreografiando un tango que luego ejecutaron con toda desenvoltura, con gran sorpresa y deleite de los invitados a la boda.

Solicitudes especiales

Tal vez algunos amigos de los desposados sean cantores o músicos de talento que podrían agregar a la fiesta ejecutando un número con la orquesta. No sólo necesita la orquesta estar enterada al respecto sino que debe dársele la música por anticipado. También es una buena idea que el amigo ensaye su número con el grupo musical, tal vez mientras los invitados están en otra sala tomando los cocteles.

Algunas parejas estipulan en el contrato que el director del grupo musical o el DJ no deben acceder a ninguna solicitud especial sin consultar primero con la novia o el novio. Este es un buen recurso si hay serios temores de que algunos invitados hagan solicitudes ridículas que perturben el espíritu de la fiesta. Sin embargo, se perderá algo de espontaneidad. Dejar que la naturaleza humana actúe sin trabas puede ser más divertido. Un músico de talento es capaz de evaluar el público y crear una secuencia artística.

Esto nos recuerda que la lista de lo que no se debe tocar es mucho más importante que la lista de lo que se debe ejecutar. Canciones en apariencia benignas que traen a la memoria un viejo amor, o el maestro de química que no lo quería, o una banda que se desprecia por principio, pueden amargarles a los novios la boda si el director de la orquesta no ha sido previamente advertido al respecto. También conviene comprobar el repertorio del grupo musical.

Para sorprender al nuevo cónyuge, a los invitados o a los padres, se puede pensar en que alguien cante una canción compuesta especialmente para la boda. Para encontrar algún especialista en componer canciones por encargo, se puede hacer una investigación por Internet con las palabras claves apropiadas.

Música de fondo

Aun cuando se baile entre uno y otro plato, cuando se sirve la comida la música debe ser tranquilizante, no alborotadora. Tonadas teatrales o instrumentales funcionan bien, lo mismo que grabaciones musicales por un ejecutante suave.

Al cortar la torta

Cuando llega la hora de cortar la torta de bodas, la música – una réplica de la primera pieza de baile – advierte a los invitados que algo va a suceder.

Para bailar hasta el amanecer

Si se ha contratado tanto a un grupo musical como a un DJ, o si se ha acordado que el grupo contratado toque además en las horas avanzadas de la noche (cuando muchos invitados se han ido ya), en estas horas tardías es cuando más se aconseja tocar la música más fuerte y más actual.

Contratar la orquesta

Los músicos de talento, lo mismo que las locaciones de primera, se comprometen rápidamente. No importa con cuánto tiempo de antelación comiencen a planear la boda, una de las primeras cosas que se debe hacer es buscar y contratar el grupo musical.

Antes de empezar a buscar hay que pensarlo bien. ¿Quiénes son los invitados? ¿Son todos más o menos de una misma edad o pertenecen a muy diversas generaciones? ¿Tienen los novios determinadas preferencias? ¿Qué les gusta escuchar? Es bueno averiguar qué opinan sobre la música las personas que más les interesan, como sus padres y amigos, y qué estilo de música los mantienen en el salón de baile. Hay que tener en cuenta, sin embargo, que no es posible complacer a todo el mundo. Al igual que con otros aspectos del matrimonio, los novios tienen que determinar a quiénes les interesa más complacer, y planear de acuerdo con esto.

Al contratar la música se puede escoger entre eclecticismo y virtuosismo. Un grupo musical que ofrezca un repertorio completo, desde música tropical hasta funk y canciones populares, probablemente no será experto en todos los ritmos. Si los desposados son como tantas otras parejas de nuestros días, tal vez no gustarán de los grupos tradicionales que amenizaban estas festividades en el pasado y más bien prefieran contratar un grupo que no se especialice únicamente en matrimonios. Esto puede ser una gran idea, aunque es bueno tener en cuenta que siempre hay algunas tradiciones que se quiere respetar.

A veces los sindicatos de músicos especifican el número de ejecutantes que pueden tocar en determinados locales. Para un baile de cien o más personas, conviene contratar un mínimo de seis instrumentos. Si se desean tonadas o géneros musicales que requieren instrumentos especiales, se debe convenir con la banda que se va a contratar qué es apropiado y qué es exagerado. También se puede consultar la opinión del encargado del banquete a este respecto, pues no es conveniente excederse.

Las recepciones de desayuno son menos exigentes y por lo general no incluyen baile, de manera que no se necesita una banda completa; pero una música de fondo siempre contribuye a la atmósfera de fiesta, ya sea que se utilicen grabaciones o unos pocos músicos clásicos. Los matrimonios campestres casi siempre se planean con almuerzo y todos incluyen baile después de éste.

Dónde están los grupos musicales

Para encontrar el grupo musical que se desea para la boda, considérese lo siguiente:

✔ **Promotores de conciertos:** Se puede llamar a la oficina y procurar congraciarse con alguien que tenga autoridad. Hay orquestas fabulosas que actúan en eventos más grandes pero que a veces se pueden contratar.

✔ **Amistades:** ¿Han asistido últimamente sus amigos a alguna boda en donde la orquesta mantuvo a todo el mundo en pie la noche entera? ¿Qué tipo de música tocaba? ¿Qué clase de recepción era? ¿Se puede confiar en el buen gusto musical de tales amistades?

✔ **Hoteles:** Se puede hablar con el director de banquetes de algún gran hotel. Mejor aún, conviene hablar con el capitán o jefe de comedor porque estos no tienen ningún interés creado en promover unos determinados músicos, pero sí les preocupa mucho una orquesta que eche a perder una buena fiesta.

✔ **Internet:** Se puede buscar en Internet música para matrimonios, ya sea grupos musicales y orquestas, o agencias y músicos individuales.

✔ **Agencias musicales/representantes de orquestas:** Este recurso es el más común para encontrar la orquesta del tamaño y estilo que se quiere.

✔ **Escuelas de música:** Habría que hablar con la oficina de colocaciones y fijar en su cartelera un aviso de "Se necesita orquesta".

✔ **Publicaciones musicales:** Hay que leer las revistas y consultar las listas de orquestas, tanto local como nacionalmente.

✔ **Clubes nocturnos:** Lo más aconsejable es llamar a la persona encargada de las reservaciones y pedir que les recomiende una manera de tomar contacto con el agente de su orquesta preferida.

✔ **Directorios telefónicos:** Buscar bajo Orquestas, Música y Matrimonios en las páginas amarillas. Algunas ciudades reparten también directorios especiales para determinados grupos étnicos.

✔ **Otros servidores:** Los fotógrafos, los banqueteros y otros servidores que trabajan en los salones donde tocan las orquestas casi siempre saben cuáles son las mejores.

Buscar los músicos perfectos puede ser una faena agotadora. De vez en cuando es bueno tomarse unos días de tregua para no ir a contratar a los que estén más accesibles por no poder ya distinguir entre unos y otros.

Audición de la orquesta

A los manuales de bodas les encanta recomendar que el cliente potencial se vista de punta en blanco y vaya a oír tocar una orquesta en vivo antes de contratarla. Nosotras tenemos ciertas reservas al respecto pues es claro que un director de orquesta que invita al posible cliente a escuchar sus talentos en otra boda no tendrá empacho para aprovechar también la boda de uno como instrumento de mercadeo. Sólo se debe ir a oír un grupo musical en el matrimonio de otra persona si el director de la banda garantiza que los novios han accedido (muy gentilmente desde luego) a que la persona o personas vayan. Y si van, deben comportarse con la mayor discreción.

Las grabaciones en cinta o en discos compactos y las cintas de vídeo suelen ser la única manera de oír previamente un grupo musical. Se debe averiguar cuándo se hizo la grabación y en qué circunstancias. Si se hizo durante una función, la calidad puede ser dispareja. Las que se hacen en un estudio pueden ser impecables, sin parecerse ni en lo mínimo a lo que la banda realmente toca. Las videocintas también se pueden enmendar técnicamente y hay agentes poco escrupulosos que no vacilan en mostrar miembros fotogénicos de la orquesta haciendo de dobles de músicos más talentosos. A menos que uno trabaje como técnico en sonido, este fraude es difícil de descubrir. Hay que confiar en la reputación del grupo y en las propias corazonadas.

En la actualidad muchas orquestas usan *muestras* (grabaciones digitales de determinados instrumentos almacenadas en discos de computador y que se tocan desde un teclado) para aumentar su sonido. Escuchando una videocinta no se puede saber si el grupo musical usa muestras, de modo que esto se debe preguntar. De lo contrario, el cliente puede sentirse confundido al escuchar un solo de trompeta sin que aparezca por ninguna parte un trompetista. En general, los pianos, bajos, órganos y cuerdas en muestreo son comunes y suenan muy bien. Las guitarras, trompetas, saxofones y otros instrumentos que implican técnicas de ejecución expresivas suenan a música enlatada. Lo ideal es que la banda use las muestras para realzar los instrumentos que está tocando, no para reemplazarlos. Si una orquesta fantasma no lastima su sentido de la realidad, o si le gusta la idea de un coro invisible que entretenga a sus invitados, es mucho el dinero que se puede economizar contratando una banda de un solo ejecutante que toque muestras.

Si le interesa una orquesta que lleve el nombre de un director famoso, hay que averiguar si ese director está todavía con ella, o si los músicos han comprado el nombre. Muchas orquestas pueden llevar el mismo nombre. Una vez que se determine que el director sí es el original y el que el cliente quiere, se debe programar una reunión con él (o ella).

Para evaluar una orquesta se deben hacer estas preguntas:

> ✔ ¿Se estipula en el contrato que los músicos que aparecen en el vídeo o tocan en el audio son los que van a actuar en la boda? Conviene insistir siempre en ver una fotografía con las cintas de audio.

> ✔ ¿La grabación se hizo en vivo o se produjo en el estudio? ¿El sonido se ha mejorado técnicamente?

> ✔ Si se escucha una audiocinta, ¿cuántos músicos están tocando en ella? ¿Cuántos vocalistas hay? ¿Cuántos instrumentos?

✔ ¿Usa la banda trucos técnicos en el escenario, tales como muestreo? (Estos no son malos en sí mismos, pero hay que saber si se van a usar.)

✔ ¿Cuándo se realizó la grabación? (Es posible que el estilo de los ejecutantes haya cambiado dramáticamente.)

✔ ¿Lleva la banda su propio sistema de sonido? ¿Qué tamaño de salón necesita?

✔ ¿Quién instala los instrumentos y cuándo llegan?

✔ ¿Se especifica música continua en el contrato? Según el tamaño de la banda, debe haber siempre en el escenario por lo menos uno o dos músicos mientras que los demás se toman un descanso.

✔ ¿Cómo visten los miembros de la banda? ¿El traje formal cuesta más?

✔ ¿Hay que alquilar un piano, o los músicos usan un teclado eléctrico?

✔ ¿El director de la orquesta u otro miembro de ésta actúa como maestro de ceremonias?

✔ ¿Las horas extras se basan en horas o medias horas? ¿De qué amplitud se dispone? ¿Cuál es la tarifa de las horas extras?

✔ ¿La banda tiene otro compromiso antes o después del suyo? ¿Están los músicos dispuestos a tocar horas extras?

✔ Cualquiera que sea su repertorio, ¿pueden tocar otras canciones que para otros son importantes, por ejemplo algún clásico étnico o éxitos favoritos de música popular?

✔ Si los novios quieren que se toque alguna pieza original o exótica, ¿la aprenderán a tocar los músicos y cuánto tiempo necesitan para hacerlo? ¿Cuánto cobran por ello?

Si se le da audición a un conjunto que quieren contratar pero necesitan unos días para pensarlo, se debe pedir el derecho de primer rechazo. En otras palabras, los músicos se comprometen a informarles si reciben otra propuesta en firme para la misma fecha. Si no acceden, hay que tener lista la chequera.

A nosotras no nos gustan mucho las misceláneas, breves trozos de varias canciones de un mismo tipo. Si desean oír versiones completas del catálogo de los Rolling Stones o sus éxitos favoritos de Motown, no olviden que se debe informar al director de la banda.

Todo bien claro

Después de poner por escrito el programa de la recepción (ver el capítulo 7), se debe repasar con el director del grupo musical, ya sea por teléfono o en persona. En especial debe quedar bien claro lo siguiente:

✔ **La primera pieza:** Nombre de la pieza, cuándo se debe tocar, con qué ritmo, y cómo se van a presentar los novios.

✔ **Presentaciones:** Si el director del grupo está actuando como maestro de ceremonias y se desea que algunos parientes y amigos sean presentados, se deben escribir muy claramente sus nombres y el grado de parentesco que los vincula con los desposados. En especial, es conveniente hacer las anotaciones pertinentes sobre divorciados, parientes ya fallecidos o personas que no han podido asistir, para evitarle al director una metida de pata.

✔ **Descansos:** Se debe aclarar cuándo y dónde van a comer los músicos, según se convenga con el maestro de ceremonias. Si se quiere tener música continua, los ejecutantes tendrán que turnarse para comer.

✔ **Punto en boca:** Hay que especificar muy claramente cómo y cuándo hace los anuncios el director del grupo musical. Al mismo tiempo, hay que ser razonables. Aun cuando nadie quiere que el director se desboque hablando, alguien tiene que decirles a los asistentes cuándo se va a servir el siguiente plato.

✔ **Etiqueta:** Se debe estipular que en el escenario no se puede comer, beber ni fumar (a menos que a ustedes no les importe, desde luego).

✔ **El decorado:** Es aconsejable preguntar qué aspecto tienen los puestos y atriles de los músicos, si van bien con el decorado general de la escena o si tienen pintado en letras estridentes el nombre de la orquesta. Tampoco debe parecer el tablado un camerino. Hay que tener algún lugar seguro en donde los músicos puedan dejar sus efectos personales.

✔ **Quién dirige la función:** Es importante asegurarse de que el maestro de ceremonias y el director de la orquesta estén de acuerdo para resolver cuándo bailan y cuándo comen los invitados.

La boda es una gran novedad para los novios, pero para los músicos es el pan de cada día. Un buen amigo nuestro, músico de primera que ha tocado en incontables matrimonios, nos contaba que los de su grupo se aburrían a veces de tal manera que se peleaban las revistas para colocarlas a escondidas en los atriles y leerlas mientras tocaban. Pero es posible hacer que hasta los músicos más cínicos se pongan a la altura de las circunstancias:

✔ **Alimentar a la banda:** Los músicos trabajan horas fatigantes y tienen hábitos extraños. No hay que servirles lo mismo que se les da a los invitados, pero no basta un sandwich que sobró en la cafetería. Una comida completa servida en un lugar decente, acompañada por una copa de vino o una cerveza, puede entonarlos para que toquen con más ánimo.

✔ **Ser complacientes:** Se puede preguntar a los músicos qué les gusta tocar e incluir sus preferencias en lo posible. No hay que imponerles un repertorio hasta el último detalle. Se debe confiar en que los profesionales animarán la reunión.

✔ **Presentarse:** Muy a principios de la recepción, el novio y la novia deben acercarse a donde está la banda y decirles a los músicos cuánto les complace que hayan venido a tocar en su matrimonio. Este gesto inesperado puede por sí solo sorprenderlos y entusiasmarlos.

✔ **Equipo especial:** Si el líder del grupo musical especifica algunos objetos precisos, como por ejemplo un piano de media cola, plataforma de dos niveles, micrófonos extra o iluminación especial, hay que asegurarse de que todos estos detalles se hayan atendido. Si no se pueden suministrar, se les debe informar con suficiente anticipación. Para los músicos es muy frustrante llegar al local y encontrar que falta lo que habían pedido.

La instalación

En locaciones con pista de baile, el sitio para la orquesta ya está determinado. Si la recepción se va a celebrar en un lugar distinto, donde todo hay que llevarlo (por ejemplo, bajo un toldo), hay que pensar en dónde se va a armar la pista de baile. Sugerimos ubicarla, junto con la orquesta, de modo tal que todas las mesas queden equidistantes a ella, en vez de situar a los músicos en un extremo del recinto y los invitados sentados a las últimas mesas tengan que emprender todo un viaje para llegar hasta la pista. En principio, poner mesas entre la pista de baile y la orquesta corta la dinámica entre la música y los danzantes y puede romperles los tímpanos a los que están sentados más cerca. Aun cuando se tenga la tentación de disponer las mesas *a la redonda*, con la pista en el centro, no es bueno que algunos invitados queden viendo las espaldas de los músicos y sus equipos.

Las siguientes son algunas consideraciones que se deben tener en cuenta para instalar al grupo musical:

✔ ¿Dónde está el tomacorrientes?

✔ ¿La banda necesita tarima?

✔ ¿Qué tipo de asientos necesitan los músicos?

✔ ¿Se necesita iluminación especial para que los músicos puedan leer la nota en un salón a media luz?

A nadie le gusta que los músicos atraviesen con todos sus instrumentos por todo el medio del salón de recepción para ir a instalarse. Por lo tanto, si se puede, lo mejor es pagar por una instalación anticipada. Si se contrata a más de un grupo musical, o un DJ y un grupo que van a tocar en distintas oportunidades, de todas maneras se debe tener todo el equipo en el escenario antes de que lleguen los invitados. (Hay que imaginar un doble concierto.)

Controlar el sonido

El volumen es más que todo cuestión de gustos. En general, cuanto más joven sea la concurrencia, más decibelios. Subir el volumen está muy bien cuando la gente está bailando animadamente, pero cuando se está sirviendo el almuerzo o la cena, la música (si la hay) debe ser suave para que los comensales puedan conversar y oírse unos a otros. En todo grupo habrá alguna persona que encuentra hasta el arpa ensordecedora. Lo único que se puede hacer con esas personas es sentarlas lo más lejos posible de los altavoces.

Antes de la recepción hay que decidir quién va a controlar el nivel del sonido. Nada molesta más a un director de orquesta que recibir instrucciones contradictorias de los contrayentes y de sus padres. ¡Más alto!" "¡Más bajo!" "¿No les he dicho que toquen más fuerte?" "¿No se han fijado en quién firma el cheque? No quiero que toquen tan fuerte".

Verificar el tiempo

Generalmente una orquesta se contrata para que toque entre cuatro y seis horas, sin contar la ceremonia, los cocteles ni las horas extra. Un error común es no darles tiempo al empezar, con el ánimo de evitar horas extra al final. Pero las bandas suelen llegar un minuto antes de la función. Si no se prevé un lapso de unos 15 minutos al principio, los anfitriones no sabrán qué hacer mientras los músicos afinan los instrumentos y los invitados bostezan de apetito.

A veces las orquestas contratadas por medio de una agencia se niegan a tocar mientras no se les haya pagado la cuenta total, razón por la cual aconsejamos cubrir el saldo la víspera. En cuanto a las horas extra, lo que se acostumbra es que la orquesta pase la cuenta después. Se debe aclarar con el director quién resuelve si el grupo tocará horas extra. Si los novios son los que pagan, no querrán que sus padres les digan alegremente a los músicos: "Sigan tocando. ¡Esto está tan divertido!"

El DJ

En un tiempo el *disk jockey*, o DJ, era lo más barato que se podía contratar para una boda. Hoy ya no es así. Más bien lo que vale ahora es la clase de música que se quiere oír. Si su preferencia en materia musical es más que todo lo mejor de los 40, rock de los 70 o una combinación de estilos muy distintos, lo más conveniente es contratar un DJ.

Aunque por muy poco dinero se puede contratar a un vecino que lleve su tocadiscos portátil, no hay que arriesgarse. Es mejor contratar a un DJ profesional que tenga experiencia en matrimonios, más bien que a uno especializado en bautizos, confirmaciones o cumpleaños de niñas quinceañeras. No le gustaría ver que a sus invitados les lancen globitos al tiempo que el *disk jockey* les pide que bailen una tonada para niños.

Un DJ sólo es tan bueno como los discos que lleve. Aunque un profesional tiene un inventario de millares, se debe hacer una lista de las canciones especiales que quieren los anfitriones para asegurarse de que las lleve consigo. O se le puede ofrecer suministrarle las grabaciones. Si se desea que el DJ actúe también como maestro de ceremonias, hay que estar preparados para pagar a dos personas: una que es la principal y otra que ponga los discos.

Si el presupuesto lo permite, se puede contratar a un experto en poner discos que toque en alternativa con una banda en vivo. De esta manera el grupo musical puede ejecutar lo mejor de su repertorio, el DJ ofrece variedad y la pareja obtiene esa energía especial entre músicos vivos y un público, que a veces no se obtiene con sólo un DJ.

La entrevista con el DJ debe ser similar a la que se le hace a cualquier otro proveedor. Es posible que haya que contratarlo, como a la orquesta, por conducto de una agencia y que ésta se oponga a que se establezca contacto directo con una persona determinada. Es preciso sobreponerse a las objeciones de esos negociantes para comprobar la idoneidad de la persona. Si la compañía tiene la reputación de mandar profesionales, se debe pedir que les muestren cartas de recomendación del individuo a quien piensan enviar a su recepción. También es bueno insistir en hablar por teléfono con el DJ antes de la boda. Entre las cosas que se deben verificar están:

✔ Qué vestirá el DJ.

✔ Que la agencia o el DJ examinen la instalación eléctrica y la acústica del local, sobre todo si éste no ha trabajado allí con anterioridad.

✔ El aspecto del equipo y si el DJ necesita una mesa con carpeta para su tocadiscos.

✔ El tamaño de los altavoces, y si se pueden camuflar (dudoso, como se verá en el capítulo 17).

✔ Si el DJ piensa utilizar iluminación teatral u otros efectos, como burbujas o humo.

Capítulo 14

¿Qué hay en la carta?

· ·

En este capítulo

▶ Escoger a los banqueteros y hablar con ellos

▶ Exhibir distintos tipos de alimentos

▶ Crear menús memorables

▶ Alternativas a un banquete formal

· ·

*L*a ceremonia estuvo espléndida. Ninguno de los novios se equivocó al formular los votos de rigor ni hubo en todo el recinto un par de ojos sin lágrimas. Ahora los invitados se deshacen en elogios al pasar al local de la recepción, que resplandece con la iluminación de las velas y despide un aroma tan agradable como el de los jardines de Giverny. Aparece una brigada de meseros de esmoquin al compás de una música instrumental como la de una comedia musical y 150 manos se estiran al unísono para pescar de brillantes bandejas un bocado de exóticos entremeses y llevárselo a la boca... y enseguida todos buscan afanosamente las servilletas de coctel para escupir en ellas.

¿Cómo se puede evitar que esos pequeños inconvenientes ocurran en la recepción? No hay que pensar en una varita mágica de bodas que transforme las tajadas de queso procesado en *brie en croûte*; crear con imaginación una comida apetitosa no es cuestión de magia. Todo lo que se necesita es tiempo, determinación y confianza en sus propias papilas gustatorias.

Encontrar el banquetero ideal

Si se alquila un local para la fiesta (ver el capítulo 4), es preciso buscar un banquetero. Pedir recomendaciones a los amigos puede parecer natural, pero el gusto por los alimentos es en realidad un asunto enteramente personal. Conviene considerar también estas otras fuentes de recomendaciones:

✔ **Chefs de restaurante:** Pregúntenle al jefe de cocina de su restaurante favorito si es posible contratar sus servicios para atender un evento en otro lugar, o si puede recomendar un buen banquetero local.

✔ **Asociaciones profesionales:** Si se está planeando un matrimonio a distancia y no se sabe por dónde empezar, lo mejor es consultar a alguna asociación profesional.

✔ **Proveedores:** Las mejores recomendaciones suelen ser las de otros proveedores —grupos musicales, floristas, coordinadores de fiestas— que han trabajado con esos banqueteros y saben lo que realmente ocurre en las cocinas de puertas para adentro.

✔ **Escuelas de culinaria:** Pregunten si tienen una lista de ex alumnos, una asociación o una oficina de colocaciones. Se pueden revisar las carteleras y fijar avisos de oferta de empleo.

Conviene llamar a los banqueteros y pedirles documentación en que se incluyan muestras de los menús. Si se incluyen también cartas de recomendación, éstas deben ser recientes. No duden en llamar a las personas que las expiden. Es recomendable escribir las preguntas antes de tomar el teléfono y ser muy explícito en cuanto al estilo de recepción que se desea, lo mismo que en lo relativo a qué ayuda se puede esperar para la boda y otros aspectos no relacionados directamente con la comida y el servicio.

Éstas son algunas preguntas que se pueden hacer sobre la experiencia de clientes con determinados banqueteros:

✔ ¿Cumplió el banquetero lo que había prometido?

✔ ¿Se sirvieron en abundancia los platos costosos, como los langostinos?

✔ ¿El personal de servicio estaba bien vestido y se mostró diligente?

✔ ¿Había suficientes meseros y personal de servicio? ¿Hubo invitados que tuvieron que esperar para que los atendieran?

✔ ¿La comida estaba sabrosa y se veía apetitosa?

✔ ¿La comida llegó caliente a la mesa?

✔ ¿Cuáles fueron los defectos, si los hubo? (Para obtener una contestación franca, conviene agregar: "Su respuesta no va a influir en mi decisión de contratar o no a este banquetero...").

Antes de tomar la decisión, es bueno hablar personalmente con el banquetero, ojalá en su propia cocina o en sus oficinas. Este contacto personal dará una buena idea de sus maneras y sus habilidades. ¿Es brusco? ¿Desorganizado? ¿Aseado? ¿Sus instalaciones huelen bien? ¿Tiene autorización oficial para operar? ¿Había en su cocina un certificado de inspección? ¿Se entiende bien el cliente con la persona con quien va a trabajar? En la figura 14-1 se encuentran algunas preguntas que conviene hacer.

Comparar los precios en un local abierto o con servicio de banquetes externo y un local bajo techo o con servicio de banquetes de planta, como un hotel o una sala de banquetes, puede ser difícil. Para un local cerrado hay que sumar el costo de la comida, las bebidas, los impuestos y las propinas. Para un local abierto es preciso sumar el alquiler y la cifra que presenten los banqueteros de comida, licores, objetos alquilados y servicio. Si se entrevistan varios banqueteros para un mismo local, lo más recomendable es usar el promedio de sus cotizaciones como el costo de dicho local. (En el capítulo 4 se explica qué son los locales abiertos o de servicio de banquetes externo y los locales bajo techo o de servicio de banquetes de planta).

Hacer buena amistad con el chef

Es recomendable averiguar quién es realmente el encargado de preparar la comida para la recepción: si es el jefe de cocina o un subjefe, o alguna persona más abajo en la jerarquía. Tener una agradable visita o degustación con un conocido chef ejecutivo o con el jefe de cocina de un restaurante no sirve de nada, a menos que sea uno de ellos el que realmente va a encargarse de la preparación de la comida para la boda.

De ser posible se debe hablar con el chef para determinar qué puede preparar bien el personal de cocina para un grupo numeroso de invitados. Pese a la reputación de malgeniados que se suele atribuir a los jefes de cocina, nuestra experiencia con ellos es que se sienten halagados cuando uno se interesa por conocer sus opiniones, y esto puede tener una influencia decisiva en lo que saldrá de la cocina. Si el gerente de los banqueteros y el chef, y también los clientes de referencia, están de acuerdo en recomendar un menú muy básico, se les debe prestar atención y optar por una carta sencilla.

❑ ¿Qué ideas tiene el banquetero en cuanto a un buen lugar para la boda?

❑ Si ya se ha escogido el local, ¿ha trabajado antes allí? En caso contrario, ¿visitará el banquetero el local antes de dar su cotización?

❑ ¿Qué menú recomienda, que se pueda preparar bien en la cocina de ese local?

❑ ¿Tiene muestras de menús? ¿Hay fotografías del trabajo?

❑ ¿Qué referencias puede suministrar el banquetero?

❑ ¿Cuáles son sus especialidades?

❑ ¿Qué flexibilidad tiene para planear un menú?

❑ ¿Se lo puede dar a probar? ¿A qué costo?

❑ ¿Cómo fija los precios de sus menús?

❑ ¿Se incluye en el menú la torta de boda? De no ser así, ¿cuánto cuesta? ¿Puede suministrarla el banquetero? ¿Se cobra el corte?

❑ ¿Cuáles son las tarifas específicas por hora de trabajo para todo el personal, como meseros, capitanes y personal de cocina? ¿Qué propinas adicionales se recomiendan? ¿Qué recargo hay por horas extra?

❑ ¿Cuántas personas recomienda para integrar el personal para su boda, y cuántas horas trabajaría cada una de ellas?

❑ ¿Cómo maneja el banquetero los artículos que se toman en alquiler? ¿Hay que contratarlo todo con una determinada empresa? ¿Qué se puede escoger en materia de elementos como cubiertos, vajilla, cristal y mantelería?

❑ ¿Qué objetos de propiedad del banquetero se incluyen, como por ejemplo soportes, bandejas o equipo de cocina?

❑ ¿Se pasarán por separado cuentas por comida, servicio y artículos alquilados?

❑ ¿Cómo maneja el banquetero los licores?

❑ Suponiendo que se le permita al cliente suministrar los licores, ¿qué proveedores se recomienda? ¿Qué se aconseja suministrar?

❑ ¿Cuánto cobra por servicio de mesa (soda, hielo, fruta)?

❑ ¿Hasta qué punto intervendrá el banquetero en la boda: sólo proveerá la alimentación, o también ayudará en la ceremonia y otras cosas?

❑ ¿Cuál es el mejor cálculo que puede hacer el banquetero del costo total de la fiesta, incluyendo comida y bebidas, objetos alquilados y personal?

Figura 14-1:
Al entrevistar
a los ban-
queteros, es
preciso hacer
preguntas
pertinentes.

Cuestión de gustos

Después de elegir el local y los banqueteros, el cliente tiene derecho a probar la comida que se va a servir, de modo que esto se debe estipular en el contrato, o bien mediante un acuerdo verbal. Se debe programar esa degustación con suficiente anterioridad a la fecha de la boda, de tal manera que haya tiempo para hacer una segunda prueba si es necesario, aunque no con tanta anticipación que los ingredientes estén fuera de estación.

Si la boda se va a celebrar en el espacio para banquetes de un restaurante, es posible que la comida para la fiesta se prepare en una cocina distinta de la cocina principal del restaurante. Por tanto, una cena común y corriente en el restaurante puede no tener ni el más remoto parecido con lo que se va a ofrecer en la boda.

El banquetero les dirá cuántas personas pueden concurrir a la degustación previa. Además de los novios, debe estar presente el director de banquetes para que haga sus comentarios y recomendaciones profesionales. También se puede invitar a los padres y otros parientes.

Debido al costo de la mano de obra y los ingredientes, hay lugares que no permiten probar los pasabocas, a menos que constantemente los estén contratando en grandes cantidades. En tales casos, conviene preguntar si tienen en perspectiva algún compromiso y si pueden aderezarle una bandeja de entremeses "para llevar" y probarlos en su casa. (Desde luego, se debe ofrecer pagar por ellos.) Si no pueden acceder a esta solicitud, ¿pueden por lo menos mostrarles fotos y describir los ingredientes en detalle?

Al hacer la prueba, es bueno tener en cuenta estas recomendaciones:

- ✔ **Probar dos o tres opciones para cada plato.** Es posible que ya hayan resuelto que se servirá *filet mignon*, pero después de probar el cordero, que es una especialidad del chef, cambien por completo de parecer. En principio, la cocina debe resplandecer en una cena para cuatro o seis personas. De lo contrario, lo que se sirva a sus invitados puede ser mucho peor.

- ✔ **Pedir que se le presente la comida exactamente como se va a presentar en la boda.** Si piden un salmón escalfado, hermosamente presentado en el plato y bañado exquisitamente en salsa *nouvelle* y decorado con flores al gusto, así es como se debe presentar el día de la boda, no servido desde la bandeja por un camarero.

✔ **Probar los alimentos y el vino al mismo tiempo.** Se puede llevar el vino que se piensa servir, o pedirle al banquetero que suministre algunas variedades que estén dentro de su presupuesto.

✔ **Hacer la prueba en forma profesional.** No hay que hartarse comiéndose todos los entremeses y dejando el plato limpio. Hay que dejar campo para los postres y disfrutar la comida.

✔ **Hacer preguntas y tomar notas.** ¿Esa salsa se le puede poner a este plato? ¿Qué tal sería servir esto con helado de café en vez de helado de vainilla? Conviene anotar, hacer dibujos y detallarlo todo aunque parezca ridículo. Probablemente su boda no es la única en la que está trabajando el chef en este momento y los detalles que para uno son importantes se pueden escapar por las rendijas si no se suministran notas o se confirman después en una carta.

Hay que hacer la prueba con los ojos y no sólo con el paladar. Es preciso ser muy específicos en cuanto a la manera como quieren que se vea la comida.

Pidan al banquetero que empaque unas pocas porciones de cada plato (incluso la torta de bodas) para llevarse consigo al terminar la recepción, para el antojo de las tres de la mañana. Ésta es también la ocasión para disponer que las sobras se entreguen a alguna institución de caridad.

Lo mejor de la fiesta

Así como sucede con muchas cosas de la vida, cuanto mayor sea el interés que se pone en la comida mejor saldrá ésta y más se disfrutará. La mejor manera de empezar a disponerla es tener alguna idea de lo que se quiere servir.

Ya sea que la boda se vaya a celebrar en algún lugar especializado, como un salón de banquetes, un restaurante, un club o un hotel, o que se contrate a un banquetero para un local alquilado, antes de hacer listas de los platos de *haute cuisine* que quisieran servir, es mejor empezar con los menús de muestra de los banqueteros, que incluyen sus platos de más éxito. Conviene solicitar una entrevista con el gerente o el director de banquetes y pedirle que les digan con toda franqueza cuáles son los puntos fuertes y las debilidades de su cocina. Para enfocar la búsqueda de la comida ideal, se deben tomar unas cuantas medidas preliminares:

✔ **Hacer una encuesta de paladares:** ¿Cuáles son los restaurantes favoritos de la novia y el novio? ¿Sus platos preferidos? ¿Qué les gusta comer a la familia y los amigos? ¿Qué se podría considerar como demasiado exótico? ¿La mayoría de los invitados come carne?

✔ **Escoger una receta:** Es bueno consultar los libros de recetas de cocina y las revistas del ramo para sacar ideas. Se debe tener en cuenta, sin embargo, que a menos que la reunión sea para tan sólo diez personas, un plato como pasta artesanal (enrollada a mano) a la carbonara no funciona. Los chefs por lo general son complacientes y adoptan la receta que uno les sugiere – siempre que sea de origen confiable, como un manual de cocina profesional.

✔ **Apelar a sus amigos entendidos:** Si se tienen amigos o amigas que siempre conocen los mejores restaurantes nuevos, o que trabajan en el negocio de comidas, lo más aconsejable es pedirles su opinión.

La forma de celebración que se adopte tiene mucho que ver con el resultado de toda la boda. Un almuerzo puede ser tan formal como una cena, siempre que en ambos los invitados se sienten y se les sirva a la mesa, pero algo hay en una comida de noche (¿será el mayor consumo de licores?) que aviva en los asistentes el espíritu de fiesta. Una comida completa en la que los invitados mismos se sirven en el mostrador en lugar de ser servidos a la mesa puede ser tan formal o tan informal como se quiera. Igual puede decirse de una recepción de coctel en la que sentarse es opcional. El número de platos depende del presupuesto del que se disponga y de la duración de la fiesta. Desde luego, cuantos más platos se sirvan, más durará la recepción. Una comida de *buffet*, como se advierte en otra sección, es la que menos tiempo dura.

Bebidas posnupciales

Una recepción de cocteles generalmente viene después de la ceremonia del matrimonio, y a su vez es seguida por una comida completa. La hora del coctel después de la ceremonia es una buena idea, pues las ceremonias de boda suelen producir alta tensión emocional y los invitados necesitan un relajante antes de pasar al comedor. La duración de esta recepción de cocteles dependerá de si se van a tomar fotos de matrimonio en ese momento.

Los entremeses se deben escoger después de haber resuelto qué se va a servir más adelante con el fin de evitar repeticiones, como ofrecer rollitos de salmón y después servir otra vez salmón a la plancha en la cena. Esto se debe tener en cuenta cuando se esté planeando el menú de la boda. En caso de duda, lo más aconsejable es dar prelación a la cena.

Entremeses de coctel

Los entremeses que se pasan a la hora del coctel deben ser del tamaño de un bocado, es decir, un mordisco. No hay necesidad de cuchillos, ni tenedores ni cucharitas. Está bien ofrecer palillos de dientes o broquetas. Las porciones de comida que se sirvan con los cocteles también deben ser pequeñas. Si es necesario, un platillo y un pequeño tenedor son aceptables.

A estos entremeses se acostumbra ponerles precio por unidad, o también se pueden incluir en el precio de toda la comida, con elección de fríos o calientes. Para puestos fijos de entremeses, como un bar, un puesto de tajar carnes frías o surtido de pasta, lo más probable es que lo cobren por cabeza. No está de más preguntar cuántas unidades de entremeses se servirán dentro del precio convenido. Los banqueteros a quienes se lo averiguamos estuvieron de acuerdo en que entre ocho y diez unidades por persona son suficientes para una recepción de coctel de una hora de duración.

Los puestos de servicio

Además de los entremeses que se pasan entre la concurrencia, tener uno o dos puestos fijos para servir, por ejemplo, tajadas de salmón ahumado o un *brie* asado, no sólo contribuye a eliminar la costumbre de la gente de asaltar a los meseros que salen de la cocina, sino que ofrece también un sitio natural de reunión.

La gracia no es demostrar que se tiene la posibilidad de costear infinidad de puestos de entremeses y dar enseguida enormes trozos de carne, sino diseñar un menú apetitoso para todos y que deje a los invitados con energía para festejar.

Cuando se trata de langostinos, aunque parezca que nunca son suficientes, se pueden calcular unos tres por persona; nunca hemos asistido a un matrimonio en el que quedara sobrando una solitaria unidad en la bandeja de un mesero. Se cobran generalmente por unidad aunque a otros entremeses se les ponga precio por paquete. Los langostinos se clasifican según el número que constituyen una libra, usando estos términos taquigráficos: 21-25, 16-20, U-15, U-12 y U-7. Una libra de 16-20, por ejemplo, contiene de 16 a 20 langostinos, mientras que una libra de U-15 contiene menos de ("Under") 15. Por consiguiente, los U-7 son inmensos (y raros).

Si les gustan los langostinos pero los enteros les resultan demasiado costosos para su presupuesto, se puede pedirle al banquetero que sugiera alternativas más económicas, como tostadas de mini-langostinos o ensalada de langostinos en rodajas de pan.

Espectáculos de variedades: puestos de buffet

El antiguo *buffet*, que consistía en una mesa larguísima con una ensalada, un plato principal, una verdura y un postre y que exigía hacer una cola interminable, ya hace tiempo que se ha relegado (afortunadamente) a las cafeterías de las escuelas. Hoy están muy en boga puestos de comida que permiten a los invitados servirse alimentos variados y novedosos sin congestiones de tránsito. Se pueden escoger diversos tipos de comida en puestos situados alrededor del salón. Un puesto puede ofrecer tajadas de carnes; otro, frutas y quesos; un tercero, legumbres rellenas; y otro, en fin, combinaciones de ensaladas de temporada.

La recepción será mucho más corta con un *buffet* que con la comida servida a la mesa, pues desaparece el tiempo muerto entre uno y otro plato. Se puede prolongar la duración sirviendo un primer plato a los comensales sentados a la mesa e invitándolos luego a pasar, unas pocas mesas a la vez, a los puestos de *buffet*.

Los puestos de *buffet* no son una ganga. Pueden resultar tan costosos como una cena con los invitados sentados a las mesas, y aun más, según los platos que se escojan. Tener varios puestos implica tener loza extra de manera que el comensal pueda tomar un plato limpio en cada puesto, cosa que hay que tener en cuenta si se va a alquilar vajilla. Se debe calcular un promedio de tres platos por persona. Así mismo, se necesitará más personal para manejar toda esa vajilla y atender en los puestos.

La comida puede ser y debe ser parte importante de la decoración. Al preparar el menú para la fiesta se debe escoger una diversidad de colores, texturas y temperaturas. Todo un juego de escalfadores, aun cuando sean de plata, puede parecer bastante monótono, de modo que es mejor pedir que los distintos manjares se sirvan a distintas temperaturas y por consiguiente en distintas vasijas y fuentes además de los escalfadores. Es bueno preguntar a los banqueteros: ¿Quién decora los puestos? ¿Tienen recipientes elegantes en qué servir la comida? ¿Tienen accesorios especiales para determinados alimentos, como redes para un puesto de pescado?

A jugar con la comida

Ya sea para el coctel o para la comida principal, los puestos de *buffet* son a la vez parte de la decoración y una oportunidad de entretención, así que hay que divertirse.

Los alimentos mismos que se presentan en los puestos son un elemento decorativo. Parecen más apetitosos cuando se disponen en diversos niveles o en distintos recipientes. Éstas son algunas ideas que se pueden ensayar:

✔ Comprar un rollo de tela de poco precio y arrebujar la tela alrededor de las fuentes de servir.

✔ Usar telones de fondo pintados, diseños originales y accesorios sencillos.

✔ Presentar los alimentos a distintas alturas, utilizando bandejas de dulces escalonadas o estantes construidos especialmente para la ocasión.

✔ Crear cumbres y valles usando plateros cubiertos de tela, huacales y cajas de cartón.

✔ Inclinar bandejas sosteniéndolas con platos colocados boca abajo.

✔ Adornar las mesas con racimos de hermosas frutas y verduras, tales como uvas, alcachofas y manzanas.

✔ Hacer mini árboles con alimentos como limones, higos o nueces.

✔ Sobre mesas redondas apilar frutas secas, nueces, aceitunas o legumbres marinadas – cualquier cosa que los invitados puedan coger sin ensuciarse – para hacer interesantes puestos en varios sitios. Pedir que se destine a alguien para que las mantenga bien ordenadas y apetitosas.

✔ Agregar un toque de teatralidad haciendo que algunos alimentos se cocinen o finalicen la cocción a la vista de los comensales. La pasta, las tajadas de carnes, el pollo en pinchos, las fajitas y otros alimentos parecen más incitantes cuando un chef los prepara allí mismo.

✔ Crear mini *vignettes*, tales como un puesto de *sushi* diseñado como un jardín zen de rocas con fuentes diminutas y arbolitos bonsai.

Servicio con estilo

Al encargado o el banquetero les debe quedar muy en claro cómo y cuándo quieren ustedes que se sirvan los alimentos y cómo quieren que se dispongan las mesas. Se ha invertido mucho tiempo (y dinero) planeando cómo se verán dichas mesas al entrar los invitados al comedor. Algo que a nosotras personalmente nos disgusta es encontrar mesas en las que ya está servido el primer plato y están listos la cafetera, las tazas, el azúcar y demás accesorios. Aun cuando a veces esto quizás sea inevitable, los platos servidos de antemano hacen que la gente se pregunte cuánto hace que la comida está allí, y el servicio de café sobre la mesa da la impresión de que hay que salir a la carrera a tomar un bus.

Las comidas se sirven por lo general de una de estas tres maneras:

✔ **A la francesa:** Los camareros calientan los platos y los adornan en una mesilla auxiliar o una carretilla llamada *guéridon*. Esta técnica, si se ejecuta debidamente, es muy impresionante. Aunque desde hace siglos se ha considerado el colmo de la elegancia, es un poco lenta y requiere bastante espacio.

✔ **A la rusa:** El camarero lleva la comida en una bandeja de plata y sirve a los invitados. Ésta es la forma más común de servir en los matrimonios.

✔ **Servicio *à la carte*:** Los camareros llevan los platos servidos a la mesa. Esta es la forma más elegante de servir. Los camareros llevan dos platos a la vez y, dirigidos por el jefe de comedor, cubren todo el salón y van terminando mesa por mesa. La principal ventaja es que los platos llegan como se quiere que se vean en lugar de ser improvisados por los camareros. La desventaja es que el servicio requiere más tiempo que a la francesa o a la rusa.

Los comensales que piden una comida especial (*kosher*, vegetariana, etc.) no deben ser castigados sirviéndoles cuando ya el resto de la concurrencia ha pasado a la torta de boda. La mejor manera de evitar que esto suceda es darle al jefe de comedor con la mayor anticipación posible una lista de los invitados con indicación de los pedidos especiales y el número de la mesa que ocupan los correspondientes comensales. (Para poder hacer esto se necesita un plan de la ocupación de las mesas. En el capítulo 17 se encuentra información a este respecto.)

Para que un alimento se pueda certificar como *kosher* tiene que cumplir los rígidos requisitos de la ley judaica. Los ingredientes y los utensilios que se usen para producirlo no pueden contener ni tener contacto con materias alimenticias o materiales prohibidos, tales como cerdo o mariscos. A diferencia de lo que muchos creen, la bendición de un rabino no es parte del proceso. Las reglas *kosher* exigen, entre otras cosas, que los animales se sacrifiquen de determinada manera y que las carnes y los productos lácteos no se mezclen. Por inhospitalario que parezca, la comida *kosher* no se puede desenvolver antes de llevarse a la mesa, pues esta es la única manera como el invitado sabe que el alimento no se ha tocado.

 No se debe tratar de economizar disminuyendo el número de meseros. El cálculo de los que se necesitan se basa generalmente en diez comensales por mesa. Según las costumbres de cada región, la proporción de meseros a invitados varía desde dos por cada diez invitados (o por cada mesa) para un banquete muy formal, hasta un solo camarero por 25 comensales (o dos mesas y media) para una comida sencilla.

Si de hacer economías se trata, no es ésta la ocasión para ello: obtener la atención de un mesero no debe ser tan difícil como parar un taxi en medio de una tormenta.

Si se ha planeado hacer la recepción en la propia casa contratando banqueteros, la persona que esa empresa designe para la ocasión debe visitar previamente el lugar y determinar la mejor manera de organizar el tráfico. Debe igualmente aconsejar qué muebles habrá que mover a otro lugar y qué artículos hay que alquilar. (Ver en el capítulo 17 información sobre recepciones con objetos alquilados.)

Preparar cartas inolvidables

Sea cual fuere el tipo de celebración nupcial que se haya planeado, no se debe olvidar su poderoso simbolismo. Esto no significa que haya que pagar un precio exorbitante, pero sí hay que invertir tiempo y creatividad en su planeación. Como inspiración, hemos preparado varios menús de muestra usando partes de algunos de nuestros preferidos.

La comida que se sirve a la mesa

Si se va a ofrecer un almuerzo o una cena con los comensales sentados a la mesa, el primer plato debe ser ligero —sopa fría en primavera o verano, o un plato de ensalada compuesta o verduras a la vinagreta— para que los invitados no estén llenos cuando llegue el siguiente plato. Se debe tener en cuenta que si se va a ofrecer a los invitados la posibilidad de escoger entre varios platos, puede haber un costo adicional.

La figura 14-2 muestra un menú para una comida de tres platos. Nótese que cada plato se acompaña con un vino especial.

Una cena de estilo familiar

A solicitud de una pareja, una firma de banqueteros de Washington creó un menú inspirado en las costumbres de los pueblos mediterráneos (ver la figura 14-3), con dos tipos de *tagine,* que es un cocido tradicional de Marruecos, de carne lentamente cocinada, frutas y legumbres. Aunque generalmente se prepara con cordero, un buen *tagine* vegetariano también es sabroso y resulta una buena opción para un grupo en el que haya personas que comen carne y personas que no la comen.

Relativamente baratos de preparar, los cocidos son el fuerte de los *gourmets* económicos. Bien preparados pueden ser el plato principal de una inolvidable almuerzo o cena de bodas sin que los anfitriones quiebren —aunque para su gran sorpresa haya alguna mesa que despache ocho fuentes de *tagine*.

En el menú de la figura 14-3, en la sección de Postres se menciona "pastelería surtida del Medio Oriente". Se trata de *baklavas* de pistacho (pistachos en sándwich entre dos capas de masa filó delgadas como papel), *ma'amoul* de pistacho (pistachos picados envueltos en una delicada masa de galletas), nido de ruiseñor de marañón (la nuez entera, en una sutil masa *knafeh*) y *baraz'e* (una delgada galleta rociada con semillas de ajonjolí).

Si se desea una auténtica pastelería exótica o algunas otras especialidades cuya preparación exige mucho tiempo, o ingredientes difíciles de conseguir, lo mejor es pedirlas por separado a una panadería, pastelería o restaurante especializado y ordenar que se entreguen en el local de la recepción.

Cuando no se sirve a la mesa

Aunque las cenas y los almuerzos servidos a la mesa son los tipos más populares de recepción, no son para todos. Hay otras opciones, como un coctel de tres horas de duración, un té por la tarde y un

Kyr Royale, Bellinis y Mojitos, con entremeses

Chardonnay 2001

Entrada

Gnocchi a la romana en
salsa de tomates frescos

Merlot 2000

Plato fuerte

Lomito de res en tajadas
acompañado de salsa bordelesa

o

Róbalo rayado con
tomates y alcaparras
Vegetales de estación: espárragos asados,
champiñones salteados, judías verdes hervidas
y papas asadas al ajillo

Postres

Soufflé de chocolate individual con crema fresca

Champaña Veuve Cliquot

Torta de boda

Mesa de dulces con trufas, tartas diminutas,
profiteroles, bayas frescas y zabaglione

Figura 14-2:
En una comida
servida a la
mesa, se pue-
de ofrecer a
los invitados la
posibilidad de
elegir el plato
fuerte.

Entremeses

Calamares tostados con salsa aioli, tomate y alcaparras
Queso de cabra con Tapenade de aceitunas verdes
Polenta caliente con setas silvestres

Entremeses para cada mesa

Queso de cabra con pimientos asados y
aceite de oliva al tomillo servido
con pan pita con semillas de amapola
Puré de garbanzos y berros
con pan pita con semillas de amapola

Cena

Tagine de cordero con cous cous y condimentos
surtidos que incluyen pasas, almendras y marsala
Tagine de berenjena con condimentos surtidos
que incluyen pasas, almendras y marsala
Verduras tiernas de primavera con limón a la vinagreta
Raita de pepino
Panes surtidos

Postres

Pastelería surtida del Medio Oriente
Trufas de chocolate
Café colombiano, corriente y descafeinado

Torta de boda

Figura 14-3:
Servir platos
de estilo familiar contribuye
a romper el
hielo.

Refinar e impresionar

Hay varias maneras de dar mayor realce a la comida:

✔ Una diversidad de panes para acompañar cada plato; por ejemplo, palitos de hojaldre de queso con la sopa, un bollo de masa agria con el bistec y una tostada de pan integral con los quesos y la ensalada.

✔ Meseros que ofrecen a los comensales queso rallado y pimienta molida en las mesas.

✔ Un platito de aceite de oliva aromatizado con hierbas para untar en el pan en vez de mantequilla.

✔ Mantequilla moldeada como flores u otras formas.

✔ Rodajas de limón con el agua helada.

✔ Posibilidad de escoger agua mineral o agua natural.

✔ Ramitos de hierbas frescas, como romero o estragón, para adornar los platos.

✔ Cristales multicolores de azúcar.

✔ Bar de cappuccino o espresso.

✔ Servir los entremeses en cestos, en tazones de colores o en cajas forradas de zaraza cubiertas de encaje de Battenburg.

✔ Disponer en cada mesa una rica colección de chocolates, nueces frescas y bizcochos con los postres y el café.

✔ Toques finales en las bandejas de entremeses, tales como diminutos ramilletes de elementos inusuales, como miniaturas de novias y novios, bolas y cadenas, o raquetas de tenis.

desayuno o desayuno-almuerzo de bodas (*brunch*). Estas celebraciones suelen resultar menos costosas y complicadas pero también requieren atención e ingenio.

La recepción de coctel

Servir únicamente cocteles y pasabocas en la recepción de bodas, en lugar de una comida completa, es una buena opción en muchas circunstancias:

✔ En el local que les gustaba no cabe ni la tercera parte de los invitados.

✔ La recepción es un acontecimiento que se ha venido aplazando días o semanas después del matrimonio.

✔ La pareja es ya de edad o se casan por segunda vez y no se sienten cómodos en una celebración tradicional.

✔ Hay muchísimas personas a quienes los anfitriones se sienten obligados a invitar pero no tienen cómo costear un banquete formal para tantos.

✔ O sencillamente quieren una fiesta no tradicional.

Consultamos a varios banqueteros de primera para averiguar cuáles eran, según ellos, los entremeses más populares, y estos son los bocados calientes que recomiendan:

✔ Trozos de solomillo en brocheta.

✔ *Puffs* de queso y jamón.

✔ Camarones apanados con coco para remojar en salsa tailandesa.

✔ Tartas de cangrejo con salsa *rémoulade*.

✔ Rollos de primavera rellenos de cerdo crujiente o camarones.

✔ *Foie gras* a la parrilla sobre un *brioche* con mantequilla de higo.

✔ Mini Monte Cristos con queso *gruyère* y jamón dulce.

✔ Mini hamburguesas sobre panecillos con semillas.

✔ Miniaturas de Wellingtons de carne.

✔ Conos miniatura de pescado marinados en cerveza con papitas fritas.

✔ Diminutos emparedados de queso cheddar.

✔ Hongos Portobello fritos.

✔ Calamares asados o fritos, con salsa de coctel.

✔ Dedos de pollo con ajonjolí y mostaza de miel.

✔ Triángulos de masa filó rellenos de espinaca y queso.

✔ *Gyosas* de vegetales hervidos o camarones, con salsa *hoisin*.

✔ *Pancakes* de batata con puerros rizados y crema fresca.

✔ Tartaletas diminutas rellenas de champiñones.

✔ Samosas de vegetales.

Además, es bueno servir algunos pasabocas fríos o a temperatura ambiente:

✔ Caponata (condimento de berenjena) sobre rodajas de pan tostado.

✔ Palitos de queso cheddar.

✔ Pollo al curry sobre *pappadum* (pan de la India).

✔ Hojas de endivia y puré de pimentones y queso crema.

✔ Langostinos a la parrilla sobre rodajas de *daikon*.

✔ Papitas rellenas de crema agria y caviar.

✔ Ostras cubiertas de *wasabi*, servidas en cucharitas de porcelana.

✔ Pizzeta de caviar de salmón.

✔ *Carpaccio* de salmón sobre redondeles de pan negro.

✔ Napoleones de salmón ahumado.

✔ Pequeños bizcochos con jamón y mostaza con miel.

✔ Rollos *sushi* de vegetales y californianos.

La duración óptima de una recepción de coctel es entre dos horas y media y tres horas. Si es menos parece apresurada y si es más parece excesiva. Si se amplía una hora más, hay que estar preparados con suficiente comida, bebida y torta de boda. En efecto, se puede pensar en tener lista una mesa de postres, que al mismo tiempo servirá como motivo decorativo para volver la boca agua.

Para un coctel de una hora se pueden servir cuatro entremeses calientes y cuatro fríos. Para una recepción de dos o tres horas, tal vez diez calientes y diez fríos y uno o dos puestos de comida. (Ver "Puestos de *buffet*", anteriormente en este capítulo.)

Los entremeses deben ofrecerlos meseros que circulan entre los invitados, y puestos de *buffet* que pueden ser muy sencillos o tan elaborados que sirvan tajadas de pato de Pekín. En todo caso, nada debe necesitar otra cosa que un tenedor (si mucho) porque no hay asientos para todos y la gente no debe salir con la comida en la ropa. Se debe escalonar la selección de los bocados que pasan los meseros para que los huéspedes no se aburran. Aun cuando no se está dando un banquete, hay que servir lo suficiente para que los invitados no se apresuren a salir a buscar una comida de verdad. Toda la disposición del recinto debe ser de coctel, no de banquete. Las mesas no deben medir más de 80 centímetros de diámetro y basta con tener asientos para la tercera parte de los asistentes, como máximo.

Hay que recordar que en las invitaciones se debe especificar que la recepción es un coctel y no una comida formal, con palabras como: "Esperamos disfrutar de su grata compañía en un coctel y entremeses para celebrar nuestro matrimonio". Palabras como éstas dejan también en claro que el destinatario no está invitado a la ceremonia misma. En el capítulo 5 se encuentra más información sobre la redacción de las invitaciones.

Aunque una compañía comercial que ofrece un coctel puede estipular en las invitaciones tanto la hora de iniciar como la de terminar la reunión (por ejemplo, de 7 a 10 p.m.), en una invitación a una boda esto no sería bien visto. Servir la torta de novia, los postres y el café al comenzar la última hora y bajar el tono de la música es por lo general suficiente insinuación para que los invitados empiecen a dar por terminada la fiesta.

Té para dos... cientos

Servir un té en lugar de una comida completa es popular por muchas de las mismas razones por las que se ofrece un coctel, sobre todo si se quiere que la boda sea de día o se incluye a los niños. El menú puede contener muchos de los acompañamientos clásicos del té —emparedados de pepinos, *petits fours*, bizcochos ingleses— pero si la concurrencia es numerosa se puede pensar en ofrecer un menú igual al de un coctel. Hasta se puede incluir un brindis con champaña. Otra variante, fiestas de casa abierta con pastel y ponche, son populares en el sur de Estados Unidos, tal vez herencia de tiempos anteriores al aire acondicionado cuando los matrimonios casi siempre se realizaban por la noche y era grande el número de invitados.

Un té puede parecer la forma más simple de invitación, pero se le puede dar realce ofreciendo tés de raros y variados aromas, que se consiguen en las tiendas para gourmets, y usando una diversidad de teteras interesantes.

Otras formas de recepción: desayunos y almuerzos

El desayuno de bodas, que es lo preferido en Inglaterra, sigue a un matrimonio por la mañana y en realidad viene a ser como un almuerzo. Para confundir más las cosas, una invitación a almorzar es más bien una comida ligera que se sirve a media tarde. La recepción de

Plato de salmón ahumado

Salmón fresco ahumado, con bagels y queso crema,
tomates, cebollas rojas, alcaparras y limón

Cremas de queso para untar

Legumbres y cebollinas

Waffles belgas

con bayas frescas de estación, peras asadas,
crema batida fresca, mantequilla dulce y
jugo de arce de Vermont

Canastilla de panes de desayuno

Una deliciosa selección de panecillos hechos en casa,
bizcochos, croissants y danesas
Mantequilla y conservas

Bandeja de frutas de estación en tajadas

Melón, piña, limones, fresas, kiwi, uvas, papaya, pitaya

Café, corriente y descafeinado

Tés de hierbas diversas

Jugos surtidos

Naranja, grosella, toronja y tomate

Agua mineral

Figura 14-4:
Un desayu-
no-almuerzo
(*brunch*)
puede ser tan
elegante o tan
informal como
uno quiera.

coctel suele ser más corta y menos complicada que el desayuno-almuerzo (*brunch*) o el almuerzo.

El desayuno-almuerzo (*brunch*) es una solución norteamericana y puede ser la menos costosa de todas. Después de un matrimonio tarde en la mañana o a mediodía, un *buffet* típico puede consistir en panes *bagel*, queso crema para untar, jamón ahumado, pasteles daneses, mini quiches, ensalada de frutas, jugos, mimosa y café. En puestos de comida se pueden ofrecer omelets, waffles, blinis y panqueques de fruta.

La figura 14-4 muestra un menú de delicioso *brunch*, atractivo para muchos paladares. Se puede optar por el estilo *buffet* o servido a la mesa. Según el servicio y la decoración se puede hacer informal o elegante.

Capítulo 15

Brindemos por ellos

. . . .

En este capítulo:

▶ Entender la estructura de precios

▶ Aprovisionar el bar

▶ Servir vinos, cerveza y champaña

▶ Aprovechar bien los brindis

. . . .

Cuéntase en la Biblia que Jesucristo realizó su primer milagro en las bodas de Caná, antiguo pueblecito de Galilea, convirtiendo el agua en vino. Aun cuando los milagros son una maravilla, creemos que se deben usar con discreción. Por fortuna también es posible ofrecer bebidas con una combinación de sentido común, planeación y buen gusto.

En el presente capítulo trataremos acerca de las bebidas espiritosas y la manera de servirlas en un festejo de bodas. No nos compete a nosotras moralizar sobre si se deben servir vinos, cerveza y licores, sino sólo mostrar de qué manera se pueden servir con inteligencia y elegancia; y naturalmente creemos que si se sirven licores tiene que ser en forma autorizada y responsable. Si el alcohol es un problema por motivos de religión, recuperación o costo, se puede pensar en hacer el matrimonio por la mañana con una recepción de desayuno en la cual ni se necesitan ni se esperan bebidas alcohólicas.

Atender el bar

Con gran sorpresa hemos leído en varios libros de bodas que una buena manera de limitar los costos es tener un bar donde se paga por las bebidas. Pues también se economizaría si los invitados llevaran su propia comida. Es esencial recordar el propósito de este día: los padres de los contrayentes han mandado invitaciones a sus amistades y familiares para que los acompañen en la celebración. Creemos que la invitación claramente incluye comida y bebidas; así que en las páginas siguientes damos la información requerida para resolver qué clase de servicio de bebidas se desea ofrecer.

Copas y vinos

Antes de proseguir conviene que aclaremos algunos términos relativos a los elementos que generalmente se encuentran en el bar.

- ✔ **Copas de uso general:** Los banqueteros suelen usar copas "de uso general", que son vasos con pie en los cuales se presentan las diversas bebidas que los invitados piden en el bar. Estas copas permiten que las filas de espera no sean tan largas y además son más baratas para tomar en alquiler. (Sin embargo, la champaña y los vinos espumosos siempre se sirven en copas especiales.) Si la cristalería es muy importante para los anfitriones, se puede solicitar un surtido de copas para las distintas bebidas, como tragos largos, en las rocas, vino tinto y vino blanco, además de las de champaña.

- ✔ **Bebidas corrientes:** Licores genéricos, como whisky, ron, vodka o brandy.

- ✔ **Bebidas de marca:** Las que el consumidor pide en el bar especificando la marca.

- ✔ **Lo mejor de lo mejor:** Vinos reserva que son los más finos y también los más caros; y whisky escocés de una sola malta, cognacs añejos y licores raros.

- ✔ **Vino de la casa:** Lo que sirve el establecimiento sin costo adicional. Según el lugar, puede ser un vino perfectamente potable o todo lo contrario.

- ✔ **Champagne:** Así, con mayúscula, es el vino espumoso que se produce en la región de Francia así llamada. Usando la segunda fermentación en las mismas botellas los fabricantes lo han venido produciendo de la misma manera desde hace 300 años. Hay muchos otros buenos vinos espumosos que llamamos champán o champaña, pero el único que se puede llamar con propiedad *champagne* es el francés.

- ✔ **Vinos espumosos:** Estos se pueden producir usando el mismo método que para hacer el Champagne o por otros métodos más económicos. Para mayor confusión, algunos fabricantes anuncian su producto como *champagne* (con minúscula).

- ✔ **Precio del descorche:** En algunos establecimientos el cliente puede llevar el vino, pero le cobran por descorchar la botella y servirlo.

Cuando se hace la degustación de vinos y alimentos, no está de más probar el vino de la casa. No es éste un detalle de poca monta, pues una copa de vino de la casa es lo primero que algunos invitados se llevan a los labios en la recepción. Si se encuentra impotable, conviene pedir uno de mejor calidad.

Los precios in situ

Los restaurantes, salones de banquetes, clubes privados y otros lugares en donde habitualmente se prestan estos servicios suelen tener un bar completo. (Ver en el capítulo 4 más información sobre este servicio en el lugar.) No se trata, desde luego, de un gesto altruista de tales entidades para hacerles a sus clientes la vida más amable sino más bien de un negocio muy lucrativo para ellos. Considérense los gustos y costumbres de los invitados cuando se planea el bar. Si éste va a ser uno común y corriente, donde se sirve lo que hay y no licores de marcas especiales —y para su tío más querido el mayor gozo de la vida es el whisky de una sola malta—, el tío no será feliz. Si se ha resuelto no ofrecer cognac ni *pousse cafès* y un invitado pide uno después de la comida, el camarero, debidamente instruido de antemano, le informará: "Lo siento, caballero (o señora), pero no lo tenemos".

Las entidades que sirven *in situ* tienen por lo común cuatro maneras de fijar los precios de los vinos y licores:

✔ **Por consumo:** Le cobran al cliente o bien por botella o por trago, y únicamente por lo que los invitados consumen. Algunos lugares cobran por botella de licor abierta, aunque lo más equitativo es que cobren por décimos de botella consumidos. Esto no se aplica a los vinos ni la champaña, que siempre se facturan por botella destapada. El agua mineral, los jugos y el agua embotellada se pueden servir sin costo adicional o también cobrándolos por consumo.

Esta manera de facturar resulta ventajosa si se cree que los invitados no van a beber mucho. Es recomendable advertir al maestro de ceremonias que los camareros no deben levantar las copas que estén medio vacías (pues el invitado irá al bar a pedir más). Hacia mediados de la fiesta el maestro de ceremonias debe informar sobre el nivel del consumo, con lo cual se logran dos cosas: que el anfitrión tenga la oportunidad de moderar la cantidad de vino que se está sirviendo, y que el servidor vea que hay alguien más que está llevando la cuenta.

✔ **Precio incluido en el de la recepción de coctel; después de éste, por consumo:** Esto significa que todo lo que beban los invitados durante la hora del coctel (aun cuando beban como peces) ya está incluido en el precio por persona convenido para la recepción. Lo que beban después de ese período de tiempo se carga por trago a la cuenta del anfitrión. Esta opción es ventajosa si el anfitrión no está seguro de cuánto van a beber sus invitados. Lo corriente es que el consumo sea muy grande durante la primera hora; después disminuye considerablemente. Además, si se sirve vino a la comida, lo más probable es que los invitados no pidan más cocteles, lo cual mantiene bajo el costo de las bebidas adicionales.

✔ **Todo incluido:** En el precio total se incluye comida y bebidas. Aun cuando la parte de bebidas pueda parecer costosa, esta estructura es eficiente con relación al costo si los invitados son fuertes bebedores. También significa que no hay que preocuparse por lo que consuman. El vino que se sirve en el bar está incluido, lo mismo que el que se sirve a la mesa. Por lo general se escoge de una lista de vinos, pero si se quiere mejorar la selección, se debe recibir un descuento del precio de lista por botella. La champaña para el brindis puede estar incluida pero la que se sirve en el bar es probablemente un costo adicional.

✔ **Cobro por descorche únicamente:** Se paga un precio por el vino y la champaña que el anfitrión mismo lleve. Hay que calcularlo con cuidado pues podría acabar pagando una prima enorme por botella. Si se insiste en un vino que no tiene el establecimiento, es conveniente averiguar cuánto le cobrarían por conseguírselo. Por extraño que parezca, aunque le agreguen un sobreprecio esta manera de obtenerlo puede costarle menos al anfitrión.

Es aconsejable repasar la lista de los invitados y anotar cuáles son menores de edad y no pueden beber. Se puede especificar en el contrato un precio más bajo para ellos.

Otras opciones

Una de las principales ventajas de celebrar la boda en un lugar distinto de los establecimientos especializados – por ejemplo en la casa o en un local alquilado a donde puede ir un banquetero – es que el anfitrión está en libertad de comprar los licores donde quiera. Hay casos en los que el establecimiento tiene su propio banquetero, cuyos servicios hay que contratar, pero sin embargo se le permite al cliente suministrar los licores. En esta forma no queda amarrado en la rígida estructura de precios del establecimiento y puede servir lo que quiera, ventaja adicional para un bar de especialidades (como

Legalismos alcohólicos

Las leyes relativas a licencias que se expiden para poder servir bebidas alcohólicas fuera de los lugares especializados varían mucho según el país, así que en algunos lugares el banquetero puede suministrar las bebidas. En todo caso, le puede aconsejar al anfitrión sobre las cantidades que se necesitan para una recepción y sobre cuáles son las bebidas preferidas en su región y entre la gente que piensa invitar. Ron y tequila, por ejemplo, son populares entre la gente joven. Algunos gobiernos locales no permiten mandar vinos directamente al consumidor, de modo que hay que preguntarle al proveedor qué es legal en su área. En algunas partes de Estados Unidos no se puede comprar cerveza donde se compran licores, por lo cual hay que conseguirla por separado.

En muchos estados de ese país se están dictando leyes que hacen responsables a todos, desde los abastecedores hasta los anfitriones, por lesiones causadas a sí mismos o a terceros por personas intoxicadas. Se debe especificar que los cantineros no pueden servir bebidas alcohólicas a menores de edad, ni a invitados que estén obviamente embriagados, ni a alcohólicos conocidos.

se verá más adelante en este capítulo) o si el anfitrión tiene gustos específicos en cuanto a vinos y licores.

Algunos lugares en donde se pueden buscar vinos y licores y tal vez encontrar gangas son:

✔ **Bodegas de descuento o super-tiendas,** que venden vinos a precios al por mayor, casi siempre sólo por cajas.

✔ **Catálogos de vinos,** que a menudo ofrecen precios más bajos y un mayor surtido de vinos difíciles de encontrar en los mercados locales.

✔ **Licoreras,** que a veces tienen promociones o ventas especiales (se pueden buscar los anuncios en la prensa de la localidad). La economía en las compras en cantidades puede ser muy atractiva cuando se adquieren vinos y champaña. Es importante seguir las instrucciones de almacenamiento, pues de lo contrario podría terminar con unas cuantas cajas de vinagre apenas apto para ensaladas.

✔ **Viñerías locales,** que se pueden visitar y probar allí mismo los vinos antes de que se los despachen.

La figura 15-1 contiene lo que se necesita tener en cuenta cuando se ofrece una fiesta en que se incluye un bar.

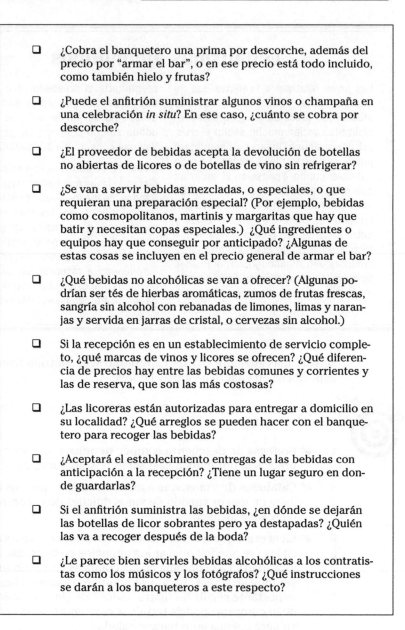

❑ ¿Cobra el banquetero una prima por descorche, además del precio por "armar el bar", o en ese precio está todo incluido, como también hielo y frutas?

❑ ¿Puede el anfitrión suministrar algunos vinos o champaña en una celebración *in situ*? En ese caso, ¿cuánto se cobra por descorche?

❑ ¿El proveedor de bebidas acepta la devolución de botellas no abiertas de licores o de botellas de vino sin refrigerar?

❑ ¿Se van a servir bebidas mezcladas, o especiales, o que requieran una preparación especial? (Por ejemplo, bebidas como cosmopolitanos, martinis y margaritas que hay que batir y necesitan copas especiales.) ¿Qué ingredientes o equipos hay que conseguir por anticipado? ¿Algunas de estas cosas se incluyen en el precio general de armar el bar?

❑ ¿Qué bebidas no alcohólicas se van a ofrecer? (Algunas podrían ser tés de hierbas aromáticas, zumos de frutas frescas, sangría sin alcohol con rebanadas de limones, limas y naranjas y servida en jarras de cristal, o cervezas sin alcohol.)

❑ Si la recepción es en un establecimiento de servicio completo, ¿qué marcas de vinos y licores se ofrecen? ¿Qué diferencia de precios hay entre las bebidas comunes y corrientes y las de reserva, que son las más costosas?

❑ ¿Las licoreras están autorizadas para entregar a domicilio en su localidad? ¿Qué arreglos se pueden hacer con el banquetero para recoger las bebidas?

❑ ¿Aceptará el establecimiento entregas de las bebidas con anticipación a la recepción? ¿Tiene un lugar seguro en donde guardarlas?

❑ Si el anfitrión suministra las bebidas, ¿en dónde se dejarán las botellas de licor sobrantes pero ya destapadas? ¿Quién las va a recoger después de la boda?

❑ ¿Le parece bien servirles bebidas alcohólicas a los contratistas como los músicos y los fotógrafos? ¿Qué instrucciones se darán a los banqueteros a este respecto?

Figura 15-1: Cuando se trata del bar, se debe convenir con el banquetero una estrategia de bebidas.

Al aprovisionar el bar hay ciertos puntos que se deben tener en cuenta:

✔ Comprar 10 por ciento más licores de los que se cree que se van a consumir.

✔ Comprar en una licorera que acepte devolución de las botellas no destapadas. No olvidar advertir al banquetero que no
se deben romper los sellos de todas las botellas. Tampoco
se deben refrigerar todas las botellas de vino y champaña, a
menos que se tenga la certeza de que se van a consumir, pues
eso hace que las etiquetas se humedezcan y se desprendan.
Las botellas sin etiquetas son poco atractivas y no se pueden
devolver. Sin embargo, en una comida contratada con todo
incluido, se pueden descorchar casi todas las botellas de una
vez; de lo contrario el servicio será mucho más lento.

✔ Ya sea que se pague o no una prima por persona por armar
el bar (por hielo, frutas, jugos, agua mineral y mezcladoras),
repasar los detalles con los banqueteros. No dar por sentado
que el bar estará provisto de los ingredientes y adornos para
servir bloody marys, piña colada, margaritas y otras bebidas
especiales que uno quiera ofrecer.

✔ Volver a comprobar la cantidad de hielo que se ha pedido
(ver más información en la sección siguiente).

✔ Ofrecer bebidas no alcohólicas que sean atractivas, variadas
y festivas para que ningún invitado se sienta como pariente
pobre. Algunas posibilidades son: té helado con ramitos de
menta, cidra fresca de manzana y limonada rosada. Los no
bebedores por lo general no tienen interés en cocteles simu-
lados, tales como daiquirís vírgenes.

✔ Asegurarse de que los vinos blancos y champañas se entreguen refrigerados porque muchos locales no especializados
no tienen suficiente espacio para enfriarlos —y además no
habrá tiempo para ello.

✔ Para evitar que los sobrantes desaparezcan, encargar a un
amigo de confianza que hable de las sobras con el banquetero y cómo se recogerán las botellas sin destapar unos pocos
días después de la boda (cuando se supone que los novios ya
habrán partido en su luna de miel).

Hielo y botellas

Cuando se trate de hielo, se debe tener en cuenta:

✔ Calcular $1 \frac{1}{2}$ libras de hielo por persona y $2 \frac{1}{2}$ libras por
persona si también se van a enfriar las botellas.

✔ Aun cuando es posible helar una botella en unos 20 minutos
echándole agua y sal al hielo, esto hace que las etiquetas
se desprendan. Si no se usa sal, mantener las botellas en un

balde entre hielo durante dos horas a fin de enfriarlas debidamente.

✔ El hielo picado enfría las botellas más rápidamente que el hielo en cubos.

Logística líquida

Si el lector (o la lectora) ha llegado ya al punto en que se desvela y se obsesiona con todos los detalles, le damos aquí un pequeño proyecto para que lo mantenga ocupado a las 2 a.m. Es una rápida referencia para surtir el bar.

Calcular cuánto alcohol se ha de tener a mano no es una ciencia exacta. Varios factores entran en juego: las costumbres sociales de los invitados, el presupuesto que se tenga, la época del año y la hora del día. Para una boda de verano, por ejemplo, se puede necesitar más cerveza, vodka y ginebra que para una boda de invierno en que la gente tiende a tomar más vino tinto y whisky.

Se observará que el cálculo aritmético es como ponerse a duplicar las recetas: el número de litros que se necesitan no aumenta necesariamente en proporción directa al número de invitados o puestos de bar que se agreguen. Al comprar las bebidas, se debe tener en cuenta el número de puestos de bar que va a instalar el banquetero. Por ejemplo, si los invitados son 250 y se había pensado en cuatro bares y se resuelve aumentarlos, el número de botellas de whisky que se necesitan ya no serán cuatro sino cinco para que todos los bares tengan la misma selección.

Al calcular las cantidades que se deben comprar, conviene tener en cuenta la siguiente guía sobre el consumo medio por persona:

✔ De una botella de una bebida alcohólica salen de 20 a 22 tragos.

✔ Para un coctel de una hora que precede a la comida, calcular dos tragos por persona y después entre dos y dos y media copas de vino por persona con la comida.

✔ Para un coctel de dos horas, calcular tres tragos por persona.

✔ Para un banquete de cuatro horas calcular de tres a cuatro tragos por persona.

✔ De una botella de vino salen aproximadamente siete copas de vino tinto y ocho de vino blanco.

✔ Un litro de agua mineral tiene de cinco a siete vasos, según la capacidad de los vasos o copas y el hielo.

✔ De una botella estándar de champaña de 750 ml salen siete copas bien llenas. Para el brindis calcular 75 copas por caja de champaña.

En la figura 15-2 mostramos un pedido típico de lo que se necesita para 100 invitados con bar abierto cuatro horas, incluyendo un coctel de una hora. Estas cantidades sólo son una estimación. Es mucho mejor que sobre y haya que devolver botellas, a quedarse cortos a media noche cuando ya no hay tiendas abiertas en donde se pueda comprar lo que falte.

Si la recepción es un coctel de larga duración y no una comida servida a las mesas, hay que modificar las fórmulas de calcular las cantidades. Para un coctel de tres horas con 100 invitados, se debe

Equipo completo de un bar

Si el anfitrión piensa organizar por sí mismo el bar o insiste en volver loco al contratista comprobando hasta los más pequeños detalles, damos a continuación un resumen de los artículos no líquidos que se necesitan:

✔ Jarras de bar (cuatro por cada 75 invitados)

✔ Destapadores de botellas

✔ Alicates para champaña

✔ Porta vasos

✔ Descorchadores

✔ Embudos

✔ Tazones (de 15 cm)

✔ Cristalería (por lo menos dos por persona, de preferencia tres)

✔ Copones de 12 onzas

✔ Copas de 8 onzas para *highballs* (opcionales)

✔ Copas altas de champaña (opcionales)

✔ Tenazas largas para el hielo

✔ Baldes para el hielo (para enfriar vino y champaña)

✔ Cuchillos y tabla para cortar

✔ Jarras grandes para las mezclas

✔ Exprimidores de limones y naranjas

✔ Cucharas de mango largo

✔ Tazas de medir

✔ Vasos de mezclar

✔ Servilletas

✔ Tapete de plástico (para proteger el piso detrás del bar)

✔ Bandejas para servir

✔ Mezcladoras y cedazos

✔ Esponjas

✔ Bolsas para la basura

✔ Cubos de basura

calcular un trago por persona por hora, o sea aproximadamente 1 ¹/₂ cajas de licores en total, que pueden ser, en orden descendente, vodka, whisky, ginebra y ron. Un litro de licor da de 20 a 22 tragos más o menos.

❑ Whisky escocés	4 litros
❑ Vodka	6 litros
❑ Ginebra	5 litros
❑ Ron	2 litros
❑ Bourbon	1 - 2 litros
❑ Whisky mezclado	1 - 2 litros
❑ Tequila	1 litro
❑ Campari	1 litro
❑ Vermouth seco	2 botellas de 750 ml
❑ Vermouth dulce	2 botellas de 750 ml
❑ Cervezas diversas	2 o 3 cajas
❑ Cerveza pálida	2 cajas
❑ Vino blanco para el coctel	1 ¹/₂ cajas
❑ Vino tinto para el coctel	6 botellas
❑ Champaña para el coctel	1 ¹/₂ cajas
❑ Cola	14 litros
❑ Cola dietética	12 litros
❑ Limonada gaseosa	7 litros
❑ Limonada gaseosa dietética	7 litros
❑ Ginger Ale	7 litros
❑ Soda	9 litros
❑ Agua tónica	1 caja
❑ Jugos (naranja, toronja, grosellas)	8 litros de cada uno

Figura 15-2: Pedido de compra típico para una recepción de cuatro horas y 100 invitados, con bar abierto que incluye una hora de cocteles.

No todas las botellas de vino son iguales. Las francesas son de unos 754 ml mientras que las alemanas, más altas y estrechas, contienen sólo unos 695 ml. Para diferenciar los tamaños de las botellas que usaban, los franceses iniciaron la tradición de darles los nombres de personajes de la Biblia. Para la champaña, por ejemplo, un Magnum tiene la capacidad de dos botellas corrientes, un Jeroboam de 4, un Rehoboam 6, un Matusalén 8, un Salmanazar 12, un Baltasar 16 y un Nabucodonosor 20. Los nombres y las capacidades varían un poco para las botellas de tipo Burdeos: mientras que un Magnum es el equivalente de dos botellas corrientes, la rara Marie-Jeanne hace unas tres, un doble Magnum cuatro, un Jeroboam seis y un Imperial ocho.

Aunque sea difícil creerlo, hay camareros profesionales que llegan al local de la recepción sin descorchador. Ya sea que la familia esté atendiendo el bar o que se haya contratado un cantinero, vale la pena tener en previsión una media docena de sacacorchos de los de palanca —no descorchadores de aletas. Para destapar botellas especiales, como Imperiales de vino tinto, se necesita un destapador montado en el bar.

Evitar congestiones

Sería difícil exagerar la importancia que tiene el libre flujo de la gente para el éxito de la fiesta. Es muy desagradable para los invitados tener que hacer largas colas frente al bar para poder tomarse una copa. Una manera fácil y muy festiva de evitarlo es tener camareros estacionados a las puertas del área de la recepción con atractivas bandejas de vinos, agua mineral y, si se puede, champaña. Casi todos los huéspedes se contentan con tomar lo que se les ofrece en lugar de tener que acosar al cantinero.

Algunas parejas optan por tener todo el bar abierto desde que empiezan a llegar los invitados. Entre los árbitros de la elegancia la opinión está dividida, puesto que unos consideran que abrir todo el bar antes de la ceremonia es de mal gusto pero servir vino y champaña está bien. Nosotros no vemos tan sutil matiz. Si los anfitriones disponen que se sirva alcohol antes de la ceremonia, cuánto y de qué clase es cuestión de estilo personal, pero hay que tener cuidado de conducir a los invitados a sus puestos con suficiente anticipación a la ceremonia para que no haya una recepción de coctel improvisada antes de la planeada, y para que los camareros alcancen a retirar las copas de los invitados que van tomando asiento, de manera que el tintineo de copas de champaña rotas no interrumpa la ceremonia.

Algunas personas consideran que servir bebidas alcohólicas antes del matrimonio es un delito, y hay establecimientos de banquetes que se niegan rotundamente a abrir el bar hasta que los contrayentes estén debidamente unidos con el yugo matrimonial. A nosotras nos parece que son los novios (y acaso el oficiante) los que deben resolver el punto. (Obviamente la cuestión es discutible cuando la ceremonia se celebra en una iglesia o si se se trata de una boda entre judíos ortodoxos un sábado.)

Para una recepción de coctel seguida por una comida, la proporción de camareros en el bar con relación a los invitados es de 1 por cada 50 o 75. Infortunadamente no se puede contar con esto. Si se está pagando por consumo, los banqueteros recargan a los encargados del bar con el fin de venderle al cliente más bebidas; por el contrario, si el precio se ha contratado con todo incluido, puede que a los invitados les parezca que conseguir un trago es como buscar un oasis en el Sahara.

Aun cuando los camareros estén pasando bebidas para evitar congestiones en el bar a medida que los invitados empiezan a llegar, hay que tener personal extra en el bar durante ese período crucial. Si esto significa un costo extra, pues se puede solicitar que algunos de los camareros (siempre que esto no sea contrario a las reglas del sindicato) ayuden en el bar hasta que todos los invitados hayan obtenido por lo menos su primer trago.

Estética en el bar: prestar atención

Es preciso especificar qué aspecto debe presentar el bar. Así mismo, hay que determinar quién va a suministrar la mantelería del bar, si el establecimiento o un decorador del anfitrión. Si no se piensa en estas cosas de antemano, a lo mejor termina el bar con mantelería blanca institucional, desmereciendo la recepción que tan cuidadosamente se planeó. Por lo menos el bar posterior —la mesa que se pone detrás de la principal— debe tener mantelería que haga juego con ésta. Las copas y los vasos, los recipientes de hielo y los artículos de reserva se deben mantener bien ordenados. A veces los encargados del bar olvidan que están trabajando en el local de una recepción.

Las siguientes son algunas preguntas que conviene hacer:

✔ ¿Los encargados del bar servirán de botellas abiertas (calculando al ojo la cantidad que constituye un trago) o de botellas provistas de una espita que mide cada trago?

✔ ¿Son los vertedores de color plateado o de plástico? (Los plateados son más elegantes.)

✔ ¿Qué recipientes van a usar para el hielo? Si la respuesta es grandes baldes de basura (como sucede a menudo), se debe pedir que los baldes se envuelvan en manteles. La champaña se debe conservar en baldes de hielo.

✔ ¿Con qué se toma el hielo? Esperamos que se usen pinzas para hielo. Algunos atribulados camareros pueden recurrir a recogerlo con un vaso, pero esto tiene el inconveniente de que a veces queda sabiendo a lo que contenía el vaso. En cuanto a los que toman el hielo con la mano, no merecen ni que los mencionemos. Confiamos en que nuestros lectores no tengan ese problema.

Hay otros aspectos de estética del bar que vale la pena tener en cuenta:

✔ Tener sobre el bar pesadas damajuanas de medio galón da la impresión de que los anfitriones estuvieran esperando una invasión de los hunos. Algo más estético es tener botellas de 750 ml. Si se van a servir cervezas diversas, unos cuantos vinos distintos o margaritas, se deben mostrar varias botellas en el bar para que los huéspedes sepan que los pueden pedir.

✔ Escribir unas pocas palabras de descripción de los vinos que se ofrecen, y dárselas a los encargados del bar para que sepan qué es lo que están sirviendo. Habiendo escogido los novios los vinos perfectos para la hora del coctel, como un Chambertin Gevrey de 1988, es muy desconsolador para ellos oír que la persona a cargo del bar contesta la pregunta de un invitado diciéndolo: "Vamos a ver, aquí hay tinto y blanco".

✔ Los grandes arreglos florales sobre el bar están inevitablemente expuestos a que un camarero o un invitado se tropiece o dé un manotazo y los eche al suelo. Basta con un florero pequeño, siempre que sea de buen gusto y que esté de acuerdo con el tema general del bar. Lo mismo se aplica a los candelabros y velas de adorno que se enredan en las mangas de las chaquetas.

Hay otro punto que, aunque obvio, conviene enfatizar. Un artículo del cual sin duda hay que prescindir es un platillo para propinas. Éste sólo es tolerable en los bares en que se paga por las bebidas, pero no es admisible en una boda.

Los bares de especialidades

Aun cuando necesitan personal adicional especializado, estos bares pueden ser un gran agasajo para los invitados, incluso en bodas muy grandes. Las bebidas especiales requieren arreglos especiales para obtener el efecto dramático deseado:

✔ Se deben servir estas bebidas en un puesto aparte, no en el bar, o hacer que un camarero las pase a los invitados.

✔ Hay que aprovisionar ese puesto con todo lo concerniente a la bebida; por ejemplo, en un puesto de martinis debe haber copas para martini, batidoras que hagan juego con ellas, y una diversidad de aderezos, como cebollitas blancas encurtidas para los Gibsons.

✔ Es preciso planear bebidas que se vean bonitas además de ser sabrosas. Se pueden tener copas adornadas con azúcar de colores en el borde, o usar elementos raros como un palito de menta o una cereza de vástago largo.

Algunas ideas festivas para el bar de especialidades son:

✔ **Bar de *cappuccino* y *espresso*:** ¿No pareciera como si los bares de café se hubieran apoderado del mundo? Pues las bodas no son inmunes. Ahora hay banqueteros que se especializan en bares de café que ofrecen de todo, desde *cappuccino* hasta *mocha latté* medio descafeinado. Los *toddies* calientes de ron, café irlandés y chocolate aromatizado con licor son también muy atractivos.

✔ **Bares de *pousse-cafés*:** Las bebidas después de comida son hoy tan populares como los cigarros y martinis. Entre los pousse-cafés se cuentan muchos licores y cognacs añejos, al igual que armagnacs y digestivos. (Ver "Licores de lujo" en este capítulo.) A veces los camareros toman los pedidos en las mesas, pero si se quiere hacer mejor las cosas, carretillas que se llevan rodando hasta las mesas con una selección de *pousse-cafés* y vinos generosos —y sus correspondientes copas— son un excelente complemento de un gran banquete. Con todo, la carretilla puede resultar costosa pues muchas personas a quienes normalmente ni se les ocurre tomar bebida alguna después de comer, pueden sentir la tentación y hacer una excepción en vista de las circunstancias.

✔ **Bar de vodka:** Con la aparición de una multitud de vodkas raros, desde el aromatizado hasta el triple destilado, el bar de vodka es otra posibilidad. La única manera de servirlo es muy frío y en copas refrigeradas. Las bebidas de vodka funcionan bien, solas o como acompañamiento en un puesto de comida que ofrezca blinis y caviar o pescado ahumado. Grandes botes llenos de vodka aromatizado con frutas o hierbas y colocados detrás del bar hacen muy atractivo el puesto.

✔ **Bar de vinos:** Un bar que ofrezca un buen surtido de interesantes y deliciosos vinos funciona especialmente bien cuando la recepción es sólo de coctel. Aquí los anfitriones se pueden divertir viendo los resultados de sus degustaciones de los dos últimos meses. Los vinos no tienen que ser los más caros o raros pero sí deben tener carácter propio. Se debe mostrar cada uno con una tarjeta o una carta de vinos que explique sus calidades. Seis vinos, unos blancos y otros tintos, son suficientes siempre que representen una buena variedad de uvas, tal vez un Cabernet Sauvignon, un Pinot Noir, un Chardonnay, un Sauvignon Blanc, un Merlot y un Sauterne. Se puede pensar en selecciones de Chile, Australia y Sudáfrica, así como de las regiones vinícolas más conocidas. Un gran toque sería un par de Impérials (que no son necesariamente más caros) como centinelas en el bar. Para completar el efecto, se debe servir cada vino en la debida copa.

Otra manera de economizar costos en el servicio de bar es servir únicamente cerveza, vino y una bebida especial. Algunas bebidas se pueden tener mezcladas de antemano, en lugar de prepararlas una por una a medida que las pidan. Otras necesitan un *barman* experto. Algunas posibilidades son:

✔ **Coladas,** acentuadas con una brocheta de mango, kiwi y piña.

✔ **Cosmopolitanos,** que se preparan con vodka, triple sec, limón y jugo de grosellas – o el amistoso *cosmo blanco* hecho de jugo incoloro de grosella y por lo general servido en una copa de martini.

✔ **Margaritas,** servidas en copas en forma de V con los bordes salados y una raja de limón.

✔ **Mojitos,** en que se combinan ron, azúcar, mucha menta fresca y jugo de limón.

✔ **Sangría,** hecha de vino tinto y unas gotas de brandy.

✔ **Sidecars,** una combinación de brandy, Cointreau, jugo fresco de limón y una cáscara de naranja flambeada.

Licores de lujo

Servir una selección de pousse-cafés y cognac al final de la recepción es un toque de elegancia. Si es posible hay que servirlos en las copas especiales de brandy que permiten percibir el delicado aroma de la bebida, más bien que en copas de coctel. A continuación ofrecemos una breve cartilla de posibilidades:

✔ **B&B:** Benedictino y brandy.

✔ **Cognac:** Licor hecho en la región de Francia denominada Cognac, bajo marcas como Hennessy y Courvoisier.

✔ **Cointreau o Grand Marnier:** Licor aromatizado con naranja.

✔ **Mistelas:** Pueden ser pousse-cafés de poco costo o de marcas registradas y de varios sabores, como crema de menta, crema de chocolate, melocotón, albaricoque, pera y banano.

✔ **Kahlua:** Licor mexicano de café, licor jamaiquino Tía María de café.

✔ **Sambuca:** Aromatizado con orozuz, servido a menudo con granos de café en el fondo de la copa.

✔ **Bebidas especiales:** Martinis de chocolate, derrumbes y café irlandés.

Seleccionar vinos, cervezas y champaña

Muchos creen equivocadamente que servir sólo vino y cerveza es menos costoso y que así se evita que la gente se emborrache. Ambas cosas son sofismas. Primero, porque no todos los establecimientos cobran mucho menos por vinos de la casa y cerveza. Segundo, la idea de que el vino y la cerveza son menos embriagantes que los licores es absurda. Una buena cantidad lo puede dejar a uno totalmente borracho. Si alguno se propasa, conviene que recuerde las palabras inmortales de Dean Martin: "Si bebe, no conduzca automóvil. Ni siquiera juegue golf".

En páginas anteriores de este capítulo hablamos de cerveza, vinos y champaña en términos de precios y cantidades. Ahora pasamos al arte delicado y más bien subjetivo de escoger apropiadas y deliciosas botellas para amenizar la fiesta.

Vinos para acompañar la comida

Para muchas personas una buena comida tiene que acompañarse con vino. El tiempo y el dinero que se dediquen a seleccionar los vinos de la boda dependen de la importancia que se conceda al sabor de la uva. El sobreprecio de vinos y champaña es exorbitante en los establecimientos de banquetes y en los hoteles, de manera que elegir un local distinto para celebrar puede tener una influencia decisiva en el costo total de la boda.

Uno de los aspectos más divertidos de la planeación de la boda es escoger el vino. Si el anfitrión mismo lo va a comprar, debe adquirir antes varias botellas y probarlas en su casa con la comida. Si va a escoger de una lista de vinos de un establecimiento especializado, es aconsejable conseguir un ejemplar de esa lista y comprar en una licorera botellas de los que le llamen más la atención para probarlos. Algunos establecimientos incluyen degustación de vinos en las pruebas de la comida. Es preciso recordar que se trata de una degustación, no de una bacanal. En efecto, es probablemente la única ocasión en la vida en que se permite probar el vino y escupirlo en público. (Ver el capítulo 14).

Hasta hace poco los que planeaban un bar ordenaban automáticamente copiosas cantidades de vino blanco y un mínimo de tinto sólo para satisfacer a unos cuantos excéntricos presuntuosos. A medida que se han hecho más razonables los precios de los buenos tintos, estos se han popularizado. Se debe disponer de suficiente vino tinto para que todos puedan tomarlo con el plato principal si:

✔ Se va a servir carne o pescado en salsa de vino tinto.

✔ El vino es particularmente delicioso.

✔ La boda se celebra en lo más crudo del invierno.

Si se sirve vino blanco en toda la comida (y no tinto), por lo general media botella por persona basta. Si se sirve sólo blanco para el primer plato y luego tinto (o ambos, para escoger) en el resto de la comida, se debe calcular un tercio de botella de vino blanco por persona.

¿Debe servirse el mejor vino al principio, o guardarlo para el final? Unas personas opinan que la primera impresión es la más importante, y que además una vez que los invitados están más o menos saciados, ya no distinguen de sabores. Otros creen que los invitados empiezan a distinguir sabores sólo cuando se han activado sus papilas del gusto, de modo que los mejores vinos no se deben servir al principio. Una manera de soslayar este enredo, si se sirven varios vinos, es ver que todos sean de una calidad comparable y que se complementen los unos a los otros.

Para los aficionados a la cerveza

Servir cerveza en las bodas es una costumbre muy antigua. En efecto, la palabra inglesa *bride* (novia) se deriva de una raíz germánica que significaba cocinar o hacer una bebida. En el siglo XV en Inglaterra los festejos matrimoniales se conocían como *bride-ales* (*ale* quería decir fiesta), y beber cerveza (cuanto más fuerte mejor) en cantidades respetables era una de las principales actividades en estas ruidosas celebraciones. La madre de la novia se plantaba a la puerta de la iglesia para venderles a los transeúntes una infusión que ella preparaba en su cocina, y el fruto de este comercio engrosaba la dote de la desposada.

Hoy servir cerveza no es un requisito en los festejos de bodas; pero con la aparición de muchas micro-cervecerías y un nuevo interés en las complejidades y matices del "pan líquido", la cerveza ya no se considera demasiado vulgar para las bodas. Hay que cuidar, eso sí, de servirla en vasos o copas y de botellas, no de latas ni barricas. Si se ha de servir cerveza, se debe incluir una variedad pálida y debe haber abundante existencia si es un cálido día de verano.

En un bar especial de cerveza se pueden presentar recetas de varias micro-cervecerías, una selección de exóticas importaciones, cervezas de países que representen la herencia étnica de la familia, o una gira mundial de cervezas de todos los continentes (menos la Antártida, desde luego). Una manera de impresionar a los aficionados es convenir con una micro-cervecería que fabrique un lote especial de su bebida para el gran día, o para una fiesta la víspera. Se pueden imprimir etiquetas con los nombres de los novios y la fecha del matrimonio.

Sacar los espumantes

En una celebración de bodas se espera degustar champaña o un buen vino espumante, ya sea que se sirvan durante toda la recepción o únicamente a la hora del coctel, a solicitud, en la comida o con la torta de boda para el brindis.

La champaña puede ser de vendimia o no de vendimia. Cualquier botella que no tenga en la etiqueta el año de la cosecha (como no lo tienen 85 por ciento de ellas) es *NV* o no de vendimia. Tres o más uvas de distintas cosechas se mezclan para un NV. Una champaña de vendimia tiene 100 por ciento de uvas de un mismo año, sin mezcla de años anteriores. Si se quiere ofrecer champaña de vendimia hay que prepararse con una buena suma de dinero. Todos los champañas, sean o no sean de vendimia, se categorizan por su calidad de dulces o secas y existe una nomenclatura que no es evidente para todos:

✔ *Extra brut o brut nature* significa totalmente seca (menos de 0,06 por ciento de azúcar).

✔ *Brut* es también muy seca (menos de 1,5 por ciento de azúcar) y es tal vez la mejor para una boda. La mayoría de las champañas que se venden en Estados Unidos y América Latina son Brut NV.

✔ *Extra Seca* es más dulce que Brut y se considera medianamente seca.

✔ *Sec* es ligeramente dulce. (En francés, sin embargo, "sec" significa seco. ¿Quién entiende?)

✔ *Demi-sec* se considera dulce aunque no tanto como el siguiente:

✔ *Doux* es realmente dulce. Esta champaña es la más dulce de todas y sólo se debe servir con los postres. Es difícil de conseguir.

Un toque personal muy divertido es un coctel que se inventa para la boda. Una pareja que conocemos ofreció la recepción en un jardín de rosas y sirvió champaña rosé, adornada cada copa con un pétalo de rosa y una fresa. Al entrar los invitados, los camareros les ofrecían la bebida en bandejas adornadas con ramas verdes del bosque y rosas y anunciaban: "El Coctel Rosa en honor de Loretta y George".

La champaña rosé tiene una mala reputación que no merece, entre algunos que creen que los cantineros la preparan mezclando bebidas carbonatadas con vino tinto. La verdad es que se hace o bien agregando Pinot Noir al principio del proceso a una mezcla de vinos blancos, o dejando la piel a las uvas durante la vinificación para impartir el color rosa. Los rosés son especialmente sensuales y románticos en las bodas. A diferencia de muchos vinos rosé, la champaña rosé es brut más bien que semi-dulce.

Se se desea servir champaña pero al anfitrión le preocupa el costo, se puede pensar en servir Asti o Bella Vista de Italia, o algún buen vino espumante con el pastel de bodas.

Una caja de champaña da aproximadamente 70 a 75 copas, así que para el brindis hay que calcular una caja por cada 75 invitados. Para la hora del coctel se debe calcular $1^1/_2$ cajas para 100 invitados. Algunas copas altas y angostas llamadas "flutes" y las copas tulipán pueden ser engañosas porque tienen menos capacidad de lo que parece, y en ese caso es posible que una caja rinda 80 copas.

Habiendo hecho la champaña un abrupto viaje desde la tienda hasta el lugar de la fiesta, hay que dejarla reposar varias horas antes de abrirla. No se debe quitar nunca el alambre que envuelve el corcho hasta el momento de destapar la botella, si no quiere un estallido espontáneo del corcho. Por la misma razón no se debe usar descorchador, que libera el gas súbitamente y con excesiva fuerza. El procedimiento correcto de destapar champaña es ir sacando el corcho suavemente de manera que exhale un diminuto suspiro. Pero si a uno no le importa perder un poco del contenido y está obsesionado con la imagen hollywoodesca de corchos de champaña que se disparan como cañonazos, se le puede dar al corcho un fuerte tirón. En todo caso, conviene apuntar el pico de la botella lejos de la decoración y de todo ser viviente, para evitar un desagradable percance.

Unas palabras sobre los brindis

En los Estados Unidos los brindis de bodas se han ceñido últimamente a un protocolo más o menos estricto. El primero que habla es el padrino y le sigue el novio, quien responde para dar las gracias a sus padres, a sus suegros y acaso también a la novia. Ésta puede entonces proponer un brindis y le siguen sus propios padres (la madre primero), los padres del novio y los demás invitados. En nuestros días, empero, el novio y su padrino de bodas con frecuencia ceden el honor de iniciar los brindis a los padres de la novia si estos son los anfitriones. Otras veces los padres de la novia hacen un breve brindis de bienvenida y reservan sus sentimientos extensos para más adelante en la recepción. En otros países la costumbre del brindis está menos establecida. Cuando hay brindis con palabras, a menudo se hace al final de la comida, cuando se ha partido la torta y se sirve la champaña. Suele ser el padre de la novia, quien por lo general es el que ofrece la fiesta, quien brinda primero y dice algunas palabras.

Cuándo proponer el primer brindis depende del tipo de recepción. Si es una comida de servir a la mesa, lo mejor es esperar hasta que todos hayan tomado asiento y se les haya servido vino. En el pasado ha sido frecuente que se sirva champaña para el primer brindis. A nosotras nos parece que es preferible reservar la champaña para el brindis con la torta de boda, con la cual va muy bien. En un coctel en el que los invitados están de pie, se debe esperar hasta que todos tengan una copa en la mano. (En el capítulo 7 se encuentran opciones específicas sobre cuándo brindar.)

Para que todo salga a pedir de boca, se puede:

✔ **Nombrar un maestro de ceremonias.** Debe ser alguien que tenga sentido del humor y sepa interrumpir con delicadeza a los que hablan sin parar. Tampoco está de más que tenga una voz estentórea, pues esto elimina la necesidad de redobles de tambor, luces estroboscopias o señales de humo para pedir atención. Si no se ha asignado a nadie este honorífico papel, lo asume el director de la banda, quien quizá no dé el tono deseado. Hemos visto algunas parejas de novios que presentan ellos mismos a los locutores con un comentario apropiado para crear un ambiente personalizado e íntimo.

✔ **Escoger con cuidado a los que proponen los brindis.** Hasta nos atreveríamos a recomendar un poco de astucia. En otras palabras, un individuo que es un orador fabuloso pero no íntimo de los contrayentes. Honrar a un nuevo hijo adoptivo o a una cuñada o un cuñado pidiéndoles que propongan un brindis puede tener una influencia decisiva en sus relaciones de familia.

✔ **Prevenirlos con tiempo.** Advertir a los que van a proponer los brindis con varias semanas de anticipación; así se les da tiempo para que preparen algo que sea divertido y expresivo.

✔ **Especificar que sea breve y dulce.** Un brindis que dure más de tres o cuatro minutos es más propio de una coronación que de una boda.

✔ **Estipular el tono.** Los gracejos íntimos y anécdotas privadas no los entenderán muchos de los invitados.

✔ **Adoptar palabras ajenas.** En Internet se pueden comprar brindis. Se puede buscar algún mercader de frases cuyo estilo esté de acuerdo con la manera de pensar y hablar de los anfitriones. Se recomienda hacer ensayos previos para sentirse seguros de sí mismos. Nadie quiere un motivo más de nerviosismo el día de su boda.

✔ **Proponer los brindis de frente, dando cara al público.** El maestro de ceremonias presenta al orador y muestra cómo usar el micrófono. Pocas situaciones son más embarazosas que ver al padre de la novia que dice unas palabras sin duda muy sentidas, limpiándose con el pañuelo las lágrimas mientras los invitados se preguntan unos a otros: "¿Qué ha dicho?"

✔ **Fijar una cuota.** Aun cuando se tenga toda una familia de locutores, se debe elegir a no más de ocho para que hablen en la boda. Más discursos pueden complacer a los íntimos amigos y parientes pero a los demás los hacen dormir.

Un micrófono inalámbrico portátil es un invento maravilloso. Muchos se sienten más relajados sosteniendo algo en la mano y el brindis suena menos forzado si el maestro de ceremonias le pasa el micrófono al que lo va a proponer; éste puede entonces pararse con naturalidad mientras habla. Si es posible, se debe disponer que haya una mesita pequeña o un atril que se puedan llevar rodando al salón de baile y volverlos a sacar, para que los que proponen los brindis tengan dónde poner sus notas. Un camarero debe llevarle siempre una copa al orador.

En Estados Unidos se acostumbra que en las reuniones formales todos se pongan de pie durante el brindis, menos los agasajados; pero como en una boda se proponen tantos brindis, hacer que todos se levanten cada vez que alguien alza una copa resulta ridículo. La tradición sostiene igualmente que beber uno a su propia salud es tan absurdo como aplaudirse a sí mismo. Si se quiere seguir la senda de las buenas maneras, lo mejor es abstenerse de llevar a los labios la copa durante los brindis en su honor. La excepción a esta regla es el brindis con champaña que acompaña la torta de boda. Nadie censura que el novio y la novia lo tomen en ese momento.

Capítulo 16

La torta de boda

Desde tiempo inmemorial los pasteles se han asociado con los cambios de estado y la torta de boda tiene un simbolismo particularmente poderoso. Incorpora los temas de matrimonio, fecundidad, comunión y esperanza de una dulce vida, por lo cual sigue siendo hoy un importante aspecto de la primera comida de los contrayentes como marido y mujer, y la ceremonia de cortarla y repartirla es un rito que todos los invitados esperan presenciar.

Sin embargo, hasta hace poco la torta de boda era un pesado artefacto blanco, que se sacaba como un accesorio rodando a los acordes de alguna cancioncilla popular, y el invitado que se atreviera a comer una tajada se exponía a sufrir un shock por exceso de azúcar.

Hoy la torta de boda ha evolucionado hasta convertirse en una hermosa pieza central para adorno de la recepción, tan exquisita a la vista como al paladar. Las parejas dedican tanto tiempo a elegir el aspecto y sabor de su torta de boda como a otros aspectos significativos de su matrimonio.

Hoy en día hay un buen número de diseñadores disponibles, pues muchos artistas que antes trabajaban con otros materiales han dedicado sus talentos a crear arte comestible. Hoy las tortas no tienen que ser redondas, ni en torres, ni blancas. En efecto, ya ni siquiera tienen que parecer tortas. Muchos pasteleros se especializan en crear grandes obras maestras de *trompe l'oeil* que semejan preciosos joyeros, bolas y cadenas, piletas para pájaros, cofres ovalados, colchas de retazos, encaje de bodas... en fin, cualquier cosa que tenga significado para la pareja.

Que funcionen los hornos

Esas elaboradas esculturas de horno pueden tener un precio prohi-
bitivo, pero por suerte hay alternativas menos costosas e igualmente deliciosas. En todo caso, la torta es lo último que los invitados se
llevan a la boca en la recepción, de modo que es bueno despedirlos
con algo exquisito.

Cómo encontrar un pastelero

A menos que alguna tía u otra persona de la familia sea una veterana
experta en pastelería y les haya ofrecido hacerles el mejor *gâteaux
de mariage,* habrá que salir a buscar una pastelería. Para encontrar
un pastelero apto para el caso, se puede confiar en los mismos métodos que para hallar el banquetero adecuado (ver el capítulo 14), o
explorar la lista de pastelerías en Internet. Algunos sitios web tienen
también inspiradoras galerías de fotos de tortas.

No es preciso dar por sentado que hay que comprarle la torta al
banquetero. Muchos establecimientos permiten que el cliente aporte la suya propia, sobre todo si no son especialistas en las bellezas
que los novios tienen pensadas. Pero sí hay que comprobar cuál
es la política del establecimiento en este particular. Aun cuando le
permitan al cliente llevar la torta de boda, es posible que quieran
aprobar el origen para fines del seguro, o que cobren una tarifa por
el corte, tema que tratamos más adelante en este capítulo. Si la torta
está incluida en el precio total del agasajo, no es probable que se le
haga una rebaja al cliente por llevarla.

Lo mismo que en el caso del banquetero, es preciso evaluar el potencial y las limitaciones del pastelero. Si se escoge una determinada
pastelería porque uno ha visto o ha probado sus confecciones y le
encantaron, conviene examinar su álbum de fotos. Es bueno recordar que las pastelerías que no se anuncian como especialistas en
tortas de boda pueden ser en realidad muy capaces de producir
hermosas creaciones, así que no hay que pasarlas por alto.

En esta búsqueda de quién haga la *pièce de resistance* para su boda,
no se debe olvidar a los chefs de pastelería de los restaurantes, quienes con frecuencia han tenido entrenamiento en las dulces artes y
aceptarían gustosos la oportunidad de mostrar sus habilidades.

Es aconsejable ocuparse del tema de la torta temprano durante la
planeación, porque los buenos pasteleros se comprometen rápidamente. Si no hay en su vecindario una pastelería de primera, no es

motivo para descorazonarse. La torta de boda se puede pedir de fuera. Muchos pasteleros y chefs de bizcochería de quienes se lee en las revistas despachan sus creaciones desde otras ciudades con instrucciones detalladas sobre cómo hay que guardarlas y armarlas. Algunos hasta tienen sitios web para anunciarlas. Se debe tratar también de convenir por correo en una muestra para probarlas.

Una opción menos costosa que pedir la torta completa es comprar un bizcocho sencillo de una sola capa en una pastelería local y transformarlo con una cubierta que se consigue aparte, flores de azúcar, grageas de colores y otros elementos decorativos que se pueden pedir por correo. Hasta las buenas tiendas de comestibles y bodegas de descuento que tienen cómo hacer sus propias confecciones suelen producir notables tortas de boda. Ésta puede ser una manera económica de proceder, especialmente para una celebración informal o si tener una obra maestra de pastelería no es una alta prioridad. Se puede pensar en adornar la mesa en que se coloca en vez del pastel mismo. Eso cuesta menos. Se podría envolver la mesa en tela ornamental, amontonar pétalos de flores sobre ella o poner la torta en una bandeja que sea una reliquia de la familia (ver la sección "La torta en exhibición" más adelante en este capítulo).

Antes de hablar con un pastelero, es bueno hacer acopio de fotos y recortes para encontrar ideas. También es útil contar con instantáneas del local de la recepción, de trajes de novia o de arreglos florales. Para entender de sabores que van bien unos con otros, es recomendable probar pasteles cuando uno sale a comer por fuera. (Comprendemos que esto puede ser un terrible sacrificio pero hay que hacer un esfuerzo y aguantar.)

Capas de felicidad

La torta de boda puede ser de capas superpuestas o separadas. Las superpuestas van hacinadas unas encima de otras; para las capas separadas se usan elementos decorativos (tradicionalmente columnas griegas en miniatura) para elevar las capas de tal manea que no se toquen unas con otras. En consecuencia, el pastel es más alto que uno de capas superpuestas que tenga igual número de capas.

El aspecto etéreo de algunas tortas de boda no deja traslucir las dificultades que hay que vencer para que duren unas horas. Construir un pastel de capas separadas es toda una obra de ingeniería, pues es preciso reforzar las capas, que pueden ser bastante pesadas, de modo que no se derrumben unas sobre otras. En un tiempo las únicas estructuras que se usaban para separarlas eran espigas de madera o columnas clásicas de plástico, pero hoy se puede obtener el mismo efecto con figuras de azúcar de adornos de jardinería, cupidos o columnas de leucita con guirnaldas – o cualquier otra cosa con tal de que resista el peso de las capas superiores. Cada capa se separa luego con cartón corrugado. A menos que el pastelero sea especialista en tortas de varias capas, el cliente se expone a que le manden una torre temblorosa cuya capa más alta se venga abajo y quede convertida en la más baja.

Arreglar la cima de la torta de boda es otro buen rompecabezas. Ya pasaron de moda los consabidos novios sonrientes de cartón-piedra y al tope del pastel están apareciendo otras mil formas ingeniosas. Trabajando con fotografías, artesanos cuya única ocupación es esculpir figurines comestibles pueden reproducir fielmente a la pareja en una pose favorita, como golpeando una bola de golf, esquiando o conduciendo su convertible preferido. Las compañías que producen típicos ornamentos de matrimonio se han civilizado y están fabricando figuras de novias y novios de todas las etnias y vendiéndolas para ser fácilmente mezcladas y adaptadas para matrimonios inter-

Algo sobre cubiertas y rellenos

Al planear la textura, el sabor y el aspecto de la torta de boda, un mínimo conocimiento de las opciones en materia de cubiertas y rellenos puede facilitar grandemente los tratos con el pastelero.

✔ **Crema de mantequilla:** Sirve tanto para la cubierta como para el relleno y se hace de mantequilla real (no de margarina), azúcar y huevos; el color va desde el marfil hasta el amarillo claro, según el número de huevos que se usen, el color de la mantequilla y si se agrega merengue para el blanqueo. También sirve para soplar con un tubo bellas y realistas flores. Van bien con ella los licores y otros elementos de aromatizar.

✔ **Grageas:** Confites decorativos, dorados o plateados – como perdigones – hechos de azúcar.

✔ **Hoja de oro o plata:** Se emplea en pequeñas cantidades como toque final en la cubierta de los pasteles. Pintar con oro y plata reales y comestibles exige mucho trabajo y es costoso pero muy bello para flores iluminadas, hojas y toques de art deco.

✔ **Fondant:** Es una cubierta que, o bien se vierte en forma líquida sobre pequeños bizcochos y petit fours, o se extiende con rodillo en una capa, se corta y se enrolla sobre el pastel. Su aspecto suave y aterciopelado es una superficie perfecta sobre la cual se pueden poner otras decoraciones. Refrigerar el fondant no sólo no es necesario sino que no es aconsejable porque tiende a "lagrimear", formando poco atractivas gotas de humedad.

✔ **Mazapán:** Es una pasta de almendras molidas que se se puede extender con rodillo, como el fondant, para cubrir el pastel, o también usarlo como base para el relleno que se pone entre una y otra capa. También se puede moldear a mano para hacer figuras de apariencia realista, tales como frutas, racimos de uvas u otros.

✔ **Chocolate moldeado:** Tiene consistencia parecida a la de masa de goma pero no se endurece como piedra. Blanco u oscuro, puede extenderse con rodillo como el fondant y usarse para cobijar todo un pastel o para embellecer la cubierta de un pastel con ramos de flores de chocolate u otros toques caprichosos.

✔ **Masa dulce de pastillaje, o masa de goma:** Se usa para hacer a mano formas fantásticas y flores correctas con sus estambres y pistilos, lo mismo que otras decoraciones. Digamos de paso que aun cuando las figuras de pastillaje son de exquisito aspecto y se supone que han de ser comestibles, no aconsejaríamos hincar en ellas el diente a menos que uno tenga una dentadura de diamante.

✔ **Melcocha de azúcar:** Miel de azúcar que se derrite y se estira en formas tales como ramos y flores.

✔ **Cubierta Royal:** Claras de huevo batidas con azúcar y zumo de limón y luego esparcidas con un tubo de pastelería para hacer complicadas figuras de adorno: encajes, enrejados o miniaturas de retoños. Es muy dulce y se endurece pronto.

✔ **Hilos de caramelo:** Hilazas de caramelo de azúcar que se extienden para crear un velo dorado sobre un pastel o un postre. No se puede refrigerar y no dura mucho tiempo, de manera que no es apropiado para una torta de bodas que va a estar en exhibición varias horas.

✔ **Crema batida:** Favorita de los puristas, ya sea como relleno o como cubierta de un pastel. La crema batida pura no es lo mismo que el "producto de lechería", pues en las lecherías la mezclan con estabilizadores que aumentan su duración pero le cambian completamente el sabor. La crema batida tiene que refrigerarse.

raciales o parejas del mismo sexo. Las joyerías están produciendo topes de cristal para pasteles, lo mismo que monogramas metálicos para agregar un toque de esplendor a tortas con una sencilla cubierta de azúcar, y muchos sitios de Internet ofrecen topes de cristal soplado a mano.

Los pasteleros clásicos insisten en que en una torta de boda todo tiene que ser comestible, o por lo menos hecho de ingredientes comestibles. Por esta razón muchos puristas son enemigos de las flores naturales en el pastel. Sin embargo, una corona de flores recién cortadas que se coloca como único adorno encima del pastel puede ser bonita, delicada y fácil de quitar; pero hay que tener cuidado de usar flores que no hayan sido rociadas con pesticidas. Otras opciones son flores en conserva, como pétalos de rosa y violetas azucaradas, flores comestibles o flores que se hacen de una cubierta de azúcar que se esparce con un tubo de pastelero, lo cual demanda menos tiempo del decorador y por consiguiente resulta menos costoso que los diseños modelados a mano.

Posibilidades múltiples

El tipo de tortas y rellenos no tiene más limitación que la imaginación del cliente y las habilidades del pastelero. Hoy el énfasis se pone en el sabor, como bizcocho de zanahoria con cubierta de queso-crema, torta de queso con chocolate, o una torta de avellanas recubierta de chocolate oscuro, o el clásico bizcocho sencillo de mantequilla con su cubierta de chocolate blanco.

Si se sirven otros postres además de la torta de boda, se deben escoger sabores complementarios. Por ejemplo, fresas o frambuesas con crema van bien si la torta es de mantequilla y tiene relleno de requesón de limón. En cambio, un postre trufado de chocolate resulta demasiado dulce si la torta contiene mousse de chocolate. Además, hay que tener en cuenta la estación del año; los bizcochos densos con rico relleno de chocolate son más apropiados para consumo en los días fríos, mientras que en un ambiente templado y en verano se aprecian más los sabores de cítricos al final de la comida.

El tamaño influye

Para variar, cada capa de la torta de boda podría ser de un sabor distinto, e incluso podría tener capas de más de un sabor. La afamada pastelera Sylvia Weinstock creó precisamente una torta de estas características para el matrimonio del actor cómico Eddie Murphy con Nicole Mitchell. Era una confección de metro y medio de altura y pesaba 400 libras. Tenía centenares de flores de azúcar que caían en cascada sobre la torta; relleno de fresas de temporada y banano en crema batida; torta de chocolate con relleno de mousse; torta de zanahoria con relleno de queso crema; y torta amarilla con relleno de mousse de limón y frambuesas frescas. Los invitados tenían de dónde escoger.

En el extremo opuesto están las tortas pequeñas, que pueden incluso ser individuales. Éstas pueden ser tan graciosas o elegantes como se desee. Hoy son muy populares los pastelitos miniatura envueltos en chocolate (blanco, de leche u oscuro), con una impresión de un logotipo o monograma u otro diseño, que se hace usando la tecnología de computador. Algunas configuraciones posibles de mini-pasteles son:

✔ **Pastelitos hechos en molde:** Múltiples tramos de bizcochos individuales, cada uno decorado por separado y a veces con profusión. Se presentan en un rimero de platos, graduados según el tamaño, para dar la impresión de un pastel de bodas de muchas capas.

✔ **Bizcochos de regalo:** A cada invitado se le sirve como postre una torta miniatura, o se le da en una caja para llevarla a su casa después de la recepción.

✔ **Adorno central:** En cada mesa se pone como adorno central una miniatura de la torta de boda. Los invitados la tajan a la hora de los postres y se sirven unos a otros. A veces las tortas son distintas en cada mesa para que los invitados compartan.

Tajadas y precios

Al calcular el tamaño de la torta que se va a encargar, no se debe pensar únicamente en el número de invitados. También es preciso tener en cuenta cómo se va a ver en el salón, el número de platos de que consta la comida (si hay comida), lo pesada que sea la carta, o si la torta es el único postre o se van a servir otros también.

Si la recepción es grande pero no se quiere invertir demasiado dinero en una torta de boda gigantesca con sus adornos, se puede economizar exhibiendo una torta para menos invitados de los que van a asistir. Se sirve la mayoría de las tajadas de un pastel de una sola capa y con decoración sencilla que se tienen en la cocina y desde allí se van pasando a los comensales. Se debe disponer que de los pasteles de reserva se corten tajadas delgadas y no trozos grandes, para que el truco no sea obvio.

Para un salón muy grande y un grupo más bien pequeño de invitados, se podría contratar "torta y media" para que el pastel no parezca demasiado diminuto para el espacio.

Dos corazones, dos tortas

A veces las parejas ofrecen dos tortas: "la de la novia" que es la torta de boda, y la del novio. Esta costumbre nunca ha pasado de moda en el sur de los Estados Unidos y en la actualidad se está popularizando nuevamente en otras partes de ese país. Como es una sorpresa que la novia le tiene a su futuro esposo, generalmente refleja algún tema que sea caro para éste, y puede esculpirse en la forma de cualquier cosa, desde un balón de fútbol hasta el maletín de un médico.

Si a la novia le interesa un diseño en particular, o un color o un sabor específico pero teme que esté fuera de lugar en la torta de boda, podría pensar en aprovechar la idea para una torta para el novio.

La torta del novio podría servirse en tajadas junto con la torta de boda y empacada en una caja con cinta para que los invitados se la lleven a su casa, o se puede presentar como parte de un *buffet* o mesa de postres. Se puede exhibir desde el principio o bien más adelante, cuando se corte la torta de boda.

La torta en exhibición

La torta de boda generalmente se exhibe desde el principio de la recepción, de manera que hay que escoger un relleno y cubierta que resistan varias horas. Si el anfitrión mismo va a disponer el escenario de la celebración, debe señalar un sitio adecuado para la mesa de la torta. (Ver en el capítulo 17 notas sobre la iluminación). Se debe colocar en un lugar bien iluminado y a la vista de los invitados pero no muy cerca de la pista de baile, para que no vaya a parar en la cabeza del director de la orquesta cuando los invitados se animen. Conviene tener en cuenta la época del año y el tiempo que el pastel va a estar expuesto, de modo que a la hora de cortarlo no parezca un reloj de Salvador Dalí.

La base de la torta determina el tamaño de la mesa. Una gran mesa redonda hace ver diminuta hasta la torta más enhiesta. Es indispensable comprobar que la mesa sea suficientemente fuerte y tenga ruedas o sea de poco peso con el pastel encima para que dos criados la puedan transportar. Para embellecerla, se puede envolver la superficie en alambre de cuadros, como si se estuviera atando un paquete (ver la figura 16-1). Una vez que la mesa esté cubierta, se pueden sujetar festones, guirnaldas y ramos con imperdibles a los alambres en los lugares apropiados. Se pueden colocar telas o tules para que el mantel se vea más elegante.

La mesa de la torta

Sujetadas
con alambre

Figura 16-1:
Hay que
asegurarse de
que la mesa
de la torta
sea sólida y
proporcionada
para ella antes
de decorarla.

Envolver alambre alrededor del tope de la mesa para poder asegurar los arreglos florales
con imperdibles, o con alfileres una vez que se haya tendido el mantel.

Se debe preguntar en la pastelería en qué plato o bandeja entregan
la torta. Algunas la mandan en una bandeja metálica plana pero
otras la colocan sobre una sencilla lámina de cartón de pastelero
que se tendría que tapar.

Conviene disponer que la torta de boda se entregue por lo menos
dos horas antes de que empiece la recepción. Las tortas casi nunca
se transportan completamente armadas. Hay que precisar claramente a quién va a encargar la pastelería para que la lleve y la arme.
Es bueno advertir al banquetero a qué hora se hará la entrega para
que tenga ya vestida y lista la mesa en que se va a colocar, de modo
que el empleado que hace la entrega no tenga pretexto para dejar la
torta en su caja y desaparecer.

Cortar la torta

En el pasado la ceremonia de la torta era un final bastante deslucido y
en los Estados Unidos los novios la aprovechaban para poner en escena una payasada que consistía en embadurnarse las respectivas caras
de pastel. Por fortuna esa tradición ya se ha perdido y hoy la ceremonia de cortar la torta es un momento sentimental y romántico.

Tradicionalmente las primeras tajadas que se comparten simbolizan
la primera comida de la pareja como marido y mujer. El corte de la

torta también anunciaba que la fiesta había tocado a su fin y que los novios iban a cambiarse de ropa y se marchaban. En la actualidad lo más frecuente es que se tenga como un episodio, después del cual los que se quieran marchar pueden hacerlo pero los recién casados y la mayoría de sus huéspedes se quedan y pasan a la pista de baile.

Se puede anunciar que ha llegado la hora de cortar el pastel con una repetición de la música de la primera pieza del baile. Entonces la novia o el novio pueden hacer su brindis al mismo tiempo que ofrecen una perfecta oportunidad para tomar fotos. (Ver en el capítulo 15 lo relativo a los brindis.) Una vez terminados el corte y los brindis, la banda toca una suave música de fondo hasta que los novios acaben de compartir los primeros bocados, después de lo cual rompe con un alegre número de baile.

Al programar el día de la boda (ver el capítulo 7), es bueno resaltar: "El grupo musical debe estar listo para tocar inmediatamente después de repartir la torta". Muchas bandas parecen creer que ése es el momento perfecto para tomarse un descanso. Todo lo contario: si en ese momento falla la música, se acabó la fiesta.

El jefe de comedor les indicará dónde hacer el primer corte, especialmente si la torta tiene una *capa falsa* (una capa inferior simulada que sirve para sostener el pastel). Como símbolo de su nueva vida en común, el novio coloca una mano sobre la mano de la novia que sostiene el cuchillo, y así entre los dos cortan un pedazo pequeño de la parte posterior de la capa inferior. (En el capítulo 8 se indica el procedimiento para cortar la torta en las bodas militares.) Tradicionalmente el novio le ofrece primero un bocado a la novia, un trozo pequeño que fácilmente se pasa con un sorbo de champaña. En seguida la novia le da un bocado al novio. Luego los recién casados sirven la torta a sus nuevos suegros.

Comprendemos que a algunas parejas esta ceremonia les parece anticuada y gustosos la omitirían. No tenemos nada que objetar, si la pareja insiste; sólo recomendamos recordar, como ya lo hemos dicho, que los invitados sí esperan ver cortar la torta y se sienten defraudados si esto no sucede. Hasta hay quienes creen en la vieja superstición de que la novia tiene que cortar la primera tajada para no exponerse a quedarse sin hijos.

En fin, se corta la torta, se come cada uno su parte, se retiran los platos y los huéspedes pasan a otra sala. Después de las fotos el director del banquete debe ordenar que lo que quede de la torta se lleve a la cocina, donde se corta rápida y eficientemente sin que los invitados vean en qué lastimosa situación queda esa obra de arte.

Algunos establecimientos cobran una tarifa por el corte de la torta, que se supone es el costo del "cubierto" (platos y tenedores). A nosotras nos parece que este sobreprecio no se justifica y que en el contrato se debe insistir en que se cancele esa cláusula.

Si se le viene a uno la idea de guardar la capa superior para consumo en el futuro, hay que tomar algunas precauciones para que la torta sea tan agradable al paladar dentro de un año —sin criar moho ni sufrir quemadura del hielo ni otros desperfectos. Se debe tener lista una caja de tamaño apropiado, cantidades de papel encerado, envoltura de burbujas y una bolsa hermética de plástico. Conviene dejar instrucciones detalladas para envolverla debidamente (hay que congelar la torta previamente durante varias horas antes de envolverla) y encargar a alguna persona —tal vez un especialista en criogenia— para que lleve a su casa esta preciosa carga y la meta inmediatamente en el congelador. Se pueden hacer arreglos para transportarla a la residencia de los recién casados cuando regresen de su luna de miel. En lugar de este complicado proceso, lo que se puede hacer es contratar al mismo tiempo con la torta de boda otra más pequeña pero del mismo sabor, que debe ser confeccionada y entregada en el primer aniversario de matrimonio.

Capítulo 17

Preparando el escenario

. . . .

En este capítulo:

▶ Refinar el plano del piso

▶ Contratar personal

▶ Decorar el local: desde las paredes hasta las mesas y luces

▶ Embellecer un toldo

▶ Despedir a los invitados con un regalito

. . . .

Sin tener conocimiento de la manera como se expresan los decoradores de interiores, los novios se meten en una verdadera cueva de leones: el despacho de algún famoso equipo diseñador de bodas. Horas después, habiendo llegado a entender algunas de esas expresiones, se dan cuenta de que habría sido mejor aprenderlas antes de comprometerse.

Pero no hay por qué preocuparse. Sólo se necesita familiarizarse con las características del local y los elementos que requieren un toque creativo. Primer paso: hacer sus deberes. Es preciso acumular ideas y sugerencias, enterarse de las reglas del local para la decoración (ver otros puntos sobre el mismo asunto en el capítulo 4) y refinar su propia visión personal. Ya a estas alturas los novios deben estar preparados para entenderse con el diseñador de bodas o comenzar a construir su propia fantasía.

Qué hay que prever antes de proceder

Sin duda con el correr de los días la celebración que habían forjado en sueños habrá sufrido varias metamorfosis. Una palabra de prevención: apenas estamos empezando. Al iniciar con todo vigor los preparativos, se recomienda cuidar de lo siguiente:

✔ **Conseguir un plano del local** (como el de la figura 17-1) que muestre, según el número de invitados que se calcule, la posición de las mesas, la pista de baile, los bares, los puestos de *buffet*, los pilares fijos, los muebles, la cocina y las características arquitectónicas que puedan afectar el escenario de la fiesta.

✔ **Ensayar distintas floristerías** cuando tenga que mandar flores. Visitar personalmente el estudio del diseñador. Ver en el capítulo 11 más información sobre arreglos florales.

✔ **Coleccionar recortes, planos, dibujos** y cualquier otra cosa que ayude a describir lo que uno tiene pensado. Examinar revistas de bodas de otros países, revistas de viviendas y de comidas, libros de arte y películas clásicas. Se puede obtener inspiración hasta de minucias como la manera como está colgada una cortina o como se ha colocado un florero en una mesa. Si el arreglo de un escaparate en su boutique favorita le llama la atención, averiguar si el estilista está disponible para hacer arreglos de bodas.

✔ **Hacer una lista de cosas que no se quiere para la boda,** como por ejemplo ciertas flores de olor desagradable como algunos lirios, narcisos y margaritas, o arreglos que sencillamente no son del estilo deseado.

✔ **Solicitar el parecer del gerente de banquetes o el banquetero,** pero distinguir entre lo que es esa opinión y los hechos. Esa persona sabe lo que ha dado buen resultado en el pasado en ese local, y seguramente tendrá razón en la mayoría de los casos, pero ustedes se deben sentir en libertad de hacer sugerencias y preguntas.

Un error común en la planeación de una boda es la falta de comunicación con las autoridades del local a propósito de la decoración. Antes de avanzar mucho en los planes, conviene hablar con el gerente de banquetes sobre las reglas vigentes. Algunos detalles que se deben aclarar son:

✔ ¿Qué limitaciones existen? Por ejemplo, ¿es tan bajo el cielo raso que no se pueda usar un centro de mesa alto? ¿O son los asientos disponibles de un color particular?

✔ ¿Cuánto tiempo dan para hacer la instalación y para volverla a retirar?

✔ ¿Tienen otra festividad inmediatamente antes o después de esta boda?

✔ ¿Qué se puede fijar y en dónde? Algunos locales tienen reglas estrictas sobre colgar guirnaldas, colgar objetos de las paredes, usar clavos y cosas por el estilo.

✔ ¿Qué restricciones existen sobre alquiler de utilería, velas, iluminación adicional o envolturas en tela?

✔ ¿Tienen una lista de floristas cuyos servicios recomiendan?

✔ ¿Dónde van los bares, los puestos de *buffet* y la pista de baile?

✔ ¿Cuál es el mejor sitio para la mesa de los novios y cuáles son los mejores y los peores sitios para las otras mesas?

✔ ¿Se pueden quitar o tapar elementos decorativos que a ustedes no les gustan, como cabezas de animales disecados o algunos muebles y lámparas?

✔ ¿Las fuentes y chimeneas funcionan? ¿Se pueden poner a trabajar a tiempo?

✔ ¿Cuándo se van a hacer las renovaciones prometidas en el contrato (pintura, limpieza, etc.)?

✔ ¿Se está trabajando en otras renovaciones o cambios de decoración antes de la boda?

✔ ¿Hay espacios públicos o compartidos donde no se puedan hacer decoraciones?

✔ ¿Se va a cambiar el salón entre la ceremonia y la recepción? ¿Cuánto tiempo se necesita para eso? (Ver detalles sobre este punto en el capítulo 4).

✔ ¿Hay aire acondicionado en el local? ¿Es suficiente?

Elegir un diseñador de bodas

Para los fines de este libro usamos el término diseñador para referirnos a cualquier persona que tenga que ver con la decoración. En un tiempo sólo la florista intervenía. Suministraba las flores para fiestas y matrimonios y el novio quizás haya utilizado sus servicios para enviar a su novia un ramo de rosas. Ahora tenemos diseñadores de arreglos florales, diseñadores de fiestas, planeadores de eventos, productores de fiestas, especialistas en reuniones, estilistas de espacios y hasta consultores de estilos de vida. Por el solo título no se puede saber si diseñan toda la decoración (incluyendo flores, mantelería, iluminación y utilería) o sólo las flores.

La primera entrevista con un posible diseñador puede ocurrir en el local de la recepción o en el taller del diseñador. En esta reunión hay que fijar los parámetros y ser muy francos en materia de presupuesto. No hay razón para perder tiempo tratando de disimular ni para que él sugiera ideas absurdas que el cliente no puede pagar.

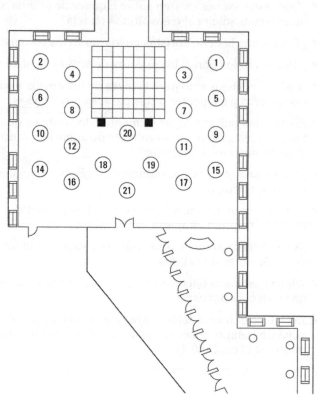

Figura 17-1:
Un plano sen-
cillo permite
visualizar el
diseño de la
recepción.

Conviene pedir que le muestren fotos de posibles arreglos de salas. Después de elegir al diseñador, se debe recorrer el local en su compañía aunque él ya lo conozca, lo más pronto posible durante la fase de planeación.

Después de contratar al diseñador y habiéndose puesto de acuerdo en materia de presupuesto y detalles del diseño, debe ser posible ver una muestra de centro de mesa unas semanas antes de la boda. Se recomienda pedirle al diseñador que haga una mesa de muestra completa con su mantelería, puestos para los invitados, velas y números de mesa para tener una idea del efecto total. Hay que ser flexibles. Cuando se trata de flores, lo que se ve no es siempre lo que se obtiene. En lo posible, se debe obtener una foto del centro de mesa. En el contrato probablemente se estipula que debido a sucesos imprevistos como una helada, cambios estacionales y problemas de transporte se pueden hacer ciertas sustituciones. Es bueno averiguar cuáles serían éstas.

Para evitar malas interpretaciones, ofrecemos en seguida otros detalles para incluir en el convenio:

✔ ¿Cobra un estipendio el diseñador por instalar y volver a desarmar?

✔ ¿Con qué anticipación tendrá que empezar la instalación y cuánto tiempo consumirá el desmonte? (Este factor es importante para evitar que cobren horas extra de alquiler del local.)

✔ ¿Puede el diseñador encargarse de llevar a casa de los desposados las flores que sobren? ¿Cuánto cobra por este servicio?

✔ ¿Al terminar la fiesta, de qué materiales es dueño el cliente, como manteles, floreros, servilletas y números de mesa, y qué es de propiedad del diseñador? ¿Pueden retirarse los invitados dejando los centros de mesa intactos, o es preciso envolver las flores o pasarlas a otros floreros?

¿Qué hay en el salón?

Hay que estudiar todos los aspectos del local que se puedan decorar. En los párrafos siguientes se dan ideas y soluciones para problemas de diseño, ya sea que el matrimonio se vaya a celebrar en un hotel, un salón de banquetes o un piso alquilado. (Ver más detalles en el capítulo 8.)

Al entrar

Las primeras impresiones son importantes, así que cuando entren los invitados deben encontrar algo que merezca recordarse:

✔ Un enrejado en forma de arco adornado con flores.

✔ Un par de ánforas grandes de fibra de vidrio, con un acabado de imitación de mármol jade, rosa o granito, repletas de ramas florecidas.

✔ Un cartel de bienvenida diseñado como una caprichosa placa de jardín, una banderola deportiva o un pergamino de estilo medieval con letras doradas manuscritas —especialmente en lugar del acostumbrado cartel negro con letras blancas de plástico que se usa en muchas reuniones en hoteles y salas de conferencias.

✔ Camareros que ofrezcan bandejas de bebidas en las puertas
de entrada, como una muestra inmediata de hospitalidad.

La entrada de automóviles

Desde antes de que los invitados lleguen a la puerta es posible ofrecer una atmósfera de fiesta sin tener que gastar una gran cantidad
de dinero. Se podría crear para ello un sendero de luces en la entrada de coches, usando luminarias (velas votivas en pequeñas bolsas
de papel). Se pueden usar bolsas de colores o de papel manila corriente. Hay que poner un poco de arena dentro de las bolsas para
que no se las lleve el viento. Si se desea un toque más festivo aún, se
podría recortar en las bolsas figuras a modo de ventanillas, que se
hacen doblando la bolsa por la mitad y cortando formas simétricas,
como se hacen los copos de nieve de papel.

Las antorchas "tiki", que se encuentran en las tiendas de jardinería,
confieren un efecto dramático y cuestan poco. Si se rellenan de ci-
dronela tienen el atractivo adicional de ahuyentar los insectos que
vuelan durante la noche.

Para las bodas que se celebran de día, se pueden usar plantas en
materas, globitos de inflar o señales muy bien hechas en imitación
de carteles, en la entrada de automóviles, para indicar el camino.

La mesa de regalos

Salvo en algunos países, los invitados ya no llevan los regalos al
local de la recepción, de modo que tal vez no sea necesario tener
una mesa de fantasía lista para que la colmen de paquetes. (En el
capítulo 18 examinamos distintas tradiciones para exhibir los regalos.)

Como hay algunas personas que todavía no se han dado cuenta de
que los regalos llevados a la recepción son un serio estorbo para
los novios, que tendrán que llevárselos a su casa, se puede arreglar
para que uno de los criados o algún amigo se encarguen de llevar
los paquetes y sobres y consignarlos en el guardarropa. Esto se hace
por cortesía para quienes mandaron el regalo directamente a la residencia de la novia y que viendo en la recepción una mesa cargada de
cajas encintadas podrían temer que se esperaba que ellos hicieran
lo mismo.

En caso de que los invitados llevaran sólo una tarjeta, con un cheque o dinero incluidos como se hace a veces, hay que advertir al
encargado de guardar los regalos que ponga las tarjetas en lugar
seguro, posiblemente en una pequeña caja fuerte.

Conviene designar a alguna persona para que recoja los regalos al finalizar la recepción y los guarde hasta que los novios puedan mandar por ellos cuando regresen de la luna de miel. Es mejor esperar hasta estar en la casa para abrir los regalos; abrirlos durante la recepción no es aconsejable.

Techos, pisos y paredes

Hay que ver el cuadro completo. ¿Qué partes del local piden atención y tienen que disimularse? ¿Qué tiene potencial que se pueda acentuar? ¿Son tolerables las desnudas tablillas acústicas del techo o se deben mimetizar echando mano de los preciosos fondos destinados a los centros de mesa? ¿Tiene el local alguna exquisita característica arquitectónica, como un techo de catedral, un espléndido pasamanos, una fuente? Se puede crear un ambiente enteramente distinto tapizando paredes y techo y cualquier otra cosa; pero si el local necesita una transformación tan grande, ¿para qué contratarlo?

Es indispensable escoger bien qué se debe adornar. Las paredes neutrales y hasta un ornamentado papel de tapizar pueden desaparecer según la hora del día. Si las paredes ya están adornadas en una forma ostentosa, es preferible dejarlas como están en lugar de cambiarlas totalmente. De igual manera, una alfombra de un color naranja chillón puede ofender la vista durante una boda de día, pero ni se nota de noche cuando las mesas cubren el piso y la luz se amortigua. Si el presupuesto alcanza para algo más que el adorno de las mesas, tapizar techos y paredes y colgar arañas florales del techo son recursos que cambian el local completamente.

Las telas, la mantelería y los demás materiales de ornamentación deben ceñirse a los reglamentos sobre incendios. Ha habido casos en que los inspectores municipales se presentan de improviso en los sitios más elegantes y obligan a retirar todos los adornos. En cuanto a seguridad contra incendios, las ordenanzas prohíben cubrir los letreros luminosos que indican las salidas y los rociadores.

Árboles o grandes plantas como higueras, palmas o filodendros cubren una multitud de pecados por un precio relativamente bajo porque se pueden tomar en alquiler de algún vivero. Hay viveros que alquilan también grandes plantas de flor.

La iluminación

Muchas veces la gente no se da cuenta de la importancia que tiene la iluminación para el aspecto y la atmósfera de los salones. Unas pocas pantallas pueden subrayar la diferencia entre lo íntimo y lo institucional. No hay que amortiguar las luces hasta un nivel tan romántico que los sirvientes tengan que andar con linternas en la mano, pero tampoco conviene una luz tan intensa que los trajes de lentejuelas entren en combustión espontánea. Sin embargo, cualquier punto débil puede hacer estallar un centro de mesa, y algo tan sencillo como disminuir la intensidad de las arañas para la primera pieza de baile puede evocar un ambiente de misterio y suspenso.

Es aconsejable visitar el local a la hora del día en que se va a celebrar la boda. Aun para una fiesta por la tarde, cuando las luces suplementarias pueden ser un desperdicio de dinero, hay que tener en cuenta la intensidad de la iluminación. Se debe pedir al diseñador que indique los mejores niveles de luz para su recepción y hacérselos conocer al maestro de ceremonias. Otras preguntas que se deben hacer son:

✔ ¿Es tan enceguecedora la luz que haya que cerrar las persianas?

✔ ¿Las ventanas tienen persianas?

✔ ¿Se debe cambiar la hora de la boda porque la luz parece mejor a otra hora?

✔ Si la ceremonia se va a celebrar en el sitio, ¿en qué dirección queda la puesta del sol, y se puede planear la ceremonia sobre esa base?

✔ ¿Tienen amortiguadores las luces? ¿Qué requisitos o restricciones existen para un diseñador de iluminación?

Contratar con una empresa profesional de iluminación puede parecer una extravagancia —y lo es— pero una iluminación creativa puede transformar una sala en una forma que uno nunca se imaginó que fuera posible. Propiamente iluminada, un ánfora llena de ramas no sólo parece más grande sino que también proyecta en las paredes siluetas dramáticas que trasforman un arreglo sencillo en un bosque. Basta recordar los restaurantes y casas en donde uno se ha sentido muy a gusto; lo más probable es que allí la iluminación haya sido agradable tanto para la vista como para el espíritu.

Algunas floristerías ofrecen servicios de iluminación; otras lo subcontratan con empresas que suministran el equipo. En ambos casos, hay ciertos términos que se oirán cuando se están haciendo los preparativos:

✔ **Luz ambiental o difusa:** La luz principal del salón, que proviene de fuentes naturales o artificiales. Estas luces deben suavizar y halagar. Se pueden usar luces de acentuación para hacer resaltar áreas específicas o características arquitectónicas.

✔ **Lucecitas fantásticas:** Sartas de pequeños bombillos de colores, como las que se usan para Navidad. Colocadas detrás de telas diáfanas, en pasamanos o en árboles agregan un toque mágico. Sin mayor costo se logra un truco luminoso colgándolas del techo.

✔ **Globos o pantallas estarcidas:** Se ponen sobre las luces para proyectar en las paredes, en la pista de baile o sobre las telas, formas de estrellas, lunas, copos de nieve, monogramas o notas musicales.

✔ **Haces de luz:** Rayos delicados que se enfocan sobre los centros de mesa, la torta de boda o cualquier otra cosa que necesite atención especial. Colgados del techo o en postes, suelen usarse en pares con el objeto de producir haces direccionales cruzados. Cuanto más oscura esté la sala, más dramáticos parecen.

✔ **Luces de arriba abajo:** También conocidos como "botes de luz" y generalmente pintados de colores que armonicen con el ambiente; sirven para proyectar la luz hacia arriba desde la base de un ánfora o un árbol, o hacia abajo sobre una repisa de chimenea o un altar. Una tendencia reciente es usar estas luces producidas con pilas eléctricas debajo de mesas de Plexiglas para obtener un fulgor surrealista.

✔ **Colores lavados:** Generalmente colores pastel proyectados sobre espacios grandes como bares y pistas de baile, que bañan las superficies con tonos especiales.

✔ **Iluminación "inteligente":** Sistemas computarizados que se pueden programar para generar formas complejas y una multitud de colores.

A fin de disimular sin gastar un céntimo ciertas áreas que son poco atractivas, basta con quitar los tubos fluorescentes de los cuartos de baño o aflojar los bombillos en los tomacorrientes de las paredes. Si se necesita algo de luz, se pueden reemplazar con bombillos rosados o escarchados.

La utilería

Por utilería no entendemos grandes piezas teatrales sino más bien artículos que uno posea y que se puedan usar en la decoración, como jarras de cerámica, escudillas de plata, candeleros y floreros. Las tiendas de antigüedades muchas veces alquilan piezas que no son preciosas y en muchas ciudades hay tiendas de utilería en donde se puede encontrar toda clase de artículos decorativos. Los banqueteros y los departamentos de banquetes de los hoteles a menudo poseen utilería que no han pensado en usar para una boda pero que el cliente puede encontrar interesante, como abanicos de gran tamaño, linternas de papel y hasta telones de fondo. (La utilería es, desde luego, componente crítico de ciertas bodas, como se ha visto en el capítulo 8.)

El salón del coctel

El secreto para realizar una fiesta alegre es mantener a los invitados constantemente divertidos e interesados con pequeñas sorpresas. Hay que tratar de ser originales en todos los aspectos de la recepción, y en especial en la decoración. Si el comedor es romántico y clásico, el salón del coctel muy bien puede ser extravagante o muy moderno. Ya sea que los cocteles se sirvan como aperitivo para la comida o que constituyan el total de la recepción, no se debe remedar el comedor con grandes centros de mesa y mesas para ocho. Los invitados deben moverse y mezclarse, no estar quietos y sembrados en un sitio.

Otras consideraciones para que el tráfico fluya son:

✔ Colocar los bares y puestos de comida alrededor del salón, no todos juntos.

✔ Los bares deben ser visibles para los huéspedes, pero no estar cerca de las entradas donde pueden causar cuellos de botella.

✔ No poner bares ni *buffets* cerca de la pista de baile o la música.

✔ En un espacio estrecho, no usar para mesa de honor una con puestos de un solo lado, que ocupa demasiado espacio.

Mesitas de coctel

Las mesitas para el coctel deben ser pequeñas y para no más de cuatro personas. Pueden ser de 70, 80 o 90 centímetros de diámetro pero sólo debe haber asientos para una tercera parte de los invitados. Proveer asientos para 75 por ciento, digamos, no es de buen gusto; es una bobería y hace pensar a la gente que uno se olvidó del 25 por ciento restante.

Últimamente ha entrado la moda de mesitas de pedestal de la altura de un bar, en que la gente se puede recostar a charlar (en lugar de sentarse). Algunas compañías de alquiler de mobiliario ofrecen bases que levantan una mesa de 75 cm de altura a la altura de un bar.

La tarjeta guía

Una tarjeta guía no es lo mismo que una tarjeta de puesto. Si la comida se va a servir a la mesa, la tarjeta guía, que el invitado recoge antes de pasar a la mesa, le indica en qué mesa está su puesto; mientras que una tarjeta de puesto (que ya está en la mesa de comer) le dice cuál es el puesto que le toca en ella.

Un truco profesional: las tarjetas guía funcionan mejor cuando hay series de pequeños sobres con los nombres de los invitados a la vista, y adentro los números de mesa —en lugar de poner nombres y números en "casitas de naipes" (tarjetas dobladas) sobre las mesas— porque los números para insertar en los sobres se pueden preparar de antemano y se pueden cambiar a última hora sin tener que volver a escribir todo el nombre. Los sobres se ven muy elegantes recostados sobre sus pequeñas solapas y dispuestos en fila sobre la mesa de las tarjetas guía. Se pueden caligrafiar en colores brillantes o festonear con diminutas flores de seda para dar más realce a la mesa.

Como la mesa de las tarjetas guía está sola, por lo general en el área del coctel u otro lugar prominente (pero no donde cause un cuello de botella), y es lo primero que encuentra el invitado al entrar, hay que hacerla lo más llamativa posible. Un gran centro de mesa y un mantel bordado, o algún otro elemento fabuloso como un retrato de los desposados, o una lámpara antigua, también resultan apropiados. Un toque delicado es poner sobre la mesa fotos enmarcadas (cuanto más viejas mejor) de los padres y abuelos, rodeadas de las tarjetas guía. Hay muchas maneras creativas de advertir a los invitados dónde están sus puestos; algunos diseñadores cuelgan las tarjetas de ramas, como si hubieran crecido en ellas, y se van arrancando para entregarlas; otros hacen un lecho de orquídeas o jazmines para las tarjetas y prescinden del todo del centro de mesa.

Conviene situar a la entrada a un criado o un amigo con una lista de los invitados y los números de las mesas, para que los dirija en caso de que una tarjeta se haya perdido o alguien lleve a un amigo que no se esperaba. Esto último es de muy mala educación, por supuesto, pero hay que estar preparados para ofrecer un puesto extra. El que lleva la lista debe anotar igualmente las tarjetas no reclamadas para que el banquetero retire los puestos sobrantes antes de que los invitados pasen al comedor.

En lugar de dejar el álbum de la boda sobre la mesa de las tarjetas guía, es mejor pedirle a un amigo que lo vaya pasando entre los invitados durante la recepción (y lo recoja después), y que los anime para que consignen algún pensamiento que refleje sus impresiones del día. Se puede comprar un álbum de pasta dura con páginas en blanco (como los de fotos). Un álbum de bodas realmente valioso es más que una colección de firmas. Además, los novios ya tienen la lista de los invitados, de manera que no se necesita que firmen como si se estuvieran registrando en un hotel. Una alternativa muy moderna, en lugar del álbum, es poner sobre una mesa una cámara digital y una pequeña impresora y pedirles a los invitados que dejen su foto del día de la boda además de sus felicitaciones.

Los bares

Una mesa de banquetes puede servir como bar, pero hay establecimientos que tienen bares con ruedas. En todo caso, es preciso evitar que se formen cuellos de botella, situando el bar o los meseros que pasan las bebidas lo bastante lejos de la entrada para que los invitados puedan tomar una copa y seguir adelante. Si el presupuesto lo permite, las mesas de bar se deben cubrir con telas de adorno para que las patas no se vean. El color de las telas debe hacer juego con el resto de la decoración. (ver en el capítulo 15 información completa sobre bares.)

Se puede obtener un efecto realmente dramático haciendo el bar a partir de un bloque de hielo. Un escultor en hielo lo talla y luego lo ilumina con luces de colores. Otra opción popular y menos extravagante es poner sobre el bar grandes esculturas en hielo, que sirven también para enfriar los cocteles de vodka aromatizado. En todo caso, hay que cuidar de que la escultura (o arreglo floral o de velas) no resulte abrumadora, pues al fin y al cabo el bar es un lugar de trabajo y de intenso tráfico.

El comedor

Aun cuando haya sido preciso atestar el comedor de más mesas que el número ideal, hay que dejar espacio suficiente tanto a la entrada como entre las mesas, para que los invitados puedan pasar cómodamente sin llevarse enredados los manteles. Desde la entrada los huéspedes deben sentirse en una atmósfera totalmente distinta de aquella de donde acaban de salir.

Si hay *buffet* o cualquier otro tipo de puesto de comida, las mesas se deben ubicar en sitios de fácil acceso para los invitados que hacen cola para servirse. Como en estos casos el elemento decorativo más importante es la comida misma, tratamos el asunto en el contexto de planeación de la carta (ver el capítulo 14).

Es aconsejable situar a uno o dos meseros como policías de tránsito a la entrada del comedor, con un plano del piso que indique los números de las mesas y su ubicación. De lo contrario, es posible que la tía Marta esté todavía buscando su puesto cuando los novios regresen de su luna de miel.

Las mesas del comedor

Una manera de hacer que un salón grande lleno de gente se vea más elegante y menos comercial es variar los tamaños y las formas de las mesas. Éstas pueden ser cuadradas, redondas o rectangulares. La manera más eficiente de asegurarse de que se está ideando un plan práctico es usar un programa CAD (diseño asistido por computador), que tienen muchos hoteles y proveedores de toldos. Pero también se puede simplemente tomar las medidas del local y trazar un gráfico del plano en papel cuadriculado.

Si se usan mesas redondas para ocho o diez personas, las de 1,35 a 1,70 m de diámetro son las mejores. Sentar igual número de invitados a todas las mesas es virtualmente imposible, pero sí se puede tratar de mantener cierta uniformidad en el número de puestos y en el tamaño de las mesas. Por ejemplo, se pueden poner ocho mesas de a diez y dos de a ocho pero no dos mesas para cuatro, dos para siete, tres para diez y así sucesivamente. Ésta es una fiesta, no un cabaret. Los invitados a quienes les tocan las mesas pequeñas se sienten aislados. Cuando ya se tiene una lista final de los invitados, hay que preguntarle al gerente de banquetes o a la persona que esté encargada de la distribución de los puestos si se deben pedir menos mesas porque el espacio es estrecho o más mesas porque sobra espacio. Si se van a usar mesas de diferentes tamaños, se debe informar a los proveedores de manteles y centros de mesa lo más pronto posible a fin de que todo esté en proporción.

La mesa de honor

Donde quiera que se sienten los novios se llama la mesa de honor. Al planearla, lo más importante es resolver dónde se va a poner, pues todo el mundo quiere ver a los contrayentes. Dos cosas afectan el tamaño de la mesa de honor: el espacio de que se disponga y el número de personas que estos quieran tener a su lado. En cuanto a lo último, se pueden hacer dos cosas:

✔ Sentar a los padres de ambos novios, al oficiante, a los abuelos y a los parientes muy queridos, como algunos tíos. A los demás miembros de la comitiva de la boda se les puede distribuir entre la concurrencia como emisarios de los recién casados; o bien

Asignación de los puestos

Aunque las tarjetas de puesto son opcionales, a nosotras nos parece que es necesario asignar las mesas cuando la comida se va a servir a la mesa. Hasta en una comida de *buffet*, a menos que se tenga la suerte de contar con toda una lista de alegres invitados compuesta de personas que se conocen y se aprecian mutuamente, hay que asignar las mesas. De lo contrario es inevitable que una mesa tenga 30 asientos apiñados en torno mientras que sus dos más antiguos condiscípulos comen solos en un rincón.

Al comprar las tarjetas guía, se debe tener en cuenta que por lo común sólo se necesita más o menos la mitad del número de invitados, pues los nombres de las parejas que se sientan juntas están en la misma tarjeta. Sin embargo, si las tarjetas llevan impresos o estampados los nombres o el monograma de los nuevos esposos, no importa pedir más, pues se pueden utilizar después para mandar regalos.

Para diseñar un plan de puestos, como se observa en la ilustración, se toma una hoja grande de cartulina y se traza en ella el plano del piso con las mesas numeradas. En seguida se toma un taco de notas autoadhesivas y se escriben los nombres de las personas que han confirmado su asistencia a la celebración. Estos nombres se colocan alrededor de las mesas, tratando de llenar mesa por

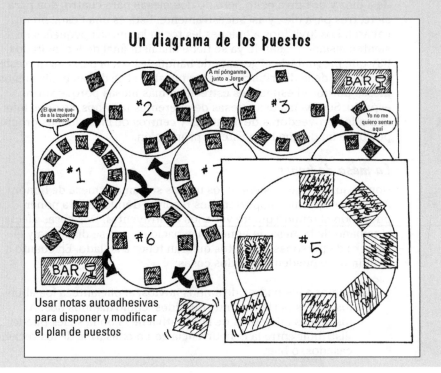

Un diagrama de los puestos

Usar notas autoadhesivas para disponer y modificar el plan de puestos mesa y teniendo en cuenta al mismo tiempo a quiénes querrán los invitados tener junto a ellos. Los padres de los novios seguramente querrán sentarse cerca de sus hijos; y, al contrario, no hay que ofender a dos tías que no se quieren sentándolas una al lado de la otra.

Más o menos una semana antes del matrimonio ya debe estar en firme la lista de concurrentes, de manera que se puede trazar un diagrama oficial con los nombres inscritos en él. Una opción encantadora para una celebración más bien pequeña es una lista caligrafiada y enmarcada de los asistentes, que se pone en un atril, en vez de utilizar tarjetas guía. A los invitados les gusta saber dónde están todos los demás y después de la boda queda un hermoso recuerdo.

✔ Dar a los padres sus propias mesas en compañía de sus amigos íntimos, y acomodar al resto de la comitiva en la mesa de honor. Tradicionalmente la novia se sienta a la derecha del novio y el padrino del novio al otro lado. En los puestos se alternan hombre y mujer.

Sentar amigos íntimos en distintas mesas puede provocar un intercambio de miraditas y señas de un lado a otro del comedor, que pueden incomodar a los demás invitados.

No hay que adivinar en esto de asignar los puestos. Si los padres son divorciados o si hay en la familia algún otro drama que pudiera estallar, es mejor preguntar antes de sentarlos en donde a uno se le ocurra. Aun cuando uno haya sido el pacificador en ocasiones anteriores, hay que recordar que ésta no es la comida normal de familia. Otros asuntos embargarán la atención de los contrayentes durante la recepción. ¿Tienen estos el valor de dejar que los parientes mal avenidos se las arreglen como puedan?

Hasta hace poco lo usual era sentar a toda la comitiva nupcial a un lado de una larga mesa de honor colocada sobre una plataforma y de cara al público. Hoy muchas parejas consideran que eso no es atractivo y que planear así los puestos es imposible, por lo cual han optado por usar una mesa redonda. Si por diplomacia o gusto personal se usa la mesa rectangular, se puede hacer de ella el foco de atención festoneando los manteles, plantando jardines de flores a lo largo de la mesa o situando ésta al aire libre bajo una pérgola o mirador.

Algunas parejas, tal vez desesperadas por no saber a quiénes sentar a la mesa de honor, ponen una mesa sólo para los dos, llamada la mesa de los novios. Aunque no es esa nuestra solución favorita, no reviste excesiva importancia puesto que los dos van a tener que moverse por todo el comedor durante la mayor parte de la comida.

La mesa de la torta

Esta mesa se debe colocar en un lugar prominente del comedor y se debe decorar muy bien. (Ver el capítulo 16.) Si es posible, y si la torta de boda es hermosa, se puede iluminar con reflectores.

La pista de baile

Una pista de baile que sea parte del local facilita mucho las cosas, pero si hay que tomar una en alquiler, las de cuadros entrelazados de parquet, de 1,20 por 0,90 m, son mejores que esa débil variedad que viene en rollos.

Una alternativa extraordinaria pero costosa es una pista de baile pintada a mano, especialidad de muchos diseñadores. Un motivo popular es el monograma manuscrito de la pareja, rodeado de una corona de flores pintadas.

La tarima para los músicos

A veces cuesta trabajo acomodar un grupo musical numeroso en la pista de baile, o no se quiere sacrificar tan valioso espacio, o sencillamente se busca más drama. Si es así se puede alquilar una tarima que le sirva de estrado. Aun cuando éstas levantan apenas unos 20 cm del piso, el diseñador debe cubrirlas con telas fijadas con grapas. Se debe especificar quién va a erigir la plataforma para los músicos, si el establecimiento, la compañía que la alquila o el diseñador de la boda. Y no se debe olvidar que hay que pedirle al grupo musical las dimensiones que debe tener.

No es mucho lo que se puede hacer para disimular los altavoces, pues hay que ponerlos entre la música y el auditorio. Las cajas de resonancia son grandes y feas, de modo que hay que ponerlas de la manera más discreta posible sobre una mesa adornada con una tela que haga juego con las mesas de comer.

Los atriles iluminados para los instrumentos musicales llevan muchas veces un letrero con el nombre del grupo. Si esa propaganda gratis para el grupo musical no está de acuerdo con la decoración general, se debe especificar que se prefiere que el grupo use atriles sin letreros, o nada. En el capítulo 13 se encuentra mayor información sobre el particular.

Los asientos

Los hoteles y los restaurantes suelen gastar buenas sumas de dinero en los asientos, que se diseñan para que armonicen con la decoración del salón y para que al mismo tiempo permitan acomodar al mayor número posible de personas en torno a cada mesa. Si hay que alquilar asientos, casi en todas partes se consiguen asientos plegables de madera o de plástico en varios colores. Una opción más elegante son las sillas de Chiavari (imitación de bambú) que son más pequeñas (y menos cómodas) que las comunes y corrientes, y permiten acomodar más personas en una mesa. Aunque cuestan más, es posible que el precio del alquiler se compense porque se necesitan menos mesas, manteles y centros de mesa.

Si los asientos del establecimiento son muy feos, se pueden alquilar fundas para los respaldos, o forros completos o bandas sencillas. Las telas son desde combinaciones de poliester y algodón de varios colores hasta Spandex de la era espacial. Una cinta de tul cubierta con una guirnalda de flores en el respaldo de las sillas de los novios agrega una nota romántica. Para lograr un efecto más chic, se pueden envolver las sillas en unos pocos metros de tela transparente (como zaraza cristal o tul) y atarla en un lazo gigantesco al respaldo.

El arreglo de las mesas

Un centro de mesa no es por sí solo un adorno suficiente. El espíritu de una fiesta se manifiesta en muchos detalles que, repetidos puesto tras puesto y mesa tras mesa, dan una impresión muy grata al entrar los invitados. Una vez que estos han ocupado sus puestos, tienen tiempo de observar y apreciar todos los matices, desde el color de las servilletas hasta la colocación de las copas de vino. Por consiguiente, las horas que se dediquen a planear estos elementos son bien empleadas.

Antes de que los invitados pasen al comedor, conviene que el jefe de comedor o el consultor de bodas practiquen una inspección mesa por mesa con el fin de comprobar que en todas se haya colocado el número correcto de puestos y asientos, que las mesas estén donde el cliente quería, que todos los puestos estén debidamente arreglados, las copas sin mancha alguna, las velas encendidas y los asientos derechos – en suma, que se haya atendido a todos los detalles de la decoración.

Mantelería

Todo lo que a uno se le pueda ocurrir para la boda se puede conseguir en alquiler casi en cualquier parte – y la mantelería no es la excepción. Muchos proveedores despachan manteles y servilletas de alquiler a cualquier parte. El típico mantel blanco de restaurante, zurcido y desteñido, es mejor ponerlo debajo del mantel. Sin embargo, cualquier mantel se puede hacer ver más festivo con un poco de creatividad y habilidad para la costura. Aunque algunas de las siguientes ideas no son prácticas para todas las mesas, sí lo son, y muy dramáticas, para otras, como la de las tarjetas guía o la de la torta de boda:

✔ Una ancha faja de raso en el borde de una mesa cuadrada.

✔ Diseños estampados con bloque o pintados con estarcido.

✔ Un dobladillo enrollado o con un cordón cosido adentro para obtener el efecto de una falda.

✔ Manteles festoneados (ver la figura 17-2).

✔ Flecos y borlas cosidos a un mantel cuadrado o usados con festones.

✔ Diseños pintados a mano que se pueden crear con materiales de poco costo.

✔ Una carpeta subyacente de color sólido, que se transparenta a través de un mantel de encaje.

✔ Un mantel de hojas, que se hace pegando hojas verdes a la tela.

✔ Formas mixtas, como un mantel de organdí sobre una tela rayada subyacente.

✔ Telas originales, como una colcha de retazos, encaje antiguo o viejos chales para una mesa especial.

Cómo festonear una mesa como un profesional

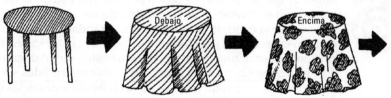

Empezar con una mesa redonda... y 2 manteles de igual tamaño

Figura 17-2: En lugar de alquilar manteles festoneados, es posible hacerlos uno mismo.

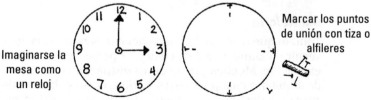

Imaginarse la mesa como un reloj

Marcar los puntos de unión con tiza o alfileres

✔ Manteles de zaraza o pana o terciopelos cortados.

✔ Tiras de damasco o brocado que corren por el centro de la mesa.

✔ Cada mesa de una tonalidad distinta de un mismo color, de modo que la sala parece, por ejemplo, un mar de azules.

✔ Cuadrados de mesa con flores de seda o naturales, borlas o anillos cosidos en las esquinas (para calcular el tamaño de los cuadrados que se necesitan, consultar la tabla 17-1).

Tabla 17-1	Tamaño de los cuadrados de mesa
Longitud de mesa rectangular	*Longitud de cuadrado sobrepuesto*
3,20 m	2,30 m
3,00 m	2,10 m
2,60 m	1,80 m
2,20 m	1,50 m
1,90 m	1,30 m
1,60 m	1,15 m

Algo hay en las patas de las mesas que desvía la atención de la gente del esplendor del resto de la sala. Se debe tratar a toda costa de usar manteles que caigan hasta el piso. Para mesas rectangulares de bar o de *buffet*, hay que agregar 1,50 m tanto de largo como de ancho. Para calcular el tamaño de mantel que se necesita para una mesa redonda, consultar la tabla 17-2.

Tabla 17-2	Mantel para mesa redonda
Diámetro de la mesa	*Mantel que cae hasta el suelo*
1,80 m	3,35 m
1,70 m	3,20 m
1,50 m	3,05 m
1,37 m	2,90 m
1,20 m	2,70 m
0,90 m	2,40 m

El golpeteo de los cubiertos y la loza sobre madera u otra superficie dura puede ser desagradable, así que conviene poner una carpeta de caucho-espuma o alguna otra tela entre la mesa y el mantel.

Servilletas

Como parte sutil de la decoración, las servilletas se pueden colocar sobre el plato de servicio o directamente sobre el mantel, pero no quedan bien en forma de abanicos dentro de las copas cuando hay un centro de mesa de poca altura.

Si se toman servilletas en alquiler, se debe pedir un buen número para el servicio de los camareros y para reemplazar las que se caigan al suelo o se ensucien. Para el coctel, es aconsejable pedir por lo menos tres por invitado.

Atar las servilletas con cinta de bordes de alambre o *raffia* es una presentación de buen gusto, y cuesta menos si la misma novia y sus ayudantes hacen los lazos. Eso implica pasar a recogerlas unos cuantos días antes de la boda si es posible. En las figuras 17-3 y 17-4 se sugiere un par de maneras creativas de doblarlas.

La vela

Figura 17-3:
Este plegado se presta para meter cosas adentro, como tarjetas de puesto o una flor de tallo largo.

1. Extender la servilleta con una punta hacia abajo; doblarla por la mitad para obtener un triángulo

2. Doblarla como se ve por la línea de puntos

3. Enrollarla desde la derecha y embutir el extremo para que quede firme

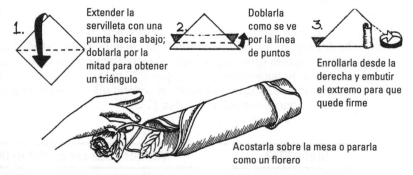

Acostarla sobre la mesa o pararla como un florero

El abanico

Figura 17-4:
Este pliegue de abanico es muy fácil de aprender.

1. Extender la servilleta

2. Doblar los bordes A y B hacia la línea central

Doblar otra vez por la mitad

3. Plegar de izquierda a derecha

Recoger la extremidad inferior y abrir como abanico en un plato

Para el coctel, las almidonadas son elegantes y de etiqueta pero su alquiler no es barato. Un monograma estándar en servilletas de papel está bien, pero crear uno su propio logotipo a mano o por computador y hacerlo imprimir sobre las servilletas y las toallas para las manos puede resultar más de acuerdo con el estilo de la recepción.

Velas

Desde hace mucho tiempo las velas han tenido un atractivo especial y hoy, tal vez como tendencia de la nueva era, gozan de gran popularidad. Mientras que antes se podía ver un par de cirios haciendo la guardia a los centros de mesa en una recepción, hoy se encuentra toda una conflagración compuesta de centenares de velas de todas formas y tamaños.

Los altos cirios se pueden convertir en demonios que chisporrotean cera en salones donde hay corrientes de aire que se cruzan. Hasta las velas que no chorrean pueden ser peligrosas. Si no se está seguro, se debe preguntar al gerente de banquetes qué es lo que él ha visto que funcione mejor en el local. Hay que preparar un plan de contingencia por si las velas se consumen totalmente: o bien disponer que el personal las reemplace, o bien reajustar la iluminación. Y no se deben poner jamás velas de olor donde haya comida.

Algunos establecimientos no permiten velas de llama al aire debido a los reglamentos sobre incendios. Para soslayar esta limitación (lo mismo que el problema de las corrientes de aire) hay dos soluciones: o usar lámparas de huracán o "velas mecánicas" en las cuales un resorte de acero va empujando el cabo por un tubo en forma de vela a medida que se va consumiendo. Desde lejos éstas se ven muy naturales, lo que las hace aptas para ceremonias y arañas.

Los recipientes de cristal para velas votivas dan una base para el decorado. Son con frecuencia de hojas doradas o plateadas, y van atados con muchas cintas y cubiertas de malla o de tela y hojas de limón sembradas en diminutas materas de terracota o colgadas de centros de mesa elaborados con ingeniería de precisión.

Algunas maneras de dar un toque romántico son:

✔ Grupos de gruesas velas romanas de diversas alturas.

✔ Velas en espiral fundidas a mano.

✔ Velas en forma de orbes, cubos y pirámides.

✔ Velas de té de formas florales flotando en recipientes de rosas.

✔ Cirios que pueden medir hasta un metro de altura, colocados en receptáculos ornamentales bajos o encima de los centros de mesa.

✔ Velas perfumadas en los cuartos de baño (pero nunca cerca de la comida).

✔ Velas en candeleros colocadas sobre espejos en el centro de las mesas para reflejar más luz.

✔ Velas votivas agrupadas y puestas en medio de coronas de flores, limones o ramas.

✔ Lámparas de mesa que sostienen velas, con pantallas de cuentas o plateadas.

Loza, cubiertos y copas

En los hoteles y los restaurantes por lo general no se puede pedir una vajilla o unos cubiertos especiales. Conviene pedir que les muestren qué usan como plato de servicio (que es parte de cada puesto y está ya en la mesa cuando los invitados entran al comedor). Si les parece muy feo, es mejor prescindir del plato de servicio y poner en cambio una servilleta en el centro de cada puesto.

En materia de loza, cubiertos y cristalería, que en algunos establecimientos hay que tomar en alquiler, hay mucho para escoger. En el extremo barato del espectro están la pesada loza blanca, débiles cuchillos y tenedores y copas que parecen de vidrio de botella. Hay opciones atractivas en diferentes rangos de precios, y si se conviene con el banquetero en que unas mismas piezas de loza se pueden usar para dos platos sucesivos de la comida (es decir, lavándolas en el intervalo), el alquiler de la vajilla puede ser factible. Pero hay que tener cuidado de que todos los elementos hagan juego con el diseño general. Como se puede apreciar en la figura 17-5, alquilar vajilla para una comida de cinco platos implica un costo considerable.

Los accesorios de la mesa pueden ser prácticos y al mismo tiempo encantadores:

✔ Saleros y pimenteros individuales, de sacudir o en pequeños platos.

✔ Mantequilla colocada sobre hojas de limón.

✔ Diminutas tenacillas para los cubos de azúcar.

✔ Copas de pata de colores.

✔ Anillos de servilleta metálicos o de joyería de imitación.

✔ Soporte para cuchillo, cuchara o palillos chinos.

Si se va a servir carne, hay que exigir que los cuchillos tengan filo. Los de alquiler por lo general no tienen filo de sierra, de modo que los comensales pasan un mal rato.

Números de las mesas

Los números de las mesas deben ser fáciles de leer, aunque no tan grandes que parezcan carteles, y se debe dedicar algún tiempo a idear maneras originales para evitar los soportes comunes. Algunas alternativas podrían ser:

✔ Mostrar los números en marcos rococó.

✔ Pintarlos en hojas que se fijan a un tubo largo y plantar éste en el centro de mesa.

✔ Ponerlos en tarjetas dobladas como "casitas" de naipes, haciendo juego con las tarjetas guía y las tarjetas de puestos.

✔ Distintas flores o utilería en cada mesa; a los invitados se les indica por nombre, no por número, la que les corresponde: la mesa "jazmín", la mesa "azucena", etc.

Un puesto con todo lo necesario

Figura 17-5:
Se debe comprobar que en cada mesa se haya colocado la loza, cristalería y utensilios requeridos para la comida.

Los números de mesa deben retirarse desde el principio de la comida. La mesa probablemente está ya atestada de cosas y además no se necesitan una vez que los invitados ocupan sus puestos.

Al numerar las mesas (como en la figura 17-1), se deben poner los números pares a un lado de la pista de baile y los impares del otro lado, en lugar de ponerlos en forma consecutiva. Esta disposición pares-impares facilita grandemente la tarea de los meseros encargados de dirigir a los invitados. No sobra recordar que muchas personas tienen la superstición de que el número 13 es "de mal agüero", de modo que tal vez sea mejor saltarse este número. Se pueden asignar los números altos a las mejores mesas y los bajos a las menos deseables. Si a un invitado le toca una mesa situada en el último rincón, se siente menos mal si la mesa es la número 6 que si es la número 3.012.

Tarjetas de puesto

Éstas le indican al invitado qué asiento debe ocupar alrededor de la mesa. Se pueden usar dobladas como "casitas" en la posición de las 12 del reloj frente a cada puesto, o extendidas sobre cada servilleta.

Asignar mesas es ya de suyo difícil y asignar puestos es más difícil aún. Pero los invitados agradecen que el anfitrión se haya tomado el trabajo de pensar con quiénes les gustaría tener que conversar durante toda la comida.

En un tiempo las tarjetas de puesto fueron un requisito obligatorio. Pasaron de moda en los años sesenta y setenta pero se volvieron a popularizar a partir de los ochenta. Por fortuna ya no son tan formales como eran antes.

En las tarjetas de puesto dobladas como "casitas" conviene escribir por ambos lados los nombres de los invitados, de modo que cada uno pueda leer el de la persona que está enfrente.

La tarjeta de la carta

Ésta no tiene que ser costosa para que sea atractiva. Uno de ustedes la puede diseñar en su computador y hacerla imprimir por offset en una imprenta o fotocopiar en cartulina de tarjetas en una fotocopiadora profesional. Muchas papelerías venden tarjetas con bordes de artístico diseño hechas especialmente para impresoras láser.

Si la boda se va a celebrar en un hotel o restaurante que tenga impresora láser para sus propios menús diarios, es posible que les hagan el suyo de la misma manera. Se puede poner una carta por persona, aunque con dos o cuatro por mesa es suficiente. Cuando

Diseño de la carta

Una carta de la comida muy bien impresa o caligrafiada constituye un excelente recuerdo. Ofrecemos a continuación algunas sugerencias para hacerla muy especial.

✔ En el extremo superior de la carta, colocar los nombres o el monograma de los novios.

✔ Poner a la izquierda de cada puesto la lista de los vinos que se van a servir, pero sólo si son interesantes (no necesariamente costosos).

✔ Usar adjetivos muy descriptivos.

✔ Usar la carta como tarjeta de puesto, escribiendo en la parte superior de cada una el nombre del invitado correspondiente.

hay varios puestos de comida, la carta o menú es una gran ventaja para que después de la fiesta no se oiga decir a alguno: "Yo no sabía que en alguna parte había filete".

Cuartos de baño y tocador

A las señoras, especialmente, les encanta encontrar en el cuarto de baño o tocador cestos llenos de cosas atractivas. Sugerimos llenarlos de todo lo imaginable, desde atomizadores para el cabello hasta pastillas de menta para el buen aliento o pares de medias de emergencia de distintos tamaños. En los locales de alquiler los baños suelen ofrecer pocas comodidades, así que conviene llevar toallas para las manos, velas perfumadas, jabones y hasta papel higiénico para reemplazar el burdo que ofrecen esos locales.

Espacios de tránsito

No es necesario revestir de flores y bellos tapices los vestíbulos, foyeres y espacios que median entre la sala del coctel y los comedores, pero por lo menos deben verse como parte de la misma fiesta. Aun cuando ya se haya gastado el presupuesto en detalles de diseño más apremiantes, conviene tratar de reservar unos cuantos pesos para poner velas votivas en repisas y consolas, o para cubrir mesas y sillas sobrantes con tul, la tela que sirve para todo en los matrimonios. Las plantas en materas se pueden meter dentro de contenedores plásticos de jardinería cubiertos de tules u otras telas y agruparlas para suavizar espacios que de lo contrario parecen olvidados.

Experiencia en un toldo

Hemos presenciado la triste experiencia de parejas que erigieron toldos suntuosos pero se quedaron sin fondos para adornarlos. Quizá soñaron con comer en un palacio de fantasía que cayó milagrosamente del cielo en el jardín de su casa, pero la realidad más parece que la comida se ofreciera dentro de un gran talego blanco de lavandería. Si el toldo mismo agota hasta tal punto el presupuesto que no quede con qué colgar una rama verde, realmente hay que pensar en otra localidad.

Algunos aspectos cruciales de la decoración de un toldo son:

✔ **Banderolas:** Anchas bandas de tela que cubren partes del cielo raso; cuestan menos que un forro de toldo completo y cumplen el mismo objetivo: desviar la atención del cielo raso.

✔ **Forros de pliegues:** Las mismas compañías de toldos alquilan también forros de pliegues para techo y paredes. Estos son bastante costosos.

✔ **Pisos:** Para adornar un piso, una alfombra es un toque de buen tono y además un amortiguador de ruidos. El menos costoso para cubrir un piso es el AstroTurf negro o verde (ver información sobre pisos en el capítulo 4).

✔ **Iluminación interior:** Si la boda es de noche, el toldo necesita iluminación. Hay diversas posibilidades, como arañas, sartas de luces, globos de poco costo, faroles de coche (que se ven como las viejas lámparas del alumbrado público) y enormes linternas chinescas.

✔ **Alumbrado paisajista:** Sirve para hacer resaltar características naturales, como estanques o árboles, y también para guiar a los invitados por el jardín hacia los baños, o por la entrada de automóviles.

✔ **Postes:** Según la altura del toldo, los postes pueden medir hasta 12,80 m. Al planear los puestos bajo un toldo, es preciso tener en cuenta cómo van a afectar las líneas visuales. Los postes son de metal y feos, y tienen que cubrirse de alguna manera. Además de pintarlos se pueden envolver en guirnaldas de flores o telas floreadas. Como un toque de fantasía orgánica, se puede forrar el poste en una tela barata y pegar sobre ésta hojas verdes en hileras superpuestas y con las puntas hacia arriba para disfrazar totalmente el metal. Como toque campestre, se pueden usar cortezas de maíz.

✔ **Ventanas:** Los lados del toldo son de plástico transparente, de plástico opaco o de tela, según la estación, y a menudo tienen ventanas estampadas con estarcido, arcos y celosías.

Se debe comprobar que todos los toldos, equipos y decoraciones cumplan con las ordenanzas locales relativas a incendios. La compañía que alquila los toldos tiene la responsabilidad de obtener los permisos necesarios.

Un regalo para los invitados

Si bien despedir con un pequeño regalo a los invitados es un detalle muy simpático, encontrar el regalo preciso, ni muy barato ni ostentoso, puede ser difícil. En esta materia la línea divisoria entre lo gracioso y lo cursi es muy sutil. Esto nos lo recordó hace poco un anuncio del "regalo perfecto" para los invitados, que vimos en la cubierta posterior de una revista de novias. Era un refrescador de aire con la invitación de la pareja reproducido en él. Si no se quiere tirar el dinero en cosas inútiles, es preferible no dar nada. No es necesario. Pero con un poco de imaginación se puede encontrar o hacer el recuerdo perfecto de la fiesta. Éstas son algunas sugerencias:

✔ Las tradicionales almendras confitadas, símbolo de lo amargo y lo dulce del matrimonio, pero empacadas en alguna forma original que evoque el estilo particular de los recién casados (por ejemplo, en pequeños frascos con etiquetas caligrafiadas que reemplazan las tarjetas de puesto).

✔ Almohadas para soñar, idea de los aborígenes de Norteamérica, con una nota manuscrita para explicar cómo se usan (se ponen debajo de la almohada corriente para tener hermosos sueños) y dar las gracias a los invitados.

✔ Si la boda tiene un tema floral, como rosas o margaritas, una mata de tamaño natural en matera de terracota y una nota sobre su cuidado.

✔ Plantas herbáceas, como artemisa o albahaca, con una nota con su receta favorita.

✔ Miniaturas de una torta de boda, del tamaño de una porción de postre para una persona, empacadas en cajas blancas de papel satinado y atadas con cintas.

✔ Cajitas hechas de azúcar, llenas de chocolates y empacadas en cajas blancas con muchos lazos de cinta.

✔ Una lata de galletas caseras surtidas, en forma de tortas de boda, campanas y anillos.

✔ Paquetes de dos, cuatro o seis cervezas de boutique con un marbete con los nombres de los novios.

✔ Conservas o chutneys hechos en casa, en frascos con etiquetas manuscritas.

✔ Botellas de vino adquiridas en algún pequeño viñedo local, con su etiqueta personalizada (deben ser botellas de tamaño corriente, pues ¿qué hace una pareja con una media botella? ¿Enjuagarse la boca?)

✔ Una foto enmarcada del invitado, para llevársela a casa de recuerdo.

✔ Un libro de poemas o citas de amor, con marcador de página de cuero estampado con la fecha de la boda.

✔ Un par de copas altas de champaña, decoradas con pinturas a mano.

✔ Pequeños árboles de jardinería en imitación de materas antiguas.

✔ Un disco compacto grabado con la música de la boda.

Algunos de los regalos para los asistentes tienen que ser en pares. Darles a las parejas una sola copa para champaña o una sola botella de cerveza es completamente inútil.

Si los regalos no hacen parte de la decoración de las mesas, la mejor ocasión de entregarlos es cuando los invitados abandonan la recepción. Se pueden empacar en bolsas pequeñas de mercado con hermoso papel de seda y hacer que un mesero entregue una a cada invitado. En tiempo frío los encargados del guardarropa los pueden entregar con los abrigos. Poner las bolsas en los asientos de los huéspedes no es una buena idea; las bolsas acaban en el suelo, donde son pisoteadas cada vez que alguien se levanta de su puesto.

En las celebraciones que terminan a la luz del amanecer, se puede despedir a los invitados con algo especial: una bolsa de regalos que contiene la primera edición del periódico del día siguiente y algo listo para tomar de desayuno: rosquillas con queso crema, una pequeña hogaza de pan de masa acidulada y una tajada de buen queso o pequeños croissants, bizcochos de desayuno y un pequeño frasco de jalea seguramente serán apreciados.

Parte V

Regalos, atuendo, fotografías y viaje

La 5a ola   **por Rich Tennant**

¡QUÉ MARAVILLA: OTRO CEREBRO!

En esta parte...

*N*o hay que dejarse confundir por el título: aquí descubrirán más de lo que jamás imaginaron posible y encontrarán la respuesta a lo que siempre han temido preguntar sobre diversos asuntos clave relacionados con el matrimonio. Para comenzar, veremos cómo evitar que uno de los aspectos más divertidos de la boda —registrar la lista de regalos en almacenes— se convierta en una situación difícil de etiqueta. En cuanto al atuendo, trataremos en detalle el importantísimo vestido de la novia, así como el anillo de matrimonio. La sección sobre fotografías y vídeo indicará cómo dejar el registro de la boda en estos medios. Luego proseguiremos con la planeación de una luna de miel bien merecida.

Regalos y listas de boda

En este capítulo

▶ Planear metódicamente la lista de regalos

▶ Pedir regalos no tradicionales

▶ Enviar las notas de agradecimiento

▶ Decidir qué hacer con los regalos que no gustan

Christofle dice haber inventado la lista de regalos de boda en 1856. Al parecer, el platero francés pensó que los invitados se beneficiarían de saber lo que a los novios les podría gustar; o simplemente se cansó de que las parejas se la pasaran cambiando las tenazas de plata. Muchas tiendas y almacenes saben que las listas de regalos no sólo conforman una buena parte del lucrativo mercado de artículos para bodas, sino que también son una forma de ganarse la lealtad del comprador para toda la vida. Por esta razón, los comerciantes se esfuerzan sobremanera para que la experiencia de comprar para el cliente sea lo menos complicada posible, asignando un personal asesor para dirigir al comprador a través de los corredores e incluso proporcionando equipos para detectar el código de barras de los objetos que a la pareja más le gustan para que puedan añadirlos efectivamente a su lista.

Todas estas formas sofisticadas de comprar, junto con la emoción que se suma al proceso de elegir los regalos, no disminuyen, sin embargo, el trauma emocional que trae consigo la experiencia. Repentinamente, el novio o la novia se ve comprando cosas para *ambos,* teniendo que sacrificar sus gustos personales, lo que puede ser bastante desalentador. Si se duda acerca de esto, basta con visitar la sección de artículos para el hogar en cualquier gran almacén y ver a una pareja tras otra transformarse de doctores Jekyll que miran los artículos placenteramente a iracundos señores Hyde, al tratar de decidirse por el diseño de vajilla que les durará *toda su vida.*

A pesar de este dilema, la idea de registrar una lista de regalos sigue siendo formidable: es la forma de evitar recibir repetidamente el objeto de sensación de la temporada, así como el regalo grotesco, aunque bien intencionado, de parte del invitado cuyo gusto es infortunadamente desastroso.

El registro de la lista en diferentes almacenes

Con el fin de tener el tiempo suficiente para escoger detenidamente los artículos para la lista de regalos, ésta ha de comenzar a planearse poco después de haberse comprometido la pareja. Hay personas a quienes les gusta verificar la lista de los novios para comprar los regalos de *shower,* por lo cual es conveniente registrarla en varias partes antes de enviar las invitaciones para los tés de lluvia de regalos. Incluso si se piensa coordinar la lista de regalos por Internet, es aconsejable ver primero los artículos que se incluirán. Pidan una cita con el asesor de bodas de cada almacén en donde registrarán una lista de regalos y soliciten ayuda para combinar diferentes diseños de vajillas o asesoría sobre cuántas tazas de café conviene adquirir: los consejos personalizados pueden ser de gran utilidad. Recomendamos visitar los almacenes en días entre semana, cuando están menos llenos que en los fines de semana.

Incluyan en la lista diversos artículos de distintos precios. Aunque quizás se les vayan los ojos detrás de una vajilla extremadamente fina, hay que ser realistas. A menos que su familia y amigos ganaran todos juntos la lotería, lo más probable es que sólo se reciba una cuchara de té y una salsera de los motivos de esa vajilla. Si quieren obtener un espectacular equipo de sonido o de vídeo, o algo de esta índole que una sola persona o una pareja no pueden regalar por cuestión de costo, podrían insinuarle a un amigo o amiga de confianza que le sugieran a un grupo de amigos que compren conjuntamente un obsequio de mayor valor como éste.

No se deben dejar llevar por sus deseos y escoger toda clase de objetos sólo porque se recibirán gratuitamente. Ya sea que los novios comiencen a formar su primer hogar, o que junten los bienes de sus viviendas previas, o que sueñen con reemplazar el huacal de vinos que han venido usando como mesa por una verdadera mesa de comedor, la lista de regalos se debe elaborar metódicamente. Se debe hacer un inventario a conciencia de lo que hace falta en el hogar y, a partir de esa lista, comenzar escogiendo los artículos que quieren que les regalen.

Antes de llegar a su almacén favorito vistiendo zapatos cómodos y con su lista ideal en mano, conviene llamar primero y averiguar si se debe pedir una cita con antelación. Otras preguntas para hacer son:

✔ ¿Qué formato utiliza el almacén para registrar la lista de los novios: almacena la información en computador, en Internet o en una pequeña libreta? ¿Las demás sucursales del almacén utilizan este mismo formato? ¿Qué tan fácilmente pueden estos otros almacenes consultar la lista?

✔ ¿Cuál es la política de privacidad del almacén? ¿Cómo se cerciora éste de que sólo las personas indicadas por los novios tengan acceso a la lista de regalos?

✔ ¿El almacén da la posibilidad de que los novios decidan no recibir las ofertas de promoción por Internet de la tienda y demás "ofertas especiales"?

✔ ¿Cómo guarda el almacén la información personal de los novios? ¿Promete no compartir o vender estos datos a otras entidades comerciales o individuos?

✔ ¿El almacén designa a un asistente para ocuparse personalmente de la lista de los novios?

✔ Después de llenarse la inscripción para el registro, ¿qué tan pronto estará la lista disponible para que las personas la puedan consultar?

✔ ¿El almacén tiene un número telefónico gratuito? Es bueno ensayar llamando a este número en diferentes horas del día para comprobar si los invitados tendrán que tratar con un operador de malos modales o si se les dejará esperando largo tiempo.

✔ ¿El almacén actualiza eficientemente la lista cuando alguien hace una compra? (El momento más conveniente para hacerlo es inmediatamente después de la compra para así evitar que se adquieran regalos duplicados). ¿Cómo evita el almacén que se envíen regalos duplicados?

✔ ¿Cómo puede la pareja agregar artículos a su lista?

✔ ¿Cuánto tiempo permanecerá abierta la lista de los novios luego de su boda? Un año es un buen tiempo, pues las reglas de etiqueta permiten que los invitados dispongan de ese tiempo para mandar regalos.

✔ ¿Cuál es la política de devoluciones del almacén?

Se debe tomar nota de los artículos y diseños que les agradan. Quizás sea una buena idea estudiar la mercancía al menos una vez más antes de añadirla a la lista. Es aconsejable reunir folletos y avisos de revistas para consultar en aquellas noches de decisiones con su pareja sobre cuáles ollas de teflón o sábanas de percal escoger.

Si ya se posee un juego de vajilla, cristalería o cubiertos, pero está incompleto, se puede pensar en incluir en la lista las piezas que faltan en lugar del juego entero.

Regalos ostentosos

Últimamente se ha hablado mucho de listas de regalos poco convencionales y excepcionales, como por ejemplo hipotecas, automóviles o cancelación de deudas, pero la idea no ha tenido mayor acogida. Pocas entidades sabrían cómo promocionar estos productos sin parecer torpes, además de que la mayoría de los invitados a las bodas no están aún dispuestos a eliminar el regalo con empaque y cinta. Sin embargo, si se logra dar este tipo de presente con elegancia, será un buen triunfo para quien lo obsequia. Algunos bancos, en su afán por promover esta novedosa idea de invertir en un fondo de adquisición para una vivienda, mandan cartas a los posibles donantes. Pero esto es excesivo. Los novios deben dejar en claro que notificarán a sus invitados al respecto.

Intenten registrar la lista en los almacenes que dan un descuento en los elementos restantes de la lista una vez ésta se ha vencido.

Otras tiendas además de los grandes almacenes

A pesar de los variados y audaces registros de listas que existen hoy en día, encontrar un solo almacén que ofrezca todo cuanto necesitan en su nueva vida es difícil. Una práctica común es dividir la lista entre dos o tres almacenes; por ejemplo, un almacén de muebles de casa para los objetos decorativos, la cristalería y la vajilla, un almacén por departamentos para la ropa de cama, la vajilla de lujo, la cristalería fina y los implementos de cocina, y un almacén de hogar y jardinería para la mercancía de este tipo. No hay que olvidar las *boutiques,* los almacenes artesanales y las galerías, muchos de los cuales también ofrecen la posibilidad de registrar listas de regalos de boda.

El hecho de pedir objetos no esenciales podría parecer un tanto caprichoso, aunque tales artículos no se deberían eliminar del todo de la lista. Después de todo, no hay quien pueda juzgar si un abono anual al museo de artes de su ciudad o un juego de palos de golf no son exactamente lo que la pareja necesita para comenzar en forma su vida matrimonial.

Algunos conceptos no tradicionales para incluir en la lista de regalos pueden ser:

✔ **Caridad**: Para parejas no materialistas o para los anteriormente casados. A los invitados se les pide hacer una contribución en nombre de los novios, deducible de impuestos, a una entidad de su escogencia.

✔ **Pasatiempos:** Para el hombre y la mujer que todo lo tienen o que son más felices complaciendo al niño que llevan dentro, antes que recibir juegos de toallas similares. Las opciones pueden abarcar desde objetos deportivos hasta vinos o discos compactos. Se pueden buscar estos artículos en almacenes especializados, agencias de viajes o catálogos para ordenar por correo.

✔ **Herramientas y equipos para el trabajo de casa:** No sólo para el hombre varón, esta categoría incluye herramientas, podadoras de césped, implementos de jardinería, jacuzzis o cualquier cosa que una pareja requiera para su casa nueva. Se pueden visitar las ferreterías, los centros para el hogar y los almacenes de jardinería.

✔ **Servicios:** Estos pueden incluir spas, masajes, clubes de gastronomía, una limpieza de casa… Las posibilidades son infinitas.

✔ **Viajes:** Sitios de internet tales como The Big Day (`www.thebigday.com`) dan la posibilidad a los invitados de pagar parte de la luna de miel de la pareja, incluyendo tiquetes aéreos, hotel, restaurantes, sesiones de buceo, lecciones de tenis, cabalgatas, sesiones de navegación a vela o cualquier cosa que los novios hayan planeado para la ocasión. Ciertas tarjetas de crédito permiten comprar puntos como abono para la estadía de una o más noches en uno de los hoteles afiliados a la compañía de crédito.

Las listas de regalos no tradicionales no son siempre del agrado de todas las personas. Así como se hace con los regalos de dinero, se debe insinuar discretamente sobre estos deseos sólo a sus familiares y amigos más allegados, y únicamente si ellos preguntan.

Efectuar la búsqueda de regalos por Internet

Cada vez más se están colocando las listas de regalos en Internet, lo cual tiene numerosas ventajas:

✔ La pareja puede inscribirse desde su casa (aunque algunos almacenes requieren que la inscripción se haga en persona).

✔ La persona que hace el presente puede vivir en cualquier parte del mundo y efectuar su compra en el almacén favorito de la pareja, a la hora que más le convenga.

✔ Los novios pueden verificar el estado de su registro o modificar la lista de regalos en cualquier momento desde su computador.

✔ Muchos registros de listas de regalos se encuentran asociados con sitios web que ofrecen otros métodos de organización, así como consejos e información.

✔ Se pueden hacer diferentes listas para distintos tipos de artículos y publicarlos en un mismo sitio de Internet, por ejemplo el Wedding Channel (www.weddingchannel.com) o The Knot (www.theknot.com).

✔ La mercancía se puede ver en la pantalla junto con su descripción, disponibilidad y precio.

✔ El novio o la novia pueden enviar la lista de regalos por correo electrónico a sus familiares o amigos más cercanos (por ejemplo, la novia a su madrina de bodas) aunque estas personas vivan lejos, y luego efectuar las compras juntos por Internet.

Insinuar y esperar

Una vez los novios eligen todo lo que desearían obtener, han de tener en cuenta que sólo han registrado estas cosas en una lista y que no serán suyas sino cuando alguien las compre para ellos. Por tentados que se sientan, han de controlarse para no verse gritando desde el techo de su casa cuáles son el teléfono y la dirección del almacén en que han registrado su lista, o para no verse alquilando una valla comercial que denote la información, o enumerando en el mensaje de su contestador automático los almacenes en donde encontrarán sus listas.

Si se piensa que imprimir discretamente el nombre de uno o dos almacenes en la parte inferior de la invitación de la boda o de los *showers* sería de ayuda para los invitados, la respuesta inequívoca es *no*. Así es. Bajo ninguna circunstancia deben las invitaciones hacer referencia alguna a recibir un regalo. Tampoco se debe solicitar a los almacenes mandar catálogos, tarjetas o propaganda por correo electrónico a los invitados. Aunque muchas compañías de Internet

¿Una vez basta?

Si tanto el novio como la novia han estado casados anteriormente (y en esa ocasión recibieron obsequios matrimoniales de parte de todos sus conocidos), es posible que no consideren adecuado hacer nuevamente una lista de regalos. Si así lo sienten, lo mejor es que confíen en sus instintos. Sin embargo, a nuestro parecer, así como una novia que se casa por segunda vez puede vestir de blanco si así lo desea, también una pareja que se casa nuevamente puede registrar una lista de regalos. Es imposible impedir que las personas den un regalo y quizás ellas aprecien la guía que se les da, pues de otro modo no podrían saber cuál de los ex cónyuges se quedó con el jarrón de cristal de roca como parte del reparto anterior de los bienes.

La única excepción para no hacer una segunda lista de regalos sería si se estuvo casado o casada anteriormente por un periodo de tiempo extremadamente corto. Si acostumbran cambiar de pareja como quien cambia de filtros de café, quizás lo mejor es que se registren para terapia prematrimonial.

ofrecen el servicio de enviar la lista de regalos por Internet a todos los invitados de la boda, se debe evitar hacerlo a menos que alguien lo solicite. Tampoco es llamativo hacer una insinuación en su página web personal sobre los lugares en que se han inscrito sus listas de regalos.

La única manera elegante y aceptable de enterar a las personas sobre su lista de regalos es verbalmente. Sin embargo, no se debe tomar la iniciativa de dar la información a la otra persona; ésta debe ser quien pregunte antes: "¿En dónde han registrado listas?" Entonces la novia, su madre o sus acompañantes del cortejo pueden contestar: "Es muy amable de su parte preguntar" y acto seguido sacar la tarjeta con el nombre y teléfono del almacén. En cuanto a aquellas personas que preguntan: "¿Qué necesitan?" o "¿qué les gustaría?", no se ha de ser tímido, y se ha de darles algunas indicaciones generales, comunicándoles luego acerca de su lista de regalos.

Aunque seguramente las intenciones de la pareja sean las mejores, inscribir en la invitación palabras como "Sin regalos" puede parecer a los invitados pretencioso y ofensivo. Proceder de este modo puede tener un efecto adverso sobre los invitados, que sintiéndose comprometidos a hacer un regalo a la pareja se han basado en su propio gusto y escogencia para ello.

"¿Lo que realmente quisiéramos? Bueno, pues rima con minero..."

La sola idea de dar un cheque como regalo de bodas es algo fuera de cuestión para muchos fanáticos de la etiqueta. Sin embargo, nosotras creemos que dar dinero como regalo es un acto muy considerado. Generalmente los regalos en dinero se reciben de parte de los familiares más cercanos, y según como sea la familia de cada cual, quizás se necesite de un pajarito (de la especie de los amigos íntimos) que comunique acerca de los deseos de los novios a los más allegados. Así como con los registros de listas de regalos, anotar su número de cuenta bancaria en lugares conspicuos se considera de pésima educación.

La mayoría de los regalos en forma de dinero se dan en cheque personal, que el donante entrega discretamente a los novios en un sobre durante la recepción. Antes de partir para la luna de miel, conviene endosar todos los cheques y escribir al dorso, "Para consignar únicamente". Luego se debe llenar un talonario de consignación y entregarlo a alguien de su entera confianza para que él o ella lo deposite en su ausencia.

Llevar el registro de los regalos recibidos

En el momento de recibir un regalo, ha de anotarse cuál fue, el nombre de quien lo dio y la fecha. Esta información puede consignarse en una tarjeta pequeña de archivador con los demás datos pertinentes del invitado o en una hoja de cómputo en el computador. También debe registrarse la fecha en que se envía la nota de agradecimiento a la persona. Muchos almacenes notifican a los novios por correo electrónico cuando alguien compra un regalo de la lista, dejándoles saber el nombre de la persona y qué obsequio eligió, así como cualquier otra información pertinente. Sin embargo, los almacenes retienen todos los regalos hasta que las compras de la lista se han terminado. Esto les permite a los novios mandar las tarjetas de agradecimiento sin tener que esperar el arribo de cada presente.

Es recomendable guardar los recibos (que seguramente llegarán sin el precio). Estos pueden necesitarse en caso de querer hacer devoluciones o cambios. Los recibos también pueden ser de utilidad en caso de que el almacén envíe un regalo duplicado o no envíe el regalo por equivocación.

Veamos el dinero

En algunas culturas, dar dinero como regalo de bodas es una costumbre muy venerada:

✔ Ciertos afroamericanos aún conservan la costumbre nigeriana de obsequiar dinero en abundancia a la novia durante la recepción. Para tal fin, la novia lleva una carterita o monedero especialmente decorado en el que los invitados depositan sus cheques en sobres.

✔ En el Japón, los padres del novio ofrecen un sobre de regalo a la familia de la novia con una suma de dinero aproximadamente equivalente a tres salarios mínimos del sueldo del novio. El sobre, llamado *shugi-bukero*, se adorna con nudos de oro y plata, supuestamente imposibles de deshacer. El monto del contenido figura junto con el nombre del donante al dorso del sobre.

✔ La novia china invita a sus nuevos suegros a un ritual de té, y estos luego le obsequian a la pareja dinero en un sobre rojo de "la fortuna" llamado *hung boas*.

✔ En el matrimonio polaco, los invitados deben prenden dinero al vestido de la novia al bailar con ella.

En algunas culturas se acostumbra exhibir los regalos de bodas. Por ejemplo, para su boda en 1893, la princesa May y el duque de York exhibieron sus 3.500 regalos en la Casa Marlborough. En algunos países se asigna una fecha, por lo general dos días antes del matrimonio, en la que se exhiben los regalos. Ese día asisten los allegados; es prácticamente otra fiesta en la que se sirven pasabocas y licor. En el sur de Estados Unidos, los amigos y familiares suelen visitar la casa de la madre de la novia unos días antes del matrimonio para ver los regalos desplegados en todo su esplendor. (En esta región hay compañías que se especializan incluso en exhibir los regalos con montajes de telas de damasco y arreglos florales). A algunas personas les gusta exhibir los regalos con la tarjeta del donante; otras consideran que esto es inapropiado y que causa aglomeración entre los invitados. Los cheques, por el contrario, han de dejarse en sus sobres y no exhibirse. Tampoco se deben exhibir los regalos durante el matrimonio mismo o la recepción. Se debe asignar a una persona para guardar luego los regalos discretamente en un lugar seguro.

Dar las gracias

El regalo de bodas se puede dar desde el momento en que la pareja anuncia su compromiso hasta un año después del casamiento, aunque no es muy usual darlo después del matrimonio. Los novios deben enviar las notas de agradecimiento sin falta, así se encuentren tremendamente ocupados.

Aunque las opiniones varían, a nuestro parecer las tarjetas se deben enviar en un lapso de un mes. (Si la luna de miel lo impide, se pueden tomar unas pocas semanas de gracia). En caso de retrasarse en el cumplimiento de esta tarea, se deben mandar las notas primero a quienes más se sentirían y más las esperan, como la tía Tulia que con toda seguridad no ha podido dormir por no saber si el florero que envío a los recién casados ha llegado intacto. El próximo grupo de tarjetas debe dirigirse a aquellas personas de quienes se recibió un cheque y que ya se ha depositado. Luego hay que ocuparse del resto de las personas.

Una buena nota de agradecimiento debe mencionar el regalo, denotar cuánto les ha gustado a ambos y el uso que piensan darle. También se pueden agregar unas palabras comentando lo agradable que les fue tener a la o las personas presentes en su matrimonio o, en su defecto, la falta que les hicieron. Por ejemplo:

Agosto 11

Queridos tía Tulia y tío Jacinto:

Mil gracias por el florero finamente pintado a mano. Parece haber sido hecho especialmente para nuestra chimenea y allí lo colocamos con un bello arreglo de crisantemos. ¡Qué alegría fue que hubieran podido venir desde Madrid a acompañarnos en nuestro matrimonio! Su presencia hizo del evento un momento familiar inolvidable.

Reciban otra vez nuestro agradecimiento. Nos fascinó el florero.

Con un afectuoso abrazo,

Amalia y Florián

La nota puede ir firmada por ambos esposos. Un detalle cariñoso es que el otro cónyuge añada unas palabras en la posdata: *Me encantó conocerlos después de tantas veces que Florián me habló tan bien de ustedes. Otra vez, mil gracias. Esperamos volver a verlos pronto, Amalia.*

Si el regalo es en realidad tan horrendo que no cabría más que cambiarlo por otra cosa o donarlo a los pobres, lo mejor es ponderarlo con un eufemismo como *inusual, único, osado, pieza que dará conversación*. Deben concentrarse más bien en la intención detrás del regalo.

Las notas para agradecer los regalos en dinero son un buen ejemplo de cómo ser indirecto. Éstas no deben mencionar las palabras efectivo o cheque; es mejor utilizar en vez palabras como *su regalo* o *su generoso regalo*, y jamás mencionar la suma. Sin embargo, se puede comentar en qué se planea invertir el dinero: *Lo hemos destinado para la adquisición de nuestra nueva vivienda....*

La nota de agradecimiento debe ser corta, agradable y de poca complicación. (Ver el capítulo 5 para detalles sobre la papelería apropiada.) A las personas que envían regalo antes de haber recibido la invitación o participación no se les manda todo de vuelta en un mismo sobre; cada tarjeta individual debe ponerse al correo por separado. No se está en obligación de invitar a alguien simplemente porque ha mandado un regalo anticipado.

Aunque en otras situaciones hemos aconsejado delegar cuando es posible, las notas de agradecimiento no son una tarea que se puede encomendar a terceros. La pareja debe ser quien las escriba, a mano y lo antes posible.

Algunos expertos en etiqueta aconsejan enviar tarjetas impresas de agradecimiento cuando no se dispone del tiempo para escribirlas a mano y mandarlas seguidamente. Éstas notifican a la persona de haber recibido el regalo y prometen además el futuro envío de una nota personal. En realidad, son una manera elaborada de postergar la tarea. Mejor es mandar la nota cuanto antes, y si se tiene una razón válida para estar retrasados —por ejemplo, que el regalo se haya mandado a la casa de los padres de uno de los cónyuges y que haya tenido luego que ser reenviado al destino correcto y lejano, o que ambos cónyuges se encuentren presentando exámenes universitarios— no importa. No hace falta dar excusas o una larga explicación; incluso la nota más sumaria y escrita rápidamente es mejor que no mandar nada o que una nota de agradecimiento genérica e impresa.

Acerca del emblema

Antes de que existieran las listas de regalos de boda y Victoria's Secret, las mujeres pasaban años tejiendo carpetas, y bordando almohadas y monogramas para la ropa de cama del cofre matrimonial de sus hijas. Lo emocionante venía cuando la hija se comprometía. Repentinamente su *trousseau* (palabra francesa que denota el pequeño "bulto" que la novia llevaba a la casa de su marido) crecía, incluyendo lencería de encaje y adornos, y suficiente ropa para vestir por un año. El *trousseau* podía incluso incluir algunas ollas de más.

Hoy, tanto el *trousseau* como el cofre matrimonial están algo pasados de moda (aunque ¿a quién no le gustaría tener una excusa para actualizar por completo su armario?) Sin embargo, si ya se ha comenzado a juntar sábanas, manteles y cristalería para su vida matrimonial, quizás se esté pensando en marcar estos objetos con un emblema o monograma y en la forma de hacerlo. Como se muestra en la figura a continuación, los mejores lugares en donde marcar sus iniciales en los objetos son:

✔ **Cristalería:** Las iniciales se pueden grabar en cualquier parte aunque generalmente se inscriben centradas.

✔ **Cubiertos:** Se graban en el frente, junto a la extremidad del mango, o al reverso, para preservar intacto el diseño clásico y fino de la pieza. Los cubiertos de estilo muy ornamentado pueden llevar el monograma en el respaldo del mango.

✔ **Servilletas:** Se pueden bordar en diagonal en una esquina o llevar centrado el monograma en un doblez rectangular. Las servilletas de coctel pueden llevar bordada una sola inicial en el centro.

✔ **Fundas de almohada:** Se bordan cinco centímetros arriba del dobladillo.

✔ **Sábanas:** Se bordan en el centro de modo que el monograma quede a la vista cuando el borde superior de la sábana se dobla hacia afuera.

✔ **Manteles:** Para uno rectangular, las iniciales se inscriben en el centro, del lado largo que cuelga hacia abajo. Los manteles cuadrados se bordan en una esquina, quedando el monograma a la vista encima de la mesa.

✔ **Toallas:** Se bordan en el centro de un extremo para que las iniciales queden a la vista cuando la toalla se dobla en tres partes en el sentido de su longitud al colgarla en un perchero.

¿Qué iniciales usar para el monograma? Tradicionalmente las novias usaban el apellido de soltera en el monograma de la papelería para su boda y una combinación de los dos apellidos (de soltera y de casada) en el lino, que en teoría heredarían sus hijas. Por ejemplo, Lidia Salazar al casarse con Miguel Blanco puede usar las letras LdeB o LSdeB (con la B más grande) o SdeB o LSB. Los demás objetos, como los cubiertos y la cristalería, llevan la inicial del apellido del marido. Sin embargo, esto está cambiando. Ahora, el novio y la novia pueden combinar sus iniciales del modo que deseen, quizás entrelazando las iniciales de ella en ángulo sobre las de él, o incluyendo algún símbolo de su vida juntos, como una bellota o un salmón.

Nota: Los novios deben mandar grabar los monogramas sólo cuando hayan de-cidido qué nombres y apellidos utilizarán de casados. Así mismo, deben solicitar a los almacenes que hagan igual para los regalos de la lista, puesto que una vez grabados, los objetos no podrán devolverse.

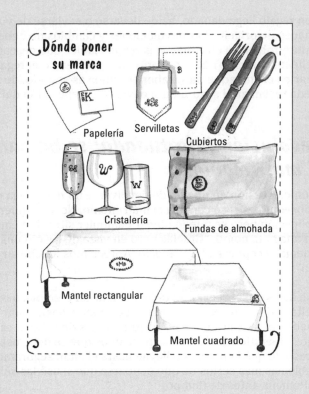

Los agradecimientos deben enviarse a todas aquellas personas que ayudaron a llevar a cabo la boda: el peluquero, el banquetero, el fotógrafo, la floristería… Las cartas de recomendación son un modo importante de subsistencia para quienes prestan servicios profesionales y una carta adulatoria a veces les representa más que una propina (aunque no menosprecian el dinero).

Regalos que presentan problemas

Algunos regalos nunca llegan a su destino. Semanas después de recibir una notificación del almacén o de un amigo dejando saber que el regalo se ha enviado, los novios caen en la cuenta de que ha ocurrido algún error. Primero, ha de llamarse al almacén y luego notificar al donante, que seguramente se está imaginando que los novios debieron odiar el regalo o sencillamente que no han tenido la consideración de mandarle una nota de agradecimiento.

Si un regalo llega dañado, ha de llevarse o enviarse de vuelta al almacén de origen. (Las devoluciones y cambios no deberían presentar problemas en almacenes responsables que desean mantener al cliente contento). Si el donante fue quien envió el regalo, se debe mirar en el empaque para saber si estaba asegurado, de modo que él pueda reclamar al seguro para enviar una reposición del objeto.

Devolución infortunada: se ha cancelado el matrimonio

La única ocasión en que ha de devolverse un regalo a la persona que lo obsequió es si se cancela el matrimonio. No se requiere dar mayor explicación pero se puede obviar cualquier situación embarazosa con una nota como, "Gracias pero en vista de las circunstancias no podemos aceptar su bello regalo. Apreciamos mucho su consideración".

Si se ha usado el regalo, se debe mandar un reemplazo exacto de vuelta al donante. Naturalmente que esperar hasta estar legalmente casados para usar un regalo recibido antes de la boda es algo bastante supersticioso. Nosotras pensamos que se debe usar. Si se da el caso de que la pareja no llegue hasta el altar, seguramente tendrá problemas más serios de qué ocuparse que si usó las sábanas de la tía Pomena antes de tiempo.

Jugar al banco con los regalos

Cambiar un regalo es una cosa, pero cambiarlos todos por un cheque gordo para gastarlo luego en algo tan exageradamente costoso que a uno le daría vergüenza registrar en su lista de regalos, es aprovecharse de la generosidad de los invitados. Este desagradable drama se conoce como *jugar al banco con los regalos* y hay almacenes que lo promueven. La pareja registra una numerosa lista de regalos fantasma; a medida que los invitados compran los regalos (o al menos así lo creen), el almacén notifica a los novios y en lugar de enviarles los artículos, abona el dinero a buena cuenta suya, como crédito en efectivo, para que posteriormente se puedan lanzar a comprar lo que se les antoje. Algo a saber, sin embargo (lo que no es de sorprender): la mayoría de los almacenes no devuelven el dinero en efectivo y la pareja se ve obligada a hacer sus compras allí mismo.

Cambiar o reciclar

A veces, a pesar de haber registrado una lista de regalos y haber enterado a todas las personas de su existencia, se reciben regalos muy bonitos pero que no tienen uso alguno y que no valdría la pena ponerse en el trabajo de cambiar. Así que se guarda el regalo en un cajón con la esperanza de encontrar eventualmente a alguien que lo aprecie. Los regalos de regalos, como se les llama, parecerían una manera inocua de reciclar un objeto, pero nosotras hemos notado que este tipo de obsequio lleva consigo un cierto sentimiento incómodo (quizás de culpa) que puede llegar a atormentarle a uno en el futuro. Además, es preciso recordar quién le dio el presente y pensar si esa persona podría toparse algún día con el regalo en la casa del segundo receptor o advertir que éste ha desaparecido de la casa del primero. Así pues, un regalo de regalo debe hacerse bajo su propio riesgo.

Devolver un regalo para cambiarlo por otro, sin embargo, no ha de hacer sentir culpabilidad. No se tiene que enterar al donante del cambio, aunque normalmente esto no preocupa a los amigos más cercanos y, por el contrario, les agrada saber de los cambios que la pareja ha efectuado en su lista de regalos. De todos modos, se ha de agradecer a la persona por el regalo original —mintiendo un poco si es necesario— y no prestando más atención al asunto.

Capítulo 19

La novia llevaba...

. . . .

En este capítulo

▶ Evaluar diferentes estilos de vestidos de novia

▶ Decidir cuál es el blanco indicado para sí

▶ Determinar qué ropa interior usar

▶ Definir el ajuar completo de la novia

. . . .

*P*rincesa, reina, sirena, arpía, doncella: el diseñador de modas suele tener una gran imaginación para dar forma al papel que la mujer quiere desempeñar. No obstante la frivolidad de muchos diseñadores, incluso la mujer más segura de sí misma puede llegar a comprar una fantasía sólo por la connotación que tiene el vestido de novia. Esta prenda, que quizás sea el traje más costoso que jamás compre ella, simboliza el comienzo de una nueva etapa en su vida. También es la prenda que cientos de ojos críticos miran durante varias horas de angustia para la novia y que además es fotografiada incesantemente. El solo pensar en el vestido, en encontrarlo y comprarlo puede inducir en la novia un estado de pánico. Pero esto no tiene que ser así.

Para comenzar, la novia ha de saber que el vestido que la haga feliz será aquel que refleje su personalidad o el estilo de mujer con el que ella se siente más a gusto. Si en el diario vivir ella no se deja esclavizar por la moda, ¿por qué tendría que hacerlo ahora? Aunque casi todos los trajes de novia son inevitablemente largos, de un cierto tono de blanco y muy posiblemente ornamentados, la novia no tiene que vestir exactamente igual a todas las demás. Y aunque el vestido tiende a ser parte importante del presupuesto de cualquier boda, si se compra sabiamente es posible encontrar un traje espectacular sin que sea necesario asaltar el banco para ello.

Definir el estilo

Si la novia ha comprado este libro con la esperanza de saber cuál es el tipo de vestido apropiado según el clima o el grado de formalidad de la boda, sentimos no satisfacer sus expectativas al respecto. Habrá quienes querrán debatir cuál es el largo apropiado de los guantes para uso formal diurno frente a uso semiformal nocturno, lo cual será asunto de ellos. Si los novios han especificado en su invitación "corbata negra" y piensan atender a varios cientos de invitados sentados a la mesa con una cena de seis platos y una orquesta de veinte instrumentos para entretener a la concurrencia con música suave, naturalmente la novia no se presentará con un sastre de rayas.

Ella ha de recordar que es el personaje central del espectáculo y que los trajes de los demás están subordinados al suyo. Para encontrar su vestido, debe tener en cuenta tres aspectos sobre su boda:

✔ **Cuándo:** Es decir, la época del año y la hora del día en que se realizará. Las telas pesadas tales como el brocado, el satín y el terciopelo son apropiadas para el otoño y el invierno. Un vestido en crespón, entubado y escotado es mejor para clima caliente. Un vestido sencillo con bustier en lentejuelas o un vestido lila y liviano es más apropiado para un almuerzo que para una cena bailable.

✔ **Dónde:** ¿La novia se casará en una iglesia o sinagoga donde llevar los hombros al descubierto puede considerarse irrespetuoso (o estar prohibido)? Ella debe tomar en cuenta el lugar donde se llevará a cabo el casamiento, así como la recepción. Por ejemplo, si el matrimonio se realizará en una iglesia y la recepción en un jardín, habrá de pensar en esto al determinar el largo de la cola del vestido y el alto de los tacones.

✔ **Precio:** ¿Cuánto dinero está dispuesta a gastar? ¿Qué tan factible es que cambie de opinión? En cuanto al precio y el presupuesto destinado al vestido, ha de ser realista y directa con el vendedor. Todos pueden ahorrar mucho tiempo si no juegan al gato y al ratón. Ser franca desde un principio también le evitará caer en la situación lamentable de enamorarse de un vestido que jamás podría pagar.

Escoger el corte apropiado

Todos los vendedores expertos en vestidos y accesorios para novias están de acuerdo en que el vestido debe comenzar a buscarse pensando en el *corte* o su forma general:

✔ **Combinación:** Corte largo y entubado, puede o no tener la espalda descubierta y puede estar cortado al sesgo (ver el corte anterior), aunque generalmente no lleva ornamentación. Se ve más elegante en las mujeres altas y delgadas. Ver una versión en la figura 19-1B.

✔ **Corte en A:** En forma de campana, ya sea desde los hombros o a partir de la parte inferior del busto, a menudo con cintura ceñida. Tiene el aspecto de la letra A y se le suele llamar también *corte de princesa*. El corte en A queda bien a prácticamente todas las mujeres. Existen diferentes estilos de corte en A, como se muestra en la figura 19-1 (vestidos C, D, E y F).

✔ **Imperio:** El corpiño va ajustado al cuerpo y el corte de la cintura termina justo debajo de la línea del busto, creando un efecto alargado favorecedor (ver la figura 19-1E). Puede ser de manga corta o sin mangas y constar de diversos estilos de escote. Les va bien a las mujeres de busto mediano o grande y cintura amplia.

✔ **Sirena:** Vestido largo, angosto y pegado al cuerpo que se extiende ampliamente a la altura de la rodilla o por debajo de ésta como la cola de una sirena, tal como se muestra en la figura 19-1G. También se conoce como *falda trompeta*. Es bueno para lucir sus curvas, en especial si se es alta. Muchas mujeres encuentran este corte demasiado ceñido pero a otras les gusta el efecto ondulante que produce.

✔ **Traje de baile:** Consta de un corsé entallado con falda amplia que cae hasta el piso. La cintura puede ser ajustada o ceñirse en forma triangular alargada (denominada también *cintura vasca*) o puede caer definiendo las caderas. Éste es el corte clásico del vestido de novia en los cuentos de hadas y cuando va ampliamente adornado con lentejuelas, encajes o pedrería se tiene un verdadero traje de Cenicienta. En la figura 19-1F se aprecia este vestido listo para lucir en una cena de baile. El corte del traje de baile se ve especialmente bien en las mujeres de cintura pequeña y en aquellas de busto pequeño.

✔ **Vestido pegado al cuerpo:** Es largo y angosto y cae hasta el suelo en una línea ininterrumpida. Este diseño es más evocativo de un traje de baile que de un vestido para matrimonio y actualmente se ha vuelto muy popular entre las novias. Cortado al sesgo (en sentido diagonal a la veta de la tela) resulta atractivamente descubierto. No es adecuado para arrodillarse. El corte pegado al cuerpo es esencialmente el mismo que el estilo sirena pero sin la campana en la parte inferior.

Al ir de compras

Para que la búsqueda del vestido sea exitosa y no genere angustia, es buena idea tener un plan de acción:

✔ **Para ir de compras,** familiarizarse con el léxico referente a los vestidos de novia. Saber que *Julieta* no es sólo la enamorada de Romeo y que *volado* no se refiere a un pelo despelucado evitará que uno se intimide o se exaspere al tratar con el vendedor.

✔ **Llevar consigo imágenes y muestras de telas.** Visitar un almacén de telas y reunir varias muestras que le gusten. Clasificar imágenes tanto de revistas de bodas como de interés general y bajar imágenes de Internet que reflejen el estilo o ambiente que se busca para la boda. Luego seleccionar cuatro o cinco estilos representativos.

✔ **Dejar de lado el plástico y el séquito.** Dejar sus tarjetas de crédito en casa cuando se salga por primera vez a probar diferentes vestidos. Aunque la novia se enamore de un vestido en particular, es mejor regresar y ensayarlo de nuevo antes de definir que ése es el que se quiere y de comprarlo. La novia debería ir acompañada solamente de una amiga de confianza pues un coro de diversas opiniones sólo serviría para confundirla.

✔ **Vestir la ropa interior adecuada.** Es decir, media pantalón, sostén sin tirantas o la combinación de lencería que la novia sienta cómoda, que sea bonita y que quizás usaría para un vestido largo. Debe tener en cuenta que en el vestier estará acompañada de la vendedora, además de la persona que haya llevado consigo, por lo cual no quisiera tener que esconderse en un rincón para cambiarse.

✔ **Tomar notas y estar atenta a las primeras impresiones.** En un mundo perfecto, sería posible tomar una fotografía, pero la mayoría de los almacenes lo prohíben antes de comprar el vestido.

Cómo ha de ser el escote

El escote es el siguiente de los tres elementos (junto con la cintura y las mangas) que definen el estilo del corpiño o la parte del vestido comprendida de la cintura para arriba. Las posibilidades incluyen:

✔ **Con tirantas:** Una o dos tirantas sostienen el corpiño por el cuello o la espalda. Ver la figura 19-1G. Sin espalda (o con la espalda cortada en círculo), se ve atractivamente descubierto y sorprendentemente cómodo y sexy en mujeres de todas las tallas, pero siempre que se use con sostén sin tirantas o sostén sin espalda.

✔ **Cuchara:** Redondeado pero más bajo que el cuello "joya", puede revelar incluso algo del busto. Cuando el vestido no lleva mangas y tiene aperturas amplias en las axilas, el escote se parece a una camiseta entubada y pegada al cuerpo o *tank top*.

✔ **Cuello bandeja:** Sigue la línea de la clavícula de lado a lado, es alto adelante y atrás, y generalmente roza los hombros. Ver la figura 19-1E.

✔ **Cuello en V:** Cae en punta haciendo que el cuello parezca más largo y esbelto. La figura 19-1C muestra un cuello en V escotado.

✔ **Cuello matrimonial en banda:** Consta de una banda alta en el cuello generalmente en una tela que contrasta con el corpiño y a menudo elaborada en encaje. Hace ver el cuello largo y esbelto.

✔ **Escotado:** Corte del vestido que deja el cuello y los hombros al desnudo, generalmente con un corpiño ceñido al cuerpo tipo corsé. Los vestidos escotados, como el que se aprecia en la figura 19-1F, están actualmente muy de moda.

✔ **Joya:** Una curva sencilla en la base del cuello como un collar sobre la clavícula.

✔ **Ojo de cerradura:** Una apertura a manera de cerradura o lágrima ya sea en el escote o en la espalda.

✔ **Princesa:** Escote abierto y algo descubierto, cae con una apertura hasta la mitad del busto formando así un corazón. Ver la figura 19-1D.

✔ **Retrato:** Un doblez en la tela crea un cuello a la manera de un chal que enmarca la cara. Generalmente cae de los hombros. Favorece a las mujeres de cuerpo angular, aunque refleja la imagen de matrona si el corte no es suficientemente escotado.

✔ **Sabrina:** Una línea casi horizontal de hombro a hombro. Es como el cuello bandeja, aunque comienza a cinco centímetros de cada hombro, de modo que la apertura del cuello es más angosta.

✔ **Un hombro:** Vestido asimétrico en el que un hombro queda desnudo y el otro cubierto con manga larga, manga corta, sin manga, o a un punto intermedio entre estos. Es muy impactante.

Estilos de mangas

En la moda actual no se puede determinar la estación del año por la longitud de las mangas que lleva la gente. Muchas novias que pasan horas en el gimnasio y están en forma andan sin mangas no obstante el frío que haga, mientras que muchas mujeres que no se enorgullecen de sus brazos o no se sienten bien vestidas si no llevan manga larga hoy llevan mangas ligeras que bajan hasta la muñeca, aun en verano. Hacemos una advertencia: un vestido ceñido y de mangas largas puede constreñir bastante. La novia debe pensarlo dos veces antes de decidirse por este tipo de vestido si tiene intenciones de bailar, abrazar a alguien más alto que ella o lanzar su ramo con un movimiento más enérgico que una simple torsión de la muñeca. Los estilos más comunes de mangas incluyen:

✔ **Ajustadas:** Mangas largas y angostas, cuyo diseño a veces termina en forma de V en la parte superior de la mano.

✔ **Camiseta:** Como lo indica su nombre, las mangas se ciñen a los hombros, pero son algo más largas y llenas que la manga "gorra".

✔ **Campana:** Son angostas arriba y en forma de campana hacia abajo, como se ve en las figuras 19-1A y 19-1C, anteriormente en este capítulo.

✔ **Dolman:** Mangas de apertura amplia que se extienden desde la cintura del vestido volviéndose angostas en las muñecas. Se les llama también alas de murciélago. Tienen un poco de Morticia en *La familia Adams*, aunque con el vestido indicado –uno ajustado al cuerpo– son muy impactantes.

✔ **Globo:** Mangas anchas y sopladas que bajan hasta la muñeca. Las mangas *pouf* son una variación pero más cortas y recogidas, y a veces se deslizan de los hombros al estilo Daisy Duke.

✔ **Gorra:** Manga corta y estrecha que escasamente cubre los hombros.

✔ **Julieta:** Manga larga con un pequeño *pouf* en el hombro y de resto ajustada. Recuerda la moda femenina de la época de Shakespeare.

✔ **Manga tres cuartos:** Llega hasta un poco más abajo del codo y se termina con un puño o banda. Estilo años cincuenta.

Mostrar la espalda

La novia ha de tomar en cuenta que los invitados la estarán observando desde atrás durante la ceremonia, de modo que su traje debe tener algunos detalles en el respaldo. Estando de moda ahora los vestidos largos y pegados al cuerpo, las líneas del vestido, particularmente las de la espalda, han cobrado más importancia. En efecto, algunos trajes son sencillos adelante y adornados atrás. (Claro está que aquellas mujeres que son más amplias en la parte inferior que en la superior seguramente lo piensen dos veces antes de adornar el trasero con un gran moño mariposa.)

Si la mujer tiene una bella espalda, puede pensar en llevar un vestido que destaque esta parte del cuerpo. Algunas posibilidades son:

✔ Un vestido cuya espalda baje hasta la cintura, como se ve en la figura 19-1B.

✔ Un escote con tirantas en el frente, como se muestra en la figura 19-1G.

✔ Espalda de corte cuchara bordeada con flores de seda o compuesta en *ilusión:* una malla fina y casi transparente generalmente hecha de seda.

✔ Un vestido escotado o sin tirantas y con la espalda descubierta.

Qué largo escoger

El largo del traje de boda que escoja la novia depende en gran parte de su figura, su estatura y la altura del tacón que le sea cómodo usar. Los vestidos de novia generalmente tienen los siguientes largos:

✔ **Bailarina:** Por lo general de falda amplia que baja hasta justo encima de los tobillos.

✔ **Bajo-alto o intermedio:** La falda es más corta adelante, generalmente hasta la mitad de la pantorrilla, mientras que atrás baja hasta el piso.

✔ **Largo de calle:** El dobladillo cubre las rodillas.

✔ **Largo de té:** Termina a la altura baja de la pantorrilla o arriba del tobillo.

✔ **Largo hasta el suelo:** La punta del zapato debe verse. El dobladillo trasero debe ser suficientemente corto para que la novia y su compañero, al bailar, no pisen el traje. Los vestidos en la figura 19-1 (mostrada anteriormente en este capítulo) son todos de este largo.

✔ **Mini:** Termina justo arriba de la rodilla o más alto.

Cómo llevar felizmente la cola del vestido

La cola es quizás el elemento del vestido que más poder tiene para hacer transformar a la novia. Esta extensión de tela la obliga a caminar un poco diferente de lo usual, se ondulea lujosamente y hace sentir a la novia como un personaje real. Entre más larga la cola, más posibilidades hay de decorarla con cintas, lazos, perlas o lentejuelas. Incluso un monograma bordado en el vestido apropiado puede hacerlo ver muy fino.

Las posibilidades para el largo de la cola incluyen:

✔ **Rastrera:** Es la cola más corta; apenas toca el piso o la parte superior de los zapatos. Se ve muy bien pero no es aconsejable para quien quiera bailar mucho porque no se mueve con facilidad.

✔ **Capilla:** Se extiende de 107 a 137 centímetros a partir del dobladillo.

✔ **Catedral:** Se extiende 2,70 metros a partir de la cintura (aproximadamente entre 150 a 180 centímetros por detrás de la novia).

✔ **Catedral real o Monarca:** Cola que sobrepasa los 180 centímetros a partir de la cintura y puede llegar hasta los 7,70 metros.

La forma de la cola se determina tanto por su longitud como por la manera como la tela va adherida al vestido. Generalmente se compone del mismo material que la parte de atrás del traje pero si es de tela diferente, se puede escojer alguno de los siguientes estilos:

✔ **Cortesano:** Arranca de los hombros y cae hasta el piso.

✔ **Desprendible:** Se sujeta con ganchos o lazos, ya sea alrededor de la cintura como una falda larga sobre un vestido corto, o a un solo punto en la espalda.

✔ **Watteau:** Se sujeta de los hombros formando pliegues que caen sueltos al dobladillo y siguen para formar la cola.

Aun más común que una cola desprendible es una que se recoge formando pliegues ordenados o capas que conforman un *polisón*. Los polisones vienen en diferentes estilos:

✔ **Tradicional:** El dobladillo se recoge y se sujeta con lazos atrás del vestido creando así capas simétricas. Ver la figura 19-2.

✔ **Francés:** El vestido se recoge y se sujeta con un número determinado de nudos para crear un festón de dos capas a la altura del dobladillo.

✔ **Largo hasta el suelo:** El traje se abulta en un polisón por debajo para crear un dobladillo parejo. La cola prácticamente desaparece debajo del vestido.

✔ **Pulsera:** La cola se recoge y se sostiene con una vuelta en la parte inferior, que a su vez se sujeta como una pulsera a la muñeca. Aunque este diseño puede ser muy elegante y aun impactante al bailar, suele ser impráctico e incómodo para llevar durante toda la recepción.

La manera como se abulta el vestido es muy importante, cosa que a menudo se descuida hasta el ajuste final. Si, por ejemplo, la cola es larga y la tela pesada, abultar el vestido eficazmente en un polisón será difícil. Y tener la novia un metro de tela pesada colgando del *derrière* puede comprometer su estilo seriamente en la pista de baile.

La novia debería traer a la persona que le ayudará con la cola del vestido para que reciba instrucciones en la última sesión de ajustes, pues no querrá ella ausentarse de la fiesta largo tiempo mientras alguien decifra cómo sujetar la cola.

Escoger el blanco apropiado

A fines del siglo XIX, cuando el blanco se volvió el color estándar para los vestidos de novia, la revista norteamericana *Ladies' Home Journal* aconsejaba a sus lectores: "La mujer debe pensar en el tinte de blanco que le va bien, puesto que el blanco tiene tantos matices como cualquier color; y el que le favorece a una rubia pálida no le va a la trigueña rosadita. El blanco puro, que generalmente tiene un toque de azul, rara vez le va bien a la gente. Tiende a destacar las imperfecciones de la piel, opaca el pelo y le resta brillo a los ojos. El blanco que se aproxima al color de la crema o del café es sin duda el más artístico."

Antes...

...¡metros de tela!

Después...

...discretamente recogida en algunas vueltas y asegurada con unos cuantos botones

Figura 19-2:
Abultar la cola en un polisón hace más manejables los metros de tela libre.

Aunque la terminología haya cambiado, el consejo sigue vigente. Hay muchas tonalidades de blanco, y algunas le irán mejor a unas mujeres que a otras:

✔ Lo que en el comercio de bodas se denomina *blanco diamante, blanco de seda o blanco natural* es un blanco suave que sólo se encuentra en las fibras naturales (más costosas), como la seda, el algodón o el lino. Estas tonalidades generalmente les van bien a las novias de piel clara.

✔ El *blanco azuloso o blanco puro* generalmente proviene del poliéster y, aunque no les sienta a la mayoría de las mujeres rubias, puede verse estupendo en las mujeres de piel oscura.

✔ El *blanco marfil, cáscara de huevo* o *luz de vela* es un blanco más cremoso, con un toque de dorado o amarillo. Generalmente les va bien a las mujeres de piel clara, pero no ha de tomarse como regla infalible pues hay una gran discrepancia entre lo que los diseñadores llaman marfil.

✔ El *blanco champaña* o *ron* es un blanco desteñido con tinte rosado. Este color va muy bien a las pieles de tinte oliva u oscuro.

Seguramente la novia ya se haya dado cuenta de que en el mundo de los trajes de boda nada es sencillo. Gracias a diseñadores como Vera Wang, Monique Lhuillier, Badgley Mischka y Reem Acra, el traje de novia se está creando inspirado cada vez más en las corrientes actuales de moda, lo que significa que el color blanco es sólo un comienzo. Se puede pensar en galonar su vestido de raso amarillo brillante o en escoger para la parte de atrás de la falda amplia y larga de su vestido una delicada y espontánea fila de lazos que corre hacia abajo. Para algunas mujeres, una capa que sobresale debajo del traje, o una banda o cinto azul o rosado le da vida a un vestido tradicional. Un pequeño porcentaje de mujeres descarta el blanco por completo y opta por un traje de baile con brocado dorado o hasta un traje entubado color vino tinto.

Telas de fantasía

Hay algunas telas que se usan en especial para la confección de los vestidos de novia, y cada una le aporta un sentimiento diferente a su portadora. A continuación, listamos las más comunes. Con la exepción de la seda, todas las demás tienen un sustituto sintético más económico.

✔ **Charmeuse:** Raso ligero que se ciñe al cuerpo y es menos brillante que el raso común.

✔ **Chiffon:** Tela semitransparente de acabado muy suave. La tela sigue el movimiento de la persona y cae bien. Además de emplearse para los vestidos, este material se usa para hacer velos y mangas, o para sobreponer en capas sobre otras telas.

✔ **Organza:** Fluye pero es más tiesa que el chiffon. A menudo se usa para faldas con varias capas.

✔ **Raso:** Tela más pesada, brillante de un lado y mate del otro. El *raso duquesa*, una combinación de raso y rayón, es más liviano y menos caro que el raso puro.

✔ **Shantung:** Tiene una textura granulosa, parecida a la de la seda virgen por sus fibras gruesas y delgadas.

✔ **Seda:** Esta fibra que proviene del capullo del gusano de seda es lujosa, elástica y fuerte.

✔ **Tafetán:** Tela rizada de aspecto similar al papel, puede ser ligeramente brillante o mate.

El decorado del vestido

Mucho del brillo y la personalidad del traje proviene de los *acabados* u ornamentos y galones, que funcionan mejor cuando se aplican con moderación en lugar de por toneladas. Estos elementos pueden incluir algunos de los siguientes:

✔ **Apliques:** Adiciones a la tela del vestido, ya sean bordadas o cosidas sobre ella.

✔ **Bordado:** Se puede coser sobre tela de ilusión (una malla fina y casi transparente, generalmente de seda) u otra tela para vestidos de novia en el mismo color o en otro color contrastante. Algunos diseñadores usan hilo de plata u oro.

✔ **Bordeado:** Encaje, cordón, banda bordada o satín que sigue el contorno de una sección de tela. Por ejemplo, un corpiño con bandas alternadas de encaje y satín.

✔ **Cintas y lazos:** Se usan de diversos tamaños y largos, desde un lazo mariposa gigantesco atrás hasta un gran número de lazos pequeños dispersos sobre una falda de tul, y desde costuras apretadas con cinta de seda en un traje de corsé hasta colgantes que dan al suelo.

✔ **Cuentas:** Bolillas cilíndricas de vidrio o plástico aplicadas a manera de ornamentación; se cosen a mano en los trajes costosos y se pegan en los más económicos.

✔ **Flecos:** Se usan como adorno o para todo el vestido al estilo de los trajes de los años veinte. Algunos diseñadores cuelgan cuentas a los flecos.

✔ **Flores de seda:** Pueden ser del color del vestido o de tonos contrastantes. Se usan para resaltar una parte específica del cuerpo, como la espalda o el escote, o para embellecer el vestido entero.

✔ **Joyas:** Con frecuencia se usan piedras pequeñas para decorar trajes o velos.

✔ **Lentejuelas y canutillos:** Cuentas planas en forma de disco, que se cosen al vestido dándole un aspecto centellante y moderno. A diferencia de las lentejuelas, los canutillos bailan.

✔ **Perlas semilla:** Perlas pequeñas e irregulares que se usan para adornar ropa, adornos para la cabeza o zapatos.

✔ **Ribete:** Trenzas, lazos, cintas, rizos, fruncidos, festones u ondas en los bordes.

Consiguiendo la mercancía

Cuando de comprar el vestido se trata, se comienza ensayando diferentes modelos en la boutique. Cuando la novia encuentra uno que le gusta, el vendedor anota sus medidas, así como las demás indicaciones y preferencias personales suyas ("cambiar escote joya por escote princesa") y envía la orden para confeccionar el vestido. Dependiendo del diseño y el modo de confección del vestido, éste se corta a las medidas de la novia y se termina según sus especificaciones, o se ordena en una talla estándar al fabricante y se hacen las alteraciones pertinentes.

El vestido perfecto para cada novia existe en algún lugar, así sea que para alguna aún falte diseñarlo y confeccionarlo. Aquí indicamos en dónde se puede encontrar:

✔ **Boutiques de novias:** La mayoría de las novias compran su vestido en estos lugares, que abarcan desde afamadas tiendas especializadas en trajes de boda hasta pequeñas tiendas de novias y salas de novias en los grandes almacenes. Muchas boutiques de novias ofrecen el ajuar completo, incluyendo adornos para la cabeza, zapatos y accesorios. Estos almacenes casi siempre atienden con cita previa y se puede ahorrar mucho tiempo y evitarse momentos frustrantes si se concierta la cita cuando no sea horario pico. La novia pasará a un vestier privado donde le traerán trajes para ensayar. Mientras más grande sea el almacén, normalmente los precios serán mejores debido a la mayor posibilidad de compra que ofrece el establecimiento. Algunos diseñadores-confeccionadores de trajes de bodas le permitirán a la novia hacer los cambios que desee, mientras que otros no permiten sino algunos cambios específicos. De cualquier modo, es importante preguntar si las alteraciones se hacen en el almacén o por fuera.

✔ **Diseño o confección:** Algunos diseñadores de renombre trabajan directamente con la clienta para crear un traje único. Comienzan a partir de la idea que aporta la novia y juntos escogen las telas, crean el estilo y deciden los detalles. El diseñador supervisa cada prueba del traje, así como la costura

manual y los terminados. En las tiendas especializadas en novias le podrán recomendar un diseñador que esté dispuesto
a crear un traje desde el principio. Los costos de estos trajes
únicos varían considerablemente según el diseñador, las telas y los adornos. Además de las ventajas obvias, este tipo
de vestidos generalmente requiere de menos tiempo para su
elaboración que los trajes que se fabrican comercialmente, en
volumen grande para la temporada.

✔ **Almacenes de descuento especializados en trajes de novias:**
Estas tiendas tienen una gran variedad de trajes, producidos
en gran cantidad y en todos los tamaños. Aunque son considerablemente más baratos que en un almacén de servicio
regular, este tipo de almacenes son para quienes van dispuestos a comprar sin esperar que los mimen en materia de atención. La ventaja es que estos trajes de colecciones anteriores
están listos para llevar en el momento de la compra.

✔ **Internet:** Muchas tiendas de novias y diseñadores tienen
sitios web en donde se pueden estudiar sus colecciones y
solicitar catálogos. Algunos permiten hacer el pedido por
Internet pero ¡atención!: en muchos casos las ventas no
admiten devolución. Y si permiten hacer cambios o devoluciones, seguramente cobren una tarifa adicional. Antes de
hacer su pedido por Internet, conviene probarse varios vestidos en algún almacén para familiarizarse con los diferentes
estilos, tallas y telas. Quizás sea posible ahorrar algo de
dinero, pero como con cualquier vestido, se debe estar preparado para mandar hacer las alteraciones del caso. Cada
día hay cientos de vestidos nuevos a la venta en el Internet
—algunos para estrenar, otros usados— y se pueden encontrar gangas comprando sabiamente. Para asegurarse de
que la transacción de venta se haga exitosamente, se debe
verificar con el vendedor cuáles son los costos del envío y
la política de devolución del almacén. No hay que vacilar en
comunicarse por correo electrónico con el vendedor para
hacerle preguntas. (¿Qué tela es? ¿La prenda se ha usado
anteriormente o se ha alterado? ¿Tiene alguna mancha? ¿Por
qué la están vendiendo?)

✔ **Alquiler:** Suena bien la idea de alquilar un vestido que sólo se
ha usado una vez pero habría que investigar el asunto porque
los almacenes de alquiler son pocos. Estos negocios sostienen que las revistas de bodas los discriminan, al no reportar
sus actividades ni permitirles anunciar por miedo a que inter-
fieran en sus propias ventas. Según las revistas, a la gente no
le gusta alquilar trajes de novia. De cualquier modo, considérese lo que un amigo psíquico nuestro dice al respecto: "Las

ondas acumuladas en la prenda de quién sabe cuántos usuarios previos pueden repercutir adversamente en la novia".

✔ **Venta de vestidos de muestra:** Los diseñadores y los almacenes a menudo celebran ventas al público con grandes descuentos (20 a 50 por ciento menos que el precio original), de vestidos que se usaron anteriormente para muestras o que en otra ocasión el cliente comisionó pero no llevó. Una desventaja es que la gama de tallas puede ser limitada y los trajes pueden estar un poco trajinados, pero aun así, muchas novias han salido contentas de estas ventas.

✔ **Hacerse su propio vestido:** La elaboración de un vestido de novia definitivamente no es para novatos. Las telas son finas y caras, de modo que si no se es una costurera experimentada, conviene pensarlo seriamente antes de llevar a cabo un proyecto que podría hacerle perder la cabeza.

✔ **Sastres:** Hay sastres y costureras que, sintiéndose frustrados como diseñadores, tienen sin embargo el talento y la habilidad requeridos para crear un molde a partir de una lámina de revista. Primero hacen un molde y luego cortan la tela a las medidas del cliente. La creación de un traje de bodas es una especialidad y la novia no querrá ser el conejillo de indias. Por ello, ha de obtener referencias y fotos de trabajos que el sastre o la costurera hayan hecho y ser muy específica en cuanto a lo que quiere.

✔ **Desfiles de trajes de novias:** Estos desfiles, que se realizan de cuando en cuando en hoteles y grandes almacenes de bodas, le permiten a la novia ver trajes hechos por diseñadores en selecciones más amplias de lo que normalmente hay en el almacén, y además verlos sobre modelos de carne y hueso. Si compra un traje en ese momento, podrá ser atendida y aconsejada por los mismos diseñadores.

✔ **Vestidos antiguos o usados:** Si el traje de su madre o su abuela le queda a la novia, quizás quiera ella adornarlo con joyas de otra época o adaptarle nuevos accesorios. Pero si las polillas lo han convertido en un gran encaje, quizás le pueda salvar algunos pedazos para incorporarlos en un nuevo diseño. Hay anticuarios que se especializan en trajes y accesorios antiguos. No es fácil encontrar un traje antiguo y, según la época del traje, quizás haya que conseguir una faja o corsé para usarlo. Hacerle alteraciones es casi imposible debido a la fragilidad de las telas.

Hoy en día no es cosa novedosa ver novias embarazadas o recientemente salidas del parto, pero la industria matrimonial no las tiene en consideración. Afortunadamente muchos almacenes de maternidad venden elegantes vestidos de noche que se pueden adaptar para un traje de novia. La otra opción es comisionar el vestido a su medida pero tomando la precaución de hacer los últimos ajustes lo más cerca posible al momento de la boda (ver en la sección "Al hacer los ajustes del vestido" información sobre el tema.)

Control de calidad

Para muchos de nosotros es casi imposible descubrir si un traje se ha confeccionado en grandes cantidades —es decir, si se ha cortado con rayos láser y cosido en máquinas— o si se ha cortado y cosido a título individual. Sin embargo, no hay que detenerse en este detalle. En el momento de comprar el vestido, ha de revisarse cuidadosamente el traje de muestra, detallando la calidad de la confección. El traje que se ordene no estará mejor confeccionado que la muestra. Si, por ejemplo, los botones del vestido de muestra no son forrados, también así serán en el vestido que se ordene.

Al ensayar distintos vestidos, se deben tomar en cuenta los siguientes aspectos para revisar en el traje:

✔ **La apariencia externa:** Si el vestido tiene una fila larga de botones que corre de arriba abajo por detrás, ¿tiene éste una cremallera debajo de los botones? ¿Los botones forrados en tela son de la misma tela que el vestido? ¿El forro interior empata con la tela exterior del vestido? Esto no debe pasar. Es aconsejable revisar que no haya hilos sueltos de las cuentas ensartadas: un solo jalón podría deshacer toda una fila.

✔ **La confección:** ¿El paño en diferentes partes del vestido corre en el mismo sentido? (No se querría que un pedazo del vestido se viera brillante y otro mate.) ¿El encaje del vestido se engarza con algo? ¿La tela está en buenas condiciones (es decir, no está desgastada o usada)? ¿El vestido tiene un forro? ¿Se puede reconocer fácilmente el tipo de tela? ¿Se ha aprovechado el patrón del encaje en el estilo del vestido?

✔ **La seguridad del vestido:** ¿Las decoraciones añadidas al vestido, las cuentas y los lazos están bien cosidos? ¿El traje tiene ganchos extras u ojales en puntos críticos como a lo largo del busto? ¿La cremallera se extiende hasta el punto más ancho de las caderas para evitar que el vestido se rasgue? Si el vestido es _strapless_ (con los hombros descubiertos), ¿tiene el corpiño un armazón de soporte?

✔ **La costura:** ¿Las uniones se han cosido rectas y uniformes? ¿La tela tiene marcas de puntos hilvanados? ¿Los patrones del encaje están unidos o cosidos en forma pareja? ¿Se notan de algún modo estas costuras? ¿El dobladillo de las telas pesadas se ha embastado con crin de caballo para hacerlo notar? ¿Las costuras están terminadas con puntadas grandes para evitar que los bordes interiores de la tela se deshilachen? ¿Las costuras se han hecho con amplitud de espacio? ¿Los pedazos de tela de ilusión están cosidos planos sobre la tela del vestido? ¿Las capas de tela están cosidas cada una por separado en lugar de todas juntas por la misma puntada? (Si se han cosido juntas, la costura se puede fruncir.)

✔ **Manchas en el vestido:** Si el vestido se ha comprado en un almacén de descuento, si es alquilado o si se ha comprado en consignación, ¿tiene manchas de sudor, de comida o de lápiz labial? ¿Pueden éstas removerse? ¿Tiene alguna marca del pegante de las etiquetas?

Los ajustes del vestido

Las tallas en los vestidos de novia siguen una lógica particular: una mujer talla cuatro puede llegar a ser ocho en el vestido de novia, de modo que no debe obsesionarse por la talla. (Después de todo, ésta no es más que un número). De ser necesario, vale la pena hacer el ego a un lado y ordenar una talla más grande. La novia no debe comprar un vestido más pequeño pensando que adelgazará antes de la boda. Si, como ciertas mujeres, sube o baja de peso en épocas de estrés (la ansiedad hace perder o ganar a muchas novias entre 4 y 6 kilos de peso antes de la boda), le será mejor comprar el vestido en una talla más grande y hacer los ajustes finales al acercarse la fecha de la boda. Achicar el vestido con alforzas es generalmente mejor que soltar las costuras, en especial si éstas se han hecho con un mínimo de amplitud de espacio.

La novia ha de tener en cuenta, sin embargo, que si el vestido de muestra no le queda muy bien, seguramente no será posible ajustarlo para que la favorezca. Cuando ensaye el vestido de muestra, éste debe seguir la forma del cuerpo como ella lo espera, la cintura se debe entallar cómodamente y el escote debe vérsele bien. Normalmente, si la talla del vestido de muestra es muy grande, cuando se ensaya en la sección de novias de un gran almacén la vendedora ajustará el vestido a la novia con pinzas grandes para mostrarle cómo le quedaría una vez corregido.

Una vez comprado el vestido, se deben planear de dos a cuatro sesiones de ajustes. A partir de la segunda sesión, es aconsejable llevar consigo la lencería y los zapatos apropiados para usar con el vestido (ver en la sección a continuación mayor información sobre el tema). La novia quizás requiera que se le hagan algunas alteraciones mayores o menores al traje. Las alteraciones menores incluyen recoger el corpiño con prenses para aplanarlo, así como ajustar el largo de las tirantas de los hombros. Las alteraciones mayores constan de ajustes como acortar las mangas de botones o igualar el largo a la altura de los puños partiendo de los hombros (en lugar de alforzar los puños), así como acortar un dobladillo con un terminado especial, como un fino recorte a partir de la cintura y no de la parte inferior del vestido.

La novia debe comprobar que se puede mover con el vestido ensayando diferentes posiciones: sentándose, arrodillándose, girando la cintura... ¿Puede girar con los brazos como un molino? ¿La tela le aprieta o tira al nivel de las caderas? ¿Podría estirarse para abrazar a un invitado alto?

Cuando se compre el traje y se fijen las sesiones de prueba, se debe averiguar de antemano cuáles son las políticas del almacén a este respecto. Conviene asegurarse particularmente de lo siguiente:

✔ Si se cargará un costo adicional a su cuenta por servicios tales como ordenar una talla extra grande, solicitar el envío rápido del traje, ordenar un cambio de diseño, un color especial o un corpiño hecho a medida.

✔ Si el patrón del diseño del vestido, el color exacto y la fecha de la boda se han incluido en la factura de compra. Es decir, es bueno asegurarse de que el almacén lleva un registro de la orden del cliente con el fin de que ésta no se refunda entre las demás.

✔ ¿Cuántas sesiones de prueba cree el almacén que se necesitarán y cuándo aproximadamente llevará a cabo la primera?

✔ ¿Cuánto cobra por hacer las alteraciones al vestido?

✔ ¿Cuánto cuesta agregar ornamentación extra al adorno de la cabeza?

✔ ¿Cuáles son las políticas de cancelación del almacén y cuánto del dinero que el cliente da en consignación no le será devuelto? (Normalmente el cliente debe renunciar al depósito si el vestido se ha cortado.) Todo esto debe quedar registrado por escrito.

Para llevar debajo del vestido

Lo que la mujer viste debajo del traje hace una gran diferencia en el efecto final. Muchos vestidos requieren de soportes elaborados para hacer resaltar la figura. Para buscar estas prendas íntimas debe acudir a las tiendas de lencería, donde la atenderán personalmente.

Para la segunda prueba, la novia ya debería tener la lencería apropiada, así como los zapatos del vestido. También le ayudará llevar otros accesorios que tenga planeado usar además con el traje, como un par de guantes, de modo que pueda decidir cómo se verá el conjunto y si quiere cambiar algo. En este punto, puede llevar una cámara al almacén y tomar fotos que pueda consultar después de la cita.

El brassière

El elemento más importante del conjunto de lencería que vestirá la novia es el sostén. Si su vestido no trae incluido el sostén hecho a su medida o un sostén compañero al traje, la novia deberá buscar uno por separado que la favorezca en la mejor forma posible.

Según el vestido, se requiere de un tipo de brassière específico:

✔ **Vestido *strapless* o de tirantas finas:** Escoger un corpiño, preferiblemente inconsútil para que la línea del torso se vea ininterrumpida.

✔ **Vestido de espalda baja y descubierta:** Un brassière sin espalda con abotonadura en la cintura es una buena escogencia.

✔ **Vestido de escote bajo y abierto al frente:** Los mejores brassières en este caso son los de soporte o de media copa.

Incluso la mujer de busto perfecto podría descubrir que el vestido de boda de sus sueños necesita algo de relleno. Si siente la necesidad de realzar sus atributos naturales sin la ayuda de procedimientos quirúrgicos, puede invertir su dinero en adiciones de silicona para el brassière, disponibles en las tiendas de lencería fina y por Internet.

Para evitar que una parte del sostén se deje ver con un vestido de escote bajo, se puede coser el sostén al vestido con unas cuantas puntadas por delante y por detrás. Para un vestido sin mangas, se pueden coser pequeños corchetes a las tirantas del traje y a estos, las tirantas del sostén. También se puede dar el vestido a una costurera para que ella cosa el sostén a la prenda. Si se quiere mostrar algo de piel deliberadamente (es decir, sin andar ajustándose el vestido toda la noche), podría pensar en comprar un rollo de Hollywood Fashion Tape, un tipo de cinta especial doble faz —"el secreto de las estrellas de cine"— que no deja caer las tirantas del sostén, y mantiene arriba los vestidos *strapless* y firmes los escotes reveladores. También es bueno tener a mano esta cinta para las calamidades de último momento, como un dobladillo que se deshace.

Para afinar la figura

Ciertos vestidos de novia quizás necesiten prendas interiores especiales para rellenar o alforzar el traje. Éstas son algunas de las prendas que pueden usarse además debajo del vestido:

✔ **Definidores de figura:** Anteriormente estos solían ser las fajas, pero las versiones modernas funcionan mejor y no se sienten como si se tuviera el cuerpo enyesado. Los definidores de figura se encuentran en diferentes estilos —pantalonetas adelgazadoras, levantadores de glúteos, trusas adelgazadoras de cuerpo completo, trajes tipo trusa hasta la rodilla, combinaciones realzadoras de figura, medias pantalón realzadoras de cintura... y todo en materiales cómodos como el spandex, la licra y la microfibra.

✔ **Liga:** Ya sea en forma de tirantas suspendidas de una pretina ancha y elástica, o como banda elástica que se sujeta al muslo de la pierna, la liga sirve para sostener las medias. Aunque a la mujer le atraiga particularmente usar una liga con pretina y medias hasta la altura superior del muslo, éstas no le afinarán la figura con un vestido pegado al cuerpo o incluso un traje de baile, y podrían además soltarse cuando baile una pieza movida.

✔ **Fustán:** Muchos vestidos de novia vienen con su propio fustán, o una falda tipo combinación usualmente en tul, encaje o crinolina (tela dura y rala hecha de crin de caballo o algodón) que da forma al vestido, en especial los trajes de baile. Es recomendable experimentar con el número de crinolinas; incluso si dos parecen ser perfectas, se puede agregar una más para estar seguro. Para los trajes amplios se necesitan fustanes más duros y esponjados. Se debe vestir esta prenda en todas las sesiones de prueba.

✔ **Combinación:** Para un vestido largo y apretado quizás sea apropiado usar una combinación. Las nuevas combinaciones que se ciñen al cuerpo y bajan de la cintura hasta la pantorrilla media son como una faja suave que adelgaza toda la figura. Hay que asegurarse, sin embargo, de que la que se escoja no se suba al caminar.

✔ **Medias pantalón:** La pierna desnuda sólo se verá bien terminada con sandalias. No se recomienda usar medias con diseño de patrón. Tal vez la madre de la novia le aconseje usar medias pantalón con refuerzos en los dedos de los pies, pero esto no se debe hacer si los zapatos son abiertos en los dedos. Si se piensa usar zapatos de tacón abiertos y se busca a la vez el efecto adelgazador que dan las medias con soporte, se debe escoger un tipo de media pantalón brillante sin soporte para los dedos de los pies. Para evitar que las medias se escurran, conviene comprar interiores que se ajusten a los glúteos o medias pantalón con calzón. En caso de duda, es mejor usar las medias pantalón sin ropa interior.

No olvidar los pies

No ha de pensarse que porque el vestido es largo los zapatos no se ven. Todo lo contrario. Los pies de la novia se verán una y otra vez: entrando y saliendo del automóvil, caminado hacia el altar, durante el primer baile... Un par de zapatos mal escogidos puede estropear su vestimenta, así como un par bien escogido puede completarla.

Existen muchas opciones entre las cuales escoger para los zapatos de novia, dado el sumo interés que han puesto ahora los diseñadores de calzado en el mercado de ropa de novias. Vanessa Noel, Stuart Weitzman e incluso el elegantísimo Christian Louboutin diseñan zapatos para usarse específicamente con el vestido de novia.

Al ir de compras, recomendamos tomar en cuenta las siguientes pautas:

✔ **Las faldas de diseño sencillo requieren de zapatos finamente detallados.** Escoger, por ejemplo, un par adornado con lazos, cuentas, cintas o broches de joyas.

✔ **Un par de zapatos ornamentado junto con un vestido ornamentado puede matar el traje.** Un adorno sutil para embellecer, en el talón, en la punta o en el *cuello* del zapato (la apertura en la pala del calzado que cubre el empeine) quizás sea suficiente.

✔ **La tela del calzado no tiene que ser igual a la del vestido.** En efecto, las texturas combinadas muchas veces se ven mejor. Lo mismo sucede con el color; un par de tacones en satín rosa fuerte pueden verse muy atractivos bajo el borde de un vestido blanco.

✔ **La comodidad es clave.** Si se piensa bailar toda la noche, se podría pensar en comprar zapatos profesionales de baile, que son extremamente livianos y flexibles. Con plantillas suaves y acolchadas, estos están hechos para el espectáculo. Otra opción para bailar son zapatillas de ballet adornadas con un moño y cinta, o recubiertas de encaje o tela de ojetes.

Para calzado elegante recomendamos usar plantillas adhesivas en forma de pétalo para la punta de la planta de los pies: éstas dan soporte a esta parte del pie y evitan que los dedos se aprisionen en la punta. Las plantillas en forma de flor no se ven incluso con tacones-sandalia abiertos en la punta.

✔ **Los zapatos con tiras atrás deben ajustarse perfectamente al pie.** No deben sentirse muy apretados ni ligeramente sueltos. Saber llevar su vestido demandará el suficiente cuidado de la novia como para deber además preocuparse por un par de zapatos resbaladizos o de correas demasiado apretadas.

✔ **Se puede ganar estatura al tiempo que se camina con gracia.** Si quiere usar zapatos altos que le den más altura pero sin hacerle perder el equilibrio, los tacones o sandalias de plataforma son una opción muy elegante.

Se puede teñir un par de zapatos poco costosos en satín o *peau de soie* (una clase de raso suave tejido y de acabado mate) del mismo color del traje o del sutil color de una capa de seda que sobresalga del vestido. Infortunadamente los zapatos baratos no son muy cómodos. Para la recepción conviene llevar consigo un segundo par de zapatos o zapatillas de ballet de repuesto; sin embargo, es bueno cerciorarse de que el vestido sea lo bastante corto para que no moleste la diferencia de altura del tacón.

Para evitar un resbalón en el día de su boda, es aconsejable lijar suavemente la suela de los zapatos y, de ser necesario, rasparlos también con un cuchillo de cocina. Así mismo, la novia debe ensayar los zapatos caminando y bailando (sobre un piso limpio, claro está) hasta sentirse enteramente cómoda con ellos.

Adornos para la cabeza

En la antigua Roma, la novia aparecía envuelta en un halo de color azafrán, símbolo de la llama de Vesta, la diosa del hogar y la procreación. En la actualidad, un adorno en la cabeza y el velo completan la transformación de la mujer a punto de desposarse.

Si se decide llevar velo

Hoy en día, muchas novias consideran el velo más como un accesorio que complementa su ajuar que como un elemento religioso indispensable. Las opciones para velos incluyen:

- ✔ **Ángel:** Este velo, que puede ser de cualquier largo, se distingue por su corte. Se abre amplia y suavemente hasta un punto en la espalda, dando la apariencia de alas de ángel.

- ✔ **Bailarina:** Cae hasta los tobillos. También se le llama velo vals.

- ✔ **Capilla:** Es 90 centímetros más corto que el velo catedral. Suele usarse con una cola ondulada para dar la ilusión de una cola más larga.

- ✔ **Catedral:** Cae 3,2 metros a partir del adorno de la cabeza.

- ✔ **Circular:** Puede ser de cualquier largo y se sujeta a la cabeza con una peineta para asegurarlo. Llevado largo, da un aspecto etéreo a la novia envuelta en esponjado de tul.

- ✔ **Jaula de pájaro:** Cae por debajo del mentón cubriendo la cara. Muchas veces se lleva atado a un sombrero pequeño.

- ✔ **Largo del codo:** Velo que cae hasta el largo del codo.

- ✔ **Largo hasta la punta de los dedos:** Este velo se extiende hasta la punta de los dedos de la mano, un largo que usualmente funciona para los trajes de baile, por lo cual es bastante popular.

- ✔ **Mantilla:** Velo largo y circular de encaje, estilo español, que enmarca el rostro. Normalmente no se lleva con un adorno para la cabeza sino que cae sujetado de una peineta. Está hecho en encaje o bien en tul rebordeado de encaje. Se pueden coser broches de plástico sencillos a la mantilla y los hombros del vestido para que el velo caiga con gracia.

- ✔ *Pouf:* Especie de velo corto y recogido que se sujeta a un adorno o una peineta en la parte alta de la cabeza para dar altura al velo.

✔ **Rubor:** Velo corto de una sola capa que cubre el rostro de la novia al principio de la ceremonia y que se le levanta luego, pasándolo por detrás de su cabeza. Se lleva usualmente como una capa sobre otro velo más largo atrás de la cabeza.

✔ **Volado:** Velo de varias capas que cae hasta los hombros. A veces se le llama también velo *madona*.

Algunos expertos en etiqueta consideran que las mujeres que se casan en segundas nupcias o encinta no deben llevar velo, en especial el velo rubor. Otras mujeres están en desacuerdo con la connotación que tiene el velo de entregar la novia a su nuevo esposo. También sostienen que el velo no les deja ver por dónde caminan. Si la novia es muy nerviosa el velo podría ayudarle a mantenerse calmada. De cualquier modo, a menos que las normas religiosas sean las que rijan para ella, hoy en día es la novia quien decide cómo actuar.

Tomando en cuenta las siguientes sugerencias para comprar el velo, podrá encontrar el estilo que le satisfaga:

✔ **Si el vestido es ornamentado, usar un velo sin decoración.** A un vestido sencillo, sin embargo, le irá bien un velo con o sin ornamentación.

✔ **La decoración del velo debe comenzar en el punto en que termina la ornamentación del vestido.** Los adornos de un velo catedral (tales como flores o cuentas de cristal), por ejemplo, deben cubrir sólo la tercera parte inferior del velo.

✔ **Optar por piedras de cristal en lugar de piedras transparentes de plástico o vidrio.** Las piedras de cristal reflejan la luz y normalmente se fotografían mejor que las cuentas en plástico o vidrio normal, las cuales se ven en las fotos como puntos negros.

✔ **La ornamentación del velo no tiene que ser igual a la del vestido.** Los elementos de la decoración, tales como las semillas de perla, las lentejuelas u otros detalles decorativos, sólo necesitan complementarse entre sí.

✔ **Los galones de cinta no son siempre la mejor escogencia.** Quizás la novia considere que los bordes del velo galoneados en cinta se ven mejor que dejando el tul al natural, pero dependiendo del largo del velo, la cinta puede formar una línea horizontal a la altura media de la espalada, dirigiendo la mirada a ese punto y haciendo ver a la mujer más baja. Sugerimos usar reborde para el velo sólo cuando el largo cae exactamente por encima o por debajo de la cintura.

Un velo vaporoso no hace ver necesariamente más alta a la mujer. En efecto, si la mujer es de estatura baja, un velo voluminoso podría hacerla ver como un champiñón. Muchas mujeres optan por un velo de corte angosto, que crea una línea visual vertical. Hay que recordar que la cabeza no es plana. Se debe examinar cómo se ve el velo de diferentes ángulos y, de ser posible, ensayarlo con el vestido y una forma aproximada de cómo será el peinado. Un velo que hace ver bien a la novia por detrás quizás no le sea igualmente favorecedor a la cara y viceversa. Suzanne, una elegante modista y diseñadora de sombreros de Nueva York y Palm Beach, sugiere no guiarse por las corrientes de moda del momento para los adornos de la cabeza (como tiaras, peines, etc.), sino centrarse primero en cómo irán el velo o el pelo. Un peinado amplio, por ejemplo, se ve mejor con un velo sujetado atrás de la cabeza. En términos generales, el adorno de la cabeza se verá mejor si se coloca al nivel de las orejas –así como una banda para el pelo.

 Si la novia cuenta con la suerte de poder usar parte del encaje del vestido de novia de su madre o su abuela, puede hacer con éste el velo para su vestido. Sin embargo, debe evitar caer en el error de teñir un velo antiguo. El atractivo de esta prenda es su calidad de pieza única, y por esto no ha de ser exactamente igual al vestido.

Sombreros, coronas y adornos para la cabeza

Aunque la novia sueñe con vestir el velo también durante la recepción, no es una buena idea usarlo durante la sesión de fotos, en especial las de perfil, en las que la cara se confunde con el esponjado del velo. Muchas novias optan por un arreglo que les pueda dar ambas cosas: un velo de quitar y poner que puedan retirarse luego de la ceremonia, y una corona que dejan de adorno en la cabeza para guardar aún el aura de la novia.

El *adorno de novia para la cabeza,* otro término específico de trajes y accesorios para novia, es lo que lleva la desposada en la cabeza. Llevado solo o como soporte del velo, es parte esencial de su conjunto.

La clave para encontrar el adorno para la cabeza que mejor funcione con el peinado, el velo y el vestido es ensayar diferentes variaciones de los estilos básicos, que incluyen los siguientes:

✔ **Adornos de joyas para el pelo:** Estos adornos, que muchas veces se utilizan en lugar de un adorno clásico para la cabeza, pueden ser diferentes tipos de hebillas, alfileres-joya para el pelo y adornos en alambre de cuentas de cristal. Estos se ven preciosos como adornos para un peinado o para recoger el pelo de la cara, en especial después de la ceremonia cuando la novia se quita el velo. Muchas veces las mujeres morenas llevan una corona de trenzas en la cabeza en lugar de una corona normal u adorno para la cabeza.

✔ **Adorno de Nefertiti:** Muchas mujeres morenas usan este tipo de adorno para la cabeza, que consta de telas étnicas enrolladas.

✔ **Campana:** Especie de casco de ala angosta que normalmente lleva una corona redonda y alta. Se le puede agregar una malla para sujetar de él un velo *pouf,* velo nube o velo ojo.

✔ **Coronas, guirnaldas y diademas:** Se elaboran con flores, ramitas y cinta. Para hacerlas, el fabricante necesita las mediadas exactas de la cabeza de la novia. Dan un aspecto romántico y silvestre, aunque tienen ciertos inconvenientes: al final del día, la corona de flores puede sentirse como una rosquilla gigante en la cabeza, y en las fotos, una corona de ramitas puede hacer ver a la novia como si le hubieran crecido antenas.

✔ **Diademas:** De diferentes anchos, se adaptan a la forma de la cabeza y se decoran con tela, semillas de perla y flores. Pueden usarse como base para un arreglo circular en tul, reemplazando el velo.

✔ **Gorro Julieta:** Generalmente consta de una decoración en malla elaborada.

✔ **Perfil:** Peineta decorada con adornos colgantes, perlas o lentejuelas, que se usa a un lado de la cabeza o a la altura de la nuca.

✔ **Sombrero:** Puede ser de diversos estilos y tamaños: grande, ornamentado y galoneado en cinta, flores o perlas; o constar de atractivos elementos decorativos.

✔ **Tiara:** El accesorio clave para sentirse reina por un día. Se ha vuelto extremadamente popular por estos días. En la ceremonia ortodoxa del este y la ceremonia católica bizantina, el momento más solemne es cuando se corona a los novios con coronas de metal o guirnaldas de flores. Esta parte de la ceremonia simboliza que son el rey y la reina de un reino sagrado en la tierra.

Al comprar el adorno para la cabeza, conviene pensar en cómo se vería su retrato o fotografía enmarcado al nivel del escote del vestido hasta unos cuantos centímetros por encima de la cabeza. Una corona o un adorno gigante y elaborado, encima de un gran peinado a su vez elaborado, podría hacer ver a la novia como si estuviera modelando un pastel de bodas.

Si el vendedor le insiste en que compre el velo o adorno para la cabeza al tiempo con el vestido, no le haga caso. Habrá tiempo para ello una vez se reciba el vestido. Se sentirá mucho más contenta escogiendo el velo y el adorno para la cabeza una vez haya decidido cómo llevar el pelo, que diseñando un peinado que se acomode a un adorno comprado sin pensar.

Un peinado que perdure

El peinado debe completar la imagen que la novia quiere de sí para su boda. Si su vestido es formal y romántico, quizás un peinado bastante elaborado sea lo más apropiado, mientras que si lleva un vestido liso y pegado al cuerpo, quizás escoja para éste algo más liso y atrevido.

Al decidir sobre estilo del peinado, deberá tomar en cuenta cómo se verá éste desde todos los ángulos (en especial, con la parte de atrás del vestido), puesto que las fotografías le serán tomadas de todos los lados, no sólo de frente.

Para saber cuál es el mejor peinado, lo mejor es concertar una cita en un salón de belleza profesional y preguntar al estilista qué le recomienda y qué adorno para la cabeza iría mejor con ese tipo de peinado. Es bueno ensayar diferentes posibilidades y tomarse una fotografía sobre la cual basarse para ir de compras. La novia quizás decida peinarse de dos formas ligeramente diferentes: de un modo para la ceremonia y de otro para la recepción. Para después de la ceremonia quizás escoja llevar el pelo suelto, o tal vez adorne su pelo con joyas o flores frescas luego de quitarse el velo.

Si su pelo es delgado y liso, y tiene pensando peinarse con un moño en la parte posterior de la cabeza, es buena idea lavarse el cabello el día antes de la boda, en lugar del día mismo del evento, de modo que el peinado tenga más cuerpo. De lo contrario, el moño de pelo liso podría deshacerse.

De cualquier modo, el peinado de la novia se bajará, incluso en climas bajo cero. Por ello, conviene comenzar el día haciéndose el peinado un poco más alto, más amplio y más elaborado que de costumbre. Llegada la recepción, tendrá suerte si aún se mantiene intacto. Sin embargo, lo cierto es que las personas no repararán tanto en el estilo imponente que la novia habrá escogido para su peinado sino más bien en su cara.

La novia debe insistir en poder oler y sentir lo que le apliquen en el pelo, pues no querrá que le echen un producto que desentone con su perfume o que se impregne a las personas con quienes baile.

Con pelo...

El corte clásico estilo paje está muy bien para ir a trabajar, pero quizás la imagen que visualiza para el día de la boda contempla más bien bucles de princesa. Si la novia no tiene el tiempo (o la paciencia) de dejarse crecer sus rizos, puede ponerse unos artificiales. Muchos salones de belleza se especializan en extensiones de pelo, las cuales se sujetan temporalmente a la cabeza con hebillas, y se hacen muchas veces con cabello natural y teñido del color del de la novia. Las extensiones también pueden añadir un sutil cuerpo al peinado.

... y sin pelo

Si la novia llevará un vestido sin mangas y sus brazos son peludos, quizás crea conveniente depilarlos, lo cual a muchas mujeres les gusta más que afeitarlos. Aunque el procedimiento no es muy grato, tampoco es una tortura. Muchos salones de belleza ofrecen depilación con cera fría o depilación europea, que es menos dolorosa que la depilación tradicional. Otras partes del cuerpo que también se verían bien depilándolas son las axilas, las piernas, el bikini, el bigote y las cejas.

Para que el maquillaje resista el día entero

Aunque seguramente la novia quiera verse especial el día de su boda, hacerse un maquillaje muy diferente del que suele llevar a diario puede ser una mala idea. No quisiéramos ver la cara de angustia de su novio, confundido al ver a aquella mujer casi irreconocible que se aproxima al altar.

Si quiere una apariencia ligeramente diferente, lo mejor es ensayar el maquillaje tal como lo piensa usar en la ceremonia, pero con bastante antelación, no el día antes de la boda. El día de la boda no es el momento de ensayar nada nuevo, como lentes de contacto, uñas postizas o perfumes. Dado el tiempo de recuperación que exigen, las sesiones de cuidado de la piel con ácido deben hacerse al menos dos meses antes de la boda, y las sesiones de limpieza de cara, de bronceado y de limpieza con exfoliantes, al menos una semana antes. A menos que la novia quiera verse en las fotos como si se hubiera escapado de un museo de cera, le será mejor evitar técnicas de maquillaje de moda, tales como delinear los ojos con un color fuerte y pintarse los labios de blanco. Mejor conviene escoger colores neutros que no pasan de moda, aunque teniendo cuidado de no elegir colores demasiado sutiles que puedan hacer ver la cara pálida.

Les pedimos a algunos de los mejores maquilladores de Nueva York sus consejos para verse como nunca en el día de su boda. He aquí lo que sugirieron:

✔ **Los barros:** Si le aparece un barro el día antes de la boda, lo mejor es intentar conseguir un dermatólogo que esté disponible en la noche. Si no se consigue ninguno, se puede tapar el barro con corrector usando un pincel pequeño para ojos, antes de aplicarse la base de maquillaje. Seguramente nuestra madre ya nos haya dicho esto, pero nunca está de más repetirlo: tratar de hacer desaparecer el barro pellizcándolo ¡sólo lo volverá peor!

✔ **Los pinceles y las brochas:** Un buen juego de pinceles y brochas es esencial para obtener excelentes resultados al maquillarse.

✔ **Las mejillas:** Para unas bonitas mejillas de novia, usar colores rosa y difuminarlos bien sobre la cara. Si la boda es de noche, se puede usar un rubor de paletas contrastantes más oscuras, que acentúa y afina las líneas del rostro.

✔ **Los ojos:** Para que la parte blanca del ojo se vea más blanca aún, pintar el borde interior del párpado inferior con lápiz blanco o azul. (Sin embargo, si la persona tiene ojos sensibles, sus ojos quizás intenten deshacerse del delineador haciendo que se creen glóbulos poco atractivos a la vista en el conducto lagrimal.) Los tonos grises, grises-café y los colores humo para los párpados por lo general se fotografían bien. Laura Geller, especialista en maquillaje de bodas en Nueva York, aconseja usar base transparente para endurecer las pestañas antes de aplicar la pestañina, en lugar de pestañina especial con fibra.

✔ **La cara:** Utilizar una capa de base en toda la cara antes de maquillarla, para lograr una calidad suave de la piel y una buena adherencia. Laura Geller vende una capa base llamada *Spackle*. La capa base se debe difuminar bien para usar un mínimo de maquillaje. Se aplica con toques de pluma, de los pómulos para abajo, con el fin de evitar que se cree una línea de maquillaje a lo largo de la quijada.

✔ **Los labios:** Conviene usar un delineador y sellador para labios, de modo que el lápiz labial no se corra, se endurezca o se borre. El lápiz labial rojo se ve mejor en las mujeres de piel más oscura y de tonos oliva. De lo contrario, a menos que ése sea el color que siempre se usa, es mejor escoger colores suaves o pasteles. Los pintalabios mate duran más que los brillantes. Para aplicar, se debe usar un lápiz lapial a base de silicona o bien aplicar el pintalabios normal, quitar el exceso con un pañuelo facial y pintar una última capa con lápiz. *Atención:* El brillo para labios unta fácilmente el pelo, el velo, los mosquitos y hasta a las personas. No es bueno usarlo sino después de la ceremonia y antes de la sesión de fotos.

✔ **El tono de la piel:** Para lograr un color de piel parejo, conviene evitar broncearse en las cámaras de sol, con lociones autobronceadoras (que pueden volver la piel, las cejas y el pelo naranja) o con maquillaje para el cuerpo. Para tapar una parte especial de la cara, como cicatrices o manchas, se puede preguntar en un buen almacén de maquillaje por cremas correctoras para la piel como *Dermablend*. (O mejor aún, maquillarse con atomizador de aire —ver el siguiente párrafo.) Si el maquillaje tiende a verse en parches o con manchas por la irritación, se podría usar una crema a base de benadryl en el área afectada.

Para obtener lo más cercano posible a un maquillaje perfecto permanente, se puede ensayar el *atomizador de aire*, una increíble técnica que hasta hace muy poco se utilizaba sólo para efectos especiales en teatro y para las fotos de modelos en cubiertas de revistas. Un maquillador profesional rocía el maquillaje sobre la cara en una capa muy fina, que se seca casi inmediatamente al contacto con el aire. El procedimiento no deja ninguna marca de la brocha o imperfección, sólo una capa de color bien esparcida. Es un poco costoso, pero el resultado produce un acabado liso que milagrosamente minimiza los poros y no se cae hasta lavarse la cara. Esta técnica puede usarse para tapar cicatrices, tatuajes y pecas, para aplicar esmalte de uñas y para lograr un bronceado parejo de piel. (Este último no es aconsejable para la mujer pudorosa, puesto que el maquillador no deja ninguna parte del cuerpo sin cubrir.) Busque una sala de belleza o estudio de maquillaje cercano, en donde se maquille con atomizador.

El toque final

Después de dedicar tanto tiempo y energía a que el vestido y el peinado se vean como se quiere, los accesorios quizás se tomen un poco a la ligera; no debería ser así. Es preciso ensayar diferentes combinaciones de joyas y guantes hasta encontrar el balance perfecto.

Algo con qué cubrirse

Para llegar y salir de la ceremonia, la novia quizás necesite una prenda para proteger su ajuar. Su abrigo de lana de invierno no funcionará en esta ocasión, como tampoco su mejor suéter blanco. He aquí algunas de las opciones que puede considerar para combinar con su vestido:

✔ **Bolero:** Chaqueta corta que termina justo arriba o abajo de la cintura. Puede ser compañera al vestido, dando un aspecto de alta costura, o estar embellecida con cuentas que resalten el traje. Se ve muy bien con faldas largas y amplias.

✔ **Capa:** Confiere un efecto dramático, bien en un tono de blanco complementario al vestido o, para un efecto incandescente, en un rojo intenso.

✔ **Chal:** De color compañero al vestido o en un color contrastante, el chal puede ser sencillo, apenas para cubrirse los hombros. Cruzándolo entre los brazos y atándolo por la espalda, dejando los flecos colgando, se ve más elegante que estilo abuelita. De encaje, gasa, seda virgen o terciopelo en *appliqué,* es suficientemente fino y transparente para usar encima del vestido durante la ceremonia y suficientemente grueso para cubrirse a principios de la primavera o en otoño.

✔ **Mangas:** Prenda de sólo dos mangas unidas por detrás que cubre la parte superior de los hombros. (Ver la figura 19-1A al comienzo de este capítulo.)

✔ **Manguitos:** Al estilo Doctor Zhivago, son perfectos para una boda de invierno, especialmente en un color vivo y de piel artificial.

Un par de hermosos guantes

Si al mirarse al espejo la novia se ve perpleja, como si algo hiciera falta, es posible que el par de guantes adecuado sea justo lo que se necesite. Por lo general, para los vestidos largos de baile *strapless* o sin mangas, se usan guantes de largo más alto que el codo (denominados estilo *ópera*); para los vestidos largos de manga corta o manga larga los guantes se llevan cortos (considerados menos formales) y para los trajes largos de manga larga y capa los guantes se usan hasta el largo del codo. El estilo de los guantes, la tela y la textura deben complementarse con los del vestido. El cuero de cabritilla se considera lo más fino, pero el raso en *spandex*, el terciopelo arrugado o la organza fina también se ven extremadamente elegantes. La tela de los guantes debe ser mate; la tela brillante se ve chillona y atrae demasiada atención hacia las manos y los brazos. Los guantes también pueden tener puños adornados con joyas, o decoraciones de lentejuelas brillantes, perlas pequeñas o cuentas a lo largo de la línea del brazo.

El largo de los guantes está dado por el número de botones que llevan. El del guante de un botón es hasta la muñeca. Los guantes de dos, cuatro, seis y ocho botones terminan entre la muñeca y el codo. El guante más largo tiene 16 botones y termina arriba del codo. Además de saber el largo de los guantes que se quieren, también se debe conocer la talla, que normalmente es la misma que la del vestido. Los guantes que se estiran se encuentran en tallas pequeñas, medianas y grandes.

De una manera u otra, la novia tendrá que tener el dedo del anillo descubierto durante la ceremonia. Aunque hay distintos modos de ingeniarse con los guantes una vez en el altar (con una abertura en el dedo del anillo o en la muñeca), estos son generalmente torpes y atraen la atención del público. La mejor opción es quitarse los guantes por completo. Esta forma de proceder no debe verse como un *striptease* ni como una batalla para retirarse los guantes. La novia debe practicar quitándoselos antes de la ceremonia, halando suavemente de cada dedo de la mano izquierda y deslizando el guante hacia fuera al derecho. (Si se quita sólo un guante, quizás sea conveniente ponérselo nuevamente para la procesión de salida, a menos que sea Michael Jackson.) La novia le dará sus guantes a su dama de honor cuando le entregue el ramo; ésta le devolverá los guantes después de la procesión. También debe quitarse los guantes delicadamente para comer, pues no querrá convertirlos en servilletas de cinco dedos.

Guantes o no guantes, las uñas deben estar impecables, por lo cual deberá hacerse regularmente el manicure y el pedicure durante varias semanas antes de la boda. Para el día de la boda conviene arreglar para que la manicurista vaya a su casa. Pintarse las uñas la noche anterior puede hacer ver el esmalte en capas y da más tiempo para que el esmalte recién aplicado se estropee.

Escoger las joyas

Las opiniones sobre las joyas varían tanto como sobre el vestido. Un vestido largo descubierto en un hombro tal vez se vea mejor sin ningún adorno. Las perlas son las favoritas entre las novias y usar las de su madre puede revestir un significado especial para ellas. Sin embargo, a menos que sean del mismo largo que el escote del vestido, pueden restar efecto al conjunto final, en lugar de resaltarlo.

Muchas novias ahora están optando por usar joyas más excéntricas que las que se usaban anteriormente. Un par de aretes de fantasía o un collar de piezas gruesas pueden verse preciosos con el vestido, en especial si son de oro blanco o de plata. Las pulseras tienden a ser demasiado para llevar con guantes y no sólo pueden hacer las manos menos llamativas sino que pueden enredarse con un vestido o un velo de tul, por lo cual se deben colocar de último y con cuidado.

Al examinar avisos publicitarios de vestidos de novia, obsérvese que la mayoría de los diseñadores muestran los vestidos sin joyas, salvo por un par de aretes delicados. Lo hacen por una razón: con raras excepciones, la belleza de la mujer se destaca más cuando la línea desde el corpiño hasta la punta de la cabeza no lleva adornos, mostrando así la belleza radiante del rostro.

Una cartera adecuada

Aunque sea una de aquellas mujeres que necesitan un tractor para cargar todos sus objetos personales de diario, una cartera fina y delicada que haga juego con su atuendo sólo le permitirá llevar lo estrictamente necesario: pintalabios, polvos, mentas, pestañina y un pañuelo. Los objetos más grandes y que ocupan más espacio (cepillos, laca para el cabello, secador) deben dejarse en el cuarto de baño o el vestuario de la novia.

La novia no lleva consigo esta carterita hasta el altar. En realidad, no la lleva en ningún momento, sino que arregla anticipadamente con alguien para que la tenga durante la ceremonia y se la deje en su puesto en la recepción.

El momento de vestirse

Vestir el traje el día de la boda demanda ayuda de dos personas. La novia habrá de averiguar cuál es el costo de contratar a una modista del almacén donde compró su vestido para ayudarle a vestirse el gran día. Esto suena ridículo, pero la modista puede servirle inmensamente alistando el vestido (si éste necesita plancharse a último momento o si se le han de hacer alteraciones menores) o ayudándole a arreglar un polisón difícil de ajustar luego de la ceremonia.

Otro importante consejo (aunque algo indelicado): ir al baño antes de vestirse (por razones que deberían ser obvias).

Una vez lista para vestirse:

1. **Baje la cremallera del vestido hasta abajo.**

2. **Si usará enaguas por separado, póngalas dentro del vestido.**

   Cerciórese de que la cintura de las enaguas quede a la misma altura que la del vestido.

3. **Pida a su ayudante que le sostenga el vestido con el corpiño cayendo hacia delante.**

   Ponga las manos en la cintura con los codos doblados hacia fuera y métase dentro del vestido en lugar de pasarlo por la cabeza. Si éste ha de ponerse del último modo, cúbrase la cabeza con una bolsa de malla con cremallera (que se consigue en las droguerías) o con una bufanda, de modo que el maquillaje de la cara no estropee el vestido o viceversa.

4. **Abroche los botones, cierres o cremalleras.**

   Para abotonar una larga fila de botones con presilla, que corre del cuello hasta la cadera, un gancho de croché puede ser la última maravilla del mundo para vestirse en menos de tres horas.

5. **Póngase el adorno de la cabeza.**

6. **Siéntese en una banca sin espaldar para terminar el maquillaje, amontonando el vestido a un lado, no debajo de sí.**

Cómo cuidar del vestido luego de la fiesta

Después de todo el tiempo, el dinero y la tensión emocional que la novia ha invertido en el vestido, no parecería justo que sólo pudiera usarlo una vez en su vida. Ya sea que decida reciclar el traje o guardarlo en el clóset, lo primero que debe hacer es mandarlo a la lavandería.

Guardarlo para la posteridad

La novia debe pedir el favor a alguien de que le lleve el traje a la lavandería mientras ella está en su luna de miel, indicándole a esta persona qué problemas tiene el vestido, tales como manchas de azúcar que necesiten tratarse especialmente. Algunas personas sugieren esperar una semana antes de mandar lavar el vestido porque manchas como las de champaña no aparecen sino después de unos días. Se debe llevar el vestido a una lavandería especial para trajes de boda y asegurarse de que el establecimiento utilice jabón líquido limpio y de que lave los vestidos por separado.

La novia también debe especificar cómo quiere que le empaquen el vestido e inspeccionarlo cuando lo reciba. El vestido debe empacarse en papel de seda libre de ácido y guardarse en una caja también libre de ácido, sin empacar al vacío para que la fibra natural de la tela pueda respirar. Si las cajas vienen con ventana, ésta debe ser de acetato (que no contiene ácido) y no de plástico. El adorno de la cabeza se guarda por separado; las partes de metal pueden oxidarse y amarillear el vestido. El vestido y el velo se pueden guardar ambos sin caja entre una tela blanca o de muselina, en un lugar seco y oscuro. *Atención:* un sótano puede ser muy húmedo y un altillo, muy caliente. Dondequiera que se guarde el vestido, es bueno revisarlo cada año para verificar la presencia de manchas de moho.

Mandar lavar y preservar su vestido de bodas puede ser bastante costoso, por lo cual, antes de entregarlo para ser lavado, conviene averiguar con la lavandería el precio estimativo del servicio, según las condiciones y la calidad del material del traje.

Recuperar el dinero invertido

Si le molesta invertir una gran cantidad de dinero en un vestido que sólo usará una vez, se puede pensar en reciclar el traje para sacar un mayor provecho de éste. El vestido se puede reciclar de las siguientes maneras:

✔ **Convertirlo en otra prenda:** Puede llevar el vestido a una modista para que lo transforme en un traje de gala que se pueda usar después, en un vestido de bautizo para un niño o en un disfraz de princesa para Halloween.

✔ **Venderlo:** Puede vender el traje a un almacén de compraventa de ropa. Quizás encuentre una tienda que se especialice en vestidos de boda, o si su vestido es de un diseñador conocido, un almacén de compra-venta de vestidos de alta costura.

✔ **Donarlo:** Puede buscar un almacén de ropa usada que atienda a los más necesitados y que esté limpio y bien tenido (es deprimente ver que se apilen los vestidos de novia en un rincón de un almacén maloliente). Mejor aun, puede buscar una entidad que atienda las exigencias de las novias y demás clientela necesitada e interesada en ropa formal.

Cómo transportar el vestido

Uno de los aspectos más complicados al planear una boda lejos de la ciudad de residencia es transportar el traje de un lugar a otro, procurando que llegue con un mínimo de arrugas o de otro tipo de daños, en especial si se trata de un gran traje de baile esponjado que se tiene de pie por sí solo. Luego del ajuste final, se debe pedir al almacén que lo empaque en grandes cantidades de papel de seda sin ácido y una bolsa especial con manijas. Si se tiene que viajar con el vestido, lo mejor es intentar tomar un vuelo que no coincida con los días de mayor afluencia de pasajeros, pues así habrá mayores posibilidades de llevar el vestido consigo en un asiento vacío. Muchas aerolíneas le cobrarán al pasajero por ello, pero otras lo permitirán por tratarse de la novia.

Otra opción es empacar la bolsa con el vestido en una caja con bastante papel de burbujas de aire y enviarlo por transporte aéreo para recibirlo al día siguiente o en dos días. No aconsejamos aforar el vestido con el equipaje de viaje. Tampoco aconsejamos aforar el velo o el adorno de la cabeza: a pesar de su calidad vaporosa, la tela de tul puede arrugarse, de modo que no debe empacarse comprimiéndola en la maleta. Para mayor seguridad, conviene llevar consigo una plancha a vapor portátil o averiguar si el hotel cuenta con una. Mejor aún averigüe si hay una lavandería profesional en el lugar o una modista que pueda planchar el vestido en presencia suya. Jamás deje a alguien con una plancha acercarse a su vestido, a menos que se haya ordenado un modelo de plancha especial para asbesto. También se debe evitar colgar el vestido por más de uno o dos días si éste es pesado, pues el peso puede hacerlo estirar. La demás ropa se empaca en bolsas de lavandería de plástico y se cuelga en ganchos.

Capítulo 20

Anillos espectaculares

● ●

En este capítulo:

▶ Detallar las calidades físicas del diamante

▶ Considerar alternativas diferentes al diamante

▶ Encontrar el montaje perfecto

▶ Optar por piedras antiguas o nuevas

▶ Cuidar el anillo

● ●

Seguramente los novios querrán dedicar especial atención a la búsqueda de los anillos de compromiso y matrimonio. Por un lado, para muchas parejas las argollas son una inversión mayor. Por otro, estas argollas las usarán toda su vida.

A pesar del cliché de proponer el hombre matrimonio a la mujer presentándole una cajita con la joya de compromiso o sumergiendo disimuladamente el anillo en la copa de champaña de su prometida, muchas parejas prefieren comprar juntos las argollas de compromiso y de matrimonio —o al menos hacer una selección previa para que el novio no compre algo de su gusto en lugar del de la novia. Cuando los novios miren anillos, es importante que piensen en su estilo de vida. Para una mujer a quien se le rompen las medias con sólo mirarlas, un anillo en forma de pera puntuda o de marquesa sería un desastre. Para un mecánico, cualquier tipo de anillo podría engarzársele a cada momento o arruinársele. Con las pautas que se dan en este capítulo podrán afinar el ojo para apreciar la calidad y el trabajo artesanal de diferentes piedras preciosas, aunque en último término la elección es personal y debe reflejar el gusto de ambos, los sentimientos del uno por el otro y, aunque parezca poco romántico, su presupuesto.

Cómo evaluar un diamante

Un diamante no es más que un pedazo de carbón. Sin embargo, en su forma pura y cristalizada, es la sustancia transparente más rígida conocida por el hombre, cien veces más dura que el rubí o el zafiro.

Sólo con otro diamante se puede cortar un diamante. Esta calidad de durabilidad, tanto como su calidad luminosa, han hecho del diamante un símbolo perdurable del casamiento.

Hoy en día, muchos de los anillos de compromiso son de diamante, por lo cual es probable que en este punto de su compromiso los novios no desconozcan las cuatro características por las que se juzga esta piedra: su corte, su color, su transparencia y su peso en quilates. Quizás incluso ya estén hartos con estas cuatro características, pero por si acaso no han querido saber antes sobre el tema, no tendrán sino que leer a continuación.

El corte

El *corte* del diamante y sus proporciones determinan su calidad de brillo, lo que tal vez hace del corte el factor más importante de la belleza de la piedra. Como las facetas de la piedra actúan como espejos reflectores de luz, entre más facetas tenga el diamante, mayor es su belleza. Para saber apreciar los cortes de esta piedra preciosa, es preciso familiarizarse con la anatomía de un diamante de buenas proporciones, tal como se muestra en la figura 20-1.

Un diamante moderno, de corte redondo brillante, consta de 85 facetas, lo que lo hace más brillante que otros diamantes de otras formas. Cuando la luz penetra un diamante de proporciones ideales, se refleja de faceta en faceta hasta llegar de nuevo a la punta, maximizando así el brillo de la piedra. En un diamante bien proporcionado, la corona parece tener aproximadamente un tercio del ancho de

Figura 20-1: Las diferentes partes de una piedra preciosa pueden variar en proporciones y, por tanto, afectar la calidad de su belleza.

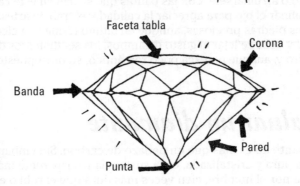

PARTES DE UN DIAMANTE:

Faceta tabla

Corona

Banda

Pared

Punta

la pared. Si el diamante es de cortes demasiado profundos, la luz se pierde por los lados, y el centro se ve oscuro. Si los cortes se hacen poco profundos para que el diamante se vea más grande, su claridad es turbia.

No hay que confundir el *corte* con la *forma*. En la figura 20-2 se muestran varias formas de diamante: ovalada, pera, redonda y brillante, esmeralda, baguette y marquesa. (Sin embargo, para añadir a la confusión, un diamante puede ser de corte esmeralda, y una esmeralda puede tener el corte redondo brillante de un diamante típico en solitario.) Obsérvese que las baguettes rectas y angostas hacia las puntas se usan normalmente como complemento alrededor de la piedra de centro.

El color

Algunas personas sostienen que el diamante no puede ser demasiado blanco. El *Gemological Institute of America (GIA)* [Instituo Gemológico Norteamericano] cataloga el color comenzando con la letra *D* (incoloro) y continuando con el alfabeto entero hasta la *Z* (color progresivamente más amarillo).

Algunos diamantes tienen cualidades *fosforescentes* naturales, lo que hace que produzcan una cierta luz amarilla, azul o blanca cuando se ven a la luz del día o bajo luz fluorescente. Los gemólogos profesionales evalúan la fluorescencia del diamante para catalogar correctamente el color de la piedra —de lo contrario, un diamante demasiado fosforescente podría matar el color mismo de la piedra. Un diamante de fosforescencia azul puede dar un tinte amarillo a la piedra o hacer que un diamante blanco se vea blanco-azuloso: una ganancia para su comprador. Un diamante blanco de fosforescencia

FORMAS DE DIAMANTES

Figura 20-2:
Algunas
formas tradi-
cionales de
diamante.

amarilla, sin embargo, puede hacer ver la piedra menos blanca, lo que disminuye su valor.

En la naturaleza, los diamantes se encuentran prácticamente de todos los tonos y colores: azules, rosados, lilas, amarillos, verdes, rojos e incluso negros. Los diamantes de colores, conocidos en el mercado como joyas *exquisitas,* son cada vez más populares para los anillos de compromiso —el famoso anillo de compromiso que Ben Affleck dio a Jennifer López fue un diamante rosado— y los de colores raros pueden llegar a costar altas sumas de dinero.

La claridad

A las imperfecciones internas de la piedra, tales como rajaduras pequeñas y manchas blancas u oscuras, se les llama *inclusiones.* Las imperfecciones externas, tales como el acabado natural de la piedra, las hendeduras, los hoyos y las rayaduras, se conocen como *defectos naturales* de la piedra. En términos generales, entre menos inclusiones y defectos naturales tenga el diamante, más claro, brillante y raro será éste, y su costo será naturalmente más alto. Obsérvese que muchas veces el corte natural de la piedra se deja para que conforme la banda del diamante —la parte que se agarra con pinzas al momento de montar la piedra— creando así una piedra de corte grande. Sin embargo, dejar el corte natural de la piedra para la banda no suele tener impacto en la claridad del diamante.

Es posible, sin embargo, encontrar piedras ligeramente imperfectas, de mejor color y más brillantes que otras piedras mucho más puras. En efecto, incluso un diamante *I3* —de la categoría más baja del grado imperfecto (ver la lista a continuación)— es 97 por ciento puro. Un diamante enteramente puro es de menos significación que uno bien cortado. Muchos joyeros insisten en que el corte no ha de sacrificarse *nunca.*

Aunque quizás una persona común y corriente no pueda determinar la claridad de la piedra con la misma precisión que un profesional, sí puede juzgar la calidad del brillo y la luz de la piedra, así como advertir ciertas imperfecciones con una *lupa de joyero* de potencia 10 o una lupa pequeña que cubre el ojo.

Muchos joyeros estadounidenses evalúan las imperfecciones de la piedra según el sistema GIA, que cuenta con un rango amplio de clasificaciones:

- ✔ *FL:* (Flawless) Sin *imperfecciones,* es decir, sin característica de ningún tipo en la superficie ni imperfecciones internas. Estas piedras son muy raras.

✔ *IF:* (Internally flawless) *Sin imperfecciones internas;* sólo con defectos internos menores que se pueden pulir fácilmente.

✔ *VVS1 y VVS2:* (Very, very small inclusions) *Pequeñísimas inclusiones* difíciles de detectar para un evaluador experto.

✔ *VS1 y VS2:* (Very small inclusions) *Inclusiones muy pequeñas* visibles sólo con una lupa. Estas piedras son normalmente una buena compra. Como punto de referencia, la joyería Tiffany sólo vende diamantes de tipo VS2 o mejores.

✔ *S11 y S12:* (Small inclusions) *Inclusiones pequeñas* aparentes bajo una lupa pero no al ojo solo, lo que hace estas piedras muy apetecibles.

✔ *I1, I2 y I3:* (Imperfect grades) *Grados de imperfecciones* en que los defectos de la piedra pueden o no verse a simple ojo. Estas piedras son de menor precio y su valor generalmente es poco apreciable.

El peso en quilates

Los gemólogos miden el tamaño del diamante en términos de su peso en quilates. Un quilate equivale a 100 puntos. Por tanto, si un joyero dice, por ejemplo, que una piedra pesa 25 puntos, ésta es de 1/4 de quilate.

Diamantes de sangre

En años recientes, ha crecido la preocupación sobre los diamantes *de conflicto* o diamantes utilizados para la financiación de guerras civiles y situaciones de conflicto, especialmente en los países africanos. El programa de certificación Kimberly Process, iniciado en enero de 2003, es un acuerdo internacional para eliminar el comercio de "diamantes de sangre", como también se les conoce. Para garantizar la legitimidad de las piedras, los líderes de la industria y cerca de 70 países participantes han instituido medidas autorreguladoras para el comercio de las piedras, que incluyen el uso de contenedores a prueba de manipulación para su transporte, pruebas de garantía contra falsificación y métodos de control electrónicos. Aunque el acuerdo prohíbe el comercio de diamantes con no firmantes, al momento de escribir este libro grupos defensores de derechos humanos se encuentran trabajando para que la veeduría de las leyes sea más rigurosa, ya que sin ésta es imposible controlar que los diamantes no provengan de territorios dominados por grupos rebeldes que se oponen a sus gobiernos legítimos.

Si se pregunta a un joyero qué tan *grande* es la piedra y él dice, por ejemplo, que tiene una "amplitud de dos quilates", hay que tener cuidado. Muchos diamantes se cortan anchos o "con amplitud", es decir, en proporciones delgadas, para así maximizar el peso, en lugar del brillo de la piedra. Por lo tanto, un diamante de 1 quilate de *amplitud* no es lo mismo que uno de 1 quilate de *peso*. La manera correcta de hacer la pregunta al joyero es: "¿Cuál es el peso exacto de la piedra?" Entonces éste indicará el número de quilates, sin hacer referencia alguna a la *amplitud* de la piedra.

No diremos que el tamaño no sea importante, pero éste no significa nada si no se toma dentro del contexto del corte, la claridad y el color de la piedra. Una piedra grande, turbia, con imperfecciones y mal cortada tiene un valor monetario inferior al de un diamante pequeño y perfecto.

La quinta cualidad: el costo

La industria joyera ha inventado inteligentemente una fórmula para saber cuánto dinero debería invertir el cliente en un anillo de diamante. Si la joya realmente le gusta, le dicen los vendedores, invertir el equivalente a dos meses de salario es bastante razonable. Aunque esto no parece del todo extravagante, sí es un tanto arbitrario. La pareja tiene sus prioridades y seguramente sabrá decidir por sí misma lo que más le conviene.

Si los diamantes no son su mejor amigo

Aunque el anillo más común entre las novias es el anillo de diamante, las piedras preciosas de color, tales como la esmeralda, el granate, el rubí y el zafiro se han vuelto cada vez más populares. En efecto, desde la antigüedad las piedras de color han sido siempre muy apreciadas, por el poder, el estatus, la buena suerte y la buena salud que supuestamente conferían a su dueño.

Diversas piedras se asociaban con cada una de las 12 tribus de Israel y los 12 apóstoles. Los hindúes y los árabes atribuían diferentes piedras preciosas a los signos del zodíaco. En 1952, la industria joyera adoptó una lista de piedras de nacimiento, que se ha vuelto la lista estándar en Estados Unidos, aunque también existen listas de piedras para los días de la semana, las horas del día y las estaciones. En suma, si nos gusta una piedra por su color, podemos indagar sobre los diferentes significados que se le han atribuido a lo largo de la historia, justificando así aun más nuestra compra.

Cómo juzgar las piedras preciosas

Aunque la claridad es un factor importante cuando se compra una gema, su pureza o ausencia de imperfecciones es una característica más rara de encontrar en estas piedras que en los diamantes. Es aun más importante considerar el color. Entre más se asemeje el color de la piedra a un color puro del espectro luminoso, tanto mayor es su calidad. Es decir, para una piedra roja, entre más puro sea el rojo, tanto mejor.

Para evaluar correctamente el verdadero color de la piedra, ésta se debe mirar ante diferentes tipos de luz. Luego de examinar diversos anillos de rubí, por ejemplo, seguramente se note que sus colores varían de rojo-azuloso a rojo-café o rosado, con diferentes graduaciones tonales entre sí. En efecto, mientras que el verdadero rubí es el corindón, los otros "rubíes" pueden pertenecer a distintas familias de gemas —el berilo, el granate, la espinela, la turmalina o el circón— y su precio debe ser acorde a su tipo. Aunque la certificación de las gemas no se ha institucionalizado tanto como con los diamantes, el joyero debe poder verificar el grado de color de la piedra y si su calidad es natural o sintética.

Piedras sintéticas centelleantes

Si se quiere un diamante más grande que el que su presupuesto le permite adquirir, los diamantes sintéticos producidos en laboratorio, a diferencia de en la naturaleza, son una buena alternativa. Muchas piedras imitación diamante han aparecido a lo largo de los años, y bastantes de ellas han tenido una muy buena acogida. Estos falsos diamantes, llamados circón, GGG, titanio de estroncio y diamante Wellington, han demostrado ser blandos y frágiles frente a los verdaderos diamantes. Sin embargo, desde que se introdujo en el mercado en los años setenta el *circonio cúbico* (conocido como CZ), éste se ha convertido en la imitación más popular del diamante por su mayor durabilidad y menor predisposición a rayarse o rajarse, a diferencia de otras gemas sintéticas u otras imitaciones de piedras.

Ahora, sin embargo, hay una nueva sustancia que compite con el circonio cúbico, la *moissanita sintética*, la segunda piedra preciosa más rígida que se conoce después del diamante y más brillante que éste. Incluso los detectores térmicos, que se usan para descubrir el circonio cúbico, han demostrado ser inútiles para la detección de la moissanita sintética.

Esta piedra cuesta sólo entre 10 a 20 por ciento menos que un diamante auténtico, siendo así bastante más costosa que el circonio cúbico. De modo que si llevar en el dedo unos cuantos miles de dólares le genera angustia, el circonio cúbico puede ser una buena alternativa —al menos como sustituto de uso diario. (Sabemos de muchas mujeres que viven en Park Avenue y usan una copia en circonio cúbico de su piedra preciosa más fina y costosa, la cual guardan a sano juicio en su caja fuerte, y nadie se da cuenta.)

Una nueva generación de piedras sintéticas ha logrado producir diamantes cultivados que son prácticamente perfectos y bastante menos costosos que los diamantes naturales o la moissanita. Estas piedras han probado ser de tan excelente calidad que la De Beers Diamond Trading Company, el cartel con base en Londres que controla la industria de diamantes, ha iniciado un programa para ayudar a los laboratorios internacionales de gemas a diferenciar las piedras preciosas naturales de las piedras creadas por el hombre, mediante el uso de equipos tecnológicos altamente avanzados. Aún queda por verse si para el consumidor tendrá relevancia alguna el que la piedra sea artificial o natural, cuando con la misma cantidad de dinero le es posible obtener una piedra sintética más significativa.

Un bonito montaje

El montaje del anillo es el equivalente al marco preciso que hace destacar una obra de arte de la mejor forma posible. El anillo también debe guardar las proporciones de la mano. Un montaje elaborado puede disimular las imperfecciones de la piedra. En efecto, un montaje *ilusión,* que es como una cajita donde está sostenida la piedra (ver la figura 20-3), es muy seguramente signo de que ésta esconde algún defecto. Los montajes de particular diseño, sin embargo, pueden llevar inscrita la firma del joyero, sean estos elaborados o sobrios.

Algunos estilos de montajes clásicos incluyen:

✔ **Bezel:** Montaje liso sin dientes agarradores. La piedra se deja casi tocando el dedo. Este montaje puede hacer reducir el brillo de la piedra, al entrar la luz por los lados. Se ve muy bien con metales de dos tipos, como el oro amarillo y el platino.

✔ **Voluta tallada:** Montaje de estilo victoriano que se puso de moda en todas partes del mundo. Rodea la piedra, tallado elaboradamente en forma de espiral o caracol.

✔ **Canal:** Se utiliza para montar un número determinado de pequeñas piedras de tamaño uniforme en fila. (Ver la figura 20-3.)

✔ **Grupo de piedras:** Una piedra grande rodeada de otras más pequeñas.

✔ **Gitano:** La piedra entra dentro del marco del anillo y queda al ras con éste. La parte de metal que rodea el anillo es más gruesa que el resto del cuerpo del anillo. (Ver la figura 20-3).

✔ **Invisible:** Los dientes agarradores y los canales no se ven. El corte y el montaje de la piedra se hacen con tal precisión que no queda ningún tipo de espacio entre ambos. Este tipo de montaje es más costoso porque la piedra debe encajar casi perfectamente.

✔ **Pavé:** Conjunto de piedras apiñadas sin que se note el armazón de metal.

✔ **Dientes:** Cuatro o seis puntas o garras de metal que sostienen la piedra. Un montaje de seis dientes suele llamarse montaje Tiffany.

✔ **Copas de plata:** Los bordes se doblan hacia dentro por debajo de la piedra para que ésta refleje más luz. Este diseño se originó a finales del siglo XVIII.

✔ **Solitario:** Una sola gema montada sin piedras ornamentales a los lados y sostenida normalmente por cuatro o seis dientes.

✔ **Tensión:** El diamante parece flotar sobre el anillo sin sostenerse casi de éste.

✔ **Tiffany:** Montaje de seis dientes.

El tipo de metal es importante

El metal del anillo debe ser favorecedor tanto al tono de piel como al color de la piedra. Quizás haya que considerar el aspecto práctico del anillo frente al aspecto estético. Por ejemplo, el oro de 18 quilates es de amarillo más brillante que el de 14 quilates, pero más costoso y no tan duro. De otro lado, el oro blanco de 18 quilates es blanco, tiene poca probabilidad de causar reacciones alérgicas y es menos costoso que el oro de 14 quilates. El platino es el más caro de todos, aunque hermoso y a la vez duro y elástico. Si se quiere

M⊗NTAJES

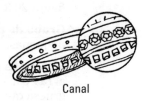

Figura 20-3: Una piedra puede verse enteramente diferente según el montaje que tenga.

Ilusión

Gitano

Canal

un montaje de oro, pero se está indeciso acerca de qué tipo de oro escoger: amarillo, blanco o rosado, se puede optar por un anillo tricolor enrollado, con las tres clases de oro.

Según el metal que se elija, el diseño del anillo puede tener un acabado mate o brillante, un patrón de delicadas flores decorativas o en espiral, los bordes detallados en *milgrain* (por ejemplo, con pequeñísimas cuentas) o un bisel suave, lo que se conoce como *diseño cómodo*.

Los judíos ortodoxos consideran que los anillos de matrimonio deben ser llanos y no llevar joyas ni gemas que puedan interferir con el círculo eterno y sagrado de la vida y la felicidad.

No hay que olvidar al novio

A pesar del invento de los anillos con inscripciones dentro (ver el recuadro "La inscripción dentro del anillo"), los hombres no solían usar argolla de matrimonio sino hasta después de la segunda guerra mundial. Incluso en la era romántica victoriana, las mujeres usaban una argolla de oro llana, mientras que los hombres no usaban anillo alguno. Hoy en día, el 98 por ciento de las ceremonias de matrimonio se celebra con argollas tanto para la novia como para el novio.

La argolla del novio por lo general es más grande y ancha que la de la novia. Aunque el estilo de la argolla puede ser enteramente diferente de la de su prometida, debe poder entrar fácilmente en el dedo y descansar sobre la base del mismo, con espacio suficiente para que quepa un palillo de dientes. Este espacio se deja como sobrante para los dedos que se hinchen cuando hay cambios de temperatura.

Cómo encontrar el anillo perfecto

Ya sea que la pareja decida comprar un par de argollas nuevas que jamás hayan sido usadas antes, o que opten por un conjunto de argollas con un pasado, la experiencia de comprar los anillos puede ser muy entretenida. Así como con el vestido de novia y el atuendo del novio, los anillos que ambos escojan deben reflejar su estilo propio.

Comprar una pieza nueva

Al comprar un diamante hay que tener cuidado con las gangas. Si el precio parece increíble, seguramente la pieza no lo es. Aunque por lo general es seguro comprar en un almacén de buena reputación, estafadores hay en abundancia. Sus métodos incluyen desde falsificar o alterar certificados de compra-venta, hasta promocionar una pieza a bajo precio y luego venderla más cara, o utilizar mecanismos de precios engañosos. Un joyero justo no ha de tener problema con

La inscripción dentro del anillo

Muchas parejas llevan grabada dentro de sus argollas de matrimonio o compromiso una inscripción personal. Ésta puede corresponder a sus iniciales o a la fecha de su boda, o a un mensaje más largo que requiere de un anillo más ancho y grande para grabarse. Estas son algunas inscripciones clásicas:

✔ *DODI LI V' ANI LO* (Inscripción en hebreo que significa: "Soy de mi amado y mi amado, mío (o soy de mi amada y mi amada, mía)".

✔ AMARNOS ~RESPETARNOS ~QUERERNOS

✔ LA CONSTANCIA Y EL CIELO JUNTOS ESTÁN Y EN ESTE EMBLEMA SE HAN DE ENCONTRAR

✔ EN TI RECIBO MI ELECCIÓN (anillo del siglo XVII)

✔ QUE ESTE CÍRCULO PERMANEZCA INTACTO

✔ LO QUE DIOS HA UNIDO NO LO SEPARE EL HOMBRE

✔ NO TE LO QUITES

que la pareja haga evaluar el anillo por una persona experta de su escogencia.

El evaluador debería ser un gemólogo licenciado de una institución gemológica competente.

Ya sea que el costo de evaluar el anillo se base en una tarifa por hora o en el número de quilates de los diamantes, la pareja debe recibir el valor por escrito. La evaluación debe hacerse en su presencia y comprender lo siguiente:

✔ Las dimensiones en milímetros de cada piedra, sus cualidades, su peso y su identificación.

✔ Para los diamantes, el corte, color, claridad y peso en quilates.

✔ Para las gemas de colores, el tinte, el tono, la intensidad de color, y los grados de transparencia y claridad de la piedra.

✔ La identificación y evaluación de los tipos de metales utilizados para el montaje de la piedra.

✔ Una descripción detallada de la pieza o una fotografía de la misma.

✔ El valor estimado de la pieza.

Para asegurar la joya se debe hacer un avalúo de la misma. Adicionalmente, es aconsejable fotografiar sus demás joyas de valor y guardarlas en una caja fuerte a prueba de fuego y de fotografías. (Una fotocopia a color del anillo también es un buen registro, con la ventaja de que además se puede escribir encima.) Esta fotografía debe guardarse junto con el reporte de clasificación de la piedra GIA (muchas veces tomado erróneamente por un certificado), que se entrega al cliente cuando la piedra se termina de pulir. El reporte no avalúa el precio de la piedra pero sí describe las características del diamante no montado aún.

Cómo analizar las piezas antiguas

Si se está interesado en conseguir un anillo de matrimonio antiguo, conviene ponerse al tanto de las ventas de joyas que se llevarán a cabo en casas de subastas o en ferias de antigüedades conocidas. Se debe asistir a las preinauguraciones de estos eventos e inspeccionar cuidadosamente la mercancía. Muchas veces las casas de subastas cuentan con una persona experta disponible para responder las preguntas del cliente y enseñarle cómo evaluar un anillo antiguo según sus cualidades. También es preciso preguntar sobre la *procedencia* del anillo – cuáles fueron sus dueños anteriores – puesto que esto puede conferir aun más significado a la pieza.

Dada la aceptación y el alto valor de que gozan ahora las joyas antiguas, muchos joyeros ofrecen este tipo de piezas patrimoniales. Debe observarse, sin embargo, que las piezas patrimoniales no se clasifican necesariamente como *antigüedades* (para que una pieza sea una antigüedad debe tener como mínimo cien años). Las joyas de un propietario anterior pueden en realidad no tener tantos años. La manera más fácil y segura de averiguar la edad de una gema o diamante antiguo es verificando el cerificado de la piedra.

Si la pieza no tiene certificado, se puede descubrir la edad a través del corte. El *corte rosa*, característico del siglo XVI, se distinguía por una base plana y facetas en múltiplos de seis. En el siglo XVIII era popular el *corte antiguo de mina*, de brillo y fuego sin igual. El *corte antiguo europeo*, de mediados del siglo XIX, tenía un brillo aún mayor. El corte antiguo de mina y el corte antiguo europeo (ver la figura 20-4) constan de 58 facetas, como el corte moderno-brillante actual. Sin embargo, estos no son tan brillantes como los cortes posteriores a 1920, por lo cual se avalúan en un menor precio.

Una piedra de diamante puede verse más amarilla de lo que realmente es a causa de los sedimentos de grasa y mugre que se acumulan con el tiempo en el anillo. Un viejo anillo de diamante puede tornarse más blanco de lo esperado al limpiarlo.

Figura 20-4:
En el corte antiguo de mina y el corte antiguo europeo vistos de lado, la pared es profunda y la corona, alta.

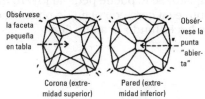

Corte antiguo de mina

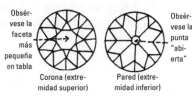

Corte antiguo europeo

El cuarto dedo de la mano izquierda

A lo largo de la historia, las personas han usado todos los dedos de la mano para portar el anillo de matrimonio, incluyendo el pulgar en el siglo XVII. Los egipcios usaban el cuarto dedo de la mano izquierda, bajo la creencia de que la *vena amoris* corría por ese dedo hasta el corazón. El hecho de que esta vena no exista no ha disuadido a las personas de seguir prefiriendo este dedo para la argolla de matrimonio. En efecto, el Libro del Rezo Inglés de 1549 especifica la mano izquierda para el anillo. En muchos lugares la argolla se usa de preferencia en la mano derecha.

Un anillo antiguo de diamante puede ser antiguo, aunque no un verdadero diamante. En la era victoriana era común usar gemas de pasta o vidrio aplomado en los montajes de metales preciosos, por lo cual quizás se necesite la evaluación de un experto para determinar la verdadera identidad de una piedra antigua.

Aunque un anillo que es una reliquia de familia puede ser de gran valor sentimental para el portador, no necesariamente significa que sea el paradigma del buen gusto. Si resulta pasado de moda, se puede buscar un acomodo haciendo montar las piedras en un estilo más moderno o favorecedor. Primero es preciso hacer evaluar las piedras, pues no sólo es importante saber si son legítimas, sino también si tienen algún daño que pudiera comprometer lo que se piensa hacer con ellas.

Si se opta por un diseño nuevo de montaje, se debe escoger a un joyero que se especialice en estilos del gusto de uno. A menos que se esté absolutamente seguro de lo que se quiere y pueda dar al joyero planos detallados del diseño, de la cara superior y de los lados, conviene ensayar anillos de distintos pesos y estilos, y recortar fotos de revistas de anillos de su gusto. Se le puede pedir al joyero que produzca un modelo del montaje en cera con el fin de poder hacer los últimos cambios antes de hacer fundir el anillo final.

Capítulo 21

Fotografías y vídeos: recuerdos para la posteridad

*L*uego de regresar de la luna de miel, de escribir la última nota de agradecimiento y de recoger los trajes de boda en la lavandería, los novios quizás se pregunten si todo no fue más que un sueño... hasta que reciben las fotografías o el vídeo de la boda. Estas imágenes son las que mantendrán los recuerdos tan vivos como si la boda hubiera sido esa misma mañana. La efectividad con que se logren dependerá de quién las tome, qué tipo de película y equipos utilice, y qué tan hábil sea. Este capítulo muestra qué opciones pueden escoger los novios, las cuales, con la nueva tecnología disponible, seguramente los sorprenderán.

Las tomas

La fotografía y la videografía son dos campos enteramente diferentes, y ambas requieren una práctica extensa para producir resultados de excelente calidad. Según su gusto personal y su presupuesto, los novios quizás decidan dejar el registro de su boda en más de un formato.

El fotógrafo y el camarógrafo son dos de las personas con quienes los novios deben revisar cuidadosamente el cronograma de la boda. Se los deben enviar con antelación y asegurarse de responder sus preguntas y tratar con ellos los detalles importantes para saber que han leído bien el documento. (Ver en el capítulo 7 sugerencias para crear el cronograma de la boda). Si los novios desean que el fotógrafo o el camarógrafo documenten cada segundo del día de la boda, pueden arreglar para que viajen en el auto con ellos si la ceremonia y la recepción se llevarán a cabo en lugares diferentes.

Si el fotógrafo y el camarógrafo aún no han visto el lugar del evento, la pareja debe pedirles que hagan un reconocimiento del lugar y los alrededores antes de la boda. *Nota:* No todos los fotógrafos encontrarán el tiempo para ello, pero nunca está de más preguntar.

Los fotógrafos y camarógrafos suelen escoger bien los lugares indicados para tomar las fotos de retratos y poses. Pueden poner arreglos florales de fondo, organizar a un grupo de personas en sillas o mover los focos de luz según lo requieran. También son los encargados de seguir las normas relacionadas con la fotografía y el vídeo en la iglesia o la sinagoga, algo a lo que se debe prestar especial atención.

Si el fotógrafo y el camarógrafo no han trabajado juntos antes, los novios deben planear reunirse conjuntamente con ellos o bien realizar una conferencia telefónica con todos. No querrán que inicien ambos una pelea en su entusiasmo por registrar los dos los momentos más importantes de la boda, como el instante en que se corta la torta. Sabemos de una boda en que estos dos individuos se agarraron a puños y hubo que sacarlos arrastrados, y como si fuera poco el novio terminó herido por tratar de detener la pelea. La mayoría de los profesionales, sin embargo, suelen coordinar sus movimentos el uno después del otro, logrando así hacer las tomas que requiere cada uno. Los novios deben asegurarse de aclarar al videógrafo que, en caso de duda, el fotógrafo debe ser quien haga las tomas primero.

Escoger el fotógrafo

Una de las decisiones más importantes que los novios deben tomar con respecto a su boda es a quién escoger para registrar fotográficamente el evento. El talento y estilo del fotógrafo son aspectos que desde luego es preciso considerar. Sin embargo, también se debe tener en cuenta que un buen fotógrafo ha de estar íntimamente involucrado en la boda, planeando por anticipado con la pareja los instantes de la ceremonia que debe fotografiar, eligiendo los momentos indicados para fotografiar a los invitados, captando los momentos sutiles así como ocasiones de intensa emoción, todo esto sin ser inoportuno. El fotógrafo también es uno de los pocos proveedores con quienes la pareja debe tratar luego de la boda, al ordenar copias de fotos y hacer sus álbumes, de modo que los novios deben escoger a alguien con quien puedan trabajar bien, y no presentarle planes inesperados.

Si familiares o amigos fotógrafos aficionados les dicen que ellos también quieren registrar en fotos todo el evento, los novios pueden decirles educadamente que prefieren verlos gozar de la fiesta como verdaderos invitados. El flash de otras cámaras puede hacer disparar las luces que el fotógrafo haya dispuesto en el salón, arruinando la toma profesional y volviendo el lugar una discoteca de luces. Si la pareja prefiere que no se tomen fotografías con flash durante la ceremonia, debe especificarlo así en el programa.

Encontrar un fotógrafo con quien se entiendan bien

Los buenos fotógrafos de matrimonios, en especial aquellos especializados en estilos particulares, suelen estar bastante ocupados, por lo cual se debe comenzar a buscar uno tan pronto se establezca la fecha de la boda. Para encontrar un buen fotógrafo conviene:

✔ Llamar a parejas recién casadas que los novios conozcan bien y pedirles que les dejen ver sus fotos de matrimonio.

✔ Llamar a banqueteros profesionales, jefes de banquetes y consultores de bodas (incluso aquellos cuyos servicios no se han contratado para la boda), así como a editores de revistas locales especializadas en matrimonios. Estas personas pueden recomendar gustosas a la pareja el nombre de alguien cuyo trabajo admiran.

✔ Mirar los retratos de bodas publicados en la prensa local y otros diarios. Si la forma como una pareja ha quedado fotografiada es de su agrado particular, pueden buscar el nombre del fotógrafo impreso en letra muy pequeña debajo o al lado de la foto.

✔ Buscar fotografías de matrimonios auténticos en las revistas de bodas. Por lo general han sido tomadas por un fotógrafo hábil, y por eso mismo se han publicado en la prensa.

✔ Obtener una lista de fotógrafos de matrimonios a través de Internet o llamando a una asociación gremial profesional. *Nota:* Estas listas son referencias regionales, no recomendaciones.

✔ Buscar en Internet qué estudios de fotografía existen en su localidad. Las guías y directorios de ciudades son buenas opciones para buscar nombres de fotógrafos.

✔ Pensar en pagar el viaje al fotógrafo si la boda es en un lugar alejado. Las tarifas de vuelo y de hotel pueden ser razonables según la estación. Como a muchos fotógrafos les agrada viajar, sus tarifas también pueden ser negociables.

Antes de contratar a un fotógrafo, conviene entrevistar al mayor número posible de profesionales. Si se tiene en mente un estilo en particular, se les debe preguntar qué número de fotografías espontáneas toman frente al número de fotografías de pose. (Ver la sección "Escoger un estilo de fotografía" más adelante en este capítulo.) Más importante aun, las fotos que el profesional muestre a la pareja deben reflejar el estilo que ésta busca. Tal vez sea bastante obvio, pero si la persona dice ser muy buena para la fotografía en blanco y negro y sólo muestra trabajo a color, algo raro hay en eso. Se recomienda mirar los álbumes que muestren la boda entera. ¿La narrativa del día se ha captado bien? Es bueno pedir ver fotos de bodas en diferentes lugares. También es aconsejable ver las películas de las bodas en sus diferentes estados: desde las pruebas u hojas de contacto hasta el álbum completo del matrimonio.

Hagan preguntas que revelen las impresiones del fotógrafo sobre trabajar en matrimonios. Fíjense en cómo se refiere a la novia y el novio: ¿cálidamente o poniendo los ojos en blanco? ¿Habla con entusiasmo sobre su trabajo o parece hastiado? Algunas de las preguntas que se pueden hacer son:

✔ ¿Cuáles son los momentos que más le gusta fotografiar? ¿Cuáles han sido sus bodas favoritas y por qué?

✔ ¿Lleva un asistente a la boda? ¿Más de uno? ¿El asistente también toma las fotografías o sólo carga el equipo?

✔ ¿Qué tipo de equipo usa?

✔ ¿Cuántas bodas ha fotografiado? ¿Dónde aprendió su trabajo?

✔ ¿Cuáles son sus honorarios y qué incluye en ese precio?

✔ ¿A quién pertenecen los negativos y las imágenes digitales?

✔ Si usa el Internet para enviar o publicar las imágenes para su consulta, ¿cuál es su política de privacidad con respecto a las contraseñas de sitios y direcciones web? (Muchos fotógrafos cuentan ahora con una página web en donde el cliente puede ver su álbum de bodas y ordenar sus fotos, pero quizás el cliente no quiera que el mundo entero tenga acceso a este material.)

✔ ¿Siempre lleva consigo equipo de repuesto? ¿Cuántas cámaras lleva para realizar un trabajo?

✔ ¿Tomará las fotografías a color, en blanco y negro, o ambas?

✔ ¿Cobra por el viaje de traslado, estacionamiento u otros gastos?

✔ ¿Está habituado a trabajar con un camarógrafo? ¿Tienen un plan de acción para trabajar juntos?

Se debe preguntar a los fotógrafos si cobran una tarifa extra cuando la boda les toma tiempo de más que podrían invertir en otra boda u otro evento ese mismo día.

Incluso si se trabaja con un estudio fotográfico profesional de reputación, hay que pensar en el fotógrafo individualmente, pues el estudio no es quien tomará las fotografías de la boda. Además, esas fotografías espectaculares del álbum de muestra del estudio seguramente son las mejores de todas, seleccionadas entre la gran cantidad tomadas por el equipo de fotógrafos profesionales del estudio, que puede constar de un número de 1 a 100. Aun suponiendo que todos estos fotógrafos tuvieran el mismo nivel de entrenamiento o que el representante del establecimiento le mostrara al cliente los álbumes tomados por cada fotógrafo, es altamente aconsejable que los novios se reúnan con el fotógrafo que les ha sido asignado para su boda. Segundo, esta persona estará con ellos el día entero, de modo que es importante se lleven muy bien con ella. Cuando se decidan por un fotógrafo en especial, deben asegurarse de que su nombre sea el que figure en el contrato.

Si les gusta un fotógrafo en particular pero sienten que necesitan investigar un poco más sobre el tema, deben hacérselo saber. Deben pedirle al fotógrafo que les reserve la fecha por un tiempo, o al menos que les conceda el derecho de rechazar la oferta primero. Luego deben tomar una decisión lo antes posible.

Escoger un estilo de fotografía

Los fotógrafos profesionales saben bien que su tarea es dejar un registro completo de la boda. Conocen de memoria cuáles son las fotos clásicas: el primer baile, el momento de cortar la torta, el lanzamiento del ramo, etc. Sin embargo, la pareja es quien decide qué estilo y formato adoptar para las fotos. Los novios han de pensar en cuán invisible quieren que sea el fotógrafo, cuántas fotografías formales encargar, si desean que las fotos sean espontáneas o retratos de cerca, y si quieren que se fotografíe a cada invitado individualmente.

Muchos fotógrafos se especializan en uno o más estilos. Si las fotos son una de las mayores prioridades de los novios (es decir, si han destinado gran parte de su presupuesto para ellas), tal vez piensen en contratar a más de un fotógrafo. Por ejemplo, un fotógrafo para tomar las fotos formales y otro especializado en fotografía espontánea para tomar el resto de las fotos de la boda. Los dos estilos principales de fotografía son:

✔ **Fotografía clásica o tradicional:** Los mejores fotógrafos de este género escogen con gran habilidad las poses para sus modelos y crean montajes imaginativos. Las poses "espontáneas" que hacen de sus modelos son naturalmente pensadas más que espontáneas, pero aun así los modelos se ven naturales y en posición cómoda. Es decir, esta clase de fotógrafos no producirá fotos de tipo cursi en las que la novia se vea mirando, por ejemplo, la cola de su vestido como si estuviera comida por polillas. El fotógrafo retrata a la pareja con gran cuidado, y luego retoca las fotos y las corta a medida.

✔ **Fotografía documental:** El fotógrafo registra los hechos del día según su orden cronológico, en lugar de fotografiar montajes. Los estilos varían: algunos fotógrafos buscan situaciones naturales y hacen detener la acción en el momento para tomar la foto; otros simplemente están atentos a fotografiar los buenos momentos discretamente. Infortunadamente, como este tipo de fotografía se ha vuelto cada vez más popular entre las parejas que sienten aversión por las fotos de estilo clásico, ciertos fotógrafos con una idea errada de este tipo de fotografía promocionan ahora su trabajo como fotografía documental. Su intención de captar el espíritu del día tomando una foto del gato de la novia con cinta de regalo atada al cuello, y plantando al animal en el ramo de la dama de honor claramente con el deseo de irse lo antes posible, no tiene ese aire dulce y natural que se capta con una fotografía espontánea auténtica.

Escoger el formato de película

Para que las fotografías sean tomadas al estilo que quiere el cliente, es preciso familiarizarse con los tipos básicos de película y formatos. Estos son:

✔ **Blanco y negro:** Últimamente se ha puesto muy de moda. Los fotógrafos que producen fotos de estilo documental toman la mayoría de sus fotografías en blanco y negro. El revelado y la ampliación de copias en blanco y negro requieren de precisión y son por consiguiente más costosos que el revelado a color. Las fotografías en blanco y negro deben tomarse con película para blanco y negro; las que se toman a color y se convierten a blanco y negro después se ven grises, blancuzcas y borrosas. Se debe especificar al fotógrafo el porcentaje de fotografías en blanco y negro que se quieren frente al porcentaje a color.

✔ **Color:** Los fotógrafos tradicionales toman la mayoría de las fotos a color y unos cuantos rollos en blanco y negro si se les solicita, normalmente por una suma extra de dinero. Si la pareja tiene pensado comprar las pruebas o los negativos para mandar revelarlos por su cuenta, debe asegurarse de que un laboratorio fotográfico profesional especializado en revelar este tipo de fotografías sea quien haga el trabajo.

✔ **Fotografía digital:** Las imágenes se almacenan en chips de computador, a diferencia de en papel de revelado, y se imprimen en computador. (Para mayor información sobre imagen digital, ver la sección a continuación, "Escoger la fotografía digital".)

✔ **Formato medio o 2 1/4:** Este formato generalmente es mejor para las fotos formales y los retratos, aunque ciertos fotógrafos hábiles usan este tipo de película para la fotografía espontánea. De calidad superior para los detalles —el brillo de los aretes de diamante y los pliegues del vestido de la novia— así como para la fotografía en color, este formato permite hacer ampliaciones gigantes, por ejemplo, para un vistoso mural de los novios.

✔ **35 mm:** Las lentes telefotográficas permiten alejarse a una mayor distancia del objeto, lo que hace que esta película sea mejor para las fotos espontáneas. El formato de 35 milímetros funciona mejor para las fotos que se amplían hasta 20 x 25. Las fotos tomadas con esta película en blanco y negro generalmente son mejores que las tomadas a color.

Escoger la fotografía digital

Nada ha cambiado la fotografía de matrimonio tanto como la revolución digital. Muchos fotógrafos (y camarógrafos) han acogido la cámara digital porque este formato les ahorra bastante tiempo. Como el fotógrafo puede ver la foto en una pantalla de LCD apenas la toma, puede decidir en el momento si le sirve o no, o si desea tomarla de nuevo, sin tener que desperdiciar cantidades de película fina. El trabajo digital también permite retocar las fotos y escoger su forma-

Tipos de tomas

Al determinar con el fotógrafo la forma como se quieren las fotos para la boda, resulta útil conocer el tipo de tomas que se pueden hacer:

✔ **Fotos espontáneas:** El resultado es una pose espontánea y natural, al no saber el modelo que lo están fotografiando. Entre los aspectos positivos de esta fotografía se cuentan el hecho de que el fotógrafo sea menos entrometido, que pueda captar momentos inesperados y maravillosos, y que la persona se vea como realmente es. Los aspectos negativos incluyen el que la persona se vea como realmente es (si tiene menos que un perfil de estrella de cine no lo puede esconder), y el que aparezcan en la foto elementos decorativos inesperados, tales como servilletas de coctel usadas y arrugadas, colillas de cigarrillos flotando dentro de las copas a medio llenar y trocitos de comida en las sonrisas, todo lo cual quedará registrado para siempre. El fotógrafo necesita hacer varias tomas extras de fotos espontáneas para asegurarse de que un buen número de éstas salga bien.

✔ **Fotos formales:** Éstas incluyen fotos por turnos de la familia, la comitiva de la boda y los amigos en poses individuales o en grupo. Un buen fotógrafo clásico es muy preciso, y organiza a sus modelos como lo haría un pintor con una naturaleza muerta. El fotógrafo de tipo documental tiende a fotografiar al modelo en la primera pose que éste adopta al sentarse, por lo cual presta menos atención al montaje y la iluminación.

✔ **Retratos:** Son tomas de cerca, de la novia, el novio o ambos. Se planean, por ejemplo, sentando a la novia en una escalera con la cola del vestido extendida sobre los escalones y pidiéndole que mire directamente a la cámara. Éste también es el término utilizado para las fotos de la cara cuando se envían al periódico para su publicación.

✔ **Montajes variados:** Son fotografías clásicas que se toman durante la boda, como por ejemplo, el brindis entre el novio y el padrino, los novios bailando el vals, la novia arrojando el ramo o las madres de los novios abrazándose.

to con mayor flexibilidad. Mientras que los mejores fotógrafos que trabajan sólo con película deben escanear las fotos para mostrarlas en una página web con el fin de que los novios puedan hacer ahí su escogencia, los fotógrafos que trabajan con cámara digital bajan las fotos automáticamente al computador.

Si el fotógrafo de la boda utilizará cámara digital, se le debe preguntar cuánto tiempo ha estado trabajando con ese formato y esa cámara en particular. Lo último que se quiere es ser parte de su ciclo de aprendizaje: un botón mal oprimido podría signficar el fin de las fotos de la boda. Para mayor seguridad, se le debe pedir que tome también unos cuantos rollos de película convencional.

La fotografía digital no se debe escoger pensando equivocadamente que es menos costosa que la fotografía convencional. Aunque la cámara digital permite ahorrar tiempo y trabajo, el fotógrafo contratado para trabajar con este formato en la boda es un maestro de su profesión que ha estudiado el arte de la fotografía y a quien se debe pagar de acuerdo con su nivel de profesionalismo. Es posible, sin embargo, ahorrar un poco de dinero pidiendo al fotógrafo que entregue los archivos digitales grabados en un disco compacto, para verlos luego en el computador, retocarlos y cortarlos a su gusto y después hacer revelar las fotos a través de la página web comercial o en un laboratorio fotográfico. Algunas compañías de Internet incluso enmarcan las fotos y crean el álbum para el cliente. (Ver la sección "Compilar el álbum de la boda", más adelante en este capítulo.)

Sin embargo, no todos los fotógrafos están dispuestos a entregar sus pruebas digitales, bajo la premisa de que los retoques del cliente pueden arruinar su trabajo artístico. Tienen razón, pues su reputación es el resultado de su trabajo terminado. Tomando en cuenta que la pareja ha contratado al fotógrafo por su nivel de experiencia, lo que mejor le conviene seguramente es comisionarle a éste el álbum o las fotos oficiales de la boda, y luego montar unas cuantas fotos en un sitio web, accesible sólo con una contraseña, mediante la cual los novios y los invitados puedan ordenar copias de las fotografías.

El hecho de que las imágenes estén disponibles en el Internet para que todos las puedan ver no significa que son de propiedad de los novios. Saber a quién pertenecen las copias originales – sean éstas los negativos en la fotografía tradicional o los archivos jpeg en la fotografía digital – es siempre un asunto delicado. Algunos fotógrafos entregan los archivos al cliente pero conservan los derechos de autor; otros cobran una suma adicional al cliente por cederle los derechos de propiedad del material, y otros más entregan un disco compacto con los archivos de las imágenes al cliente grabadas a menor resolución y guardan para sí los archivos originales de alta resolución, que son los que se usan para ampliar las fotografías. Es importante asegurarse de que los términos de propiedad se especifiquen en el contrato.

Otra razón para dejar que la impresión de las fotos las haga el fotógrafo tiene que ver con la naturaleza humana: la postergación es inevitable. Es muy posible que los recién casados demoren meses o hasta años antes de finalmente ordenar las copias impresas de los

Puesto de fotos

La idea de poner cámaras de fotos desechables en las mesas para que los invitados hagan uso de ellas no es nuestra opción favorita, pero el conocido fotógrafo neoyorquino Terry deRoy Gruber ha desarrollado una alternativa muy original. En las bodas instala un pequeño y cándido estudio de autorretratos fotográficos con fondos de cuadros para escoger según el gusto (que pueden ser desde la imagen de un océano hasta un fondo de falso mármol). Añadir elementos de montaje y escoger tonos sepia para las fotos puede darles un aire antiguo. Los invitados toman una pose y disparan ellos mismos la cámara por medio de un dispositivo automático. A medida que la fiesta se va amenizando, las combinaciones que van formando los invitados se hacen cada vez más divertidas. La pareja recibe luego dos copias de las fotos, de modo que ella pueda quedarse con una y enviar la otra al invitado que aparece en la foto.

Los autorretratos pueden hacerse imprimir instantáneamente con el uso de película Polaroid. De este modo, los invitados pueden obtener las fotos en el momento o recibirlas enmarcadas cuando dejan la fiesta. Otra idea es exhibir, en lugar del tradicional libro de firmas, un álbum en el que los invitados pegan su foto y escriben debajo una pequeña nota o dedicatoria.

archivos digitales. Durante este tiempo los archivos pueden perderse a causa de los daños ocasionales que sufran el computador y el desarrollo de la tecnología.

Si se recibirá un disco compacto con las fotos de su boda, vale la pena invertir algo de dinero en un buen programa de software para fotos, como Microsoft Digital Image o Adobe Photoshop. Estos programas se han venido mejorando considerablemente en los últimos años, y permiten hacer cosas como organizar las imágenes, agregarles texto, borrar elementos de la foto que no se desean, corregir el color, enderezar tomas torcidas, crear los montajes de las fotos, crear vídeos fotográficos, imprimir índices de fotos para referencia, e incluso blanquear los dientes de la persona y borrar las líneas de bronceo del modelo. Sólo hay que asegurarse de guardar siempre copias del material: por ejemplo, como imágenes de archivo en el disco duro, quemándolas en discos compactos aparte, sacándolas en copias impresas y subiéndolas a una página web comercial para guardar fotos. Cada año se debe actualizar igualmente el medio de almacenamiento de las imágenes para evitar así que la tecnología o el software disponible para leer los archivos se vuelva obsoleto.

Crear efectos especiales

Con el uso de lentes especiales, el fotógrafo puede crear fotos raras para el álbum de los novios. Si alguna de estas técnicas les interesa en particular, pueden preguntarle al fotógrafo si las puede hacer. Entre los diferentes lentes especiales se cuentan:

✔ **El lente de pescado:** Técnica que distorsiona la foto, haciéndola ver aumentada como a través de un ojo de cerradura. Estas tomas se ven raras, pero incluir unas pocas en el álbum puede ser divertido.

✔ **Lente de aumento:** Permite hacer tomas muy de cerca y es magnífico para captar detalles tales como las tarjetas de ubicación en la mesa o las argollas de matrimonio.

✔ **Lente panorámico:** Estas fotos se toman con un lente angular o de rotación. Las imágenes son largas y horizontales, y abarcan espacios extensos.

✔ **Lente de enfoque suave o de retrato:** Los fotógrafos tradicionales utilizan esta técnica para hacer que las personas se vean más jóvenes, "esfumando" las arrugas. Las fotos se ven ligeramente desenfocadas.

El fotógrafo también puede crear fotos combinadas alterándolas una vez éstas han sido tomadas. Algunas técnicas interesantes son:

✔ **Coloreado:** Detalles retocados a mano de fotos en blanco y negro, normalmente con lápices suaves de color. Esta técnica funciona muy bien en tomas infrarrojas para rellenar detalles delicados como los de un ramo de flores.

✔ **Viradores:** Proceso mediante el cual se crean fotos de colores intensos y fabulosos, y de alto contraste, utilizando software especial o desarrollando la película manualmente con químicos no compatibles entre sí.

✔ **Fotografía infrarroja:** Las fotos exteriores se toman con película para blanco y negro sensible al calor, en lugar de a la luz, lo que les da un aire drámatico, como de otro mundo. Estas fotos son de alto contraste —granulado en blanco y negro—, sin tonos medios.

Tomas para hacer

Si ya se ha escogido a un fotógrafo, seguramente se haya elegido a esa persona porque su estilo es similar al del cliente. Aun así, para mayor seguridad, es importante especificar al fotógrafo qué fotos se quieren y cuáles no se quieren. Mientras que a unas parejas les encantan las fotos de vestuario, la sola idea es para otras sumamente ofensiva. Para algunas personas las fotos de mesa, en las que la mitad de los invitados se corren al otro lado de la mesa y posan con los demás para la foto, son horribles, mientras que otras las consideran parte esencial de su álbum de boda. He aquí algunas sugerencias:

✔ **Especificar los grupos:** Para las fotos formales, dar una lista al fotógrafo de los grupos de personas que debe retratar, tales como los novios con la familia de la novia, y el orden en que se quiere que se hagan. (En esta tarea conviene guiarse por el consejo del fotógrafo). Es bueno incluir grupos que no son tan obvios, como por ejemplo los novios con la madrastra y los hermanastros de la novia.

✔ **Explicar la dinámica:** Comunicar al fotógrafo dónde hay conflictos familiares no es un acto de indiscreción. Por el contrario, no hacerlo podría causar a los anfitriones una situación aun más embarazosa. Si los padres de alguno de los novios están amargamente divorciados, si uno o ambos está con una pareja que su ex cónyuge detesta, o si la hermana de la novia odia al hermano de su nuevo esposo, la mejor forma de proceder es haciéndole saber esto al fotógrafo. De lo contrario es posible que el desventurado fotógrafo o asistente, en su inocente intento por tomar una cándida foto, termine golpeado.

✔ **Identificar los invitados especiales:** Si no se cuenta con un asesor de bodas, se debe designar a un miembro de la comitiva de la boda o a un amigo cercano para que muestre al fotógrafo quiénes son los amigos o invitados más importantes para los novios, de modo que pueda tomar fotos espontáneas de ellos. Esto se debe hacer con antelación, para que la persona designada pueda aprenderse los nombres de las personas que no conoce en los eventos anteriores a la boda.

✔ **Tomar fotos en la noche de entrega de regalos:** Quizás se piense en contratar al fotógrafo para tomar fotos en la noche de entrega de regalos o en la cena de despedida, en donde puede haber momentos conmovedores. Contratar al fotógrafo para esta ocasión ayuda a que los invitados se conozcan mejor entre sí para el día siguiente y permite al fotógrafo familiarizarse con las personas más allegadas, a quienes habrá de fotografiar. Normalmente el fotógrafo necesitará de dos horas máximo para estar en esta recepción.

Tarifas y precios

Los fotógrafos cobran según métodos tan diferentes que compararlos peso por peso o foto por foto sería imposible. Aunque saber cuántos rollos de película suele tomar el fotógrafo en una boda ayuda a tener un estimativo de cuánto cobra por sus servicios, saber qué porcentaje de las fotos le pertenece es más importante aún. Como las fotos espontáneas son fotos menos controladas que las fotos de pose, el fotógrafo debe tomar un mayor número de rollos de película para obtener un número equivalente de buenas fotos espontáneas, en comparación con las de pose.

Quizás les sorprender saber que, con excepción de los precios que cobran a las estrellas de cine, en la mayoría de lugares la diferencia entre los precios base de los fotógrafos de bodas es poco significativa. Por lo general, los fotógrafos cobran de las siguientes formas:

✔ **Tarifa fija, sin excedentes:** El cliente paga al fotógrafo una única tarifa por su tiempo, sus películas y sus honorarios. Esta tarifa normalmente se fija con base en la cantidad de película que el fotógrafo estima utilizar para la boda. El fotógrafo entrega las pruebas y los negativos al cliente; todo lo demás queda a cargo de este último. Por tanto, si las fotos necesitan retocarse o cortarse a medida (recortar los bordes para mostrar sólo la acción principal, dejando por fuera situaciones o personajes ajenos a la acción), el cliente debe conseguir un laboratorio fotográfico que se encargue de este trabajo. También debe hacer su propio álbum, lo que le demandará tiempo, creatividad y energía. De modo que si no están dispuestos a emprender esta importante tarea, habrán de ver las fotos de su boda muy bien guardadas en sus sobres de papel para película fotográfica durante varios años.

✔ **Tarifa fija, incluyendo álbumes:** Los álbumes pueden incluir uno grande y dos más pequeños o una combinación de álbumes, y fotos ampliadas y montadas. Aunque pagar las fotos por adelantado es menos costoso, ordenar copias extras es bastante más caro. El álbum seguramente será de buena calidad, aunque de un formato estándar. Si la pareja prefiere proporcionar su propio álbum, el fotógrafo puede hacerle un descuento. Algunos fotógrafos conservan el derecho de propiedad de las pruebas, lo cual significa que los novios deben devolverlas luego de seleccionar las copias que les interesan. Ciertos fotógrafos venden los negativos al cliente a un precio nominal luego de un año.

✔ **Tarifa por hoja o tarifa fija, incluyendo hojas de contacto, pruebas y por lo general un álbum:** Los fotógrafos de tipo documental suelen cobrar por sus honorarios de este modo. Su precio base (por hora o fijo) es bastante alto porque vender copias adicionales al cliente por una suma alta de dinero no les aporta mayor ganancia. Normalmente se acostumbra contratar al fotógrafo por un número determinado de horas de trabajo o de película por utilizar y pagarle extra por cualquier tiempo adicional. Conviene negociar de antemano con él un marco de tiempo generoso para no sentirse apurados.

El fotógrafo puede demorarse cuatro o más meses preparando el álbum según las especificaciones del cliente, una vez éste ha seleccionado las fotos. Hay que ser paciente, pues el fotógrafo debe trabajar cuidadosamente sobre cada foto, revisando la calidad del color y cortando cada una a la medida.

Se puede pedir al fotógrafo el favor de tomar un rollo especial —quizás con todos los invitados posando de una manera particular— para hacerlo revelar inmediatamente después de la boda. Con estas fotos se pueden mandar hacer postales sencillas de acabado brillante para agradecimiento, tarjetas divertidas o tarjetas de navidad.

En algunos países el fotógrafo cobra por el número de fotos escogidas, exigiendo un mínimo de fotos seleccionadas, que por lo general es de cien.

Escoger las fotos para ampliar

Como mandar revelar todas las fotos de la boda en tamaño extra grande y en papel fino costaría una fortuna, las imágenes se imprimen en pequeño, en un formato de bajo costo, y se escogen sólo las que se quieren para hacer revelar. El formato preliminar puede ser alguno de los siguientes:

✔ **Disco compacto:** Las imágenes digitales se graban en un disco para verlas luego en el computador.

✔ **Hojas de contacto:** Este formato es una compilación de las fotos en miniatura a partir de la película fotográfica, que se examinan con una lupa de aumento o una lupa de fotógrafo. Las fotos que se desean se pueden marcar con un lápiz graso, quizás también indicando por dónde cortarlas. Algunos fotógrafos entregan al cliente una hoja de contacto ampliada, la cual es más fácil de ver.

✔ **Álbum de Internet:** Las imágenes se ven y se seleccionan en una página web accesible mediante una contraseña.

✔ **Fotos impresas:** Las fotos se amplían y se recortan a partir de los negativos, pero sin cortarlas a medida o retocarlas.

✔ **Pruebas:** Juego preliminar de fotos sencillamente reveladas, numeradas y catalogadas, del cual se escogen las fotos para el álbum. Pueden organizarse en libros o cajas de prueba. Las que se escogen se amplían, se imprimen y se cortan según las especificaciones del cliente.

Compilar el álbum de la boda

En algunos países, como Estados Unidos, es usual que se encomiende al fotógrafo la organización del álbum de fotos. Los álbumes de matrimonio se encuentran en todos los estilos, y constantemente aparecen nuevos diseños. Los fotógrafos clásicos por lo general producen un álbum de corte a ras, en el cual las fotografías se extienden hasta el borde de la página sin marco sobrante. Estas fotografías son normalmente de 20 x 25 centímetros, aunque algunos fotógrafos las ofrecen de 25 x 25 centímetros. Usualmente al menos una foto del álbum ocupa dos páginas enteras. Las fotos espontáneas generalmente se montan en álbumes con páginas de recuadros de diferentes tamaños. Algunos estudios entregan las fotos en cajas de archivador, mientras que otros las compilan en un libro o álbum. Si la pareja diseñará su propio álbum, como a menudo sucede, es útil que revise las fotos con el fotógrafo, especificándole el tamaño y la forma que se quiere para cada fotografía.

Si las fotos son digitales, se puede crear el álbum por Internet a través de compañías como MyPublisher (`www.mypublisher.com`), la cual le permite al cliente montar las imágenes en la página web, agregarles texto y ordenar un álbum de pasta dura o pasta blanda con sólo unas cuantas selecciones con el cursor. La empresa Apple ofrece un servicio similar utilizando iPhoto (`www.apple.com`). Este programa permite crear magníficos álbumes de recuerdo para la familia política o los miembros de la comitiva de la boda. También es una excelente opción para dejar un documento de los *showers*, las recepciones prematrimoniales y demás eventos de la boda.

Un álbum particularmente refinado y memorable creado por una novia que conocimos constaba de pequeñísimas fotos con inscripciones caligrafiadas alrededor, fotos más grandes adornadas con dibujos artísticos y dibujitos, fotos a color y en blanco y negro, recortes de periódico de eventos divertidos que ocurrieron en el día de la boda de la pareja, y la invitación y participación a su boda.

Compilar álbumes individuales con una docena o más de fotos de los eventos más significativos de la boda es una idea maravillosa. Las fotos se pueden montar sobre marcos de cartón blando o con marcos esquineros y pegar en pequeños álbumes hechos a mano o álbumes de fuelle con cierre de cinta, que generalmente se consiguen en las papelerías o tiendas de arte.

Si piensan comprar su propio álbum, se debe tener en cuenta que un álbum de archivo fino cuenta con lo siguiente:

✔ Cubierta de material fino, como cuero, tela de buena calidad, madera o metal.

✔ Páginas de papel libre de ácido, cinta de archivador doble faz, marcos de cartón blando o marcos esquineros, en vez de páginas de plástico recubiertas en celofán.

✔ Espiral duro y resistente, de varillas levantadas.

Si la pareja será quien mande revelar la película, debe pedir que se pegue al reverso de cada foto el número del rollo y negativo para facilitar el proceso de selección y orden de las copias. *Nunca* debe cortar uno mismo los negativos.

Programar la sesión de fotos

Uno de los detalles más debatidos acerca del día de la boda es si las fotos se han de tomar antes o después de la ceremonia. Los fotógrafos de bodas en prácticamente todo el mundo prefieren hacer las

Guardar los recuerdos de la boda

Durante el proceso de planeación de la boda seguramente se vivirán momentos tan conmovedores, divertidos e incluso extraños que la pareja querrá recordar. Estos se pueden compilar a manera de crónica en fotos, conversaciones escritas y notas, menús o elementos similares que se recopilen. Cuando todo haya terminado, todas estas cosas —junto con las fotos profesionales— se pueden organizar en un gran álbum de recortes. También se puede transformar una caja especial en una cápsula del tiempo en la que se guarden los recuerdos de la boda, desde el momento del compromiso hasta el primer aniversario, incluyendo cartas de amigos y personas queridas que se dejan selladas hasta abrir la cápsula una o dos décadas después.

tomas formales antes de la boda porque se pueden tomar el tiempo requerido para hacerlas perfectas. Sin embargo, los novios no deben dejarse presionar con respecto a uno u otro modo. He aquí cómo son las cosas verdaderamente, basadas en los hechos, de modo que la pareja pueda decidir por *sí misma* qué hora es la que mejor le conviene.

Si la pareja desea hacerse fotografiar en un lugar público, tal como un atrio, un jardín o un parque, quizás tenga que solicitar un permiso especial a la entidad pertinente. Tampoco debe sorprenderle si en un hermoso lugar público muchas otras parejas se encuentran tomando sus fotos de matrimonio en ese mismo momento.

Si las fotos se toman antes de la ceremonia

La mayor ventaja de tomar las fotos antes de la ceremonia es que en el rostro de las personas aún no hay trazas de lágrimas, los peinados están como mejor pueden estar y nadie está impaciente por llegar a la recepción. Como se menciona en el capítulo 7, si se planea organizar una fila de felicitación para la recepción, las fotos deberán tomarse antes de la ceremonia. Algunas desventajas de tomar las fotos en este momento es que pueden ser agotadoras para todos y desvanecer la magia de verse el novio y la novia vestidos en sus trajes sólo en el momento de llegar la novia al altar. De hecho, la expectativa puede perderse también para los demás.

Por lo general, a menos que el matrimonio sea muy pequeño, la sesión de fotografías antes de la ceremonia tomará entre una hora y media y dos horas. Los padres de los novios y los familiares cercanos de ambos lados, los contrayentes y los miembros de la comitiva nupcial deben llegar vestidos, peinados y arreglados a la sesión de fotos. Entonces se repartirán los ramos de flores y las *boutonnières*. Luego, guiándose por la formidable y eficaz lista que han creado los novios, los participantes posan y sonríen hasta que la cara y los pies ya no les pueden más.

Si se decide llevar a cabo la sesión de fotos después de la ceremonia, es recomendable tomar en cuenta los siguientes puntos:

✔ Es bueno que los novios planeen un momento para estar a solas antes de comenzar la agitada sesión de fotos.

✔ Se debe recordar que planear la sesión de fotos muy temprano les requerirá vestirse rápidamente horas antes de la ceremonia. Planear la sesión de fotos para poco tiempo antes de la ceremonia mantendrá a los invitados esperando.

✔ Conviene ofrecer a la comitiva bebidas que no "manchen", como agua mineral y soda.

✔ Hay que procurar no estrujarse, apiñuscarse y ensuciarse, dando instrucciones a todos de no saludarse de beso sino hasta después de la ceremonia.

Si las fotos se toman después de la ceremonia

Programar la sesión de fotos para el corto lapso entre la ceremonia y la recepción impide tener una fila de felicitación en la recepción, a menos que se quiera hacer esperar a los invitados cuatro horas antes de comer. La comitiva de la boda y los miembros de ambas familias deben trasladarse rápidamente al lugar convenido para tomar las fotos luego de la ceremonia. A menos que se haya contratado además a un fotógrafo asistente, se deberá esperar a que el fotógrafo instale su equipo. Además de esto, conviene tener en cuenta que las personas suelen ponerse sentimentales luego de la ceremonia y que necesitan unos momentos para restablecerse y concentrarse de nuevo.

Sin embargo, tomar las fotos después tiene sus ventajas. A nuestro parecer, no hay momento en la vida que se compare al instante en que el novio y la novia se miran por primera vez en sus trajes desde puntos extremos del altar el día de su boda. Ellos mismos son quienes deben decidir si se justifica sacrificar este momento mágico. Aun cuando tomar el máximo de fotos posible antes de la ceremonia puede agilizar las cosas para después de ésta (por ejemplo, fotos de cada uno de los novios con los miembros del cortejo nupcial, sus padres y hermanos), las tomas que la pareja seguramente más quiera incluir en el álbum de su boda quizás sean aquellas en que ambos están juntos.

Si se esperará a tomar las fotos después de la ceremonia:

✔ Planeen una sesión de fotos corta y eficiente. La mejor forma de hacer esto es creando una lista de tomas específicas que se quieren hacer e identificando cuáles combinaciones de grupos se pueden tomar más adelante en la recepción. Si otras personas además de los miembros de la comitiva de la boda han de estar en las fotos de grupo, se les debe hacer saber en la cena prematrimonial o antes. Tener que buscar a las personas al momento de tomar las fotos es desgastador y hace perder mucho tiempo.

✔ Comiencen con los grupos grandes primero para la sesión de fotos y dejen los más pequeños para el final, de modo que se pueda dejar partir a las personas pronto para la recepción.

Retratos de cerca

Muchas personas no suelen dar la suficiente importancia al grado de angustia que pueden llegar a sufrir durante la boda. Si llevar el papel protagonista lo pone nervioso, así se notará en las fotos. Lo más importante —y muchas veces, lo más difícil— de hacer es relajarse. Se debe pensar constantemente en respirar desde el diafragma, en particular cuando la cámara está al frente. Hay que estar atento a no jorobarse: ¿tiene la espalda encorvada al nivel de las orejas? Es recomendable sacudir los brazos y relajar la espalda. Además, hay que cuidar la postura, no encorvándose o estirándose tanto que atraiga demasiado la atención. Y sobre todo, hay que asegurarse de no poner rígidas las rodillas: esto podría frenar la circulación de la sangre.

Durante la sesión de fotos formales se debe designar a una persona para mantener a los invitados fuera del área de las fotos, o mejor aún, en un área apartada del área de la recepción. Los invitados no han de distraer a los novios o el fotógrafo. Los novios tampoco han de sentir que deben conversar con el fotógrafo durante la sesión de fotos: de lo contrario se verían haciendo muecas en las fotos al mirar a la cámara. Se debe recordar que mirar a la cámara para afirmarse cuando le están tomando una foto espontánea o cuando se le filma mata la espontaneidad de la foto.

De ser posible, los novios deben pedir a un amigo el favor de tomarles fotos instantáneas o Polaroid con su traje de boda unas semanas antes de la boda (la novia debe hacerse tomar fotos sin lugar a dudas con el peinado y maquillaje de prueba listos durante estas semanas). Quizás encuentre cada uno cosas que deban cambiar, como la novia la banda para el pelo que ante el espejo se veía tan bien pero que en vídeo parece un accesorio de Barbie; o el novio las mangas blancas que parecían tan sólo un poco largas bajo el saco de esmoquin y que en su foto de retrato se ven como manoplas. Si los novios se arrodillarán ante el altar durante la ceremonia, el novio quizás quiera oscurecer la suela de sus zapatos con un marcador indeleble, de modo que éstas no se resalten en las fotos. Incluso quizás se quiera practicar la sonrisa, por tonto que parezca esto. Mientras que las cicatrices, espinillas y arrugas se pueden borrar en una foto, no se puede hacer lo mismo con una mueca.

✔ Sáltense las fotos en que los miembros de la comitiva deban devolverse al altar o la *bimah* para tomarlas de nuevo. Coordinar a todos para que vuelvan a hacer su papel en la ceremonia tomaría mucho tiempo.

✔ Arreglen para que el asistente del fotógrafo (si se ha contratado a esta persona) instale las luces y demás equipos necesarios, de modo que todo esté listo para cuando lleguen los novios y el cortejo inmediatamente después de la ceremonia.

✔ Ofrezcan bebidas a los miembros del cortejo, pero eviten servir picadas a menos que todos estuvieran muy hambrientos, pues esperar a que las personas coman el bocado para poder tomar la foto quita tiempo.

✔ Tengan en cuenta que tanto los novios como los demás miembros de la comitiva no podrán asistir a una parte del coctel: esto es inevitable. Los novios no deben castigar a los invitados haciéndolos esperar parados durante dos horas con el fin de poder llevar estos a cabo la sesión de fotos y asistir a la hora entera del coctel a la vez.

Pidan al fotógrafo y sus asistentes, así como al camarógrafo, el favor de comer a distintas horas para que alguno de ellos esté pendiente de registrar un momento espontáneo que se dé, como un brindis u otra ocasión importante de fotografiar.

Filmar el día de la boda

Si se quiere grabar un vídeo del día de la boda pero se teme que ello interfiera con la instalación profesional de luces de la fiesta o que la recepción se vea iluminada como una cancha de básquetbol, no hay que desesperar. El arte del vídeo ha evolucionado considerablemente en los últimos años. Mientras que las cintas de vídeo anteriores requerían de iluminación con focos para su filmación, los nuevos equipos de hoy, extremadamente sensibles, permiten utilizar menos luz que en el pasado.

Aun cuando los nuevos equipos de iluminación requieren de menos luces, esto no significa que con una iluminación tenue se puedan obtener excelentes resultados. Muchos salones de recepción cuentan con poca iluminación: parecen ambientados como para que los murciélagos se sientan en casa. Esta falta de luz claramente influye en la calidad de las fotos y los vídeos. Aunque el camarógrafo ilumine a los invitados individualmente, el salón entero se verá en la filmación como un gran hueco negro. La decoración de la sala se debe planear pensando en crear el ambiente de iluminación deseado sin que éste afecte la calidad de la filmación.

Cómo conseguir un buen camarógrafo

Muchos camarógrafos de nuevo estilo se especializan ahora en hacer vídeos sutiles, que captan con gran sensibilidad —y excelentes resultados —momentos especiales de la boda sin entrometerse y molestar a los invitados.

El camarógrafo se debe buscar pensando en los mismos criterios que se han utilizado para conseguir al fotógrafo: que utilice equipo profesional, que sea una persona fácil de tratar, que a la pareja le guste el tipo de trabajo que efectuará (y que éste se estipule en el contrato). En resumidas cuentas, se busca encontrar un camarógrafo profesional que trabaje con equipo profesional, y no un hombre recursivo que ha conseguido una cámara de vídeo a precio de ganga en una casa de empeños y que se dedica a filmar bodas los fines de semana cuando su negocio de cortadoras de césped está vacío.

Se debe preguntar al camarógrafo qué tipo de cinta y equipo utiliza para filmar y editar. En especial, es importante averiguar en qué formato entregará el vídeo: ¿casete de VHS o DVD? Aunque la filmación la haga en casete de vídeo, se debe pedir que la entregue en el formato de tecnología más reciente.

Se puede preguntar a los fotógrafos que no se encuentran afiliados a una compañía de vídeo si pueden recomendar un camarógrafo. Como la mayoría de los fotógrafos tienen aversión por trabajar con los camarógrafos, seguramente su recomendación sea estelar. Es bueno informarse también con los jefes de banquetes: ellos saben quién ha gustado particularmente a sus clientes (y al personal administrativo de los locales) y quién les resultó desastroso.

Pensar como director de cine

Los novios deben pedir al videógrafo que les muestre copias de vídeos completos —no compuestos— que haya filmado recientemente. Al evaluar el trabajo, deben observar si la calidad de la imagen es nítida, enfocada y si no se mueve. También, si el sonido es claro y las tomas, variadas. Éstas deben incluir: tomas de larga distancia, que dan la sensación de estar filmando de lejos o de hacer un paneo horizontal con la cámara; tomas de distancia media, que se hacen un poco más de cerca y muestran, por ejemplo, la entrada a la recepción, y tomas de primer plano de los invitados. El vídeo debe narrar una historia cronológica, en lugar de bombardear al espectador con imágenes al azar y sin conexión aparente entre ellas.

Sin importar qué tan talentosa sea la persona para filmar, a menos que el producto final esté editado elegante y coherentemente, el vídeo no será entretenido de mirar. Éste debe ser movido. Debe comenzar con una introducción o acción anticipada de lo que está por venir, como por ejemplo, una filmación por escenas del lugar donde se llevó a cabo la boda, o una entrevista entre el novio y la novia al estilo de *When Harry Met Sally*. Hay que advertir igualmente si los efectos especiales dan la impresión de un vídeo musical aficionado. Se debe notar a este respecto si la música sincroniza con la acción. ¿El final de la cinta consiste en un recuento de los momentos más significativos de ambos en la ceremonia y la recepción? ¿Para la edición se han utilizado técnicas de cambio en el tiempo, o el método utilizado en los estudios de Hollywood para organizar las escenas tomadas en desorden según su orden cronológico? Si se quiere hacer un vídeo más llamativo, se pueden crear escenografías por computador, títulos animados, combinar fotos y vídeo y usar técnicas de corte rápido, haciendo así que el vídeo parezca una película de cine.

La pareja puede hacer su vídeo aun más personal escogiendo piezas musicales de particular significado para ambos y utilizándolas para doblar el sonido de fondo original de la cinta. Así mismo, puede agregar al vídeo fotos de su luna de miel o crear un guión de preguntas graciosas para entrevistar a los invitados ante la cámara. También puede crear una filmación continua con tomas de vídeo y fotos, que incluya los momentos de los *showers* de su boda, la noche de entrega de regalos, sus despedidas de soltero y soltera, y su luna de miel. La mayoría de los camarógrafos no permite que el cliente participe en el proceso de edición del vídeo, por lo cual la pareja debe especificar claramente qué elementos quiere que se incluyan en la cinta y cómo desea que estos sean utilizados.

Aunque casi todos los camarógrafos (como los fotógrafos) conservan los derechos de autor de su trabajo, es posible ahorrar algo de dinero si se logra negociar con el camarógrafo para que éste entregue como producto final un casete de edición única que el cliente pueda duplicar luego por su cuenta. Se puede buscar en las páginas amarillas, bajo servicios de audiovisual, compañías que reproduzcan vídeos.

Aun cuando la familia y los amigos denoten gran interés por querer revivir con los novios los momentos de su boda, hacerles ver un vídeo de cuatro horas seguidas es demasiado. Éste no debería durar más de una hora y media. Se debe pedir al camarógrafo el favor de producir un casete de vídeo con los momentos más importantes de la boda o una recopilación de las escenas más significativas en DVD. Si el presupuesto lo permite, se pueden hacer duplicados para los amigos más queridos. También se debe negociar con el camarógrafo para que el cliente guarde la copia maestra de la grabación (o la grabación inédita) de la boda. El camarógrafo realmente no la necesita y los novios pueden encontrar que esta versión sin editar contiene partes que les gustaría tener en años por venir.

Instalar los micrófonos

Para las ceremonias en una iglesia o templo, la ubicación óptima del micrófono es entre 1 y 1,50 metros de distancia de la novia, el novio y el oficiante. Si esto no es posible, el camarógrafo debe ingeniarse otro método para hacer la instalación. En una iglesia o templo en que no está permitido filmar cerca del altar, quizás el camarógrafo pueda instalar un micrófono que alcance a grabar el sonido de la ceremonia cerca del equipo de PA, aun cuando los resultados así no serán óptimos. Para una ceremonia al exterior, lo mejor es disimular un micrófono inalámbrico en el altar o en la jupá, en un árbol o en otro objeto inmóvil similar.

Como la mayoría de los vestidos de novia no tienen cuello o solapa, poner un micrófono inalámbrico a la novia es casi imposible. Si el camarógrafo desea poner un micrófono al novio u oficiante, se debe tener en cuenta que en ciertos lugares estos micrófonos pueden captar ondas de radio externas, lo que podría producir interferencias de conversaciones ajenas por celular o transmisiones de radio en la ceremonia.

Preservar los documentos del pasado para el futuro

El calor, la luz y el humo pueden dañar las fotos y las cintas de vídeo. Tomar una cuantas precauciones hará que éstas se encuentren aún en buen estado cuando los tataranietos de los novios las quieran ver:

✔ Guardar las fotos y las cintas de vídeo en un lugar de temperatura y humedad medias y fuera de la luz directa del sol.

✔ Guardar las cintas de vídeo paradas en su caja de plástico, en lugares en donde no haya interferencia de campos electromagnéticos producida por equipos electrodomésticos, tales como parlantes de equipo de sonido, los cuales tienen dentro espirales magnéticas. Así mismo, proteger los discos de DVD del polvo y los cambios extremos de temperatura.

✔ Remover el clip en el reverso de la videocinta para evitar grabar sobre ésta por equivocación.

✔ Guardar aparte una segunda copia del casete de vídeo o DVD y los negativos de las fotos, preferiblemente en una caja a prueba de incendio especial para fotos y negativos.

Capítulo 22

Planear la luna de miel

· ·

En este capítulo:

▶ Reducir las opciones a unas cuantas

▶ Buscar ofertas en Internet

▶ Trabajar con un agente de viajes

▶ Hacer rendir el presupuesto de viaje

▶ Ocuparse de los últimos detalles del viaje

▶ Ir de luna de miel a otro país

· ·

El término *luna de miel* proviene de la idea de que el primer mes de matrimonio es el más dulce. Más precisamente, la luna de miel es un descanso bien merecido después de la tensión que generan los preparativos de la boda, un agradable interludio durante el cual relajarse después de tanta agitación. Para muchas parejas, culminar su boda les significa tomar unas vacaciones o irse de viaje para asimilar su nuevo estado de casados sin tener que pensar en los quehaceres cotidianos.

Como sucede con la boda, para que la luna de miel sea agradable ésta se debe planear cuidadosamente y ceñirse a un presupuesto riguroso. Lo bueno es que, a diferencia de la boda, con la luna de miel los nuevos esposos no tienen que ocuparse de nadie más sino de ellos mismos. En este capítulo veremos cómo planear este viaje tan esperado, desde decidir qué tipo de luna de miel es la más apropiada para la pareja hasta encontrar los mejores precios. Aunque en este capítulo tratamos sobre la luna de miel tradicional, muchos de los consejos mencionados aquí también se aplican a las bodas de destino. (Ver en el capítulo 4 información sobre bodas en lugares alejados y en el capítulo 6 información sobre bodas de fin de semana.)

Decidir el tipo de luna de miel

Crear un itinerario para la luna de miel es muy similar a planear una boda. Los novios deben comenzar por comentar entre ambos sus sueños acerca de dónde y cómo se imaginan su luna de miel. ¿Qué foto recuerdan haber visto últimamente en una revista de viajes que les haya atraído? Pensando en esto, pueden hacerse las siguientes preguntas:

- ✔ ¿Cuáles son las vacaciones de sus sueños?

- ✔ ¿Les gustan las vacaciones activas o prefieren que la actividad sea mínima?

- ✔ ¿Piensan en la luna de miel como un tiempo para descansar, hacer un gran tour, explorar un lugar exótico o simplemente como una oportunidad para estar juntos los dos?

- ✔ ¿Cuáles son sus prioridades en lo que respecta a escenarios románticos, privacidad, actividades, alojamiento y transporte?

- ✔ ¿Tienen necesidades especiales en cuanto a la comida, el acceso físico a un lugar o el estilo de vida que llevan?

- ✔ ¿Cuánto tiempo libre pueden tomarse fuera del trabajo u otras responsabilidades que les atañen?

- ✔ ¿Cuál es su presupuesto?

- ✔ ¿Cuentan con millas de vuelo acumuladas, puntaje para usar en hoteles u otro tipo de ofertas similares que les permitan costear el gasto del viaje?

Muchas parejas recién casadas vuelan a lugares de estilo de vida sencillo, es decir, lugares de sol y mar. Otras parejas encuentran que tirarse en la playa como una morsa es tan divertido como aprender las tablas de multiplicar y prefieren partir en un viaje de aventura que les despierte la adrenalina. Si ambos tienen ideas diferentes de lo que sería su luna de miel perfecta, llegar a una avenencia puede ser la mejor solución: por ejemplo, convenir en un crucero que pare en lugares en los que se pueda ir a escalar o hacer esquí acuático, o pasar un fin de semana largo en una cabaña en el bosque y luego unos días en un lujoso *spa*.

Sea cual fuere el lugar que escojan los novios para pasar su luna de miel, han de tomar en cuenta los siguientes consejos:

- ✔ **Planear un viaje sencillo.** De seguro, nunca se sentirán tan cansados como después del día de la boda. La excursión que planeen no tiene que ser aburrida; simplemente no deben irse a extremos. A menos que tuvieran un equipo completo de empleados que se ocupara de la boda entera y lo único que tuvieran que hacer fuera vestirse y llegar al lugar, al día siguiente del casamiento se sentirán como si hubieran corrido ocho maratones. No deben organizar tantas excursiones o actividades a la vez que necesiten tomar una vacación después de su luna de miel.

✔ **Conocer sus limitaciones físicas.** Si nunca antes han escalado una montaña o han buceado (o si no han estado entrenando últimamente para ganar una competencia en actividades como éstas), éste no es el momento de empezar. Puede que el hecho de casarse los haga sentir como si fueran nuevas personas, pero ustedes no son ni el hombre ni la mujer biónicos. Si el objetivo de ambos es hacer algo enteramente nuevo y fascinante, pueden tomarse su tiempo para prepararse antes de la boda, ya sea entrenándose en un deporte en particular, poniéndose en forma o comprando el equipo adecuado para la actividad.

✔ **Darse el tiempo suficiente para hacer el viaje.** Ser poco realistas al planear la luna de miel podría terminar por arruinar el viaje. Si lo que les haría a ambos felices es recorrer el Camino de Plata desde Xi'an hasta Kunjerab o cenar con los maharajás en la India, necesitarán más de una semana para hacer el viaje. Tampoco se debe comprometer la calidad por la cantidad: conocer de un soplo 22 países en nueve días no les permitiría dedicarse tiempo el uno al otro, que es una de las razones principales para irse de luna de miel. Si la pareja no cuenta con el tiempo para hacer su gran viaje ahora, debe planear algo más sencillo para el momento y dejar el viaje soñado para más adelante.

Si hay un tipo de comida especial, una actividad o una parte del mundo que les apasiona en particular, pueden suscribirse a través de Internet o por correo electrónico a los boletines informativos publicados por diferentes entidades, compañías e individuos expertos en viajes. Los consejos publicados allí pueden llevarlos a descubrir lugares para vacacionar poco conocidos, así como buenas ofertas de viaje.

Si uno de los novios conoció un lugar espectacular con alguien importante para él o ella en una época pasada de su vida, no deberían escoger ahora este mismo lugar para pasar su luna de miel. Tres son demasiados, en especial si se cuenta con la presencia del fantasma de una relación pasada.

De ser posible, la pareja debe hacer las reservas de excursiones o cupos para actividades especiales antes del viaje. No querrán tener que jugar tenis a las tres de la mañana porque las canchas estuvieron reservadas durante todo el día. El agente de viajes puede serles de gran ayuda con este tipo de reservas.

A veces, la profesión o los estudios que cursan en la actualidad los novios no les permiten partir en su luna de miel inmediatamente después del matrimonio. Pero aun así, no han de privarse del viaje por completo. Pueden intentar tomarse sólo dos días libres. Un fin de semana largo en un agradable hotel, con servicio a la habitación, puede ser perfecto para retomar luego la rutina diaria.

Buscar lugares de destino en Internet

Internet es el mejor lugar para comenzar la búsqueda de destinos de luna de miel. Se puede escribir el nombre de posibles lugares, actividades o simplemente la palabra **luna de miel** en un motor de búsqueda y constatar qué aparece como resultado. Los novios quizás encuentren sencillo hacer ellos mismos las reservaciones o quizás descubran una compañía o agencia de viajes que se encargue del particular. Algunos sitios web para investigar pueden ser:

- ✔ **Publicaciones especializadas en bodas:** Las páginas web de las revistas de bodas conocidas incluyen siempre enlaces e información copiosa sobre lunas de miel.

- ✔ **Tiquetes de descuento:** Por lo general, es posible conseguir buenos precios para tiquetes de vuelo reservándolos por Internet, ya sea a través de la página de la aerolínea o en sitios web que tienen convenio con las aerolíneas, tales como `Orbitz.com` o `Bestfares.com`. Se deben verificar los precios que figuran en estas páginas con los de la aerolínea para asegurarse de obtener siempre la mejor tarifa.

- ✔ **Agencias de viaje:** Hay muchas compañías y agencias de viaje que se especializan en lunas de miel. Algunas se concentran en viajes de pareja de aventura, como, por ejemplo, el viaje para una pareja interesada en usar todas sus millas de vuelo acumuladas para hacer un recorrido por el mundo entero. Otras agencias ofrecen promociones en lugares de veraneo con todo los servicios incluidos o en destinos específicos.

- ✔ **Clubes de viaje:** Es posible que las compañías de tarjetas de crédito, los zoológicos, las universidades, las instituciones para preservar el medio ambiente, los grupos hoteleros y los organizadores de excursiones de lujo ofrezcan promociones especiales a través de sus páginas web.

Viajar con toda la familia

Planear un viaje de vacaciones familiares para la luna de miel se ha vuelto cada vez más común entre parejas de segundas nupcias con hijos de matrimonios anteriores. Las *lunas de miel en familia* pueden resultar un valioso periodo de transición para las familias de hijastros, hermanastros y padrastros que buscan integrarse. Así mismo, son una excelente ocasión para que todos asimilen que su vida se relacionará de ahora en adelante con todas estas personas.

Existen lugares de veraneo, tales como Beaches, Westin Resort y Villas (St. John en las Islas Vírgenes de los Estados Unidos), así como Disneylandia, que ofrecen servicios especiales para parejas recién casadas que desean partir de vacaciones con sus hijos en su luna de miel. Estos servicios incluyen estadías con actividades de tipo romántico y familiar a la vez. Algunos aspectos para tener en cuenta son:

✔ **Escoger un lugar neutral:** Es bueno escoger un lugar en el que ninguno de los esposos haya pasado una luna de miel antes o vacaciones familiares anteriores. Vivir una experiencia todos juntos por primera vez puede estrechar la relación.

✔ **Buscar buenos espacios para todos:** Los lugares grandes de veraneo y los cruceros son generalmente las mejores opciones, al contar con aco-

modación flexible para todos: salas contiguas, salas de estar, áreas de actividades, donde se puede pasar tiempo en familia y también tiempo a solas —algo igualmente importante. Los campamentos pueden parecer una magnífica forma de estrechar los vínculos, pero no todos encuentran agradable el hecho de no contar con suficiente privacidad (en especial los adolescentes).

✔ **Ser democrático:** Tal vez sea obvio, pero es importante escoger un lugar que ofrezca actividades para los gustos de todos. Ésta es otra razón por la cual los grandes lugares de veraneo son tan populares: porque ofrecen algo para cada cual.

✔ **Medir su tiempo:** No hay que dejar a los niños en un campamento infantil todo el día, aunque la pareja sí debe poder pasar algún tiempo a solas. Igualmente importante es pasar tiempo individual con cada uno de los hijos.

✔ **No presionar:** Los padres deben dar a los niños tiempo para irse conociendo a su propio ritmo.

✔ **Planear dos lunas de miel:** De ser posible, los nuevos esposos deben planear una luna de miel convencional sólo para recién casados luego de la luna de miel familiar.

Como con cualquier otro sitio comercial de Internet, se debe verificar el historial de la compañía en sitios web tales como ConsumerAffairs.com, BizRate.com, el Better Business Bureau (www.bbbonline.com/consumer) o Planet Feedback (www.planetfeedback.com). También se pueden poner en contacto con la entidad encargada de velar por los intereses de los consumidores en el lugar en donde tiene su sede la compañía.

Trabajar con un agente de viajes

Intentar planear un viaje tan importante como éste sin la ayuda de un buen agente de viajes es el equivalente a escatimar en gastos pequeños y derrochar sumas cuantiosas. Efectivamente, los agentes de viajes trabajan por comisión y algunos incluso pueden cobrar tarifas según el lugar en que la pareja se interese. A pesar de esto, los buenos agentes de viajes ayudan con éxito al cliente a encontrar el lugar a donde éste quiere ir y le indican los mejores planes para invertir su dinero de la forma más rentable posible.

Planear la luna de miel: ¿una tarea que le corresponde al hombre?

Hasta hace muy poco la luna de miel era una sorpresa para la novia: después de todo, ella había planeado la boda entera y se suponía que era apenas justo que el hombre se encargara de la luna de miel. Éste se angustiaba, investigaba posibilidades y tomaba decisiones hipotéticas en silencio, rezando luego para que a su novia le gustara el plan. Hoy en día, así como el novio y la novia organizan juntos la boda, también ambos planean la luna de miel. Aun así, muchos novios consideran que ésta sigue siendo su responsabilidad, lo que quizás explique la moda reciente de las lunas de miel sorpresa. En este caso, el novio le dice a la novia qué empacar o quizás le aconseja empacar todo, desde su traje de esquí para la nieve hasta su traje de baño, manteniéndola así en suspenso. Quizás espere hasta último momento —a veces en el momento de abrocharse los dos los cinturones en el avión— para revelarle el lugar de destino a la novia. Esta opción es sin duda para las personas intrépidas y seguras. Si ambos han vivido juntos una eternidad y tomado vacaciones juntos por igual cantidad de tiempo, ésta tal vez sea su oportunidad de vivir esta experiencia única en la vida.

Al entrevistar al agente de viajes, los novios deben llevar consigo una lista de deseos, de posibles lugares para pasar la luna de miel y de los placeres de que les gustaría gozar en el lugar, tales como un jacuzzi, una vista al mar o una cama con dosel. También deben tener claro cuál es su presupuesto. Mientras más trabajo puedan hacer antes de la entrevista, tanto más les podrá ayudar el agente. He aquí algunas preguntas para hacer:

✔ Según lo que le hemos dicho, ¿qué opciones nos recomienda?

✔ ¿Se ha hospedado usted en el lugar, ha hecho la excursión, tomado el vuelo o viajado por la línea de cruceros que nos recomienda?

✔ ¿Cuenta usted con alguna guía de viaje o un vídeo del lugar que podamos mirar?

✔ ¿En qué tipo de vacaciones se especializa? ¿Trabaja usualmente con individuos o con grupos o empresas?

✔ ¿Dónde podemos encontrar ofertas? ¿Qué tipo de descuentos podemos obtener? ¿Se informará usted sobre ofertas especiales para lunas de miel?

✔ ¿Cómo trabaja usted en alianza con los organizadores de excursiones?

✔ ¿En cuánto tiempo podemos contar con recibir sus llamadas de vuelta cuando comencemos a trabajar juntos?

✔ ¿Nos dará referencias de otras parejas cuyas lunas de miel haya usted organizado, en especial aquellas de presupuesto e intereses parecidos a los nuestros?

✔ ¿Nos ayudará usted con la expedición de visas, pasaportes y otros documentos que nos sean necesarios?

✔ ¿Podemos contar con que nos entregue los tiquetes de vuelo, cupones de viaje y demás documentos requeridos unas semanas antes de la boda?

✔ Si algo no se efectuara como es debido en nuestro viaje, ¿cómo enmendaría usted el error? ¿Tienen ustedes una línea de servicio las 24 horas a la que pudiéramos llamar?

La mejor forma de encontrar un agente de viajes que atienda a las necesidades específicas de la pareja es informándose por las referencias habladas que le son dadas; es decir, anotando el nombre completo del agente y no sólo el nombre de la agencia de viajes.

Si la pareja ya tiene claro a dónde quiere viajar o qué tipo de viaje quiere hacer, su tarea será un tanto diferente: sólo deberá contratar a un agente de viajes especializado en destinos en la localidad a la que viajará o uno especializado, por ejemplo, en viajes de aventura.

Cómo sacar el mayor provecho de su dinero

La luna de miel no tiene que costar una fortuna para ser memorable y romántica. A continuación indicamos algunas formas de ahorrar dinero y evitar los fiascos de viaje:

✔ **Evitar las temporadas altas:** Es mejor viajar en temporada baja o en temporada media (entre temporada alta y baja). Esto puede significar no planear la luna de miel para inmediatamente después del matrimonio, pero el ahorro sí puede ser sustancial.

✔ **Reservar con anticipación:** Se pueden comprar los tiquetes para un crucero con bastante tiempo de antelación. Esto hará posible ahorrarse hasta un 50 por ciento de la tarifa base y reservar la cabina de su gusto.

✔ **Atenderse ustedes mismos:** Pueden abastecer el minibar con sus propios aperitivos, bebidas gaseosas, agua embotellada y bebidas alcohólicas (éstas preferiblemente libres de impuestos). El hielo y las copas se las ordenan al camarero. Es bueno limitar el servicio a la habitación, pues el precio por éste suele ser exorbitante.

✔ **Verificar los costos de impuestos:** Al hacer averiguaciones por teléfono sobre tarifas de hospedaje en diferentes lugares, conviene preguntar si el precio incluye el valor de todos los impuestos. (Además del impuesto de venta, algunos lugares cobran por el impuesto de la habitación, que puede exceder el 20 por ciento.)

✔ **Tener cuidado al cambiar dinero:** La primera oficina para cambiar dinero que se ve en el aeropuerto o el primer puesto en el hotel no es el mejor lugar para cambiar dinero porque seguramente habrá que pagar una sobretasa por la conveniencia del servicio. Recurrir a los cajeros electrónicos es tal vez la manera más fácil y más barata de sacar dinero cuando se viaja. Sin embargo, siempre es bueno llevar consigo sus tarjetas débito y de crédito en caso de que el cajero automático no funcione. Es recomendable verificar, antes de viajar, las normas de su banco respecto de retiros por cajero automático en países extranjeros y llevar consigo por lo menos dinero suficiente para el taxi en la moneda del país al que se viajará.

✔ **Seguir las noticias:** Un lugar de veraneo en proceso de recuperación por causa de un huracán reciente o una región que intenta reconstruirse luego de una guerra puede ofrecer tarifas de vacaciones muy bajas con el fin de atraer nuevamente el turismo. Sin embargo, se debe evitar frecuentar un lugar con amenaza de peligro inminente y contundente.

✔ **Cuidarse de negocios engañosos:** No hay que pagar suma de dinero alguna por el viaje hasta haber identificado el hotel y su ubicación en el mapa: algunos organizadores de excursiones anuncian una gran ciudad y luego depositan a los turistas a las afueras de ésta. También se debe desconfiar de aquellas ofertas para ganar una luna de miel o un viaje gratis a algún lugar.

✔ **Investigar sobre seguros de viaje para la luna de miel:** Dependiendo de la inversión que se haya hecho en el viaje, tomar un seguro puede valer la pena.

✔ **Limitar el número de llamadas telefónicas:** Muchos hoteles cobran tarifas bastante más altas que las normales, especialmente cuando se hacen llamadas al extranjero. Por eso, conviene llevar consigo su teléfono celular o una tarjeta telefónica. Si se usa tarjeta telefónica, es mejor llamar desde un teléfono público o desde el teléfono en la recepción del hotel porque la tarifa de conexión ofrecida por el hotel puede ser exorbitante.

✔ **Empacar según el caso:** Es recomendable llevar consigo suficiente protector solar y productos de tocador para el viaje entero. Las tiendas de los hoteles y cruceros cobran precios extravagantes a huéspedes cautivos.

✔ **No poner todos sus huevos en la misma canasta:** Fíjense un límite de dinero para apostar y no sobrepasarlo. Mejor aun es no apostar. Todas las apuestas están siempre a favor de la casa.

✔ **Registrarse para una luna de miel:** Algunas agencias de viaje y sitios de Internet, tales como The Honeymoon (www. thehoneymoon.com) o Distinctive Honeymoons (www.distinctivehoneymoons.com), cuentan con registros de luna de miel mediante los cuales los invitados pueden contribuir con los costos de los pasajes de avión o el hotel de los novios, o pagando para ellos el costo de servicios especiales tales como una sesión de masajes o una excursión. (Consulten, sin embargo, la información sobre etiqueta pertinente al registro de listas de regalos en el capítulo 18.)

✔ **Alquilar una casa:** Quizás les sorprenda saber que alquilar una casa privada (en especial durante la temporada baja) o parte de una casa de campo en el Caribe o el Mediterráneo, un *palazzo* (apartamento) en Venecia, una casa remolque en Francia, o un faro o hacienda en el Reino Unido puede no ser tan costoso, particularmente si se compran las bebidas alcohólicas y los víveres en un supermercado local, y se cocina la mayoría de las comidas en casa. Claro está que si el dinero no es preocupación, se pueden alquilar casas de campo completas con cocinero y conductor. De cualquier modo, esta opción es una estupenda manera de sentirse como una persona de la región.

✔ **Prescindir del guía en las excursiones:** Se puede limitar el número de excursiones a tierra cuando se viaja en un crucero, o bien planearlas por sí mismo con la ayuda de una guía turística y un agente de viajes.

✔ **Usar millas de vuelo:** Aun cuando uno viaje poco, conviene afiliarse al club de viajeros frecuentes de la aerolínea que suele tomar más a menudo. Se debe pedir un formulario de solicitud cuando se reserven los pasajes; hacerse miembro no tiene costo alguno, y las millas acumuladas pueden servir para viajar en una clase más alta o para obtener un pasaje gratis. También es bueno informarse sobre planes de compañías telefónicas que ofrecen millas de vuelo gratis por hacer un número determinado de llamadas de larga distancia y usar las tarjetas de crédito que otorgan millas de vuelo según la cantidad de dinero utilizada.

✔ **Utilizar los descuentos de estudiante:** Algunos hostales para jóvenes cuentan con habitaciones privadas que pueden ser lo suficientemente agradables para pasar unas cuantas noches de luna de miel.

✔ **Considerar los beneficios que ofrecen los planes con todo incluido:** Comparar los precios de planes que traen todo incluido frente a los precios de servicios escogidos a la carta según sus necesidades.

Promocionarse trae sus beneficios. Cuando los novios hagan las reservaciones de hotel, y nuevamente al momento de llegar, deben dejar saber a la persona con quien hicieron las reservaciones o al recepcionista del hotel que están en su luna de miel. Un buen hotel por lo general hace algo especial para las parejas en luna de miel con el fin de que vuelvan en su aniversario u otras vacaciones. Dejar saber a los demás que son recién casados (aunque sin armar revuelo por eso) *puede* significarles a los novios atenciones especiales, que abarcan desde un servicio especial, hasta descuentos en atracciones o incluso una botella de champaña llevada a su habitación.

En caso de duda, empáquenlo

¿Se debe llevar papel de carta y sobres para responder las notas de agradecimiento? En absoluto. Desde luego, los novios tendrán muchas notas para responder a su llegada, pero nadie estará esperando recibir noticias suyas por el momento.

Sin embargo, en medio del ajetreo de la boda es posible que se les olvide empacar algunas cosas. Conviene empacar las cosas esenciales para la luna de miel bastante antes del viaje con el fin de no olvidar nada. Sugerimos llevar:

- ✔ Vendas adhesivas
- ✔ Antiácido
- ✔ Aspirinas
- ✔ Anticonceptivos
- ✔ Secador de pelo
- ✔ Destapador de botellas
- ✔ Cámara fotográfica, película y pilas
- ✔ Copias de los certificados de nacimiento, las licencias de conducción y los certificados de vacunas
- ✔ Medicina antidiarréica
- ✔ Tapones para los oídos
- ✔ Adaptador eléctrico
- ✔ Linterna
- ✔ Sombreros
- ✔ Repelente para insectos
- ✔ Diario y bolígrafos

- ✔ Lencería y nueva ropa interior sexy
- ✔ Detergente líquido para ropa (botella pequeña)
- ✔ Juego de manicure, esmalte para uñas y removedor
- ✔ Aceite para masajes, plumas, juguetes especiales
- ✔ Pequeña plancha a vapor
- ✔ Música (casetes favoritos, discos compactos)
- ✔ Velas de olor
- ✔ Removedor de manchas
- ✔ Protector solar
- ✔ Tiquetes de avión, tren o barco
- ✔ Almohada de viaje para el cuello
- ✔ Vitaminas
- ✔ Zapatos para el agua

Una última cosa: las bolsas plásticas resellables también pueden ser muy útiles para guardar pasabocas y vestidos de baño mojados, organizar papeles de viaje o resguardar botellas de aceite para broncear que goteen.

Sugerencias para viajes por tierra o avión

Quizás los nuevos esposos decidan viajar a un destino no tan alejado de donde se encuentran. Si planean alquilar automóvil y sus licencias de conducción no tienen la misma dirección aún, deben dejar saber al agente que están recién casados, de modo que no tengan que pagar una tarifa extra. (Esta proclama hace derretir hasta el más duro de los corazones.) También deben averiguar con anterioridad si necesitan comprar un seguro adicional con la compañía de alquiler de autos. Lo más probable es que no deban hacer esto si ya cuentan con una póliza de seguros completa de alquiler o propiedad de vivienda, de automóvil o de salud. Algunas compañías de tarjetas de crédito cubren este gasto cuando la persona paga con la tarjeta de la compañía.

Si los planes de la pareja incluyen conducir en Estados Unidos, las tres grandes compañías de alquiler de autos —Hertz, Avis y Budget— exigen ser mayor de 25 años para poder alquilar un vehículo. La compañía Alamo alquila autos a personas entre 21 y 24 años de edad por un costo adicional de 20 dólares diarios. De lo contrario, si se es más joven, habrá que recurrir a compañías de alquiler de autos más pequeñas y desconocidas.

De ser posible, los novios deben arreglar para que su equipaje de luna de miel les sea llevado al hotel donde pasarán la noche de bodas, de modo que puedan partir al día siguiente de viaje sin tener que pasar primero por su casa. Sus trajes de boda los pueden dejar consignados en la recepción para que alguien los recoja y los lleve luego a la lavandería (o los devuelva al lugar de alquiler), de modo que no deban cargar con ellos en su luna de miel.

Viajar al extranjero

Viajar fuera del país de origen puede requerir un poco más de planeación. Por ejemplo, si se solicita una cama doble, ésta quizás no se obtenga sino en los Estados Unidos y la región del Caribe. Los cruceros cuentan con un número limitado de camas dobles, de modo que ésta se debe reservar con tiempo de antelación. En otras partes del mundo camas dobles significan dos camas, por lo cual se debe especificar una cama grande matrimonial.

En muchos países, alquilar un automóvil en lugar de tomar un bus turístico puede resultar más económico, de modo que vale la pena comparar ambos precios. Para obtener los mejores precios, conviene pagar el costo del alquiler a través de un agente de viajes, con el fin de evitar tarifas fluctuantes. Si se viaja por los Estados Unidos o por países extranjeros, vale la pena devolver el automóvil con el tanque de gasolina lleno, lo que usualmente cuesta menos que pagar la tarifa por galón de las compañías de alquiler de autos.

Para su comodidad y seguridad, la pareja no debe dejar de atender prontamente ciertos asuntos administrativos y de salud con relación al viaje:

✔ **Pasaportes:** Es muy importante asegurarse de que los pasaportes estén vigentes y no expiren durante el viaje. *Nota:* Algunos países exigen que los pasaportes estén vigentes seis meses o más después de las fechas del viaje.

✔ **Vacunas:** En muchos países se requieren ciertas vacunas para entrar, las cuales pueden tomar unas cuantas semanas para obtenerse.

✔ **Visas:** Si se requiere de visa para entrar al país que se planea visitar, ésta se debe solicitar con la embajada correcta o el consulado más cercano de este país en su ciudad de residencia antes de viajar al exterior. Se debe tomar en cuenta que la tramitación de la visa llevará algún tiempo, en especial si la solicitud se envía por correo. Para el trámite quizás sea necesario proporcionar fotos de pasaporte de tamaño 5 x 5 centímetros. La mayoría de consulados o representaciones extranjeras se encuentran ubicados en ciudades principales, y en muchos casos quizás sea necesario solicitar la visa con la oficina del consulado de su lugar de residencia. Se recomienda revisar que no haya ningún error en la visa apenas se reciba.

✔ **Pruebas de sida/VIH:** Cada vez más países establecen normas respecto de pruebas de sida para entrar al país como visitante, aunque en su mayoría éstas rigen para visitantes de estadía prolongada. Deben informarse con la embajada o el consulado del país al que piensan viajar si se requieren exámenes de sida para entrar a ese país.

Para los vuelos internacionales se debe cancelar un impuesto de aduanas del país de origen, por adelantado, al momento de pagar los tiquetes de avión. Adicionalmente, muchos países cobran impuestos de salida que algunas veces se pagan al momento de comprar los tiquetes o bien al momento de partir del país extranjero.

Asegúrense de llevar consigo la dirección y el teléfono de la embajada o consulado de su país de origen en cada uno de los países que planean visitar. En caso de presentarse algún problema, deben ponerse en contacto con las autoridades de su país de origen cuanto antes. Si planean pasar una estadía prolongada en un país extranjero, deben registrarse en la embajada o el consulado de su país de origen en el país de visita y proporcionar su itinerario de viaje.

La primera prueba de miel

Según ciertos historiadores, los hombres varones en las antiguas tribus germánicas, luego de capturar a sus esposas, se reunían con ellas para tomar aloja, una bebida embriagante hecha de miel fermentada. Este periodo de descanso (o tal vez periodo de ocultamiento hasta que la familia de la novia se rendía en su búsqueda de ella) solía durar un mes —o una "luna"—, por lo que se le llamó la luna de miel.

Si la presión de pensar en la intimidad de la noche de bodas se ha apoderado de los novios –incluso llevando ambos tanto tiempo juntos que usen ahora la misma bata de baño–, pueden pensar en la condición que les esperaba al novio y la novia medievales pobres en su noche de bodas. Sus amigos y familiares los acompañaban hasta su dormitorio para ayudar a "poner a la novia en la cama" o ayudarla a desvestir y meter a la pareja en el lecho, y luego el grupo se quedaba junto a ellos para verles hacer el amor y ser testigos de que la mujer fuera virgen. La cama nupcial se adornaba con cintas en los postes para representar el lazo matrimonial de los nuevos esposos y otros símbolos del acto próspero de desflorar a la novia. Entre los gritos y la aglomeración, la concurrencia animaba a la pareja y se precipitaba a agarrar las medias que se lanzaban de la novia, o alguna otra prenda suya, así como hoy las personas se botan para agarrar el ramo de la novia.

Parte VI

La parte de los diez

La 5a ola   **por Rich Tennant**

DESDE SU PRIMER ENCUENTRO POR
CASUALIDAD, JUAN Y MARCELA SUPIERON
QUE ESTABAN DESTINADOS A UNIR SUS VIDAS
PARA SIEMPRE.

En esta parte...

Nos concentramos en dos aspectos relacionados con la organización de una boda cuya importancia siempre se ha de recalcar: cómo ahorrar dinero y cómo ser un anfitrión impecable. Tomen en cuenta estos apacibles recordatorios cuando estén al borde de darse por vencidos en la planeación del evento, cosa que suele suceder muy a menudo. No queremos que la pareja tenga que endeudarse sólo para casarse, ni que cometa una grave falta de etiqueta.

Capítulo 23

Diez tentaciones de mal gusto en las que no deben caer

En este capítulo:

▶ Evitar las bochornosas despedidas de soltero y soltera

▶ Volverse codicioso

▶ Pensar demasiado en sí mismo

En esta parte del libro compartimos con el lector aquellas cosas que consideramos verdaderamente vergonzosas por parte del anfitrión. Que no se tome esto a mal: a nosotras también nos gusta divertirnos como a cualquier otra persona en la fiesta, pero no porque el anfitrión sea quien la ofrece signifique esto que puede hacer como le place. Aunque se inspiren en un estilo personal en la creación de la boda, la hospitalidad para con sus invitados debe ser el aspecto más importante. Cuando hablamos de mal gusto, realmente nos referimos a no tomar en cuenta a los invitados. A continuación damos una lista *muy subjetiva* de los aspectos y comportamientos que se deben evitar en lo posible.

Extralimitar el comportamiento en los días anteriores a la boda

Las despedidas vergonzosas de soltero y soltera, en que se toma hasta embriagarse y en que los hombres o las mujeres asumen una actitud vulgar y libertina que inducen a su futura pareja al divorcio están ya pasadas de moda y son tontas. El novio y la novia deben dejar saber a los miembros de la comitiva de la boda que no quieren hacer nada que pudiera poner en riesgo la relación con su futuro cónyuge. Si su propio sentido de dignidad no le basta al uno o al otro para comportarse debidamente, una forma de evaluar lo que está bien o mal es imaginarse a su prometido o prometida actuando de forma similar. Si la sola idea le hace palidecer, significa que no es lo más apropiado de hacer. Aunque este tipo de eventos pueden ser una oportunidad para hacer cosas atrevidas, existen mil maneras más de divertirse con los amigos sin tener que sentirse avergonzado después por ello. (Ver en el capítulo 8 ideas para fiestas prematrimoniales.)

Divulgar a los cuatro vientos dónde han registrado su lista de regalos

Nos gusta la eficiencia y estamos de acuerdo con las listas de regalos; sin embargo, creemos que adjuntar la información sobre el registro de listas de regalos junto con las invitaciones a la boda es poco prudente, porque parece indicar que lo que más les interesa a los novios es recibir un buen regalo, no los invitados mismos. Nos es difícil imaginar que entre los amigos más allegados y sus padres no hubiera una sola persona con una boca grande para dejar saber a los invitados dónde registraron los novios su lista de regalos. (Ver en el capítulo 18 más información sobre este tema.)

Amasar un botín

Muchas parejas, sabiendo que por gusto propio escogerían champaña mientras que sus amigos escogerían una bebida gaseosa, y motivados por cierto tipo de almacenes, negocian secretamente con estos la adquisición de los regalos comprados por los invitados. Como se explica en el capítulo 18, la pareja registra en el almacén una lista de artículos de precio moderado, y a medida que los invitados compran los artículos, el almacén guarda las compras, abonando el dinero de éstas a la cuenta de la pareja. Entonces la pareja hace uso de este crédito invirtiéndolo en algo más extravagante.

Esta práctica plantea varios interrogantes: ¿Por qué los novios se han tomado el problema de registrar tantos regalos si realmente no los quieren ni los necesitan? ¿Qué escriben en las notas de agradecimiento? ("Mil gracias por las copas. No hemos visto nada igual".) ¿Qué razón dan para no tener el regalo en casa cuando la persona viene a visitarlos? Como decía Mark Twain, "Si uno dice la verdad, no tiene que acordarse de nada."

Jugar a la silla rota

No es que insistamos en asignar un puesto a cada invitado en cada mesa (aun cuando para una cena formal esto sería encantador), pero dejar que los invitados se defiendan a su suerte inevitablemente hará que unos pocos terminen rondando la sala y preguntando con aire patético de mesa en mesa: "¿Este puesto está ocupado? ¿Qué hay de éste, también lo está?" Esta situación embarazosa se puede evitar asignando las mesas a los invitados. De hecho, se pueden hacer combinaciones muy interesantes para cada mesa, lo que puede llenar de vida la recepción.

Hablar mal de la familia política

Si uno de los futuros cónyuges es un cómico frustrado a quien le encanta divertir a los amigos haciendo bromas pesadas sobre los padres de su pareja, se le debe hacer cortar con este precioso hábito de una vez por todas. Este tipo de bromas generalmente encubre una cierta hostilidad, y el otro cónyuge no podrá sino imaginar lo que su pareja dirá de él o ella en algunos años.

Asignar el papel de fotógrafo a los invitados

Poner cámaras fotográficas desechables en las mesas con el fin de que los invitados tomen sus propias fotos espontáneas para que la pareja las incluya en su álbum de recuerdos es en teoría una idea muy simpática, pero rara vez funciona. Los invitados toman las fotos muchas veces mal o se llevan la cámara con ellos, lo que hace que la pareja nunca vea las fotos. Si los novios quieren que en su fiesta se tomen más fotos además de las que tomará el fotógrafo, pueden pedir a sus amigos que saben tomar fotos que lo hagan y les envíen la película revelada posteriormente, por la cual la pareja pagará. Otra opción es poner un pequeño puesto de fotos en la fiesta, como se describe en el capítulo 21.

Hacer del día de la boda un día extremadamente largo

Las bodas en que la ceremonia es por la mañana o la tarde y la recepción es unas cuantas horas más tarde resultan bastante tediosas para los invitados, en especial para aquellos que se han trasladado al lugar sólo por el día. ¿Qué se supone que deben hacer ellos en el intervalo de cuatro o seis horas? ¿Deben cambiarse de traje? Si es así, ¿en dónde deben hacerlo? Siempre que sea posible, la recepción se debe planear para seguir inmediatamente después de la ceremonia.

Criticar la boda de los demás

Los novios deben ser amables con aquellos que han pasado antes que ellos. Es decir, a medida que planean su boda, deben evitar criticar la boda de otras parejas. Los comentarios maliciosos al pasar, como, "Vaya, a nosotros jamás se nos ocurriría dar vino imitación champaña", sólo les causarán remordimiento posterior. Estas observaciones se deben reservar para hacerlas en privado con su futuro cónyuge, su mejor amigo o sus padres si son discretos. Mejor aun es borrar estos pensamientos de la mente por completo. (Además, luego de sumar todos los gastos, la pareja quizás decida que el vino espumoso no era tan mala opción, después de todo —ver los capítulos 2 y 15.)

Exagerar con el momento de quitar la liga a la novia

Como reliquia de una costumbre de la arcaica práctica medieval en que se desvestía a la novia quitándole los invitados con fervor sus prendas íntimas para ver consumar a la pareja en matrimonio, el momento de quitar la liga a la novia sigue conservando su encanto. Sabemos que para muchos realizar este pequeño acto de *vaudeville* en su boda, al son de una banda gitana, es algo festivo y divertido, o al menos algo en que siempre han pensado que haría parte del día de su boda. Si ése es el caso, el novio ha de recordar que el evento es su boda y no una fiesta de sólo hombres. El espectáculo debe ser corto, ameno y jovial, antes que de tipo censurable. (Se debe contar con la ayuda del director de la banda o del *disk jockey* para hacer el momento corto.)

Olvidar que las personas presentes son sus invitados

Naturalmente el día es de los novios, pero ésa no es razón para que torturen a sus amigos y familiares. Por ejemplo, aun cuando siempre hayan soñado con ofrecer una estupenda ceremonia al aire libre, si hace frío y el prado esta mojado el día de la boda, deben entrar todo y hacer el evento adentro. Lo mismo se aplica en cuanto a querer realizar una sesión de fotos de tres horas entre la ceremonia y la recepción, mientras que los invitados esperan dando vueltas, acrecentándoseles el hambre, cansándose y sin un solo trago para tomar. Se ha de pensar en los invitados primero, incluso si eso implica para los novios cambiar un tanto los planes de la fiesta.

Capítulo 24

Diez formas de ahorrar dinero

. . . .

En este capítulo:

▶ Contar cabezas

▶ Alquilar lo más posible

▶ Sacar la música de una caja

. . . .

*H*ay maneras inteligentes y no tan inteligentes de ahorrar dinero. Antes de tener que planear una boda más modesta que la que se soñaba realizar, se puede pensar en reducir el presupuesto en los siguientes aspectos importantes:

Reducir la lista de invitados

Con cada persona que se agrega a la lista de invitados, el costo de la boda se incrementa en forma exponencial. Se debe pagar una comida más, enviar una invitación más, preparar otra canastita individual de bienvenida... Con 10 o 20 personas adicionales, se debe alquilar una mesa adicional, ordenar otro centro de mesa, etc. Pronto se está hablando de grandes sumas de dinero. En lugar de reducir el número de regalitos para dar a los invitados, mejor es reducir el número de invitados a quienes hay que dar regalitos.

Al hacer la lista de invitados con acompañante hay que ser despiadado. ¿Quiénes consideran los novios que son conocidos en lugar de amigos? La pareja no debe sentirse obligada a anotar en la invitación para sus amigos solteros las palabras "y acompañante", aun cuando estos piensen que llevar saliendo con una persona una semana entera es como si "estuvieran viviendo juntos". También deben tener cuidado con la sorpresa que les puede venir anotando "y familia" en la invitación. Hablando de sobrepasarse en la lista de invitados...

Recordar el viejo refrán de matrimonio: ¡Alquilar para ahorrar!

Todo lo que se puede comprar se puede alquilar. Materas, manteles, candelabros, guirnaldas de seda, sofás... Todo esto se puede conseguir, y alquilarlo por un día casi siempre cuesta menos que comprarlo. Se puede buscar en las páginas amarillas bajo "Servicios de alquiler" o "Utilería para teatro". El banquetero o el jefe del local donde se llevará a cabo la boda también pueden sugerir buenas opciones.

No ofrecer almuerzo (o cena)

Se puede pensar en ofrecer una recepción de coctel y entremeses, lo que permite economizar en la comida, la música y la decoración. Hay que asegurarse de especificar en la invitación "recepción de coctel" o "buffet-coctel" para que los invitados no se imaginen una comida completa sentados a la mesa. Ofrecer un desayuno, un té o una recepción con champaña y postre también es una opción más económica.

Evitar sobrepasarse en el tiempo

Se debe ser realista al planear el cronograma del día de la boda (ver el capítulo 7), con el fin de evitar pagar tarifas de tiempo extra. También se debe prever tiempo adicional en el cronograma en caso de que la ceremonia no comience a la hora exacta (lo que casi siempre sucede) y el resto del itinerario del día se retrase. De lo contrario, si, por ejemplo, la boda viene retrasada de la ceremonia y la orquesta de la recepción está lista para comenzar, ésta cobrara por el tiempo de espera, así no empiece a tocar sino cuando se inicie la recepción.

Limitar el licor

Si la boda se realizará en un local sin servicio de planta (como un gran estudio o una carpa) y al anfitrión le está permitido suministrar el vino y el licor de la fiesta, éste puede aprovechar las promociones de licor que se hagan durante todo el año e ir así acumulando las provisiones de la recepción. Comprar el trago por cajas también puede resultar más barato, por lo cual conviene averiguar con el almacén de licor o con tiendas de licor de descuento. Algunos almacenes permiten devolver el trago que no se destapó, por lo que se debe dar instrucciones al cantinero de no enfriar en hielo más botellas de las necesarias (puesto que las etiquetas tienden a despegarse) y de llevar la cuenta de las botellas que sobran. Si, por el contrario, el anfitrión realizará la boda en un local con servicio de banquetes y pagará por la cantidad de licor consumida, éste debe advertir al *maître d'hotel* para que los meseros ofrezcan vino y champaña a los comensales *si* quieren, en lugar de llenar automáticamente cada copa que ven en la sala. Y si realmente se quiere reducir el costo del licor, se puede prescindir del bar abierto para la hora del coctel y servir sólo un trago especial, como *bellini* (champaña y néctar de durazno) o *mojito* (ron y limonada con azúcar), además de vino y cerveza. Luego, para la comida se puede servir sólo vino.

Vestirse a un menor costo

Un vestido elegante de novia no tiene que costar un dineral. Muchas tiendas de vestidos de novia finos y muchos diseñadores realizan comúnmente ventas anuales de trajes de novia de muestra con grandes descuentos.

También se pueden buscar vestidos largos de noche en tiendas de trajes de noche para mujer. Aunque estos no se consideran vestidos tradicionales de boda, la novia puede encontrar en estos lugares el vestido que busca a un costo más bajo.

Ahorrarse los detalles suntuosos

Quizás sobre decir que para la boda los novios no escogerían un lugar tan muerto y aburrido que necesite de un equipo profesional de espectáculos para decorarlo de forma alegre y festiva para el casamiento. Sea cual fuere el sitio que se escoja, el presupuesto para la decoración debe invertirse en los elementos que de seguro notarán los invitados. Es decir, elementos a la altura de los ojos y más arriba, como, por ejemplo, los caminos de entrada, los centros de mesa, los postes de las carpas, etc. Aunque los acabados como rebordes elegantes para los manteles, borlas para los cojines de las sillas, guirnaldas en las barandas bajas y demás elementos similares son ciertamente muy elegantes, estos no producen el mismo efecto que un gran jarrón de flores, y deben ser lo primero que se suprima al planear el presupuesto. En lo que mejor se invierte el dinero para una recepción de noche son las velas –votivas, góticas, romanas, cirios– que pueden dar un ambiente dramático y romántico a la sala, tanto como las flores.

Meter la orquesta en una caja

En lugar de contratar un pequeño conjunto de música clásica para la ceremonia, se puede contar con una orquesta entera; para ello sólo se necesita un buen equipo de sonido, unos cuantos discos compactos y alguien que oprima los botones debidos en el momento indicado. En una boda informal, esta música bien escogida puede sonar fuerte y perfectamente natural.

Hacer las cosas fáciles ustedes mismos

Las tareas sencillas pero que requieren de tiempo para hacerse, tales como atar las servilletas con lazos, sellar los sobres con cera y hornear galletas, pueden terminar costando mucho dinero si se contrata a alguien para hacerlas. Mejor es arremangarse y poner manos a la obra. Y no se debe dudar en pedir ayuda a los amigos cercanos, los testigos, los futuros suegros, los hermanos y otros desventurados duendes por ahí para hacer el trabajo.

Casarse en temporada baja

Dependiendo del lugar donde se esté, puede ser posible obtener un mejor precio para la recepción si se arrienda el local para un jueves o viernes en la noche o un domingo en la tarde, o para un mes o un día en que es menos popular casarse. (Ver en los capítulos 1 y 4 otras formas de planear el matrimonio en temporada alta.)

Índice

• *B* •

•J•

• *N* •

• *O* •